18 LUNES

Kami Garcia • Margaret Stohl

Traduit de l'anglais (États-Unis)
par Luc Rigoureau

hachette

Photographie de couverture : © PhotoAlto Agency RF Collections/Getty Images

Traduit de l'anglais (États-Unis) par Luc Rigoureau

L'édition originale de cet ouvrage a paru en langue anglaise chez Little, Brown and Company, Hachette Group Book, New York, sous le titre :

BEAUTIFUL CHAOS

Hachette Livre, 43, quai de Grenelle, 75015 Paris.

À nos mères :
Susan Racca, qui recueille des bébés écureuils
et les nourrit au compte-gouttes,
et
Marilyn Ross Stohl, qui a su conduire un tracteur
avant de savoir conduire une voiture.
Toutes les deux sont d'authentiques Pêches de Gatlin.

La discorde et la paix, les ténèbres et la lumière :
Toutes ressemblaient aux élucubrations d'un esprit unique,
tels les traits
D'un unique visage, telles les fleurs d'un unique arbre ;
Caractères de la grande Apocalypse,
Images et symboles de l'Éternité,
Du début, de la fin, du milieu et de l'infini.

William Wordsworth, *Le Prélude*, livre VI.

Avant
Sucré salé

Il est étonnant de voir à quel point, à Gatlin, le bien et le mal s'enchevêtrent. Il est parfois difficile de démêler le premier du second. Quoi qu'il arrive, le sucré finit toujours par se manger avec le salé, et les baisers par s'accompagner de gifles, comme dirait Amma.

J'ignore s'il en va ainsi partout. Je ne connais que Gatlin, et voici ce que je sais : lorsque j'ai réintégré mon banc d'église habituel en compagnie des Sœurs, les seules nouvelles qui ont circulé parmi les fidèles, au même rythme que le panier de la quête, annonçaient que le Bluebird Café avait cessé de servir de la soupe à la viande hachée, que la saison des tartes aux pêches se terminait, et que des *voyous* avaient dérobé le pneu servant de balançoire au vieux chêne de la Pâture du Général. La moitié de la congrégation descendait déjà la moquette des allées dans ce que ma mère appelait ses chaussures de la Croix-Rouge. Avec tous ces genoux violacés et boursouflés au niveau de l'élastique des mi-bas, on avait l'impression qu'un océan de jambes retenait son souffle. En tout cas, c'est ce que moi je faisais.

Cependant, les Sœurs gardaient ouverts leurs missels à la mauvaise page, leurs mouchoirs bouchonnés enfouis dans les roses tavelées de leurs mains. Rien ne les empêchait d'entonner la mélodie, de s'égosiller d'une voix forte et perçante destinée à couvrir celles de leurs frangines. Contrairement à tante Prue. Par le plus grand des hasards et une fois sur cent, elle chantait juste, ce que personne n'aurait songé à lui reprocher. Certaines choses se devaient d'être immuables, et l'étaient, peut-être. Certaines choses, comme tante Prue, se devaient de chanter faux.

Tout se passait comme si l'été n'avait jamais eu lieu, comme si nous étions en sécurité dans le réceptacle de ces murs. À croire que rien, sauf l'épaisse lumière colorée du soleil à travers les vitraux, n'avait le droit de forcer ces portes. Ni Abraham Ravenwood ni Hunting et sa Meute Sanglante. Ni la mère de Lena, Sarafine, ni le diable en personne. Nulle créature n'était en mesure de franchir la barrière des placeuses distribuant les programmes en déployant une féroce hospitalité. Au demeurant, quand bien même quelques-unes y seraient parvenues, le pasteur aurait continué à prêcher, et le chœur à chanter, car rien sinon l'Apocalypse n'aurait réussi à éloigner les habitants de Gatlin de l'église ou des affaires privées de leurs concitoyens.

Pourtant, hors ces murs, l'été avait tout bouleversé, tant dans le monde des Mortels que dans celui des Enchanteurs, quand bien même le bon peuple de Gatlin n'était pas au courant. Lena s'était Appelée elle-même, à la fois Lumière et Ténèbres, et avait fendu en deux la Dix-septième Lune. Une bataille opposant Démons et Enchanteurs s'était achevée sur des morts dans chaque camp et avait provoqué une fissure de la taille du Grand Canyon dans l'Ordre des Choses. Ce que Lena avait fait était l'équivalent Enchanteur de briser les Tables de la Loi. Je me demandais ce qu'auraient eu à en dire les paroissiens de Gatlin s'ils l'avaient su. J'espérais aussi qu'ils ne l'apprendraient jamais.

Cette ville m'avait toujours empli d'un sentiment de claustrophobie, et je l'avais détestée. À présent, elle me donnait plus l'impression d'une certaine prévisibilité, d'un lieu qui, un jour, me manquerait. Or ce jour approchait. Nul n'était mieux placé que moi pour le savoir.

Salé sucré, baisers et gifles. La fille que j'aimais était revenue à moi et au monde brisé. Voilà ce qui s'était réellement produit cet été-là.

Nous avions assisté à la fin provisoire de la soupe à la viande hachée, des tartes aux pêches et du pneu de la balançoire. Mais nous avions également assisté au début de quelque chose.

Le début de la Fin des Temps.

Debout au sommet du château d'eau, je tournais le dos au soleil. Mon ombre étêtée s'étirait sur le métal peint chauffé à blanc avant de disparaître dans le ciel, au-delà de l'arête de l'édifice. Summerville s'étalait devant moi jusqu'au lac, de la Nationale 9 à Gatlin.

Mes yeux étaient mouillés. Je n'ai pas compris pourquoi. La lumière, peut-être.

Tu te décides, oui ou non ? C'est l'heure.

Je serrais et desserrais les poings en contemplant les maisons minuscules, les voitures minuscules et les gens minuscules, dans l'attente que l'événement se produisît. La frayeur, lourde et nocive, agitait mon estomac. Soudain, des bras familiers se refermaient violemment autour de ma taille, me coupant le souffle avant de m'entraîner vers les échelons métalliques. Ma mâchoire heurtait la rambarde, et je trébuchais. Je roulais sur moi-même afin de me débarrasser de mon agresseur.

Qui es-tu ?

Plus je me débattais, plus il me frappait fort, cependant. Le coup suivant visait mon ventre, et je me pliais en deux. C'est alors que je les voyais.

Ses Converse noires. Si vieilles et si usées qu'elles auraient pu m'appartenir.

Que veux-tu ?

Je n'attendais pas sa réponse. Je lui sautais à la gorge, et lui à la mienne. Brusquement, je distinguais son visage, et la vérité s'imposait à moi.

Il était moi.

Sans cesser de nous fixer droit dans les yeux, sans cesser de nous étrangler, nous basculions par-dessus le rebord du château d'eau et dégringolions.

Durant toute la chute, je ne songeais qu'à une chose.

Enfin.

Ma tête a cogné le plancher avec un bruit sec, mon corps a suivi la seconde d'après, emmêlé dans les draps. J'ai essayé de soulever les paupières, mais le sommeil les scellait encore. J'ai patienté, le temps que mon affolement s'estompe.

Dans mes rêves d'autrefois, je m'efforçais d'empêcher Lena de tomber. À présent, c'était moi qui chutais. Qu'est-ce que cela signifiait ? Pourquoi me réveillais-je avec l'impression d'avoir déjà perdu pied ?

— Ethan Lawson Wate ! Au nom du Christ Rédempteur, que fiches-tu là-haut ?

Amma avait une façon si particulière de hurler qu'elle était susceptible de vous ramener fissa de l'enfer, comme aurait dit mon père. J'ai écarquillé les yeux, n'ai toutefois aperçu qu'une chaussette dépareillée, une araignée qui progressait sans but précis dans la poussière et quelques livres défraîchis et à la reliure cassée. *Catch 22. La Stratégie Ender. Outsiders.* D'autres encore. L'enivrant paysage qu'offrait le dessous de mon lit.

— Rien ! ai-je lancé. Je ferme juste la fenêtre.

J'ai regardé cette dernière. Ne l'ai pas fermée pour autant. Je la laissais toujours ouverte, la nuit. J'avais pris ce pli à la mort de Macon – à ce que nous avions considéré comme tel, du moins. L'habitude était devenue rassurante. La plupart des gens se sentaient plus en sécurité cloîtrés derrière des croisées closes. Je savais quant à moi que des vitres hermétiques n'étaient pas en mesure de me protéger de ce que je redoutais, qu'elles ne tiendraient pas face à un Enchanteur des Ténèbres ou à un Incube Sanguinaire.

Au demeurant, je ne pensais pas qu'aucun obstacle en fût capable.

S'il en existait un, Macon paraissait bien décidé à le trouver, pourtant. Je ne l'avais guère vu depuis notre retour de la Grande Barrière. Il passait son temps dans les Tunnels ou à œuvrer à l'élaboration d'une espèce de sortilège défensif afin de Sceller Ravenwood. Après la Dix-septième Lune et la rupture de l'Ordre des Choses – le délicat équilibre qui régulait l'univers des Enchanteurs –, la demeure de Lena s'était transformée en une Forteresse de Solitude. De son côté, Amma créait la sienne, chez nous ; sa Forteresse de Superstition, comme l'appelait Link. Elle aurait sans doute préféré parler de « mesures préventives ». Le moindre rebord de fenêtre avait été saupoudré de sel ; juchée sur l'échelle branlante de mon père, elle avait suspendu à l'envers des bouteilles en verre fêlées à toutes les branches de notre lilas des Indes. À Wader's Creek, où elle avait sa maison, les arbres hérissés de flasques vides étaient aussi courants que les cyprès. Désormais, chaque fois que je croisais Mme Lincoln, la mère de Link, au Stop & Steal[1], elle me demandait :

— Alors ? Vous avez capturé de mauvais esprits avec vos calebasses ?

« Dommage qu'on n'ait pas chopé le vôtre ! » Telle était la repartie que je ravalais. J'aurais bien vu Mme Lincoln,

1. Soit « Stoppe et pique ». (Toutes les notes sont du traducteur.)

enfoncée dans un flacon brun et poussiéreux de Coca-Cola. En même temps, je ne pensais pas qu'un arbre à bouteilles pût supporter son poids.

Pour le moment, la seule chose que je voulais attraper, c'était un brin d'air. La chaleur m'a écrasé quand je me suis appuyé contre le cadre en bois ancien de mon lit. Épaisse et suffocante, elle ressemblait à une couverture dont on ne parviendrait pas à se débarrasser. D'ordinaire, l'impitoyable soleil de Caroline du Sud s'apaisait aux alentours de septembre. Pas cette année.

Frottant la bosse sur mon front, j'ai titubé jusqu'à la douche. J'ai ouvert le robinet d'eau froide et j'ai attendu une minute, mais le jet a continué à couler tiède.

Cinq d'affilée. J'étais tombé de mon lit cinq matins de suite. J'avais peur de confier mes cauchemars à Amma. Je n'osais imaginer ce qu'elle accrocherait de plus sur notre vieux lilas des Indes. Suite aux multiples événements de l'été, ma gouvernante avait déployé ses ailes sur moi comme une mère faucon défend son nid. Dès que je faisais un pas à l'extérieur de la maison, je sentais presque son ombre rôder derrière moi, pareil à mon Diaphane personnel, à un fantôme auquel il m'était impossible d'échapper.

Or ça m'était insupportable. J'avais besoin de croire que, parfois, un cauchemar n'était qu'un cauchemar.

Reniflant l'odeur du bacon frit, j'ai coupé l'eau. Elle avait fini par devenir froide. Ce n'est que lorsque je me suis séché que j'ai remarqué que la fenêtre s'était fermée sans mon intervention.

— Grouille un peu, la Belle au Bois Dormant ! J'ai drôlement hâte de me taper ces manuels !

J'ai entendu Link avant de le voir. J'ai failli ne pas reconnaître sa voix, cependant. Elle était plus grave, avait plus les sonorités de celle d'un homme mûr que de celle d'un jeune gars dont la spécialité était de frapper comme un malade sur une batterie et de composer de mauvaises chansons.

— Je ne doute pas un instant que ça te démange de te taper quelque chose, ai-je répondu. Pas des bouquins, toutefois.

Je me suis glissé sur le siège voisin de sa place réservée à notre table de cuisine éraflée. Le corps de Link s'était tellement développé qu'il avait l'air d'être assis sur l'une de ces petites chaises en plastique qui meublent les classes de maternelle.

— Depuis quand n'es-tu plus en retard en cours ? ai-je ajouté.

Debout devant la cuisinière, Amma a reniflé, une main sur la taille, l'autre remuant des œufs brouillés à l'aide de la Menace du Cyclope, la cuiller en bois percée d'un trou avec laquelle elle rendait la justice.

— Bonjour, Amma.

Rien qu'à sa posture, une hanche plus haute que l'autre, comme prête à tirer au pistolet, j'ai deviné que j'étais bon pour une sévère engueulade.

— Tu as vu l'heure ? a-t-elle ronchonné. Il était temps que tu te décides à descendre.

Malgré la chaleur qui émanait du fourneau et celle qui régnait dans la pièce, elle ne transpirait pas. Il en fallait beaucoup plus que des températures excessives pour modifier ses habitudes. Son regard me l'a confirmé, lorsqu'elle a balancé la moisson de tout un poulailler sur mon assiette à motifs bleu et blanc. Pour elle, plus copieux était le petit déjeuner, plus fructueuse était la journée. À ce rythme, j'allais me transformer en pain géant clapotant dans une baignoire de pâte à crêpe avant d'avoir mon bac. Cette douzaine d'œufs brouillés devant moi marquait la date de façon indéniable : c'était la rentrée des classes.

Qui aurait cru qu'il me tardait de retourner au lycée Jackson où, l'année précédente, à l'exception de Link, mes prétendus amis m'avaient traité comme un renégat ? Mais, en vérité, n'importe quel prétexte pour quitter la maison était le bienvenu.

— Mange, Ethan Wate !

Un toast a atterri sur mon assiette, aussitôt enterré sous des tranches de lard et une saine cuillérée de flocons d'avoine au beurre. Si Amma avait placé un set devant Link, elle n'y a pas posé de nourriture. Ni ne serait-ce qu'à boire. Elle savait que Link refuserait de goûter à ses œufs ou à tout ce qu'elle aurait pu préparer.

Cependant, même elle n'était pas en mesure de prédire ce dont il était désormais capable. Personne ne le pouvait, lui encore moins que quiconque. Si John Breed était une sorte d'hybride entre un Enchanteur et un Incube, Link était son cousin germain. Pour autant que Macon ait pu dire, il semblait l'équivalent Incube de quelque parent lointain dans une famille sudiste, du genre que l'on croise tous les deux ans environ, à un mariage ou à un enterrement, et dont on oublie le nom d'une fois sur l'autre.

L'intéressé s'est étiré, parfaitement à l'aise. La chaise en bois a craqué sous son poids.

— Quel été interminable, Wate ! a-t-il lâché. Je suis pressé de reprendre la partie.

J'ai avalé une bouchée de flocons d'avoine, que j'ai failli recracher. Ils avaient un goût bizarre, sec. Jamais Amma ne les avait ratés. La faute à la touffeur, peut-être.

— Et si tu allais demander son avis à Ridley à ce propos et que tu revenais m'en faire part ?

Il a grimacé. Apparemment, ils avaient déjà abordé le sujet.

— On entre en première, et je suis l'unique Linkube du bahut. Toutes les dames, aucun drame. Toute la musculature, aucune…

— Quoi ? Tu as une rime pour ça ? Nomenclature ? Tessiture ?

Si je n'avais pas eu autant de mal à déglutir mes céréales, je me serais esclaffé.

— Tu me comprends.

En effet. L'ironie de la situation était admirable. Sa sporadique petite amie, Ridley, cousine de Lena, avait été une Sirène capable d'obtenir ce qu'elle voulait quand elle voulait de n'importe quel mec. Jusqu'à ce que Sarafine la prive de ses pouvoirs, et qu'elle devienne une Mortelle, quelques jours seulement avant que Link, lui, ne se métamorphose partiellement en Incube. Peu après qu'il eut été mordu, nous avions tous été témoins de sa mutation progressive. Ses cheveux ridiculement hérissés de gel s'étaient sublimés en une coiffure cool. Il avait pris des muscles, et ses biceps saillaient comme les brassards gonflables que sa mère l'avait obligé à enfiler longtemps après qu'il eut appris à nager. Il ressemblait plus à un véritable rockeur qu'à un pauvre type qui aspirait à l'être.

— J'éviterais de provoquer Ridley, à ta place, lui ai-je conseillé. Elle a beau ne plus être une Sirène, elle n'en reste pas moins une intarissable source d'ennuis.

Entassant flocons d'avoine et bacon sur mon toast, j'ai roulé le tout en sandwich. Link m'a contemplé comme s'il était à deux doigts de vomir. La nourriture ne l'intéressait plus autant, maintenant qu'il était en partie Incube.

— Je ne la provoque pas, mec ! s'est-il défendu. D'accord, je suis idiot, mais pas à ce point-là.

Je commençais à avoir des doutes. Haussant les épaules, je me suis fourré la moitié de mon petit déjeuner dans la bouche. Là encore, le goût n'était pas le bon. Je n'avais sûrement pas mis assez de lard.

Avant que j'aie eu le loisir de répondre, une main s'est abattue sur ma clavicule. J'ai sursauté. Durant une seconde, j'ai eu l'impression de me retrouver au sommet du château d'eau de mon rêve, parant une attaque. Ce n'était qu'Amma, cependant, s'apprêtant à nous servir sa mercuriale de la rentrée. Enfin, c'est ce que j'ai cru. J'aurais dû remarquer la cordelette rouge nouée autour de son poignet. Un nouveau talisman. Autrement dit, un orage qui menaçait.

— Je ne sais pas ce que vous avez dans le crâne, jeunes gens, à rester assis, tranquilles comme Baptiste, a-t-elle décrété. Comme si aujourd'hui était un jour ordinaire. Rien n'est fini. Ni la lune, ni la chaleur, ni ce pataquès avec Abraham Ravenwood. Vous vous comportez comme si le film était terminé, qu'on avait rallumé les lumières et qu'il était temps de quitter la salle. Eh bien, a-t-elle ajouté en baissant la voix, c'est une erreur aussi grave que d'aller pieds nus à la messe. Tout a toujours des conséquences, et je vous assure que nous n'en avons pas encore vu le quart du début, pour ce qui concerne notre affaire.

Je n'étais pas dupe des conséquences susmentionnées. Où que mon regard se porte, j'en identifiais partout, malgré tous les efforts que je déployais pour m'aveugler.

— Madame ?

Avec l'expérience, Link aurait dû savoir qu'il valait mieux la boucler quand Amma virait au noir. Elle a resserré sa prise sur son tee-shirt, fendillant au passage le transfert au fer à repasser de Black Sabbath.

— Ne t'éloigne pas de mon garçon, lui a-t-elle ordonné. Les ennuis mijotent en toi comme dans une marmite, maintenant, et ça me chagrine à un point que tu n'imagines pas. Mais ils sont du genre à empêcher des idiots comme vous de se fourrer dans des ennuis encore plus graves. Tu m'entends, Wesley Jefferson Lincoln ?

— Oui, madame, a acquiescé Link, impressionné.

J'ai levé les yeux sur elle. Elle n'avait pas lâché mon copain, et il était clair qu'elle n'avait pas l'intention de me libérer de sitôt non plus.

— Arrête de t'inquiéter, Amma, ai-je plaidé. C'est juste la rentrée des classes. De la bibine, comparé à ce que nous avons vécu. Je doute qu'il y ait des Ires, des Incubes ou des Démons à Jackson.

— Hum, est intervenu Link en se raclant la gorge. Ce n'est pas tout à fait exact.

Il a risqué un sourire, mais Amma a tordu son tee-shirt encore plus fort, l'obligeant à se lever de sa chaise.

— Aïe ! a-t-il piaillé.

— Tu trouves ça drôle ? l'a-t-elle rabroué.

Cette fois, il a eu la sagesse d'esprit de se taire. Amma s'est alors tournée vers moi.

— J'étais là quand tu as perdu ta première dent en croquant dans une pomme et les roues de ta voiture en bois lors de la course organisée par les scouts, a-t-elle déclaré avec vigueur. J'ai découpé des boîtes à chaussures pour tes exposés et cuisiné des dizaines de gâteaux d'anniversaire. Je n'ai rien dit quand ta fichue collection de gobelets d'eau s'est évaporée, alors que je t'avais prévenu.

— Oui, madame.

C'était vrai. Amma avait été l'élément stable de ma vie. Elle m'avait soutenu lorsque ma mère était morte, un an et demi auparavant, et que, suite à ce décès, mon père avait pété les plombs.

Elle a lâché ma chemise aussi soudainement qu'elle s'en était emparée. Elle a lissé son tablier d'ouvrier et recouvré son calme. Ce qui venait de déclencher cette tempête était passé, apparemment. Les températures infernales, peut-être. Elles nous mettaient à tous les nerfs à rude épreuve. Amma a fixé la fenêtre.

— J'ai été là pour toi, Ethan Wate. Et je continuerai à l'être aussi longtemps que tu seras à mon côté. Tant que tu auras besoin de moi. Ni une minute de plus, ni une de moins.

Qu'est-ce que ces mots étaient censés signifier ? C'était la première fois qu'Amma me parlait ainsi, qu'elle envisageait le jour où je ne serais plus là, voire celui où je pourrais me passer d'elle.

— Je sais, Amma.

— Regarde-moi droit dans les yeux et ose me dire en face que tu n'as pas aussi peur que moi au plus profond de toi, m'a-t-elle défié sur un ton si doux qu'elle chuchotait presque.

— Nous avons rétabli la situation, ai-je objecté. C'est ce qui compte. Nous nous débrouillerons du reste.

— Ce n'est pas aussi simple, a-t-elle poursuivi, murmurant toujours comme si nous étions à l'église. As-tu fait attention ? Y a-t-il une chose, la moindre chose, qui ait été la même depuis notre retour à Gatlin ?

Link a pris la parole en se grattant la tête :

— Si c'est pour Ethan et Lena que vous vous inquiétez, madame, je vous promets que rien ne leur arrivera tant que je serai dans le coin. Grâce à ma super force et tout.

— Bah, Wesley Lincoln ! Es-tu donc sot à ce point ? Les événements auxquels je fais allusion, tu ne pourrais pas plus les empêcher de se produire que le ciel de nous tomber sur la tête.

J'ai bu une gorgée de mon lait chocolaté. Une fois de plus, j'ai manqué de le recracher sur la table. Il était trop sirupeux, le sucre m'engluait la gorge comme un antitussif. À l'instar des œufs, qui avaient eu une saveur de coton, et des céréales, la consistance du sable.

Tout marchait de travers, aujourd'hui. Tout et tout le monde.

— Qu'est-ce qu'il a, le lait, Amma ?

Elle a secoué la tête.

— Aucune idée, Ethan. Qu'est-ce qu'il a, ton palais ?

J'aurais bien aimé le savoir.

Une fois dans La Poubelle, je me suis retourné pour jeter un dernier coup d'œil à la maison. J'ignore pourquoi. Amma se tenait derrière la fenêtre, encadrée par les rideaux, et nous observait. Si je n'avais pas été certain que c'était impossible, si je ne l'avais pas connue aussi bien, j'aurais juré qu'elle pleurait.

Nous avons parcouru Dove Street. Il était difficile de croire que la ville avait pu être d'une couleur autre que le marron. L'herbe ressemblait à un toast grillé trop longtemps dont on n'aurait pas encore gratté les parties brûlées. La Poubelle était pratiquement la seule constante. Pour une fois, Link respectait les limites de vitesse, même si c'était uniquement pour reluquer ce qui avait survécu dans les jardins voisins.

— Mince alors, vise un peu les azalées de la mère Asher ! Le soleil tape si fort qu'ils sont tout noirs.

Il avait raison pour ce qui était de la sécheresse. D'après l'*Almanach des fermiers*, et d'après les Sœurs, l'almanach personnel de Gatlin, le comté n'avait pas connu pareille canicule depuis 1942. Cependant, ce n'était pas le soleil qui avait tué ces fleurs.

— Ils n'ont pas cramé, ai-je répondu. Ils sont couverts de criquets.

— Sans blague ! s'est-il exclamé, incrédule, avant de se pencher par la fenêtre afin de vérifier mes dires.

Les hordes de sauterelles s'étaient manifestées trois semaines après que Lena s'était Appelée elle-même, quinze jours après la pire vague de chaleur que nous ayons connue en soixante-dix ans. Il ne s'agissait pas de ces insectes verts ordinaires, tels ceux qu'Amma découvrait dans la cuisine de temps à autre. Ceux-ci étaient noirs avec une méchante striure jaune sur le dos, et ils se déplaçaient en essaims. Pareils aux locustes, ils dévoraient tout ce que la ville comportait de verdure, y compris la Pâture du Général. La statue de Jubal A. Early trônait désormais au milieu d'un cercle brunâtre de pelouse décimée, et son sabre au clair grouillait d'une armée sombre très particulière.

Link a accéléré.

— Ça craint, a-t-il commenté. Ma mère les considère comme l'un des fléaux de l'Apocalypse. Elle s'attend maintenant à ce que les grenouilles nous submergent et à ce que les eaux virent au rouge.

Une fois n'est pas coutume, il m'était difficile de railler Mme Lincoln. Dans une ville qui s'était bâtie à parts égales sur la religion et la superstition, on ne pouvait se permettre d'ignorer une invasion sans précédent de criquets, qui nous étaient tombés dessus comme un nuage d'orage. Chaque jour avait des allures de Fin des Temps. Malgré tout, il était exclu que j'aille frapper à la porte de Mme Lincoln afin de lui annoncer que ces événements relevaient très certainement de ce que mon Enchanteresse de petite copine avait écartelé la lune et rompu l'Ordre des Choses. Nous avions assez de mal comme ça à persuader la mère de Link que le physique de ce dernier ne devait rien à la prise de stéroïdes. Elle l'avait déjà expédié à deux reprises chez le Dr Asher, ce mois-ci.

Quand nous sommes arrivés sur le parking du lycée, Lena nous y attendait. De même qu'un énième changement à nos habitudes. Elle n'utilisait plus le coupé de son cousin Larkin et se tenait à côté du corbillard de Macon, vêtue d'une jupe grise, d'une chemise vintage U2 arborant le mot « GUERRE » en haut, et chaussée de ses vieilles Converse noires. De récents dessins au feutre en coloraient l'extrémité. C'est fou ce qu'un corbillard et une paire de tennis peuvent rasséréner un mec !

Une houle de réflexions a déferlé sur moi. Ainsi : quand elle me regardait, c'était comme s'il n'y avait plus personne au monde, par exemple. Ou : quand *je* la regardais, je remarquais le moindre détail chez elle, tandis que tout le reste s'estompait. Et : je n'étais moi-même que lorsque nous étions réunis. Il m'était impossible de traduire ces sensations par des mots et, y serais-je parvenu, je ne crois pas qu'ils auraient été exacts. Sauf que je n'avais pas besoin d'essayer, car Lena et moi n'avions pas à exprimer nos émotions. Il nous suffisait d'y songer, et le Chuchotement prenait le relais.

Salut, toi.

Pourquoi avez-vous tant tardé ?

Je suis descendu de voiture. Le dos de mon tee-shirt était déjà trempé de sueur. Link, lui, paraissait immunisé contre la touffeur – un énième avantage de sa nature partielle d'Incube. Je me suis glissé entre les bras de Lena, j'ai humé son odeur.

Citrons et romarin. Le parfum que j'avais suivi dans les couloirs de Jackson avant de la croiser pour la première fois. Celui qui n'avait jamais disparu, même quand elle s'était éloignée de moi pour se fondre dans les ténèbres.

Je me suis penché vers elle avec prudence, afin de l'embrasser sans toucher une autre partie de son corps. Ces derniers temps, plus nous nous caressions, plus il m'était difficile de respirer. Les effets physiques de nos effleurements s'étaient intensifiés. Ce qu'elle savait, malgré mes efforts pour le lui dissimuler. Dès que nos lèvres sont entrées en contact, j'ai ressenti la décharge électrique familière. La douceur de son baiser était si parfaite, le choc de sa peau contre la mienne, si puissant que j'en avais toujours le vertige. Cependant, de nouvelles sensations les accompagnaient, désormais : l'impression qu'elle aspirait mon souffle chaque fois que nos bouches se frôlaient, qu'était tirée une ficelle que je ne contrôlais pas. Arquant la nuque, Lena s'est reculée avant moi.

Plus tard.

Devant mon soupir, elle m'a envoyé un baiser de la main.

Mais L, ça fait...

Neuf heures complètes ?

Oui.

Je lui ai souri, elle a secoué la tête.

Je ne tiens pas à ce que tu passes la rentrée à l'infirmerie.

Lena s'inquiétait plus de mon sort que moi-même. Il m'était égal qu'il m'arrive quoi que ce soit, éventualité de plus en plus probable, dans la mesure où il me devenait plus difficile de l'embrasser et encore plus difficile de m'éloigner d'elle. Je ne supportais pas l'idée de devoir cesser de la toucher. Les choses changeaient. La sensation – une douleur qui n'en était pas une – subsistait, même quand nous n'étions pas ensemble. Je regrettais qu'il n'existât pas de terme pour la nommer, cette souffrance idéale que j'éprouvais dans les endroits vides que Lena avait autrefois remplis. Y a-t-il un mot, une expression pour décrire cette émotion ? Un crève-cœur, peut-être ? Sauf que je la ressentais dans mon ventre, ma tête, mon corps tout entier. Je voyais Lena quand je regardais par la fenêtre, quand je fixais les murs.

Me ressaisissant, j'ai tenté de me focaliser sur un sujet indolore.

— J'aime bien ta nouvelle bagnole.

— L'ancienne, tu veux dire ? Ridley a piqué une crise quand elle a su qu'on prendrait le corbillard.

— Où est-elle ? s'est enquis Link en balayant des yeux le parking.

Lena a désigné le véhicule derrière elle.

— Elle se change.

— Elle ne pourrait pas le faire à la maison, comme une personne normale ? ai-je demandé.

— Je t'entends, Courte Paille ! a lancé l'intéressée depuis l'habitacle. Je ne suis pas…

Une boule de tissu froissé a volé à travers la vitre, côté conducteur, et a atterri sur l'asphalte chauffé à blanc.

— … une personne *normale*, a-t-elle poursuivi sur un ton laissant supposer que la normalité était une maladie. Et je refuse de porter ces minables oripeaux de supermarché.

Ridley se tortillait sur le siège en cuir qui couinait, cependant que des éclats de cheveux roses et blonds apparaissaient par intermittence. Une paire de souliers argentés a surgi par la fenêtre.

— Pas question de ressembler à une présentatrice d'émission pour gamins, a-t-elle continué.

Me penchant, j'ai ramassé les vêtements abhorrés. Il s'agissait d'une robe courte imprimée achetée dans une franchise du centre commercial de Summerville. Une variante de celles que mettaient les reines des *cheerleaders*, Savannah Snow, Emily Asher, Eden Westerly, Charlotte Chase et, par conséquent, la moitié des filles du bahut. Lena a levé les yeux au ciel.

— Bonne-maman estime que Ridley devrait s'habiller un peu plus convenablement, maintenant qu'elle fréquente un lycée pour Mortels, nous a-t-elle expliqué, avant d'ajouter en baissant la voix : Vu qu'elle en est une, voyez-vous.

— Je t'entends aussi, Lena ! a piaillé sa cousine en balançant un débardeur blanc dehors. Ce n'est pas parce que je suis une répugnante Mortelle que je suis obligée de m'attifer comme telle.

Après avoir jeté un regard par-dessus son épaule, Lena s'est écartée de la voiture. Ridley s'en est extirpée en ajustant sa nouvelle tenue, un haut d'un rose pétant et un mince ruban de tissu noir qu'elle avait apparemment décidé de considérer comme une jupe. Le tee-shirt lacéré de part en part et orné çà et là d'épingles à nourrice tombait bas sur le côté, dévoilant une épaule.

— Rassure-toi, poupée, on ne risque pas de te confondre avec une Mortelle, a commenté Link en tirant sur son propre tee-shirt qui le serrait aux entournures, comme si sa mère l'avait fait rétrécir au lavage.

— Encore heureux ! Et ne m'appelle pas poupée !

Ridley a récupéré sa robe entre deux doigts.

— On devrait la donner à un magasin de fripes, a-t-elle décrété. Ils réussiront peut-être à la refourguer comme costume de Halloween.

Lena a contemplé la ceinture qui ceignait les hanches de sa cousine.

— En parlant de fripes, qu'est-ce que c'est que ça ? a-t-elle demandé.

— Quoi, ce vieux truc ?

Une énorme boucle fermait la bande de cuir noir usé. Une sorte d'insecte était enchâssé dans une pierre ou un bout de plastique. Il m'a semblé reconnaître un scorpion. Ça flanquait les jetons ; c'était bizarre ; très Ridley.

— Bah ! s'est marrée cette dernière. J'essaie juste de me fondre dans le paysage. (Elle a fait éclater une bulle de chewing-gum.) Tous les gens cool en portent une comme ça, tu sais ?

Privée de sa sucette légendaire, elle était aussi revêche que mon père quand Amma l'abreuvait de décaféiné. Lena a choisi de ne pas insister.

— Il faudra que tu te changes avant qu'on rentre à la maison, s'est-elle contentée de lui conseiller. Sinon, Bonne-maman devinera que tu l'entourloupes derrière son dos.

L'ignorant, Ridley a laissé tomber la fringue sur le sol bouillant et l'a piétinée de ses sandales aux talons vertigineux. Poussant un soupir, Lena a tendu la paume. Le vêtement a volé en direction de ses doigts mais s'est enflammé avant de les avoir atteints. Elle a aussitôt reculé la main, et la robe est retombée par terre, déjà calcinée sur les bords.

— Nom d'un chien ! a soufflé Link en écrasant le tissu sous ses pieds, jusqu'à ce qu'il ne soit plus qu'un tas noir fumant.

Ma petite amie s'est empourprée. Ridley, elle, n'a pas bronché.

— Beau boulot, cousine ! C'était la meilleure solution.

Lena a fixé la dernière volute de fumée qui se dissipait.

— Je n'avais pas l'intention de...

— Je sais, l'a interrompue Ridley, blasée.

Depuis qu'elle s'était Appelée, Lena avait vu ses pouvoirs dérailler, ce qui était dangereux, puisqu'elle était à la fois Lumière et Ténèbres. Certes, ses dons avaient toujours été imprévisibles, mais, maintenant, elle était capable de provoquer tout et n'importe quoi : déluges, vents violents comme des ouragans et incendies de forêt à grande échelle. Agacée, elle a fait la grimace.

— Je t'en trouverai une autre avant la fin de la journée, Rid.

— Je me passerai de tes services, a riposté cette dernière.

Fouillant dans son sac à main, elle en a sorti une paire de lunettes de soleil.

— Bonne idée, est intervenu Link en mettant les siennes, une monture bombée tout éraflée qui avait été cool une dizaine de minutes environ, à l'époque où nous étions en sixième. Allez, on s'arrache, Sucre d'orge.

Comme ils s'éloignaient en direction du perron, j'ai saisi ma chance. Attrapant Lena par le bras, je l'ai attirée à moi. Elle a repoussé de mon front mes cheveux toujours un peu trop longs et m'a contemplé. Ses cils noirs étaient épais. Ses yeux, l'un à l'or parfait, l'autre vert sombre, m'ont fixé. Ses prunelles n'avaient pas retrouvé leur couleur initiale après que Sarafine avait convoqué la Dix-septième Lune en avance. Lena me dévisageait maintenant de celle dorée des Enchanteurs des Ténèbres et de la verte de ceux de la Lumière, rappel constant de l'instant où elle avait compris qu'elle avait en elle les deux types de magie. Rappel constant aussi que son choix avait bouleversé l'équilibre tant du monde des Enchanteurs que de celui des Mortels. Et du nôtre.

Ethan, ne...

Chut ! Tu te biles trop.

Je l'ai enlacée, et mes veines se sont aussitôt embrasées. L'intensité de la brûlure m'a submergé, tandis que je luttais pour respirer à petits coups réguliers. Lena a gentiment mordillé ma lèvre inférieure, et il n'a fallu que quelques secondes pour que je sois désorienté, en proie au vertige. Nous n'étions plus au milieu du parking. Des images ont défilé dans mon cerveau, des hallucinations sans doute, car nous nous embrassions à présent dans les eaux du lac Moultrie, sur mon pupitre en cours de littérature, sur les tables de la cantine, derrière les gradins du gymnase, dans le parc de Greenbrier.

Soudain, une ombre a plané au-dessus de moi, et j'ai ressenti une émotion qui ne devait rien à notre baiser. C'était la même que celle qui m'avait envahi durant mon rêve, au sommet du château d'eau. Un étourdissement suffocant s'est emparé de moi, et l'image du jardin a disparu, remplacée par celle de la terre : nous nous étreignions au sein d'une tombe béante.

J'étais sur le point de m'évanouir.

À l'instant où mes genoux se dérobaient sous moi, une voix a brisé l'air et notre baiser, et Lena s'est arrachée à moi.

— Salut, vous ! Comment va ?

Savannah Snow. Je me suis affalé contre le corbillard avant de glisser sur le goudron. Puis une poigne m'a relevé, si haut que mes pieds touchaient à peine le sol.

— Qu'est-ce qu'il a, Ethan ? s'est enquise Savannah avec son accent sudiste à couper au couteau.

J'ai ouvert les yeux.

— Sûrement la chaleur, a répondu Link avec un grand sourire.

Il m'a reposé par terre. Lena avait l'air choqué, mais ce n'était rien comparé à sa cousine, même si leurs raisons n'étaient pas les mêmes. En effet, Link semblait aussi heureux que si on lui avait proposé un contrat pour enregistrer un disque. Le « on » étant Savannah Snow, capitaine des *cheerleaders*, cataloguée ASD – À se damner – et Saint-Graal des beautés inaccessibles du lycée Défense Jackson[1].

Savannah était donc plantée là, ses livres serrés contre sa poitrine, si fort que ses jointures avaient blanchi. Elle portait une robe presque identique à celle dont Ridley s'était débarrassée quelques instants auparavant. Perplexe, Emily Asher traînait derrière elle, vêtue de sa propre version de la tenue de sa meilleure amie. Cette dernière s'est rapprochée de Link de façon à ce que seuls les bouquins les séparent.

— Je reprends, a-t-elle lâché. Salut, *toi*. Comment vas-*tu* ?

— Bien, a répondu Link en passant une main nerveuse dans ses cheveux avant de reculer d'un pas. Et toi, quoi de neuf ?

Savannah a secoué sa queue-de-cheval blonde et mordu sa lèvre d'un air suggestif. Son épais gloss rose fondait au soleil.

— Pas grand-chose. Je me demandais juste si tu comptais te rendre au Dar-ee Keen après les cours. Tu m'y emmènerais ?

Emily a semblé aussi surprise que moi : en temps normal, Savannah aurait préféré renoncer à son poste dans l'équipe de *cheerleaders* plutôt que d'accepter de monter dans le tas de rouille qu'était La Poubelle. Comme escorter leur chef

1. Sobriquet de Thomas Jonathan Jackson (1824-1863), dont le lycée porte le nom. Un des généraux confédérés les plus respectés après Lee, réputé pour sa stratégie militaire de défense acharnée.

était une obligation de ses acolytes personnels, Emily s'est cru en droit d'objecter :

— Nous avons déjà un chauffeur, Savannah. Earl. Tu as oublié ?

— Tu n'auras qu'à y aller avec lui. Moi, je préfère la compagnie de Link.

Elle continuait à mater ce dernier comme s'il était une rock star. Lena m'a regardé en secouant la tête.

Je t'avais prévenu. C'est l'effet John Breed. Pas mal, pour un quarteron d'Incube. Les Mortelles ne peuvent qu'y succomber.

C'était peu de le dire.

Rien que les Mortelles, L ?

Elle a prétendu ne pas comprendre l'allusion.

Pas toutes, non. Regarde...

Elle avait raison. Apparemment, Emily restait insensible au charme de Link. Plus Savannah se léchait les lèvres, plus Emily semblait avoir envie de vomir. Soudain, Ridley a attrapé le bras de Link et l'a tiré en arrière.

— Il est occupé, cet après-midi, chérie ! a-t-elle lancé. Tu ferais mieux d'écouter ta copine.

Si ses yeux n'étaient plus jaunes, elle était toujours aussi intimidante que du temps où elle était une Enchanteresse des Ténèbres. Mais soit Savannah était d'un avis différent, soit elle s'en moquait, car elle a rétorqué :

— Oh, navrée ! Vous êtes ensemble, tous les deux ?

Elle a marqué une pause, comme si elle réfléchissait à sa propre question.

— Non, y a-t-elle ensuite répondu. Vous ne l'êtes plus.

Tous ceux qui fréquentaient le Dar-ee Keen savaient que Link et Ridley formaient un couple des plus instable et que, pour le moment, ils étaient séparés. Savannah a noué son bras autour de celui de Link – celui que n'avait pas crocheté Ridley, s'entend.

— Cela signifie que Link peut prendre ses décisions tout seul comme un grand, a-t-elle conclu.

Se dégageant des deux filles, l'homme du jour a abattu ses paluches sur leurs épaules.

— Inutile de vous battre, gentes damoiselles, a-t-il plastronné. J'ai de quoi vous satisfaire toutes les deux.

Il a bombé le torse, lequel n'en avait vraiment pas besoin. D'ordinaire, je me serais esclaffé à l'idée que deux nanas se battent pour lui. Sauf qu'il ne s'agissait pas de n'importe quelles nanas, mais de Savannah Snow et de Ridley Duchannes. Surnaturelles ou non, c'étaient les deux Sirènes les plus puissantes que l'humanité avait jamais eu l'heur – ou le malheur – de croiser, selon la manière dont elles usaient de leur pouvoir de persuasion.

— Allons-y, Savannah, a marmonné Emily. On va être en retard.

Elle paraissait écœurée. Je me suis demandé pour quelle raison le magnétisme de mon pote ne fonctionnait pas sur elle. L'interpellée s'est blottie plus douillettement sous l'aisselle de Link. Elle a jaugé Ridley du regard, s'attardant sur son tee-shirt décoré d'épingles de sûreté.

— Tu devrais te dégoter un mec de ton acabit, a-t-elle sifflé.

Ridley s'est dégagée de l'étreinte de son ex.

— Et toi, Barbie, a-t-elle rétorqué, tu devrais choisir ceux à qui tu t'adresses sur ce ton avec plus de prudence.

Savannah avait de la chance que l'Enchanteresse déchue ait perdu ses dons.

Ça promet du vilain, L.

Ne te bile pas. Je ne permettrai pas qu'on renvoie Rid dès le premier jour de lycée. Ça ferait trop plaisir au principal Harper.

— Partons, Ridley, a-t-elle ensuite lancé en s'approchant de sa cousine. Elle n'en vaut pas la peine, crois-moi.

Savannah s'apprêtait à contre-attaquer quand un détail l'a perturbée. Elle a plissé le nez.

— Tes yeux… Ils sont de deux couleurs différentes. Quelle espèce de fille tu es, toi ?

Emily s'est approchée à son tour afin de mieux voir. Il était évident que quelqu'un finirait par remarquer les prunelles de Lena, impossibles à ignorer. J'avais cependant espéré qu'elle aurait le temps de traverser le parking avant que la rumeur ne se déclenche.

— Savannah, suis-je intervenu, et si tu…

Lena ne m'a pas laissé le temps de finir.

— Je te poserais volontiers la même question si, tous, nous ne connaissions pas déjà la réponse.

— Je vais d'ailleurs te donner un indice, a renchéri Ridley en croisant les bras. Ça commence par un C et ça rime avec pétasse.

Tournant le dos à Savannah et à Emily, Lena a pris la direction des marches en béton du perron. Je me suis emparé de sa main, et l'énergie qui se dégageait d'elle a parcouru mon avant-bras. Je craignais que l'affrontement qui venait d'avoir lieu ne l'ait secouée, mais elle était sereine. Quelque chose avait changé, certes, mais qui dépassait de loin ses seuls yeux. Il faut croire que, lorsqu'on a dû se battre contre une Enchanteresse des Ténèbres qui est également votre mère et contre un Incube Sanguinaire de cent cinquante ans qui tente de vous tuer, une paire de *cheerleaders* n'est guère impressionnante.

Ça va ?

Elle a serré mes doigts.

Oui.

Derrière nous, les chaussures de Ridley ont martelé le sol. Link nous a rattrapés au petit trot.

— Eh bé, si c'est ça que je dois vivre cette année, ça va être géant, mec !

J'ai essayé de me convaincre qu'il avait raison, tandis que nous traversions l'herbe brunie en écrasant des cadavres de criquets qui craquaient sous nos pieds.

7 septembre JACKSONERIES

Tenir par la main la personne que l'on aime vraiment produit un effet très particulier ; étrange, mais pas dans le mauvais sens du terme. Dans le meilleur, plutôt. Je me suis rappelé pourquoi les couples avaient tendance à marcher collés comme des spaghettis froids. Il y avait tant de façons de marquer l'intimité. Bras autour du cou de l'autre, main dans la poche de l'autre. Nous n'arrivions même pas à avancer sans que nos épaules s'entrechoquent, à croire que nos corps gravitaient mutuellement l'un autour de l'autre, animés par leur propre volonté. Je le remarquais sans doute plus que quiconque, puisque chacun de ces minuscules contacts déclenchait une décharge électrique en moi.

J'aurais dû m'y être habitué, à présent. Il n'empêche, je continuais de trouver curieuse la manière qu'avaient nos pairs de dévisager Lena dans les couloirs. Elle serait toujours la plus belle fille du bahut, quelle que soit la couleur de ses yeux, et tout le monde semblait en être aussi conscient que moi. Elle était cette fille-*là*, qui possédait un pouvoir spécial, et peu importait qu'il fût surnaturel ou non ; il y avait ce regard qu'on ne pouvait s'empêcher d'adresser à cette même fille, et peu importait qu'elle eût fait telle ou telle chose ou qu'elle fût l'erreur de la nature qu'elle ne cesserait jamais d'être.

Ce regard, aucun des mecs ne se privait de le lui adresser, pour l'heure.

Du calme, l'Amoureux.

Lena m'a donné un léger coup d'épaule. J'avais oublié à quoi ressemblait ce parcours quotidien dans les corridors du lycée. Après le seizième anniversaire de Lena, je l'avais perdue, un peu plus chaque jour. À la fin de l'année scolaire, elle s'était montrée si distante envers moi que je l'avais à peine croisée. Cela s'était produit quelques mois plus tôt seulement. Malheureusement, maintenant que nous étions de retour entre ces murs, ça me revenait en mémoire.

Je n'aime pas leur façon de te reluquer.

Laquelle ?

M'arrêtant net, j'ai caressé son visage, l'endroit où sa tache de naissance en forme de croissant de lune marquait sa pommette. Un frisson nous a secoués tous les deux, et je me suis penché vers sa bouche.

Celle-ci.

En souriant, elle m'a esquivé avant de m'entraîner de nouveau.

Pigé. Néanmoins, il me semble que tu te goures complètement. Regarde !

Nous sommes passés devant le casier d'Emory Watkins dont les yeux, de même que ceux des autres membres de l'équipe de basket, étaient rivés derrière nous. Emory m'a salué d'un signe du menton.

Désolée de t'apprendre cette triste nouvelle, Ethan, mais ce n'est pas moi qu'ils matent.

— Salut, les filles ! a beuglé Link dans mon dos. Alors, on se fait quelques paniers, cet aprèm, ou quoi ?

Il a frappé son poing contre celui d'Emory, puis a continué son chemin. Ce n'était pas lui non plus que les gars regardaient. Ridley traînait dans notre sillage, griffant la rangée de casiers de ses longs ongles vernis en rose. Lorsqu'elle est parvenue à la hauteur de celui d'Emory, elle a refermé ses doigts autour de la porte.

— Les *filles* ? a-t-elle répété.

La façon dont elle avait prononcé le mot avait tout des intonations d'une Sirène. Emory a bégayé quelque chose, et Ridley a fait courir le bout de son doigt sur son torse musclé avant de s'éloigner. Avec sa jupe, elle en dévoilait plus que ce qui aurait dû être autorisé. Toute l'équipe s'est retournée pour la suivre des yeux.

— Qui est ton amie ? a lancé Emory à Link.

Il était incapable de se détacher du spectacle. Il l'avait déjà croisée, au Stop & Steal la première fois, puis au bal d'hiver, lorsqu'elle avait détruit le gymnase, mais il souhaitait qu'on les présente de manière plus personnelle.

— Qui c'est, ce type ? a riposté Ridley en ponctuant sa question d'une bulle de chewing-gum.

— Personne, a répondu Link en lui jetant un coup d'œil en biais avant de lui prendre la main.

La foule encombrant le couloir s'est séparée devant eux. Une ancienne Sirène et un quarteron d'Incube étaient en train de conquérir Jackson. J'ai songé à la réaction d'Amma si elle en avait été témoin.

« Doux Jésus dans sa mangeoire ! Le ciel nous vienne en aide ! »

— Je suis censée ranger mes affaires dans ce cercueil en métal dégoûtant ? Tu rigoles ?

Ridley toisait son casier comme si une créature répugnante s'apprêtait à en surgir.

— Tu es déjà allée au lycée, Rid, a expliqué Lena avec patience. Tu as déjà eu un casier.

— J'ai dû oublier, a répliqué sa cousine en rejetant en arrière ses cheveux. Stress post-traumatique.

Lena lui a tendu la combinaison de la serrure.

— Rien ne t'oblige à l'utiliser. Mais tu pourras y mettre tes manuels pour ne pas avoir à les porter toute la journée.

— Des manuels ! s'est exclamée Ridley, l'air révulsé. Qu'il faut porter en plus ?

— On te les distribuera aujourd'hui en cours, a soupiré Lena. Et, oui, tu dois les avoir avec toi. Arrête de faire l'idiote, tu sais très bien comment ça fonctionne.

Ridley a ajusté son tee-shirt afin d'exposer un peu plus de peau.

— La dernière fois que j'ai fréquenté un établissement scolaire, j'étais une Sirène. Je séchais tous les cours et je ne transbahutais rien du tout, tu peux me croire.

Link a abattu sa main sur son épaule.

— Viens. Nous avons étude ensemble. Je vais te montrer les ficelles. À la Link.

— Ah ouais ? a-t-elle marmonné, sceptique. Et qu'est-ce que ta méthode a de mieux que celle des autres ?

— Eh bien, pour commencer, elle n'implique aucun manuel...

Il paraissait plus que réjoui à l'idée de l'accompagner en classe. Il tenait à garder un œil sur elle.

— Attends, Ridley ! Tu as besoin de ça !

Lena a agité un classeur. L'ignorant, sa cousine a glissé son bras sous celui de Link.

— T'inquiète, chérie. Je me servirai de celui de Chaud Bouillant.

— Ta mémé est vraiment optimiste, ai-je dit à Lena en refermant mon propre casier.

— Tu crois ?

À l'instar de toutes les personnes présentes, j'ai observé le départ de Link et de Rid.

— Je donne trois jours maxi à cette petite expérience.

— Trois jours ? a-t-elle soufflé. C'est toi qui es optimiste.

Nous avons emprunté l'escalier pour gagner notre propre classe.

L'air conditionné était poussé à fond, et un bourdonnement mécanique minable résonnait dans les corridors. Toutefois, l'antique système n'avait aucune chance face à la canicule. Il faisait encore plus chaud à l'étage du bâtiment que dehors sur le parking.

Devant la salle, je me suis arrêté un instant sous le néon fluorescent, celui qui avait explosé lorsque Lena et moi y étions rentrés alors que nous nous rendions à notre premier cours de littérature commun. J'ai contemplé les carrés de placo au plafond.

Tu sais quoi ? Si tu observes très attentivement, tu distingues encore les traces de brûlure autour de la nouvelle lampe.

À son tour, Lena a regardé en l'air.

Comme c'est romantique ! La scène de notre première catastrophe partagée. Il me semble les apercevoir, en effet.

Mes yeux se sont attardés sur les plaques perforées de petits trous. Combien de fois, assis dans cette classe, les avais-je fixées en m'efforçant de ne pas céder à la torpeur, les avais-je comptées afin de tuer le temps, égrenant les minutes qui restaient avant la fin du cours, les cours qui restaient avant la fin de la journée, les jours qui se transformeraient en semaines, les semaines en mois, avant que je ne puisse m'évader de Gatlin ?

Lena est passée devant Mme English qui, à son bureau, avait le nez enfoui dans la paperasse inhérente à un jour de rentrée. Elle est allée s'asseoir à son pupitre habituel, dans le no man's land abhorré situé du côté de l'œil valide de la prof. Je lui emboîtais le pas lorsque, soudain, j'ai senti une présence dans mon dos. Un peu comme ce que l'on éprouve quand la personne derrière vous, dans une file d'attente, envahit votre espace vital parce qu'elle se tient beaucoup trop près. Je me suis retourné – rien.

Lena gribouillait déjà dans son calepin au moment où je me suis installé près d'elle. Je me suis demandé si elle écrivait l'un de ses poèmes. Je m'apprêtais à jeter un coup d'œil en douce lorsque je l'ai entendue : une voix faible, qui n'était pas celle de Lena. Un souffle murmuré, qui provenait de derrière mon épaule.

De nouveau, je me suis retourné. Les tables de la rangée suivante étaient vides.

Tu as dit quelque chose, L ?

Surprise, elle a relevé les yeux.

Quoi ?

As-tu Chuchoté ? Il m'a semblé percevoir des mots.

Elle a secoué le menton.

Non. Ça va ?

J'ai acquiescé tout en ouvrant mon classeur. Derechef, la voix a résonné. Cette fois, j'ai identifié les paroles prononcées. Des lettres sont alors apparues sur la page blanche devant moi, tracées de ma propre écriture.

J'ATTENDS

J'ai violemment refermé le classeur, serrant les mains pour les empêcher de trembler. Lena m'a regardé.

Tu es sûr que ça va ?

Oui.

Durant tout le cours, j'ai gardé la tête baissée. Y compris quand j'ai foiré le test sur *Les Sorcières de Salem*[1] d'Arthur Miller. Y compris quand Lena, sans se démonter, a participé à un débat sur les procès intentés à l'époque. Y compris quand Emily Asher s'est autorisé une comparaison idiote entre ce cher disparu de Macon Ravenwood et les possédées

1. En 1692, des jeunes filles de Salem, dans le Massachusetts, accusèrent plusieurs concitoyens d'être possédés par le diable et de les avoir envoûtées. Nombreux furent ceux qu'on emprisonna, et vingt-cinq personnes furent exécutées. Ce retentissant épisode de paranoïa collective contribua par la suite à tempérer l'influence du puritanisme en Nouvelle-Angleterre. Arthur Miller a tiré de ces événements une célèbre pièce de théâtre dont le titre original, *The Crucibles*, signifie littéralement « Les Creusets ». Voir note p. 364.

de la pièce, et qu'une plaque s'est brusquement détachée du plafond pour lui dégringoler sur le crâne.

Je ne me suis redressé qu'à la sonnerie marquant la fin du calvaire.

Alors que je partais, Mme English m'a dévisagé avec une expression vide si déconcertante que, l'espace d'une seconde, j'ai eu l'impression qu'elle avait deux prunelles de verre.

J'ai tenté de me convaincre que c'était la rentrée, un jour susceptible de rendre fou n'importe qui. Qu'elle avait sûrement bu un mauvais café.

Mais comme nous étions à Gatlin, il était fort probable que je me leurre.

Après la littérature, Lena et moi n'avions plus cours ensemble avant l'après-midi. J'avais trigonométrie, et elle analyse complexe. Link et désormais Ridley avaient été flanqués en mathématiques de base, le cours où les profs se résignaient à vous inscrire quand il était clair que vous étiez incapable de dépasser un certain niveau d'algèbre. Tout le monde le surnommait « mathématiques de bazar », parce qu'on y apprenait seulement à rendre la monnaie. L'ensemble de l'emploi du temps de Link laissait supposer que l'administration avait décidé qu'il finirait par bosser à la station-service, avec Ed, une fois son bac en poche. En vérité, son cursus avait des allures de kermesse. Là où j'avais sciences nat', il avait « roches pour les têtes de pioche » ; là où j'avais histoire internationale, il avait culture des États sudistes ou « rinçons-nous l'œil grâce à Savannah Snow », pour reprendre le sobriquet qu'il lui avait donné. À côté de lui, j'avais l'air d'un astrophysicien. Il semblait s'en fiche et, si ce n'était pas le cas, il était bien trop entouré d'une cour de nanas pour s'en apercevoir.

Pour être honnête, je n'y ai guère prêté attention non plus, désireux seulement de me perdre dans le tourbillon familier de ce premier jour de lycée afin d'oublier le message insensé inscrit à l'intérieur de mon classeur.

J'imagine qu'il n'y a rien de tel qu'un été pourri rempli d'expériences quasi létales pour rendre la reprise de l'année scolaire géniale en comparaison. Enfin, jusqu'à ce que je me rende à la cafèt', où l'on servait ce jour-là des hamburgers à la bolognaise noyés dans une sauce tomate sucrée. Naturellement. Plus que tout, ce plat était le symbole du retour au train-train lycéen.

Je n'ai pas eu beaucoup de mal à dénicher Lena et Ridley. Elles étaient assises seules à l'une des tables orange de la cantine, cependant qu'une nuée de types leur tournicotaient autour, tels des vautours. À cette heure, tout le bahut avait entendu parler de Ridley, et il n'y avait pas un mec qui n'ait envie de vérifier les racontars par lui-même.

— Où est Link ? me suis-je enquis.

D'un signe de tête, l'ancienne Sirène m'a indiqué le fond de la salle, où le susnommé déambulait de groupe en groupe, comme s'il avait été désigné meilleur joueur d'une compétition quelconque. J'ai constaté que le plateau de Ridley était surchargé de crèmes au chocolat, de cubes de gelée multicolores et de tranches d'un moelleux qui paraissait sec.

— Affamée, Rid ?

— Que veux-tu que je te dise, l'Amoureux ? J'ai le bec sucré.

Sur ce, elle s'est emparée d'un ramequin de crème et a commencé à piocher dedans.

— Sois gentil, m'a ordonné Lena. C'est une mauvaise journée pour elle.

— Sans blague ? Tu parles d'un scoop ! Que s'est-il passé ?

J'ai mordu dans mon premier hamburger, déjà détrempé de sauce.

— Ça, a répondu Lena avec un hochement du menton en direction des tables du fond.

J'ai regardé. Un pied sur un siège en plastique blanc, Link baratinait l'équipe des *cheerleaders*. Sa capitaine, surtout.

— Bah, ce n'est rien. Juste Link faisant du Link. Pas la peine de te mettre la rate au court-bouillon pour ça, Rid.

— Comme si c'était le cas ! a-t-elle grondé. Ça m'est complètement égal.

Les quatre pots de crème vides sur son plateau suggéraient pourtant le contraire.

— De toute façon, je ne reviens pas demain, a-t-elle continué. Ce bahut est frapadingue. On est obligé de se déplacer de salle en salle comme des moutons, en troupeau, en nuée, en horde ou en...

— Banc ? ai-je suggéré.

Je n'avais pu résister au jeu de mots. Elle a levé les yeux au ciel, agacée par ma désinvolture.

— Tu m'écoutes, oui ? Je te parle de l'école, bon sang !

— Et moi de poissons. Les poissons se déplacent en banc. Si tu avais plus souvent usé tes fonds de culotte sur des bancs d'école, tu le saurais.

Je me suis baissé afin d'éviter sa cuiller.

— Là n'est pas le propos, est intervenue Lena en m'avertissant d'un coup d'œil.

— Le propos, c'est que tu te comportes bêtement, Rid, ai-je dit en m'efforçant d'émettre des ondes compassionnelles.

Elle s'est de nouveau intéressée à sa bouffe, avec un degré de dévotion pour le sucre qui forçait le respect. Pour autant, elle a gardé Link dans sa ligne de mire.

— *Essayer* d'amener quelqu'un à t'apprécier est complètement avilissant. C'est pathétique. C'est...

— Mortel ?

— Exactement.

En frissonnant, elle s'est attaquée à sa gelée.

Quelques minutes plus tard, Link nous a rejoints. Il s'est laissé tomber près de Ridley, et le côté de la table où Lena et moi étions assis s'est soulevé du lino. Mesurant un mètre quatre-vingt-douze, j'étais un des types les plus grands de Jackson, mais il n'était plus qu'à deux ou trois centimètres de moi, à présent.

— Hé, du calme, mec !

Il a légèrement bougé, et nous sommes revenus sur terre. Autour de nous, les élèves n'en perdaient pas une miette.

— Désolé. Je n'arrête pas d'oublier. Je suis en pleine transition. M. Ravenwood m'a averti que ce ne serait pas une étape facile. Un peu comme quand tu es le nouveau du quartier.

Lena m'a donné un coup de pied sous la table en essayant de ne pas éclater de rire. Ridley, elle, n'a pas opté pour autant de subtilité.

— Je crois que toutes ces sucreries me rendent malade. Oh, pardon ! Ai-je dit sucreries ? C'est à âneries que je pensais.

Elle s'est tournée vers Link et a ajouté :

— Et quand je dis âneries, c'est à toi que je pense.

Il a souri. Elle le régalait du rôle dans lequel il la préférait.

— Ton oncle m'a également prévenu que personne ne comprendrait.

— Ben, tiens ! ai-je plaisanté. Ça doit être rudement dur d'être Hulk.

Ma blague est tombée à l'eau.

— Ce n'est pas drôle, mon vieux. Je ne peux pas rester assis plus de cinq minutes, sinon les gens commencent à me jeter de la nourriture, comme s'ils s'attendaient à ce que je la mange.

— C'est à cause de ta réputation. Tu étais un véritable béni-bouffe-tout, avant.

— Je pourrais becter, si je voulais, mais les aliments n'ont plus aucune saveur. J'ai l'impression de mâchouiller du carton. Je suis au régime Macon Ravenwood. Tu sais... Je picore des rêves par-ci, par-là.

— Ceux de qui ?

Si jamais il se gorgeait des miens, j'allais lui botter le train. Ils étaient assez effrayants comme ça sans qu'il en rajoute.

— Te bile pas. Tu as le crâne bourré de bien trop de folies pour moi. N'empêche, tu n'imagines pas à quoi rêve Savannah Snow. Disons juste que ce n'est pas aux championnats d'État.

Personne n'avait envie de connaître les détails, surtout pas Ridley, laquelle avait entrepris de lacérer sa gelée à coups de fourchette.

— Je peux vivre sans cette vision, merci, ai-je lâché afin de la préserver un peu.

— Pas de souci. Mais tu ne devineras jamais ce que j'ai vu chez elle.

Si jamais il annonçait « Savannah en sous-vêtements », il était mort. Apparemment, Lena me recevait cinq sur cinq, car elle s'est interposée :

— Link ? Je ne crois pas que...

— Des poupées.

— Quoi ?

Lena a eu l'air ahuri.

— Des Barbie. Attention ! Pas celles des gamines de l'école élémentaire. Ses chéries sont déguisées. Elle a une mariée, Miss Amérique, Blanche-Neige, etc. Et elle les expose dans une vitrine.

— Ha ! a grommelé Ridley en poignardant une tranche de gâteau. J'ai bien eu raison de la traiter de Barbie.

Link s'est rapproché d'elle.

— Tu me fais toujours la tête ?

— Tu n'en vaux pas la peine, a-t-elle riposté en fusillant des yeux ses cubes tremblotants de gelée rouge. Je ne crois pas que ce soit Cuisine qui ait préparé ce machin. Comment appelle-t-on ça, déjà ?

— La surprise du chef Malbouffe, a rigolé Link.

— Et c'est quoi, la surprise ? a-t-elle demandé en les observant de plus près.

— Ses ingrédients, a-t-il répondu en donnant une pichenette dedans.

Ridley a éloigné son plateau.

— Autrement dit ?

— Des sabots, du cuir et des os pilés. Une vraie surprise, je te dis.

Elle l'a regardé, a haussé les épaules et a fourré sa cuiller dans sa bouche. Elle ne céderait pas d'un pouce devant lui. Pas tant qu'il rôderait dans la chambre de Savannah Snow la nuit et qu'il la draguerait en plein jour.

— Alors ? m'a-t-il lancé. On se fait quelques paniers après les cours ?

— Non.

J'ai englouti le reste de mon burger à la bolognaise.

— Je n'en reviens pas que tu manges ce truc. Tu détestes ça.

— Je sais. Mais ils sont plutôt bons, aujourd'hui.

Une première pour Jackson. Que la cuisine d'Amma n'exerce plus sa magie sur moi au profit de la cantine indiquait peut-être que la Fin des Temps était réellement arrivée.

Si tu as envie de jouer au basket, ne te gêne pas pour moi.

Lena m'offrait la même chose que Link, une occasion de signer un armistice avec mes anciens potes, d'être moins exclu, pour peu que cela ait été possible. Il était trop tard, cependant. Vos amis étaient censés vous soutenir, et je savais désormais qui étaient mes vrais amis. Et qui ne l'était pas.

Non merci.

— Allez, mec, tout va bien. Ces bêtises avec les gars, c'est de l'histoire ancienne.

Link y croyait. Mais il était dur d'oublier le passé lorsqu'il avait consisté à tourmenter ma petite amie toute l'année.

— Ouais. Par ici, les gens ne sont guère versés dans l'histoire.

Même Link a deviné le sarcasme.

— Eh bien, moi, a-t-il répondu sans croiser mon regard, je compte y aller. Si ça se trouve, je pourrai réintégrer l'équipe. Après tout, ce n'est pas comme si je l'avais quittée pour de bon.

« Pas comme toi. » Tels sont les mots qu'il n'a pas prononcés.

— Il fait une chaleur infernale, ici.

La sueur me dégoulinait dans le dos. Il y avait trop de gens entassés dans cette salle.

Ça va ?

Non. Si. J'ai juste besoin d'un peu d'air.

Je me suis levé. La porte m'a semblé à des kilomètres.

Ce bahut avait une façon bien à lui de vous donner l'impression d'être minuscule. Aussi petit qu'il est possible de l'être. Voire encore plus.

Il faut croire que, en dépit de tous les bouleversements récents, certaines choses étaient immuables.

Il s'est avéré que Ridley ne tenait pas plus à étudier les cultures des États sudistes qu'elle ne voulait que Link reluque Savannah Snow. Au bout de cinq minutes de cours, elle l'a donc convaincu de permuter pour l'histoire internationale. Ce qui n'aurait pas dû m'étonner, sinon que remplacer une matière par une autre supposait d'en informer Mlle Hester, la CPE, puis de mentir, de supplier et même de pleurer, pour peu que l'opération se révélât ardue. Aussi, quand ils ont débarqué dans ma classe, et qu'il m'a annoncé que son emploi du temps avait été miraculeusement modifié, j'ai éprouvé quelques soupçons.

— Comment ça, tu as changé d'emploi du temps ?

Lançant son manuel sur le pupitre voisin du mien, il a haussé les épaules.

— Je n'y ai rien compris, a-t-il répondu. Je suis assis près de Savannah, puis Ridley débarque et s'installe de l'autre côté et, qu'est-ce que je vois ? qu'il est marqué « histoire internationale » sur mon cahier de texte. Et sur celui de Rid aussi. Elle en informe le prof, qui nous flanque aussitôt à la porte de son cours.

— Comment as-tu réussi ton coup ? ai-je demandé à l'intéressée qui prenait place.

— Quel coup ?

Elle m'a dévisagé d'un air innocent, tout en jouant avec la boucle scorpion de sa ceinture.

— Ne nous prends pas pour des demeurés, est intervenue Lena, peu disposée à s'en laisser conter. As-tu volé un des livres d'oncle Macon ?

— Serais-tu en train de m'accuser de lire ?

— As-tu lancé un sort ? a insisté Lena en baissant la voix. C'est dangereux, Rid.

— Pour moi ? Parce que je ne suis qu'une imbécile de Mortelle ?

— La magie représente un véritable péril pour les Mortels, à moins qu'ils n'aient des années d'expérience, comme Marian. Ce n'est pas ton cas.

Lena n'essayait pas d'enfoncer sa cousine ; pourtant, cette dernière tressaillait chaque fois que résonnait le mot « Mortel ». C'était comme verser de l'huile sur le feu. Peut-être serait-il moins difficile pour elle de se l'entendre dire par quelqu'un qui n'était pas un Enchanteur.

— Lena a raison, ai-je donc renchéri. Qui peut prédire ce qui se passerait si ça tournait mal ?

Pendant une seconde, Ridley n'a pas réagi, et j'ai cru que j'avais réussi à éteindre l'incendie tout seul comme un grand. Mais lorsqu'elle m'a regardé, ses prunelles bleues luisaient avec autant de férocité que l'avaient fait les jaunes, autrefois. J'ai compris à quel point j'avais tort.

— Je ne me rappelle pas que quiconque se soit plaint quand toi et ta petite Marian-en-devenir britannique avez joué les apprentis sorciers sur la Grande Barrière, a-t-elle rétorqué.

Lena a baissé les yeux en rougissant. Ridley disait vrai. Liv et moi avions pratiqué la magie, là-bas. C'était comme ça que nous avions libéré Macon de l'Orbe Lumineux ; comme ça aussi que Liv avait perdu toutes ses chances de devenir Gardienne un jour. Il s'agissait d'un souvenir douloureux de l'époque où Lena et moi avions été aussi loin l'un de l'autre qu'il est possible de l'être.

Je n'ai pas répondu, préférant trébucher sur mes réflexions qui se fracassaient et brûlaient dans le silence, tandis que M. Littleton s'efforçait de nous persuader de l'attrait de son programme. Ce à quoi il a échoué, au demeurant. J'ai tenté de trouver une réplique susceptible de m'épargner la gêne des dix secondes qui ont suivi. Moi aussi, j'ai échoué.

Parce que, quand bien même Liv ne fréquentait pas Jackson et qu'elle passait ses journées dans les Tunnels en compagnie de Macon, elle restait l'éléphant dans le magasin de porcelaine. Le contentieux que Lena et moi évitions d'aborder. Depuis la nuit de la Dix-septième Lune, je n'avais revu Liv qu'une seule fois, et elle me manquait. Or je ne pouvais le confier à personne.

Me manquaient son accent anglais marrant et sa prononciation du mot « Caroline », qui sonnait du coup comme « Caro-laïne » ; me manquaient son sélenomètre, qui avait des allures de montre énorme en plastique comme on en fabriquait trente ans auparavant, et son habitude de toujours écrire dans son petit calepin rouge ; me manquaient ses plaisanteries et sa façon de se moquer de moi constamment ; me manquait une amie.

Le plus triste, c'est qu'elle aurait sûrement compris.

Sauf que je ne pouvais pas le lui dire.

7 septembre
À l'écart de la Nationale 9

À la fin de la journée, Link est resté jouer au basket avec les gars. Rid a refusé de partir sans lui tant que l'équipe des *cheerleaders* était dans le gymnase, même si elle aurait préféré se pendre plutôt que de l'admettre.

Planté sur le seuil de la salle, j'ai observé mon copain qui dribblait tout le long du terrain sans se fatiguer. Je l'ai regardé marquer des paniers à partir de la ligne de touche, de celle des lancers francs, de celle des trois points, du centre du court. J'ai vu la stupéfaction des autres joueurs. J'ai contemplé l'entraîneur qui, assis sur les gradins, gardait son sifflet dans la bouche, estomaqué. J'ai adoré la moindre minute de la partie, presque autant que Link lui-même.

— Ça te manque ? s'est enquise Lena qui, près de moi, me dévisageait.

— Pas du tout, ai-je répondu en secouant la tête. Je n'ai pas envie de fréquenter ces mecs. Et puis, ai-je ajouté avec un sourire, pour une fois, personne ne nous mate.

J'ai tendu la main dans sa direction, elle s'en est emparée. Sa peau était douce et tiède.

— Partons, a-t-elle décrété.

Boo Radley était assis sur le parking, près du panneau Stop. Il haletait comme s'il n'y avait pas assez d'air sur terre pour le rafraîchir. Je me suis demandé si Macon continuait à nous surveiller, nous et le reste de Gatlin, à travers les prunelles de son chien d'Enchanteur. Nous nous sommes arrêtés à côté de lui afin de lui ouvrir la portière. Il n'a pas marqué un instant d'hésitation.

Nous avons emprunté la Nationale 9 jusqu'à l'endroit où les maisons de Gatlin s'effaçaient au profit de rangées de champs. À cette époque de l'année, le paysage était habituellement un panaché de vert et de brun – maïs et tabac. Mais là, aussi loin que l'œil portait, on ne distinguait que du noir et du jaune – cultures dévastées et criquets qui dévoraient jusqu'aux abords de la route. Les pneus les écrasaient en chuintant. C'était anormal.

Encore un sujet dont nous ne parlions pas – l'apocalypse qui s'était abattue sur Gatlin en lieu et place de l'automne. La mère de Link était convaincue que la canicule et les insectes symbolisaient le courroux de Dieu. Il n'en était rien, comme je le savais. Sur la Grande Barrière, Abraham avait juré que le choix de Lena affecterait le monde des Enchanteurs et celui des Mortels. Il n'avait pas menti.

Lena regardait par la fenêtre, les yeux fixés sur les champs ravagés. Il n'y avait rien que je sois en mesure de lui dire pour la réconforter ou alléger sa culpabilité. Je ne pouvais que tenter de la divertir.

— Cette journée a été dingue, même pour une rentrée scolaire.

— J'ai de la peine pour Ridley, a-t-elle répondu en nouant ses cheveux en un chignon lâche. Elle n'est plus elle-même.

— Autrement dit, elle a cessé d'être une Sirène déjantée œuvrant en secret pour le compte de Sarafine. Cela doit-il nous attrister ?

— Elle paraît tellement paumée.

— Tu veux mon avis ? Elle va recommencer à tourner la tête de Link.

Lena s'est mordillé la lèvre.

— Oui, peut-être. Elle se considère encore comme une Sirène. Tourner la tête des gens fait partie du job.

— Je te parie qu'elle terrassera toute l'équipe des *cheerleaders* en un rien de temps.

— Auquel cas, on l'expulsera du lycée.

Au croisement, j'ai quitté la Nationale 9 pour m'engager sur la route qui menait à Ravenwood.

— Ils n'oseront pas, à moins qu'elle ne réduise Jackson en cendres.

La ramure des chênes qui bordaient le chemin abaissait la température de un ou deux degrés. Le courant qui s'engouffrait par la fenêtre a agité les boucles brunes de Lena.

— Je crois que Ridley ne supporte pas la maison. Toute la famille a un comportement étrange. Tante Del ne sait plus si elle vient d'arriver ou si elle s'apprête à repartir.

— Ce n'est pas nouveau, ça.

— Hier, elle a confondu Ryan et Reece.

— Justement, comment va Reece ?

— Ses pouvoirs infestent la baraque. Elle ne cesse de s'en plaindre. Parfois, elle me regarde et s'affole, et j'ignore si c'est à cause de quelque chose qu'elle a lu sur mes traits ou parce qu'elle n'a pas réussi à déchiffrer quoi que ce soit.

Précision : Reece était déjà d'humeur maussade en temps normal.

— Au moins, tu as ton oncle.

— Façon de parler. Tous les jours, il disparaît dans les Tunnels sans rien dire de ce qu'il y fabrique. À croire qu'il ne veut pas que je sois au courant.

— Et tu trouves ça bizarre ? Lui et Amma ont toujours tenté de nous cacher les choses.

Je m'efforçais d'afficher une attitude décontractée, malgré les criquets qui explosaient sous nos roues.

— Cela fait des semaines qu'il est revenu, et je continue d'ignorer quel type d'Enchanteur il est. Enfin, sauf pour sa partie Lumière, s'entend. Il refuse d'en discuter. Avec tout le monde.

« Y compris moi. » Ce qu'elle n'a pas formulé.

— Il ne le sait peut-être pas lui-même ?

— Laisse tomber.

Elle s'est tournée vers la vitre, et je lui ai pris la main. Nous avions si chaud que la brûlure de ce contact m'était presque intolérable.

— Et si tu parlais à ta grand-mère ?

— La moitié du temps, Bonne-maman est à la Barbade, à tenter de comprendre ce qui se passe.

Lena n'a pas précisé ce qu'elle entendait par là. Les siens n'avaient pas renoncé à essayer de trouver comment restaurer l'Ordre des Choses – à bannir la touffeur, les sauterelles et toutes les joies auxquelles devait s'attendre l'univers des Mortels.

— Ravenwood Manor est plus Scellé qu'une prison d'Enchanteurs, a poursuivi Lena. Il y règne un tel sentiment d'enfermement que j'ai l'impression d'être aussi Scellée que la maison. Crois-moi, ça donne un sens nouveau au mot « confinement ». (Elle a secoué la tête.) J'espère que Ridley échappe à ça, maintenant qu'elle est une Mortelle.

Je me suis tu, ce qui ne m'a pas empêché d'être à peu près certain que sa cousine éprouvait la même sensation qu'elle, car c'était mon cas également. Plus nous approchions de la vaste demeure, plus j'en ressentais la magie, qui bourdonnait comme une ligne à haute tension, et dont le poids, identique à celui d'un épais brouillard, ne devait rien à la météo.

C'était l'atmosphère de l'univers des Enchanteurs, Lumière et Ténèbres confondues. Je la reconnaissais depuis notre expédition à la Grande Barrière. Lorsque j'ai atteint les grilles en fer forgé faussées qui marquaient les limites de la propriété, l'air alentour a crépité comme s'il était aussi chargé d'électricité qu'une tempête estivale.

Les grilles n'étaient pas le vrai portail qui protégeait Ravenwood. Le parc, qui s'était transformé en jungle pendant l'absence de Macon, était l'unique endroit de tout le comté où se réfugier contre la chaleur et les insectes. Il fallait peut-être y voir le témoignage de la puissance familiale des Ravenwood et des Duchannes ; mais, alors que nous franchissions la clôture, j'ai perçu l'énergie extérieure qui tirait d'un côté, cependant que la plantation tirait de l'autre. Cette dernière défendait son territoire pied à pied : il suffisait de découvrir le brun infini des environs qui cédait la place au vert, les jardins épargnés, intacts. Les parterres de fleurs de Macon s'épanouissaient, multicolores, les arbres bien taillés profitaient, les vastes pelouses soigneusement tondues s'étendaient jusqu'à la Santee. Même les allées avaient été recouvertes de gravier neuf. Toutefois, dehors, le monde assaillait les grilles, les sortilèges et les Sceaux qui protégeaient la maison. Pareil à des vagues s'écrasant sur les rochers, battant le récif encore et encore, l'érodant de quelques grains de sable à chaque assaut.

Le ressac finissait toujours par l'emporter. Si l'Ordre des Choses était réellement rompu, Ravenwood ne serait plus très longtemps le dernier poste avancé d'un univers perdu.

J'ai garé le corbillard près de la maison. Très vite, nous en sommes descendus pour profiter de l'humidité extérieure. Lena s'est jetée sur l'herbe fraîche, et je me suis affalé à côté d'elle. J'avais attendu ce moment toute la journée, et j'étais désolé pour Amma, pour mon père et pour le reste des habitants de Gatlin, prisonniers de la ville sous une nue bleue brûlante. Pour ma part, j'étais à bout.

Je te comprends.

Flûte ! Je ne...

Je sais. Tu ne me reproches rien. T'inquiète.

Elle s'est rapprochée, a porté sa main à mon visage. Je me suis raidi. Mon pouls ne se contentait plus de s'affoler quand nous nous touchions ; désormais, je sentais l'énergie déserter mon corps, comme aspirée. Lena a hésité, reculé les doigts.

— Ceci est ma faute, a-t-elle soupiré. J'ai conscience que tu ne t'autorises pas à le dire, mais moi, si.

— L.

Roulant sur le dos, elle a contemplé le ciel.

— Tard le soir, dans mon lit, je ferme les yeux et j'essaye de le transpercer. J'en appelle aux nuages, je chasse la chaleur. Tu n'imagines pas à quel point c'est dur. Combien d'efforts cela exige de nous tous pour conserver Ravenwood dans cet état. (Elle a cueilli un brin d'herbe.) Oncle Macon dit ignorer ce qui va se passer. Bonne-maman assure que c'est normal, puisque rien de tout cela n'était encore arrivé.

— Tu les crois ?

Macon était à peu près aussi franc envers Lena qu'Amma l'était envers moi. Si elle avait dû agir autrement, il aurait été la dernière personne à le lui dire.

— Je ne sais pas trop. Mais ceci dépasse les frontières de Gatlin. Quoi que j'aie fait, ça affecte les Enchanteurs extérieurs à ma famille. Les dons de chacun sont aussi peu fiables que les miens.

— Les tiens sont imprévisibles depuis le début.

— La combustion spontanée, c'est plus qu'imprévisible, a-t-elle objecté en détournant les yeux.

Elle n'avait pas tort. Gatlin oscillait dangereusement au bord d'une falaise invisible, et nous n'avions pas la moindre idée de ce qui se trouvait en bas de l'abîme. Sauf qu'il m'était impossible de le formuler, pas quand Lena était celle qui nous avait placés dans cette situation.

— Nous finirons bien par deviner ce qui se trame, me suis-je donc borné à lâcher.

— Je n'en suis pas si sûre.

Elle a tendu une main vers le ciel, et j'ai repensé à la première fois où je l'avais rejointe dans le jardin de Greenbrier. Je l'avais alors vue suivre le contour des nuages du bout des doigts, dessiner des formes. J'ignorais à l'époque dans quoi je m'engageais ; l'aurais-je su que ça n'aurait pas eu grande importance.

Tout avait changé, même le ciel. Aujourd'hui, il n'y avait aucun nuage dont calquer la silhouette. Il n'y avait rien, sinon la canicule bleue et menaçante.

Levant l'autre main, Lena m'a jeté un coup d'œil.

— Ce n'est pas près de s'arrêter, a-t-elle prédit. Ça va empirer, même. Nous devons nous y préparer.

Distraite, elle a happé le ciel, étirant lentement l'air entre ses doigts comme du caramel.

— Sarafine et Abraham ne renonceront pas comme ça, a-t-elle enchaîné avant de former une boucle avec ses phalanges. Ethan, je tiens à ce que tu saches que je n'ai plus peur de rien.

Moi non plus. Du moment que nous sommes ensemble.

— Justement. Si quelque chose se produit, ce sera à cause de moi. Et ce sera à moi de réparer les dégâts. Tu me suis ?

Elle avait posé la question en évitant de me regarder.

Non.

— Ah bon ? N'est-ce pas plutôt que tu ne veux pas ?

Je ne peux pas.

— Te souviens-tu du temps où Amma te recommandait de ne pas faire un trou dans le ciel, sinon l'univers s'y précipiterait ?

— C.O. N.C. O.M. I.T. A.N.T. Onze lettres vertical. Autrement dit, ose tirer sur ce fil, et le monde entier se détricotera comme un pull-over, Ethan Wate.

Lena aurait dû rire ; elle a gardé son sérieux.

— J'ai tiré sur le fil quand je me suis servie du *Livre des lunes*.

— À cause de moi.

Je ne cessais d'y penser. Elle n'était pas la seule à avoir dénoué l'unique pelote de coton qui veillait à l'intégrité du comté de Gatlin, tant en surface que sous terre.

— Je me suis Appelée.

— Tu n'avais pas le choix. Et tu devrais en être fière.

— Je le suis...

— Mais ?

— Mais je vais avoir à en payer le prix. Je m'y suis résignée, d'ailleurs.

— Ne parle pas ainsi, ai-je demandé en fermant les paupières.

— Je suis réaliste.

— Non. Tu guettes un désastre.

Une chose que je refusais d'envisager. Lena a joué avec son collier d'amulettes.

— Il arrivera. Le problème est de savoir quand.

J'attends. C'est ce qu'a annoncé le classeur.

Quel classeur ?

Zut ! J'avais souhaité lui dissimuler cela. Il était trop tard pour que je m'arrête, maintenant. Comme il m'était impossible de faire semblant de revenir en arrière, vers ce qui avait été.

L'étrangeté malsaine des événements m'a soudain accablé. L'été, d'abord. La mort de Macon, Lena qui s'était comportée en étrangère, sa fuite avec John Breed, loin de moi. Puis ce qui s'était ensuivi et ce qui avait précédé ma rencontre avec Lena – ma mère qui n'était pas rentrée à la maison, ses souliers abandonnés là où elle les avait laissés, sa serviette encore humide de sa douche matinale. Sa moitié de lit intouchée, l'odeur de ses cheveux sur l'oreiller.

Le courrier à son nom qui avait continué de nous parvenir.

Bref, la brutalité de tout cela. Sa permanence, aussi. La réalité de la vérité et la solitude qu'elle impliquait : la personne la plus essentielle de votre vie cessait tout à coup d'exister. Ce qui, les mauvais jours, supposait qu'elle n'avait peut-être jamais vraiment existé. Les bons jours, c'était une autre crainte qui prédominait : on avait beau être certain à cent pour cent qu'elle avait existé, il se pouvait qu'on fût le seul pour qui cela eût de l'importance ou qui s'en souvînt.

Comment un oreiller peut-il conserver le parfum de quelqu'un qui n'est plus sur la même planète que vous ? Et comment doit-on réagir le jour où l'oreiller ne sent plus que le vieil oreiller, l'oreiller d'une étrangère ? Comment réussit-on à s'obliger à ranger ces chaussures ?

Pourtant, j'y étais parvenu. Et j'avais vu le Diaphane de ma mère au cimetière de Bonaventure. Pour la première fois de ma vie, j'avais cru qu'il y avait quelque chose après la mort. Ma mère n'était pas seule sous la terre de Son Jardin du Repos Éternel, comme je l'avais toujours redouté. Je la lâchais peu à peu. Du moins, je m'en rapprochais.

Ethan ? Qu'y a-t-il ?

J'aurais bien aimé pouvoir répondre.

— Je ne permettrai pas qu'il t'arrive quoi que ce soit. Personne ne le permettra.

J'avais lâché ces mots, alors que j'étais parfaitement conscient de ne pas être en mesure de la protéger. Je les avais prononcés, parce que j'avais l'impression que mon cœur allait de nouveau se déchirer en lambeaux.

— Je sais, a-t-elle menti.

Elle n'a rien ajouté. Elle avait deviné ce que je ressentais.

Elle a tiré de toutes ses forces sur le ciel, comme si elle voulait l'arracher au soleil.

Un craquement sonore a retenti.

J'ignorais d'où il provenait, j'ignorais combien de temps il allait durer, mais la nue bleue s'est ouverte et, malgré l'absence de nuages, a déversé la pluie sur nos visages. J'ai palpé l'herbe humide, j'ai senti les gouttes dans mes yeux. Elles paraissaient réelles. Mes vêtements trempés de sueur se sont mouillés au lieu de sécher. Attirant Lena à moi, j'ai saisi son visage entre mes paumes. Puis je l'ai embrassée jusqu'à ce que je ne sois plus le seul à être hors d'haleine, que le sol redevienne sec, et que le ciel retrouve sa dureté azuréenne.

À dîner, Amma nous a servi sa tourte au poulet cuite à l'étouffée, celle qui avait remporté tant de prix. Ma part à elle seule mesurait la taille de mon assiette. J'ai enfoncé ma fourchette dans la pâte, qui a lâché une bouffée de vapeur. J'ai humé alors l'odeur du madère, l'ingrédient secret d'Amma. Tous les feuilletés du comté en avaient un : crème aigre, sauce de soja, poivre de Cayenne, et même du parmesan fraîchement râpé. Secrets et recettes marchaient main dans la main, par ici. Il suffisait de couvrir un plat d'une couche de pâte, et les habitants de Gatlin étaient prêts à risquer leur vie pour découvrir ce qui se dissimulait dessous.

— Ah ! s'est extasié mon père. Ce parfum me donne l'impression d'avoir encore huit ans.

Il a souri à Amma, qui a ignoré tant sa remarque que sa bonne humeur suspecte. La rentrée universitaire avait eu lieu, et il était assis avec nous, vêtu de sa chemise de travail, l'air tout ce qu'il y a de plus normal. On en aurait presque oublié l'année qu'il avait consacrée à dormir le jour, à « écrire » la nuit, terré dans son bureau, un livre qui s'était révélé n'être qu'une grosse centaine de pages de gribouillis. Parlant et se nourrissant à peine, jusqu'à ce qu'il remonte la pente raide et lente qui l'avait ramené de la folie. À moins que je ne me fasse des idées, enivré moi aussi par les arômes du plat. J'ai pioché dans mon assiette.

— La rentrée s'est bien passée, Ethan ? s'est enquis mon père, la bouche pleine.

— Ça peut aller, ai-je répondu en examinant le contenu de ma fourchette.

Sous la pâte, les aliments avaient été hachés menu. Dans le chaos miniature des entrailles écrasées de la tourte, il était impossible de distinguer les bouts de poulet des morceaux de légumes. Ce n'était jamais bon signe, lorsque Amma

dégainait son fendoir. Notre dîner trahissait un après-midi de fureur que je n'osais imaginer. J'avais pitié de la planche à découper scarifiée. Un coup d'œil à l'assiette vide d'Amma m'a appris qu'elle ne s'installerait pas à table ce soir-là ni ne nous ferait la conversation. Sans pour autant nous fournir une explication.

— Et toi, Amma ? ai-je risqué, après avoir avalé une bouchée.

Debout devant le plan de travail, elle touillait une salade composée avec tant de vigueur que j'ai cru que notre saladier en verre ne résisterait pas.

— Ça peut aller, a-t-elle grommelé.

Mon père a levé son verre de lait avec calme.

— Eh bien, ma journée à moi a été extraordinaire. Je me suis réveillé avec une idée incroyable, surgie de nulle part. Elle m'est sûrement venue hier soir avant de me coucher. Au bureau, j'ai rédigé un plan. Je vais commencer un nouveau livre.

— Ah ouais ? Super !

J'ai attrapé le saladier, me suis concentré sur un bout de tomate huileux.

— Il portera sur la guerre de Sécession. Si ça se trouve, je réussirai même à utiliser certains anciens travaux de ta mère. Il faudra que j'en parle à Marian.

— Et comment comptes-tu l'appeler, papa ?

— C'est justement le titre qui m'est tombé dessus sans crier gare. *La Dix-huitième Lune*. Qu'en dis-tu ?

Le plat m'a échappé des mains, a rebondi sur la table et explosé par terre. Des feuilles de salade mêlées à des bouts de verre ont étincelé sur mes tennis et le plancher.

— Ethan Wate !

Avant que j'aie eu le temps d'ajouter quoi que ce soit, Amma était près de moi et réparait le chaos dangereusement glissant que j'avais provoqué. Comme toujours. Alors que je la rejoignais, à quatre pattes, je l'ai entendue siffler entre ses dents :

— Pas un mot de plus !

Vu son ton, elle aurait pu tout aussi bien me coller un morceau de pâte à tourte sur la bouche.

Qu'est-ce que ça signifie, à ton avis, L ?

Allongé sur mon lit, paralysé, je cachais mon visage dans mon oreiller. Amma s'était enfermée dans sa chambre sitôt le dîner achevé, ce qui, d'après moi, voulait dire avec certitude qu'elle n'en savait pas plus que moi sur ce qui se tramait du côté de mon père.

Aucune idée.

Comme d'habitude, le Chuchotement de Lena me parvenait aussi clairement que si elle avait été assise à côté de moi ; et, comme d'habitude, je regrettais que ce ne soit pas le cas.

Comment en est-il arrivé à ça ? Avons-nous laissé échapper quelque chose à propos des chansons ? Avons-nous commis une erreur ?

Une de plus. Remarque que j'ai gardée pour moi et à laquelle je me suis efforcé de ne pas penser. La réponse a été rapide.

Non, Ethan, nous n'avons rien dit.

Alors, s'il mentionne la Dix-huitième Lune…

La vérité nous a frappés tous les deux en même temps.

C'est que quelqu'un veut qu'il le fasse.

Logique. Les Enchanteurs des Ténèbres avaient tué ma mère. Mon père, qui se remettait tout juste, était une proie facile. De plus, il leur avait déjà servi de cible, la nuit de la Seizième Lune de Lena. Il n'y avait pas d'autre explication au titre de son futur livre.

Ma mère était morte, mais elle avait découvert un moyen de me guider grâce aux Airs Occultes, *Seize Lunes* et *Dix-sept Lunes*, qui m'avaient hanté jusqu'à ce que je me mette enfin à les écouter. Ce nouveau message ne venait pas d'elle, cependant.

L ? Crois-tu qu'il s'agisse d'une sorte d'avertissement ? De la part d'Abraham ?

Peut-être. Ou de ma merveilleuse mère.

Sarafine. Elle ne prononçait jamais son prénom si elle pouvait l'éviter. Difficile de le lui reprocher.

C'est forcément l'un d'eux, non ?

Elle n'a pas répondu, et je suis resté à méditer dans l'obscurité silencieuse en espérant que c'était l'un des deux en effet. L'une des créatures malfaisantes que nous connaissions, qui nous interpellaient d'un endroit quelconque du monde familier des Enchanteurs. Les créatures malfaisantes que nous ne connaissions pas étaient bien trop terrifiantes pour qu'on les envisage, et les univers étrangers encore pires.

Tu es toujours là, Ethan ?

Oui.

Tu me ferais la lecture ?

Ravi, j'ai plongé sous mon lit, pêchant le premier livre qui me tombait sous la main. Le poète Robert Frost, l'un des préférés de Lena. Je l'ai ouvert au hasard. *Révélation.*

« Nous nous créons une place à part / Derrière les mots légers qui se rient de nous, libres / Mais, oh ! Combien notre cœur est agité / Jusqu'à ce que quelqu'un nous découvre vraiment... »

J'ai continué de lire. Je sentais le poids rassurant de la conscience de Lena appuyée contre la mienne, aussi réel que si elle avait posé sa tête sur mon épaule. J'avais envie de la garder en cet endroit le plus longtemps possible. Elle rompait ma solitude.

Chaque vers donnait l'impression d'avoir été rédigé à son sujet – à mes yeux, du moins.

Tandis qu'elle commençait à somnoler, j'ai écouté les stridulations des cigales avant de finir par me rendre compte qu'il ne s'agissait pas de cigales, mais de criquets. Du fléau, de la plaie, d'un des noms dont Mme Lincoln avait décidé de les affubler. Plus je me concentrais, plus le bruit ressemblait à des millions de scies lointaines en train de détruire ma ville et tout ce qui l'environnait. Puis les insectes se sont fondus dans un nouveau son, les accords graves d'une chanson que j'aurais identifiée au milieu de dizaines d'autres.

J'avais commencé à entendre les morceaux avant même de rencontrer Lena. *Seize Lunes*, l'air que seul moi avais alors perçu, m'avait conduit à elle. J'avais été incapable de faire taire les morceaux, pas plus que Lena n'aurait pu échapper à son destin, et moi au mien. Ils m'avaient transmis les avertissements de ma mère, la personne en qui j'avais le plus confiance dans les deux mondes.

Dix-huit lunes, dix-huit sphères,
Hors les ans, hors l'univers,
Le Non-élu, mort ou né,
Terr' guettée par jour brisé...

Comme d'ordinaire, j'ai essayé d'en deviner le sens. « Hors les ans, hors l'univers » excluait l'environnement Mortel. Mais qu'est-ce qui émergeait de l'autre – la Dix-huitième Lune ou « le Non-élu » ? Et qui se cachait derrière cette expression énigmatique ?

Pas Lena, en tout cas. Elle, elle avait choisi. Ce qui laissait supposer qu'il restait un choix à faire, par quelqu'un qui n'en avait encore opéré aucun.

Mais c'était le dernier vers, surtout, qui me donnait la nausée. Un « jour brisé » ? Cela pouvait convenir à n'importe quel moment que nous vivions ces derniers temps. Comment était-il possible que l'un d'eux ait été encore plus abîmé qu'il ne l'était déjà ?

J'ai regretté de ne disposer que d'une chanson, et que ma mère n'ait pas été là pour me l'expliquer. Par-dessus tout, j'ai regretté de ne pas savoir comment réparer tout ce que nous avions brisé.

12 septembre
Hôpital et cage de verre

Un poisson-chat entier me fixait de ses yeux vitreux. Sa queue a eu un ultime soubresaut. D'un côté se trouvait un plat énorme où s'entassaient des tranches de bacon grasses et pas cuites. De l'autre, une assiette de crevettes crues, grises et translucides, près d'un saladier de flocons d'avoine secs. Une poêlée d'œufs dégoulinants, leur jaune saignant au milieu d'une épaisse sauce blanche, était le mieux de ce pire. C'était bizarre, même pour Ravenwood, où j'étais assis, face à Lena, dans la salle à manger d'apparat. La moitié de la nourriture exposée donnait l'impression d'être sur le point de se sauver de la table, en courant ou en nageant. Il n'y avait là rien que quiconque à Gatlin ait été susceptible d'avaler au petit déjeuner. Surtout moi.

J'ai contemplé mon assiette vide, près de laquelle venait de surgir un grand verre en cristal rempli de lait chocolaté. À proximité des œufs mal cuits, il n'avait rien d'appétissant. Lena a fait la grimace.

— Cuisine ? Franchement ! Tu recommences ?

Depuis la pièce voisine, des sons métalliques indignés ont voleté jusqu'à moi. Lena venait d'irriter la mystérieuse cuisinière de Ravenwood, que je n'avais jamais croisée. Me regardant, elle a haussé les épaules.

— Je te l'ai dit, tout déraille, ici. C'est de pire en pire chaque jour qui passe.

— Viens. On s'achètera un beignet au Stop & Steal.

Je n'avais plus faim depuis que mes yeux étaient tombés sur le plat de lard cru.

— Cuisine fait de son mieux. Je crains que la vie ne soit devenue plutôt difficile, ces derniers temps. Cette nuit à point d'heure, Delphine a tambouriné à ma porte en criant que les Britanniques débarquaient.

Une voix familière, le doux frottement de pantoufles sur le sol, le raclement d'une chaise tirée – il était là. Macon Ravenwood, chargé d'une brassée de journaux roulés, soulevant une tasse pleine de ce qui était censé être du thé mais avait l'air d'une espèce de bouillasse verdâtre trop liquide. Boo, qui le suivait, se couchait à l'instant aux pieds de son maître. Lena a poussé un soupir.

— Ryan n'arrête pas de pleurer. Elle refuse de l'avouer, mais elle a peur de ne pas entrer en possession de tous ses pouvoirs, maintenant. Oncle Barclay ne parvient plus à Transmuter. D'après tante Del, il n'est même plus capable de transformer un sourcillement en sourire.

Macon a brandi sa tasse dans ma direction.

— Ces ruminations attendront que nous ayons terminé notre petit déjeuner. Quelle note donnez-vous au soleil du matin, monsieur Wate ?

— Je vous demande pardon, monsieur ?

— Une chanson de Robbie Williams. Sacré auteur-compositeur, non ? Et une question des plus pertinente en ce moment. (Il a jeté un coup d'œil à son thé avant d'en boire une gorgée puis de reposer sa tasse.) Ma façon de vous saluer, j'imagine.

— Bonjour, monsieur.

Je me suis obligé à ne pas le fixer. Il portait une sorte de robe de chambre en satin noir. Enfin, on en aurait dit une, même si je n'en avais encore pas vu avec un mouchoir dépassant de la pochette. Elle ne ressemblait en rien à la vieille à carreaux de mon père. Malheureusement, Macon m'a surpris en train de le reluquer.

— Je crois que la dénomination que vous cherchez est « veste d'intérieur ». À présent que je suis en mesure d'affronter de longues journées ensoleillées, j'ai découvert qu'il existait plus confortable que les chemises traditionnelles.

— Excusez-moi ?

— Oncle M veut dire qu'il aime traîner en pyjama, est intervenue Lena en l'embrassant sur la joue. Il faut que nous y allions, sinon il ne restera plus de beignets. Sois sage, et je t'en rapporterai un.

— La faim est un tel inconvénient ! a-t-il soupiré.

— Je prends ce commentaire pour un oui, a-t-elle répondu en attrapant son sac à dos.

Macon l'a ignorée pour ouvrir son premier journal, dont il a lissé la page.

— Tremblement de terre au Paraguay.

Il est passé au suivant, lequel était français.

— La Seine est en train de s'assécher.

Encore un autre.

— La banquise fond dix fois plus vite que prévu. À en croire la presse d'Helsinki, du moins.

Un quatrième.

— Toute la côte sud-est des États-Unis semble affectée par une étrange épidémie de pestilence.

Lena a fermé le journal, révélant une assiette de pain blanc en dessous, juste devant lui.

— Mange. Le monde sera toujours au bord de la catastrophe quand tu auras fini ton petit déjeuner. Même en veste d'intérieur.

L'expression morose de Macon s'est éclaircie, et ses yeux verts d'Incube devenu Enchanteur de la Lumière ont jeté des éclats plus lumineux au contact de Lena. Cette dernière lui a adressé le sourire qu'elle ne réservait qu'à lui. Un sourire qui signifiait qu'elle profitait de tout, de la moindre minute passée en sa compagnie. Ils étaient désormais conscients de leur privilège. Depuis que Macon était littéralement revenu d'entre les morts, Lena n'avait plus considéré leurs instants ensemble comme acquis. Je n'en doutais pas et je les enviais.

C'était ce que j'avais partagé avec ma mère ; ce dont j'étais privé maintenant. Avais-je eu un sourire différent lorsque je la regardais ? Avait-elle deviné que, moi aussi, j'avais profité de tout ? Que j'avais compris qu'elle lisait le moindre livre dans lequel je me plongeais afin que nous puissions en parler au dîner ? Que j'avais appris qu'elle traînait des heures à la librairie de la Bicyclette Bleue à Charleston pour trouver des ouvrages susceptibles de me convenir ?

— Viens ! m'a lancé Lena.

Secouant la tête pour me débarrasser de mes souvenirs, j'ai attrapé mon propre sac. Lena a brièvement enlacé son oncle.

— Ridley ! a-t-elle crié en direction de l'étage.

Un gémissement étouffé a flotté jusqu'au rez-de-chaussée, en provenance de l'une des chambres.

— Tout de suite ! a ajouté Lena.

Les traits de Macon ont repris leur gravité initiale.

— Soyez prudents, dehors.

— Je veillerai sur elle.

— Merci, monsieur Wate. J'en suis convaincu. Mais faites attention à vous également. La situation est un peu plus compliquée que les apparences ne le suggèrent.

La ville se délitait, et nous avions, en gros, brisé le monde. En quoi les choses pouvaient-elles être plus complexes ?

— Attention à quoi, monsieur ?

Le calme régnait, malgré les éclats de voix qui résonnaient dans le hall, dispute entre Lena et Bonne-maman d'une part, et Ridley de l'autre. Macon a baissé les yeux sur sa pile de journaux, défroissant le dernier, qui était rédigé dans une langue que je ne connaissais pas et qui, pourtant, me paraissait familière.

— J'aimerais bien pouvoir vous le dire.

Après notre petit déjeuner à Ravenwood, pour peu que le terme soit approprié, la journée a continué, de plus en plus curieuse. Nous sommes arrivés en retard au lycée parce que, lorsque nous sommes allés chercher Link, sa mère venait de le surprendre en train de jeter son propre petit déjeuner à la poubelle et l'avait forcé à se rasseoir pour en avaler un autre. Puis, alors que nous passions devant le Stop & Steal, nous n'avons pas vu Gros Lard, le flic chargé de donner la chasse aux coupables d'école buissonnière, assis dans sa voiture de patrouille en train de manger un beignet en lisant le canard. D'ailleurs, il restait une demi-douzaine de pâtisseries dans le magasin. Voilà qui était forcément un signe avant-coureur de l'Apocalypse. Mais, encore plus incroyable, malgré nos vingt minutes de retard, quand nous sommes entrés dans le bahut, Mlle Hester n'était pas là à monter la garde et à distribuer les retenues. Son flacon de vernis à ongles mauve était bien sur son bureau, fermé cependant. Tout donnait l'impression que le monde avait tourné de cinq degrés dans le mauvais sens.

— C'est notre jour de chance ! a clamé Link.

Il m'a tendu son poing, et j'ai frappé mes jointures contre les siennes. La chance ? L'étrangeté aurait été appropriée, à mon avis.

Cela m'a d'ailleurs été confirmé lorsque j'ai aperçu Ridley qui filait vers les toilettes. J'aurais juré qu'elle s'était habillée en fille normale, adoptant des vêtements étonnamment normaux. Puis, alors que je me glissais à côté de Lena, dans la zone qui aurait dû être celle de l'œil valide de la mère

English, j'ai découvert que je me trouvais dans la quatrième dimension du plan de table de la classe. J'étais pourtant assis à ma place habituelle. Soit c'était la salle qui avait changé, soit c'était Mme English, qui a consacré tout le cours à questionner les élèves installés du mauvais côté de la pièce.

— « Nous vivons à une époque claire, à présent, une époque précise ; nous ne vivons plus à l'heure trouble où le mal se mêlait au bien afin de tromper le monde. »

La prof a relevé la tête.

— Mademoiselle Asher ? Arthur Miller jugerait-il que nous vivons aujourd'hui des temps troublés ?

Emily l'a regardée d'un air choqué.

— Madame ? Vous êtes sûre de ne pas vouloir les interroger, eux ?

Elle a tourné la tête vers Abby Porter, Lena et moi, les seuls à être assis du côté de l'œil valide.

— Je suis sûre de vouloir interroger quiconque espère valider sa présence à mes cours, mademoiselle Asher. Répondez à la question, s'il vous plaît.

Si ça se trouve, elle a mis son œil de verre au mauvais endroit ce matin.

Lena a souri, sans relever la tête, cependant.

Peut-être, oui.

— Euh... Je crois qu'Arthur Miller serait super déstabilisé en constatant que nous ne sommes plus aussi dingues.

J'ai cessé de consulter mon exemplaire des *Sorcières de Salem*. Tandis qu'Emily condamnait en bégayant une chasse aux sorcières guère différente de celle qu'elle avait elle-même menée l'année précédente, l'œil de verre m'a fixé sans ciller.

Comme s'il était capable non seulement de me voir, mais encore de voir à travers moi.

Vers la fin de la journée, les choses ont commencé à sembler plus naturelles. Emily Je-Hais-Ethan, suivie d'Eden et de Charlotte, les seconds lieutenants, a montré les dents

quand je suis passé près d'elle, comme au bon vieux temps. Ridley a fini par comprendre que Lena lui avait jeté un sortilège *Facies Celata*, donnant à ses vêtements de Sirène l'apparence de la normalité. À présent, elle était redevenue elle-même, cuir noir et bandes roses, revanche, vendetta et tout le bataclan. Pire encore, dès la sonnerie, elle nous a obligés tous les deux à l'accompagner à l'entraînement de basket afin d'assister aux exploits de Link.

Cette fois, nous n'avons pas pu nous borner à rester plantés sur le seuil du gymnase. Ridley n'a été satisfaite qu'après nous avoir forcés à prendre place au premier rang des gradins, au milieu de la salle. Ça a été douloureux. Link n'était pas encore sur le court, qui plus est. J'ai dû regarder mes anciens coéquipiers foutre en l'air les tactiques que j'avais autrefois mises en pratique. Lena et Ridley se chamaillaient comme deux sœurs, et il y avait plus d'action sur les sièges que sur le terrain. Du moins, jusqu'à ce que Link se lève du banc de touche.

— Tu as osé me lancer un *Facies* ? Comme si j'étais une sorte de *Mortelle* ? Tu croyais que je ne m'en apercevrais pas ? Non seulement tu me considères comme dénuée de pouvoirs, mais en plus tu me prends pour une idiote ?

Révoltée, Ridley en criait presque.

— L'idée n'était pas de moi. C'est Bonne-maman qui m'a demandé de le faire quand elle a vu ce que tu portais, à la maison.

Lena était embarrassée. Le visage de sa cousine était aussi rose que ses mèches.

— Nous vivons dans un monde libre. Enfin, qui l'est en dehors de Gaga. Tu n'as pas le droit d'utiliser tes dons pour habiller les autres à ta guise. Surtout pour un résultat pareil ! (Elle a frissonné.) Je ne suis pas une des poupées Barbie de Savannah Snow.

— Tu n'es pas obligée de leur ressembler, Rid. Mais ce n'est pas la peine non plus de te donner autant de mal pour t'en différencier.

— Pareil, même chose !

— Non.

— Regarde-moi cette meute et explique-moi pourquoi je devrais me soucier de l'opinion de ces *gens*.

Ridley n'avait pas tort, sur ce coup-là. Tandis que Link arpentait le court, toute l'attention de l'équipe des *cheerleaders* était focalisée sur lui, comme si elles n'avaient formé qu'une seule personne. Ce qui, à la réflexion, était un peu le cas. Au bout d'un moment, j'ai même cessé de m'intéresser au match. Je savais déjà que Link était sans doute capable de marquer un panier depuis les gradins, grâce à sa super force.

Il saute trop haut, Ethan.

D'environ un mètre, en effet. Lena avait beau stresser, j'avais conscience que Link avait toute sa vie rêvé de cet instant.

Ouais.

Et il court trop vite.

Ouais.

Tu ne comptes pas intervenir ?

Nan.

Rien ne l'arrêterait, de toute façon. La rumeur s'était répandue qu'il avait amélioré son jeu durant les vacances et, apparemment, la moitié du lycée s'était déplacée afin de constater la chose par elle-même. Je n'ai pas réussi à déterminer si c'était là la preuve de l'ennui désolant de l'existence à Gatlin ou celle de la nullité de notre Linkube quand il s'agissait de se déguiser en Mortel.

Savannah a lancé ses propres troupes. À sa décharge, c'était également l'heure de leur entraînement. À la nôtre cependant, nous ne nous attentions pas vraiment aux nouveaux mouvements qu'elle avait concoctés. Et, à en juger par leur réaction, Emily, Eden et Charlotte non plus. Emily ne s'est même pas levée du gradin où elle était assise. Sur la ligne de touche, Savannah bondissait presque aussi haut que son idole.

— Donnez-moi un L !

— Elle rigole ? s'est exclamée Lena, qui a failli recracher son soda.

— Donnez-moi un I ! a continué Savannah, de l'autre côté du gymnase.

— Oh que non, ai-je répondu. Elle est parfaitement sérieuse. Savannah Snow ignore l'ironie.

— Donnez-moi un N !

— Eh bien, nous n'avons pas fini d'en entendre parler.

Lena a jeté un coup d'œil à Ridley, qui mâchait du chewing-gum comme Ronnie Weeks s'était bombardé de patchs à la nicotine quand il avait arrêté de fumer. Plus haut Savannah sautait, plus rageusement Ridley mastiquait.

— Donnez-moi un K !

— Donnez-moi de l'air ! a ronchonné Ridley.

Crachant son chewing-gum, elle l'a collé sous son siège. Avant que nous ayons eu le temps de la retenir, elle a escaladé les gradins en aluminium afin de descendre sur le terrain avec ses talons hyper hauts, ses mèches roses, sa minijupe noire et tout son attirail.

— Flûte ! a soupiré Lena.

Elle a voulu se lever à son tour, je l'en ai empêchée.

— Ça arrivera tout de même, L. Laisse faire.

— Qu'est-ce qu'elle fabrique ?

Ridley parlait à Savannah tout en resserrant sa ceinture dont la boucle contenait un insecte venimeux. On aurait dit un gladiateur se préparant à son prochain combat. J'ai d'abord dû tendre l'oreille, mais elles n'ont pas tardé à brailler.

— C'est quoi ton problème ? a beuglé Savannah.

— Je n'en ai pas, a répondu Ridley en se marrant. Attends, si ! Toi.

L'autre a lâché ses pompons sur le sol.

— Espèce d'ordure ! Si tu veux attirer un autre mec dans ta poubelle, libre à toi. Mais ne touche pas à Link. Il est des nôtres.

— Je vais t'expliquer, Barbie. Je l'ai déjà piégé. Comme je m'efforce d'être bonne joueuse, je me permets juste de te donner un avertissement. Renonce avant que ça te retombe dessus.

— Tu devras me passer sur le corps, pour ça ! a répliqué Savannah en croisant les bras.

À mon avis, un arbitre n'aurait pas été de trop, avec ces deux chipies.

— Elles se battent ? a demandé Lena qui s'était caché les yeux.

— Euh... elles ont plutôt l'air de répéter. Il faut que tu voies ça.

J'ai écarté ses mains de devant son visage.

Un pouce crocheté à sa ceinture, Ridley agitait un unique pompon entre deux doigts comme s'il s'agissait d'un rat mort. Près d'elle, l'équipe était en train de former sa pyramide standard sous la direction de Savannah. Link a cessé de courir. Les autres gars aussi.

Je ne suis pas sûr que le moment soit bien choisi pour se venger, L.

Cette dernière ne quittait pas sa cousine du regard.

Je n'y suis pour rien. Mais quelqu'un d'autre est derrière tout ça.

Au pied de la pyramide, Savannah souriait. Emily a grimpé jusqu'au sommet, l'air renfrogné. Les autres filles ont suivi le mouvement presque machinalement. Ridley a brandi un pompon au-dessus de sa tête. Link dribblait sur place. Attendant, comme nous autres qui connaissions l'ex-Sirène, que se produise la catastrophe qui menaçait.

L ? Crois-tu que Ridley...

Non. Elle n'est plus une Enchanteresse. Elle n'a plus de pouvoirs.

— Donnez-moi un R ! a crié l'intéressée en secouant son pompon sans beaucoup de conviction.

En haut de l'échafaudage humain, Emily a vacillé.

— Un I, alors ? a suggéré la cousine de Lena.

Un frisson a secoué les filles de l'équipe, comme si elles faisaient la ola tout en étant perchées les unes sur les autres.

— Et maintenant, un D ! a poursuivi Ridley en abaissant son pompon.

Emily a écarquillé les yeux. Link a cessé de jouer avec le ballon.

— Alors, qu'est-on en train d'écrire, chères *cheerlosers* ? a demandé l'ancienne Sirène avec un clin d'œil.

Lena...

J'ai réagi avant de voir la chose se produire.

— Rid ? a crié Link.

Elle ne s'est pas retournée. Lena avait enjambé le gradin afin de gagner le court.

Ridley, non !

J'étais juste derrière elle. Malheureusement, nous n'avions aucun moyen d'intervenir.

Il était trop tard.

La pyramide s'est effondrée sur Savannah.

Ensuite, tout est allé très vite, comme si Gatlin avait voulu appuyer sur la touche d'avance rapide, transformant les dernières nouvelles en histoire ancienne. Une ambulance a emporté Savannah à l'hôpital de Summerville. Les gens s'accordaient à dire que c'était un miracle qu'Emily n'eût pas été tuée alors qu'elle était tombée du sommet de la figure. La moitié du lycée répétait à l'envi des mots comme « lésion spinale », une simple rumeur, dans la mesure où Emily paraissait aussi solide que jamais. Apparemment, Savannah avait amorti sa chute, à croire qu'elle s'était généreusement offerte en martyre pour le plus grand bien de son équipe. Du moins, c'était ce que la légende naissante affirmait.

Link s'est rendu à l'hosto afin de prendre de ses nouvelles. Je pense qu'il se sentait aussi coupable que s'il avait en personne dérouillé Savannah. Toutefois, le diagnostic officiel, rapporté par lui au téléphone, a été qu'il y avait eu « plus de peur que de mal » et, quand elle a envoyé sa mère chez elle afin de lui rapporter sa trousse de maquillage, l'ensemble des personnes concernées ont commencé à respirer plus librement. Que, selon ses dires, l'équipe au complet soit sur place et le harcèle pour qu'il détermine laquelle des filles était la plus vieille copine de Savannah a sans doute aidé Link à se sentir mieux. Il ne nous a épargné aucun détail.

— Les filles vont bien. Elles se relaient pour s'asseoir sur mes genoux.

— Ah ouais ?

— C'est que tout le monde est sous le choc. Je prends sur moi de les réconforter.

— Et ça marche ?

J'ai eu l'intuition que tant lui que Savannah adoraient cet après-midi-là, chacun à sa façon. Ridley avait disparu. Cependant, lorsqu'elle apprendrait où Link s'était rendu, il y avait de fortes chances pour que la situation empire. Il n'était sans doute pas inutile que Link se familiarise avec l'hôpital du comté.

Quand il a fini par raccrocher, Lena et moi étions de retour dans sa chambre, et sa cousine boudait quelque part au rez-de-chaussée. La chambre à coucher de Lena était aussi différente que possible du lycée Jackson, et m'y retrouver me donnait l'impression que les événements qui venaient de se produire là-bas étaient à des millions de kilomètres de nous. Les lieux avaient changé, depuis que nous étions revenus de la Grande Barrière. La raison en était, d'après Lena, qu'elle avait besoin de voir le monde à travers ses yeux doré et vert. Ravenwood Manor s'était également modifié, afin de refléter ses sentiments, comme il l'avait toujours fait pour elle et Macon.

Désormais, la pièce était entièrement transparente, sorte d'étrange cabane perchée en verre. De l'extérieur, elle conservait exactement l'apparence d'autrefois, avec ses volets usés par les éléments et couverts de vigne vierge. Des restes de l'ancienne chambre demeuraient perceptibles. Les fenêtres n'avaient pas bougé, les portes non plus. Mais le plafond s'ouvrait, des panneaux coulissants s'écartant pour laisser entrer l'air nocturne. Le vent éparpillait des feuilles sur le lit. Le sol était un miroir qui renvoyait l'image du ciel mouvant. Lorsque le soleil tapait dur, ce qui était constamment le cas ces derniers temps, la lumière se réfractait, se brisait et se répandait sur tant de surfaces disponibles qu'il était impossible de définir quel soleil était le vrai. Toutes étincelaient avec une intensité égale et aveuglante.

Me couchant sur le lit, j'ai fermé les paupières et me suis offert à la brise. J'avais conscience qu'elle n'avait rien de réel, que ce n'était qu'une énième version du Souffle Enchanteur de Lena, mais ça m'était égal. Mon corps semblait respirer pour la première fois de la journée. Retirant mon tee-shirt trempé, je l'ai jeté par terre. C'était encore mieux.

J'ai ouvert un œil. Lena gribouillait sur le mur en verre le plus proche de moi, et les mots flottaient dans l'air comme des phrases prononcées. Au feutre.

ni lumière ni ténèbres ni toi ni moi
nie lumière nie ténèbres nie toi nie moi

Voir cette écriture, que je me rappelais du temps d'avant la Seizième Lune, m'a fait du bien.

chemin de la dure ascension - mi-chemin
(de la séparation) -
jour du cœur (soumis à la destruction)

J'ai roulé sur le flanc.

— Hé ! Que signifie ce « cœur soumis à la destruction » ?

Ces mots ne me plaisaient guère. Me regardant, elle m'a souri.

— Ce n'est pas aujourd'hui.

Je l'ai attirée à moi, sur le lit. La main sur sa nuque, mes doigts se sont emmêlés dans ses longs cheveux bruns, mon pouce a couru sur sa clavicule. J'adorais la sensation de sa peau, même si elle me brûlait. J'ai pressé mes lèvres sur les siennes et je l'ai entendue retenir sa respiration. La mienne me désertait, je m'en fichais. Elle a promené sa paume le long de mon dos, ses doigts s'attardant sur mon épiderme nu.

— Je t'aime, ai-je chuchoté à son oreille.

Retenant mon visage entre ses mains, elle s'est reculée afin de mieux me regarder.

— Je ne crois pas que je pourrai aimer quelqu'un autant que je t'aime.

— Moi non plus, j'en suis sûr.

Elle a posé une main sur ma poitrine. Elle percevait les battements de mon cœur affolé, dessous. Se rasseyant, elle a récupéré mon tee-shirt.

— Remets ça, sinon je serai punie pour le restant de mes jours. Oncle M ne dort plus toute la journée. Il est sûrement en bas, dans les Tunnels, avec...

Elle s'est interrompue, j'ai deviné de qui elle parlait.

— Il est dans son bureau et doit s'attendre à ce que je le rejoigne.

Je me suis redressé à mon tour.

— Et puis, a-t-elle poursuivi, j'ignore pourquoi j'écris ce genre de trucs. Ils me viennent à l'esprit tout seuls.

— À l'instar de mon père et de son prochain best-seller ? *La Dix-huitième Lune*.

Je n'avais cessé d'y réfléchir, et Amma s'entêtait à m'éviter. Macon aurait peut-être une réponse à mes questions.

— À l'instar de Savannah et de son nouveau cri de guerre supercool. Link. Quel bazar !

— Donne-moi un B ! Donne-moi un A-Z-A-R !

— La ferme ! m'a-t-elle ordonné en déposant un baiser sur ma joue. Et habille-toi !

J'ai remis mon tee-shirt, m'arrêtant au milieu de l'opération.

— Tu es sûre ?

Se penchant, elle a embrassé mon ventre avant de brusquement rabaisser le tissu. La douleur qui me poignardait a disparu aussi vite qu'elle s'était manifestée. J'ai tenté d'attraper Lena, qui a esquivé.

— Nous devrions raconter à oncle Macon ce qui s'est passé tout à l'heure.

— Et lui dire quoi ? Que Ridley provoque des disputes ? Et que, bien qu'elle soit privée de ses talents, des catastrophes arrivent aux *cheerleaders* quand elle est dans les parages ?

— Une précaution. Des fois qu'elle soit en train de mijoter un mauvais coup. Et toi, il faudrait peut-être que tu lui parles du projet d'écriture de ton père.

Elle m'a tendu la main, et je m'en suis emparé, cependant que mon énergie me désertait lentement.

— Pourquoi ? Parce que son dernier ouvrage a été tellement brillant ? Nous ne savons même pas si c'est concret.

Je n'avais pas plus envie de penser à mon paternel et à son éventuel bouquin qu'à Ridley et à Savannah.

Nous avions parcouru la moitié du couloir quand je me suis rendu compte que nous avions arrêté de discuter. Plus nous approchions de notre but, plus Lena ralentissait le pas. Ce n'était pas qu'elle avait des réticences à retourner dans les Tunnels. Simplement, elle ne tenait pas à ce que moi, j'y aille.

Ce qui ne devait rien aux Tunnels eux-mêmes, mais tout à la nouvelle étudiante étrangère préférée de son oncle.

12 septembre
Adam et Ève

Lena s'est plantée devant une porte laquée de noir. Un prospectus rédigé à la main pour les Crucifix Vengeurs – SIGNEZ-VOUS DEVANT LE ROCK'N ROll – était scotché dessus, de guingois. Elle a frappé.

— Rid ?

— Qu'est-ce que tu lui veux ?

Personnellement, je l'avais assez vue pour aujourd'hui.

— Rien, mais il y a un raccourci menant aux Tunnels dans sa chambre. Le passage secret d'oncle Macon, tu t'en souviens ?

— Ah, oui. Puisque maintenant, Ridley l'occupe…

J'ai contemplé le battant en essayant d'imaginer le massacre qu'avait pu perpétrer Ridley de l'autre côté. Je n'avais pas remis les pieds ici depuis ma rupture avec Lena.

— Il n'en voulait plus, a répondu cette dernière avec un haussement d'épaules. De toute façon, il dort le plus souvent dans son bureau des Tunnels.

— Ridley a bien choisi. Après tout, elle n'est pas du genre à se faufiler en douce dans un passage secret au milieu de la nuit, hein ?

— Ethan, elle est la personne la moins magique de cette maison. Elle aurait plus de raisons d'avoir peur de descendre là-bas que n'importe lequel d'entre...

Avant qu'elle ait pu terminer sa phrase, j'ai perçu un bruit reconnaissable entre mille. Celui du ciel qui se déchirait, autrement dit d'un Incube en train de s'éclipser.

De Voyager.

— Tu as entendu ça ?

— Quoi ?

— Une déchirure, m'a-t-il semblé.

— Oncle Macon ne se déplace plus ainsi. Et Ravenwood est entièrement Scellé. Aucun Incube, si puissant soit-il, ne pourrait pénétrer ici.

Malgré ces paroles rassurantes, Lena paraissait inquiète.

— J'ai dû me tromper, alors. Une nouvelle expérience de Cuisine, sans doute. Ouvre.

J'ai effleuré sa main, et le souffle m'a manqué. Lena a appuyé sur la poignée, en vain. Elle a recommencé, sans plus de résultat.

— Bizarre. La poignée est bloquée.

— Laisse-moi essayer.

Je me suis jeté contre la porte, qui n'a pas bougé d'un poil. Un brin humiliant. J'ai réitéré l'expérience, plus fort. Toujours rien.

— Elle n'est pas coincée, ai-je maugréé. C'est... bah, tu sais.

— Quoi ?

— Une de ces formules latines qui dissimulent la magie servant à verrouiller un lieu.

— Un sortilège ? Impossible ! Ridley serait incapable de lancer un *Obex*, même si elle en trouvait la recette dans un livre. Ils sont trop difficiles à exécuter.

— Tu te fiches de moi ? Après le tour de force qu'elle a réussi avec l'équipe des *cheerleaders* ?

Lena a observé le battant. Son œil vert luisait, le doré s'était assombri. Ses boucles noires se sont mises à s'agiter et, bien que je n'aie pas capté les paroles de son incantation, la porte s'est ouverte à la volée avec une telle violence qu'elle est sortie de ses gonds et s'est écrasée à l'intérieur de la pièce. Voilà qui ressemblait drôlement à une Enchanteresse lâchant un furieux : « Va te faire foutre ! »

J'ai appuyé sur l'interrupteur.

Plissant le nez, Lena a ramassé une sucette rose collée à de longs cheveux blonds enroulés autour d'une immense brosse chauffante. L'endroit était une pétaudière : des vêtements, des chaussures, des flacons de vernis à ongles, des pots de maquillage et des sucreries recouvraient la moindre surface, s'emmêlaient dans les draps du lit, jonchaient le tapis rose épais très années 1970.

— Prends garde à ne rien déplacer, m'a conseillé Lena. Si jamais elle apprend que nous sommes entrés ici, elle piquera une crise. Elle défend curieusement son territoire, ces derniers temps.

Elle a donné une pichenette à un flacon de vernis qui avait coulé sur la coiffeuse.

— Quoi qu'il en soit, a-t-elle enchaîné, je ne décèle aucune trace de magie. Ni livres ni sorts.

J'ai soulevé un coin du tapis, dévoilant le contour de l'accès aux Tunnels.

— Sinon ça, a poursuivi Lena en ramassant un sachet de chips presque vide. Ridley n'en mange pas. Elle aime le sucré, pas le salé.

J'ai baissé les yeux sur les marches invisibles qui plongeaient dans l'obscurité, à demi convaincu seulement de leur existence.

— Une seconde ! ai-je protesté. Je suis confronté à un escalier indécelable, et tu es en train de me dire qu'un paquet de chips est bizarre ?

— En effet, a-t-elle répondu en brandissant un second sachet, plein celui-ci.

J'ai tâtonné du pied, cherchant une surface solide dans le vide.

— Avant, j'adorais le lait chocolaté, ai-je objecté. Maintenant, il me donne la nausée. Cela signifie-t-il pour autant que j'ai des pouvoirs surnaturels ?

J'ai entrepris de descendre sans lui laisser le loisir d'argumenter.

Au pied des marches qui conduisaient au bureau personnel de Macon, nous avons aperçu ce dernier debout devant une table de travail, en train de consulter un livre énorme. Lena a avancé d'un pas...

— Cinq !

La voix d'une fille. Ayant identifié sa propriétaire, nous nous sommes figés. J'ai posé ma main sur le bras de Lena.

Attends.

Nous sommes donc restés dans l'ombre, sur le seuil du passage, notre présence non détectée.

— Cinq quoi, mademoiselle Durand ?

Liv est apparue dans la pièce, chargée d'une pile d'ouvrages. Ses cheveux blonds détachés tombaient sur son tee-shirt préféré des Pink Floyd, ses yeux bleus reflétaient la lumière. Dans les ombres du souterrain, elle donnait l'impression d'être constituée de rayons de soleil.

L'ancienne assistante de Marian, et mon ancienne amie. Un qualificatif pas tout à fait exact, cependant, ce que nous savions tous. Liv avait été plus que cela. Tant que Lena avait été absente, pourquoi pas ? Mais depuis son retour, où en étions-nous ? Liv serait toujours une amie, même si elle ne pouvait pas l'être. Elle m'avait aidé à me frayer un chemin jusqu'à Lena et à la Grande Barrière, siège des puissances de la Lumière comme des Ténèbres. Elle avait renoncé à son avenir de Gardienne pour Lena et moi. Nous étions l'un et l'autre conscients que nous lui en serions redevables jusqu'à la fin des temps.

Il existait plus d'une façon d'être Scellé à quelqu'un. L'expérience me l'avait appris, à la manière forte.

Liv a laissé tomber les volumes sur le bureau de Macon. Un nuage de poussière s'est élevé des reliures antiques.

— Je n'ai trouvé que cinq occurrences concernant des lignées d'Enchanteurs de sang-mêlé suffisamment puissants pour déboucher sur ce genre de combinaison. J'ai croisé les arbres généalogiques de toutes les familles que j'ai réussi à dénicher de chaque côté de l'Atlantique, y compris de la vôtre.

Métissages surnaturels. Ils traquent John, Ethan.

Lena a eu du mal à me Chuchoter cette information. Ses réflexions, silencieuses, m'échappaient.

— Bien, a marmonné Macon. Tout ça dans l'intérêt de la science, n'est-ce pas ?

— Oui, a acquiescé Liv en sortant son habituel calepin rouge.

— Et ? Avez-vous identifié une créature qui lui ressemble dans nos registres d'état civil ? Un élément susceptible d'expliquer l'existence de notre mystérieux hybride, l'insaisissable John Breed ?

Tu avais raison.

Liv a déroulé deux parchemins que j'ai aussitôt identifiés. Les arbres généalogiques des familles Duchannes et Ravenwood.

— Il n'y en a que quatre qui correspondent, d'après le Conseil de la Garde Suprême.

Le conseil de quoi ?

Plus tard, Ethan.

— Les parents de Sarafine Duchannes, Emmaline Duchannes, une Enchanteresse de la Lumière, et votre père, Silas Ravenwood, un Incube Sanguinaire. Les grands-parents de Lena.

Arbre généalogique de la Famille Duchannes

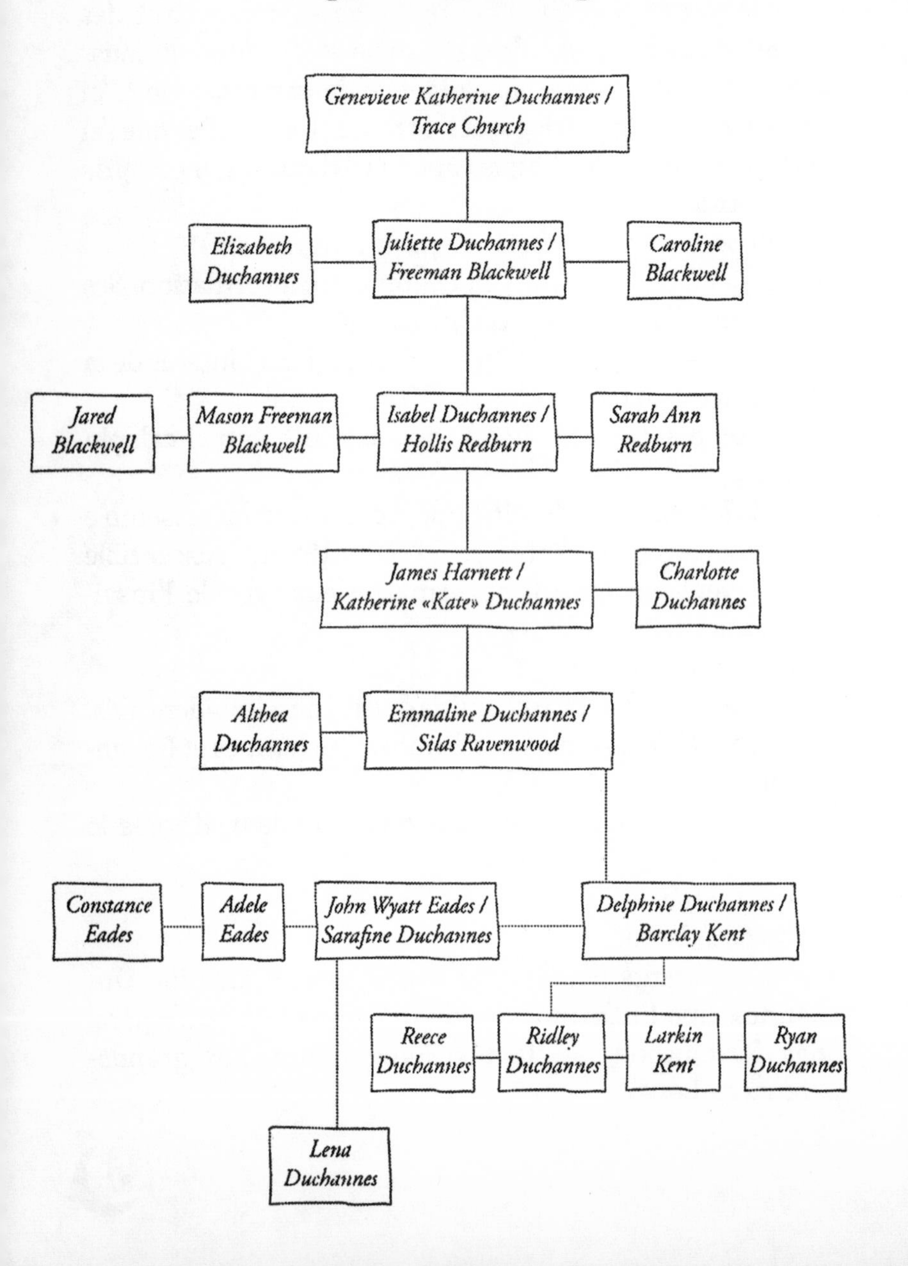

Arbre généalogique de la Famille Ravenwood

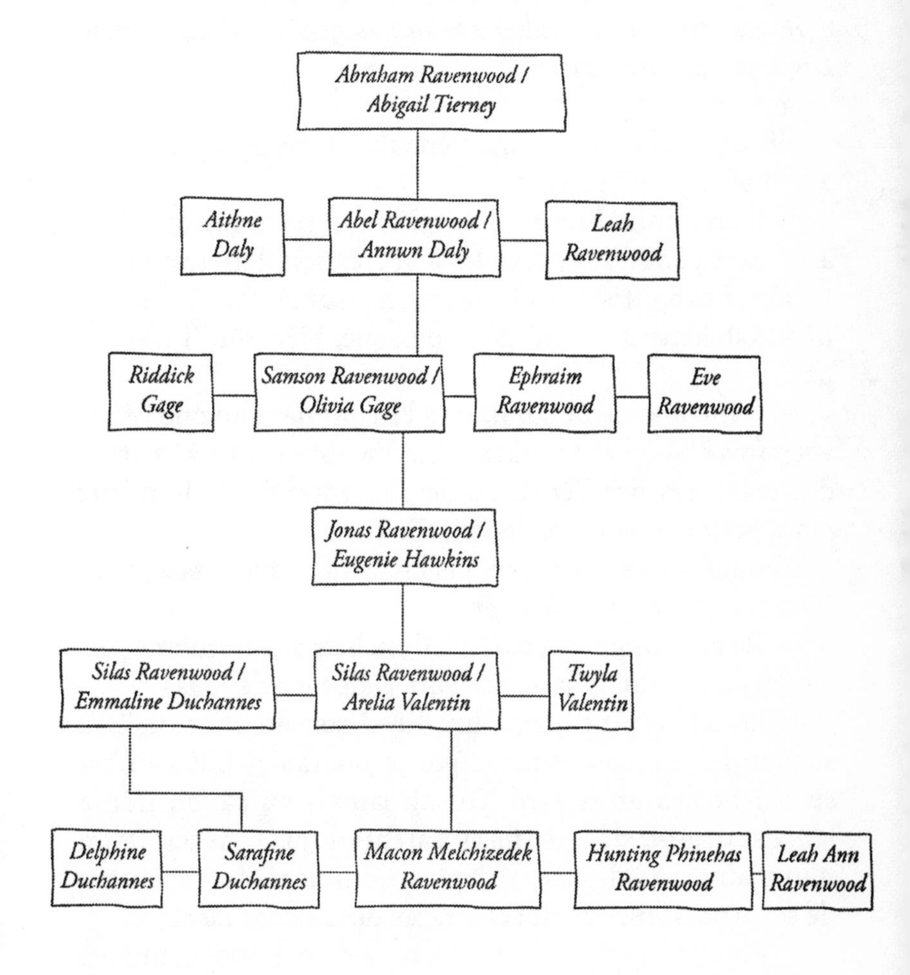

Liv a relevé la tête en rougissant. Macon a écarté cette éventualité.

— Emmaline est une Empathique. Ce don est à coup sûr incapable de créer un Incube en mesure de se promener en plein jour. Par ailleurs, notre hybride est trop jeune pour être né de cette union-là.

Lena a frissonné, je lui ai pris la main.

Ils ne font que consulter ces arbres généalogiques débiles, L. Ça ne veut rien dire.

Pour l'instant.

Elle a posé la tête sur mon épaule. Je me suis penché en avant afin de mieux épier.

— Bien. Emmaline et Silas éliminés, nous restons donc avec trois candidats possibles à la création d'un sang-mêlé Incube, Enchanteur des Ténèbres, a résumé Liv. Ni Lumière ni accouplement de Lumière, puisque, bien sûr, il n'existe pas…

— D'Incubes de la Lumière, à l'instar de celui que j'étais autrefois ? Vous avez raison. Les Incubes sont par nature des créatures des Ténèbres. Je suis sans doute le mieux placé pour le savoir, mademoiselle Durand.

Liv a refermé son calepin, visiblement embarrassée, mais Macon a eu un geste apaisant.

— Ne vous inquiétez pas, a-t-il enchaîné, je ne mords pas. Je n'ai jamais bu de sang humain. L'idée me déplaisait.

— En admettant que John Breed soit en effet un être surnaturel aux gènes mélangés, a poursuivi Liv, ce n'est sûrement pas un hasard. On n'a jamais vu ça, on n'en a jamais parlé et, si l'on se fie aux archives du Dr Ashcroft, on n'en a jamais gardé trace non plus. Comme si toute mention de cette naissance avait été effacée de la *Lunae Libri*.

— Preuve supplémentaire de ce que nous soupçonnions déjà. Ce garçon est plus qu'un Incube supportant le jour. Autrement, personne n'aurait pris la peine de cacher sa lignée avec autant de soin.

Macon s'est assis dans son fauteuil et s'est frotté le crâne. Ses yeux verts étaient rougis, et je me suis aperçu que j'ignorais complètement s'il dormait, maintenant qu'il était un Enchanteur. Pour la première fois depuis que je le connaissais, il avait l'air d'avoir besoin d'une bonne nuit de sommeil.

— Cinq accouplements. Nous progressons, mademoiselle Durand. Beau travail.

Liv était agacée, cependant, je m'en suis rendu compte à son expression.

— Pas vraiment, a-t-elle objecté. Nous n'avons toujours pas découvert la correspondance génétique. Sans cette information, il reste impossible de définir les aptitudes de John. Et son rôle dans toute cette histoire.

— Juste. Mais concentrons-nous sur ce que nous avons. John Breed étant important pour Abraham, cela signifie qu'il est l'un des pivots du plan que concocte mon aïeul.

Liv a levé le bras ; les aiguilles de l'étrange montre qu'elle avait conçue elle-même – seul outil auquel elle se fiait – tournoyaient à son poignet.

— Pardonnez-moi, monsieur, mais je crains que nous n'ayons guère le temps d'approfondir nos recherches. C'est la première fois que mon sélenomètre me fournit pareilles indications. Il semble que la Lune soit sur le point de s'écraser sur Gatlin, j'en suis désolée.

Macon a plaqué une main sur l'épaule de la jeune étudiante. Moi qui en avais déjà éprouvé la pression, j'ai cru la sentir de nouveau à cet instant.

— Ne redoutez jamais de dire la vérité, mademoiselle Durand. L'heure n'est plus aux civilités. Nous devons continuer nos efforts. C'est tout ce que nous pouvons faire.

Liv s'est redressée.

— Je ne crois pas connaître le protocole lorsqu'il s'agit d'affronter l'annihilation du monde Mortel.

— C'est tout le problème, chère enfant.

— Pardon ?

— Examinez les faits. Depuis l'Appel, tout tend à suggérer que l'univers des Mortels a été altéré. Ou, pour reprendre votre expression, que le ciel nous tombe sur la tête. L'enfer sur terre, proclamerait sûrement notre délicieuse Mme Lincoln. Quant au monde magique, le voici doté d'une nouvelle espèce inédite d'Incube-Enchanteur. Une sorte d'Adam. Quel que soit le but que sert ce garçon, il a été prémédité. Le timing est trop parfait. Tout cela participe d'un grand dessein ou plutôt, puisque Abraham est certainement impliqué, d'un dessein grandiose.

Lena a pâli. Je l'ai serrée contre moi.

Allons-y.

Elle a posé un doigt sur ses lèvres.

Est-il l'Adam ?

L...

Ethan. S'il est l'Adam...

Liv contemplait Macon avec des yeux écarquillés.

— Parce que vous estimez que c'est Abraham qui est derrière tout cela ?

— Hunting n'a évidemment pas l'intellect nécessaire pour ce genre d'entreprise, et Sarafine, seule, n'en a pas le pouvoir. Bien que ses origines soient obscures, le garçon a... quoi ? L'âge de Lena. À peine plus.

Je ne veux pas être Ève.

Tu ne l'es pas.

Tu n'en sais rien, Ethan. Je pense que si, au contraire.

Non, L.

Je l'ai enlacée. La chaleur de sa joue a transpercé le fin coton de mon tee-shirt.

Si, j'étais destinée à l'être.

Macon continuait à discourir, chacun de ses mots paraissant l'éloigner de nous.

— À moins que John n'ait été importé d'un autre royaume, il a évolué dans les mondes Mortel et Enchanteur. Ce qui exige plus de quinze années de ruse impitoyable pour passer inaperçu, genre dans lequel excelle Abraham.

Un court silence s'est installé.

— Êtes-vous en train de supposer que John aurait été mis au monde dans un laboratoire d'Enchanteur ? a fini par demander Liv. À l'instar d'un bébé éprouvette surnaturel ?

— Grosso modo, oui. Quoique « mis au monde » soit sans doute une expression moins exacte que « fabriqué », j'imagine. Ça expliquerait pourquoi mon ancêtre tient tant à lui. Je me serais attendu à ça de la part d'un esprit faible comme mon frère, pas d'Abraham. Je suis déçu.

— John *Breed*[1], a marmonné lentement Liv. Mon Dieu ! La solution était là, sous nos yeux, depuis le début.

Elle s'est laissée tomber sur l'ottomane placée en face du bureau de Macon. J'ai resserré mon étreinte autour de la taille de Lena. Ses réflexions me sont parvenues dans un murmure.

C'est immonde. Il est immonde.

J'ignore si elle faisait allusion à John ou à Abraham. Ce qui n'avait guère d'importance, au demeurant. Elle avait raison, c'était à vomir.

Abraham est mort, L.

Alors même que je Chuchotais cette phrase, j'ai su que je mentais. John avait peut-être été tué lors de la Dix-septième Lune, mais pas Abraham.

— Nous sommes donc confrontés à deux questions, mademoiselle Durand. Comment et, plus grave encore, pourquoi ?

— Cela ne compte guère si John Breed n'est plus, a rétorqué Liv, le visage blême.

Elle était aussi épuisée que Macon.

— Mais l'est-il ? Sans cadavre, je ne suis pas prêt à accepter cette éventualité.

— Et si nous nous consacrions en priorité aux urgences ? Les infestations, le changement de climat ? À une solution

1. Soit, en anglais, « procréer, engendrer, élever ».

pour stopper les fléaux que la Dix-septième Lune de Lena semble avoir provoqués dans le monde Mortel ?

Macon s'est penché sur sa chaise.

— Savez-vous à quel point cette bibliothèque est ancienne, Olivia ?

Elle a secoué la tête.

— Savez-vous à quel point *toutes* les bibliothèques des Enchanteurs sont anciennes ? De ce côté-ci de l'Atlantique et ailleurs ? À Londres ? Prague ? Madrid ? Istanbul ? Le Caire ?

— Non, j'imagine que non.

— Croyez-vous que ces endroits, dans lesquels je me suis rendu en personne ces dernières semaines, contiennent ne serait-ce qu'une référence sur la façon dont restaurer l'Ordre des Choses ?

— Bien sûr. C'est forcé. Ça a déjà dû se produire par le passé. Ne serait-ce qu'une fois.

Macon a fermé les yeux et poussé un soupir.

— Quoi ? a sursauté Liv. Jamais ?

Elle a eu tant de mal à prononcer ce dernier mot que, de notre cachette, nous l'avons à peine perçu.

— Notre seule piste, c'est le garçon. Les origines et les raisons de la création de cet Adam.

— Et de l'Ève ?

— Il suffit, Olivia.

Mais on ne rebutait pas cette dernière si aisément.

— Vous avez peut-être déjà votre petite idée là-dessus, non ? a-t-elle renchéri. Sur les origines et les raisons de la création d'Ève, s'entend. D'un point de vue scientifique, ma question est pertinente.

Séparant son esprit du mien, Lena m'a imposé le silence, et j'ai eu l'impression de me retrouver seul dans le passage, alors que nous nous accrochions l'un à l'autre.

Macon a secoué la tête. Quand il a répondu, ça a été avec des intonations dures.

— N'en parlez à personne, a-t-il ordonné. Je tiens à vérifier mon hypothèse de façon certaine.

— Avant de dire à Lena ce qu'elle a fait ? a terminé Liv d'une voix dénuée d'émotion.

Une simple constatation, sauf que sa formulation semblait exprimer autre chose. Les prunelles vertes de Macon trahissaient des sentiments que les noires n'avaient jamais affichés. Peur. Colère. Amertume.

— Avant que je ne lui dise ce qu'elle doit faire, a-t-il rectifié.

— Vous n'arriverez peut-être pas à arrêter tout ça, a commenté Liv.

Par habitude, elle a brièvement consulté son sélenomètre.

— Ce n'est pas seulement l'univers qui risque d'être détruit, Olivia. C'est ma nièce. Qui, pour ce qui me concerne, vaut mille univers perdus.

— Je n'en doute pas, croyez-moi.

Si Liv éprouvait de la rancœur, cela n'a pas transparu.

J'ai cru que mon cœur cessait de battre. Lena était partie avant même que je me rende compte qu'elle s'était glissée hors de mes bras.

Je l'ai retrouvée dans sa chambre. Elle ne pleurait pas, et je n'ai pas tenté de la consoler. Nous sommes restés assis en silence, main dans la main, jusqu'à ce que la douleur me soit insupportable, jusqu'à ce que le soleil se couche derrière les parois vitrées, les arbres et la rivière. La nuit a rampé sur le lit, et j'ai attendu que l'obscurité efface toute chose.

— Tu es sûre que c'est la bonne route ?

Nous avions quitté l'autoroute au sud de Charleston ; les maisons, bâtisses victoriennes traditionnelles flanquées de vérandas sur tout leur pourtour et de tourelles blanches qui grimpaient à l'assaut des nuages, s'étaient estompées au profit de… rien. Elles avaient disparu, remplacées par des kilomètres de plantations de tabac ponctuées çà et là d'une grange battue par les intempéries. Lena a consulté la feuille de cahier posée sur ses genoux.

— Oui, a-t-elle répondu. D'après Bonne-maman, il n'y a pas beaucoup d'habitations près de mon ancienne… près de l'endroit où se trouvait ma maison.

Lorsque Lena m'avait révélé son envie de découvrir la demeure où elle était née, ça m'avait paru logique… pendant dix secondes, environ. En effet, il ne s'agissait pas seulement des lieux où elle avait fait ses premiers pas et gribouillé sur les murs avec un crayon ; c'était aussi ceux où son père était mort. Où elle-même aurait pu mourir, dans l'incendie déclenché par sa mère, juste avant le premier anniversaire de sa fille.

Elle avait insisté, cependant, et je n'étais pas parvenu à l'en dissuader. Bien que nous n'ayons pas échangé une parole à propos de la conversation que nous avions surprise dans le bureau souterrain de Macon, j'étais conscient que cette escapade représentait une nouvelle pièce du puzzle. Macon pensait que le passé de Lena et de John recelait une sorte de clef à ce qui se produisait en ce moment dans le monde des Enchanteurs et dans celui des Mortels. Voilà pourquoi nous étions en train de nous enfoncer dans la cambrousse.

Assise sur la banquette arrière de la Volvo, tante Del s'est penchée vers nous. Lucille était installée dans son giron.

— Rien ne me semble familier, mais je peux me tromper, a-t-elle lancé.

Une litote. Tante Del était la dernière personne à qui j'aurais demandé mon chemin, mis à part dans les Tunnels. D'ailleurs, récemment, je n'étais même pas certain qu'elle aurait réussi à s'orienter dans leur labyrinthe. Visiter les restes calcinés de la prime enfance de Lena était une mauvaise idée ; emmener sa tante avec nous en était une bien pire. Depuis l'Appel de Lena, elle paraissait encore plus sens dessus dessous que ses pairs.

— Je crois que c'est ici, a soudain dit Lena en tendant le doigt vers ma vitre. Oncle M m'a indiqué de chercher un sentier sur la gauche.

Une clôture en bois dont la peinture blanche s'écaillait longeait la route. Elle s'interrompait quelques mètres plus loin avant de reprendre.

— Tu as raison.

J'ai bifurqué entre deux pieux tordus, tandis que la respiration de Lena s'accélérait. J'ai pris sa main, mon pouls s'est emballé.

Tu es certaine de vouloir y aller ?

Non, mais il faut que je sache ce qui s'est produit.

C'est déjà le cas, L.

C'est ici que tout a commencé. Ici que ma mère m'a tenue entre ses bras. Ici qu'elle a décrété qu'elle me haïssait.

C'était une Enchanteresse des Ténèbres. Elle ignorait l'amour.

Lena s'est appuyée contre mon épaule, et nous avons continué de remonter l'allée poussiéreuse.

Je suis en partie Ténèbres moi aussi, Ethan. Pourtant, je t'aime.

Je me suis raidi. Lena n'était pas Ténèbres, elle n'était pas comme sa mère.

C'est différent. Tu es Lumière également.

Oui. Sarafine n'est pas morte, cependant. Elle traîne quelque part alentour, en compagnie d'Abraham. Ils attendent. Et plus j'en découvrirai sur elle, plus je serai en mesure de l'affronter.

À mon humble avis, telle n'était pas la véritable raison de notre expédition. Aucune importance, toutefois, car quand je me suis garé devant les ruines de la demeure, c'est quelque chose de complètement différent qui nous a assaillis.

La réalité.

— Mes aïeux ! a chuchoté tante Del.

Le spectacle était pire que celui des vieux clichés jaunis stockés dans les archives de ma mère, ceux qui montraient les squelettes noircis des vastes plantations réduites à des carcasses consumées après le Grand Incendie, aussi désertes et creuses que les villes abandonnées dans leur sillage par les troupes de l'Union.

Cette maison, l'ancien foyer de Lena, n'était plus que fondations crevassées reposant sur un océan de terre noircie. Rien n'avait repoussé. C'était comme si le sol lui-même avait été définitivement scarifié par ce qui s'était passé ici.

Comment Sarafine avait-elle pu infliger ça aux siens ?

Nous ne comptions pas, à ses yeux. Ceci en est la preuve.

Lâchant ma paume, Lena s'est approchée des ruines.

Partons, L. Tu n'es pas obligée d'affronter ça.

Elle s'est retournée, m'a toisé de ses prunelles vert et or à l'éclat déterminé.

Si.

— J'ai besoin de découvrir ce qui a eu lieu, a-t-elle ensuite dit à sa tante. Avant… ceci.

Elle demandait à tante Del d'utiliser ses pouvoirs pour ôter une à une les couches du passé, afin qu'elle puisse voir la demeure qui avait été bâtie ici et, plus important, ce qu'elle avait contenu. La Palimpseste m'a paru encore plus nerveuse que d'ordinaire, et des mèches se sont échappées de son chignon quand nous avons rejoint Lena.

— Mon don a des ratés, ma chérie. Il se pourrait que je ne parvienne pas à localiser l'instant exact que tu cherches.

Duquel s'agissait-il ? De celui du sinistre ? Je doutais d'être capable de tolérer cette scène, quand bien même ce serait le cas de Lena.

— Ça ne fonctionnera peut-être pas du tout, d'ailleurs, a insisté tante Del.

J'ai doucement posé ma main sur la nuque de Lena. Sa peau était brûlante.

— Essayons, au moins ?

Le visage chagrin, tante Del a contemplé les morceaux de bois calcinés éparpillés autour de la dalle. Elle a acquiescé et tendu la main. Nous nous sommes assis tous trois sur la terre noire, accablés par la chaleur du soleil qui entretenait un incendie bien à lui.

— Bien.

Tante Del a fixé avec intensité les fondations délabrées, se préparant à nous montrer l'histoire de l'endroit.

L'air s'est mis à trembler autour de nous, avec lenteur d'abord. Juste au moment où le monde commençait à tournoyer, je l'ai distinguée, l'espace d'une seconde : l'ombre qui se déplaçait toujours trop vite pour que je l'identifie, celle dont j'avais senti la présence en cours de littérature, celle qui me suivait partout. Celle à laquelle il m'était impossible d'échapper. Elle nous observait, à croire qu'elle était capable de lire comme nous à travers les différents niveaux de perception de tante Del.

Soudain, une porte s'est ouverte sur le passé, et j'ai découvert une chambre à coucher…

Les murs sont peints dans un argent chatoyant, et des girandoles d'ampoules blanches sont suspendues au plafond, telles les étoiles d'un firmament magique. Une jeune fille aux longues boucles brunes se tient près de la fenêtre et regarde le ciel réel, dehors. Je connais ces cheveux et ce beau profil – c'est Lena. Mais quand elle se tourne, un paquet dans les bras, je comprends qu'elle n'est pas Lena. C'est Sarafine, dont les prunelles dorées luisent. Elle fixe le bébé, qui tend ses minuscules menottes. Sarafine lève un doigt, et le nourrisson s'en empare. Elle lui sourit. « Tu es une enfant si spéciale. Je veillerai toujours sur toi… »

La porte se referme en claquant.

J'ai attendu qu'une autre s'ouvre. En vain. Le ciel a ralenti, réapparaissant avec clarté, même si, pendant une minute, j'ai vu double. Mes deux tantes Del avaient l'air décontenancé.

— Je… je suis navrée. C'est la première fois que ça arrive. Ça n'a aucun sens.

Au contraire. Les pouvoirs de tante Del étaient abîmés, à l'instar de ceux des autres. D'habitude, elle était en mesure de dévoiler des pans du passé, du présent et du futur n'importe où, les feuilletant comme les pages d'un livre. Désormais, certaines pages manquaient, et elle n'avait réussi à capturer qu'un vague aperçu de jadis. Cela l'ébranlait, et elle paraissait encore plus égarée que la normale. Lui prenant le bras, je l'ai aidée à se remettre debout.

— Ne vous inquiétez pas, tante Del. Macon se débrouillera pour découvrir comment… réparer l'Ordre des Choses.

Ça semblait la phrase à dire, bien que Gatlin – et le monde entier peut-être – ait été sérieusement mal en point.

Lena l'était elle aussi. Se relevant, elle a gagné les restes de la maison, à croire qu'elle distinguait encore l'ancienne chambre à coucher. Sans prévenir, une averse s'est déclenchée, et des éclairs de chaleur ont fendu la nue. Les sauterelles se sont égaillées et, en quelques secondes, j'ai été trempé jusqu'aux os.

L ?

Cette scène de pluie m'a rappelé le soir de notre première rencontre, au beau milieu de la Nationale 9. Lena avait la même allure qu'alors, tout en étant si différente cependant.

Suis-je folle ou Sarafine donnait bien l'impression de tenir à moi ?

Tu n'es pas folle.

Mais c'est inconcevable, Ethan.

J'ai repoussé mes cheveux mouillés en arrière.

Peut-être que non.

Le déluge s'est arrêté instantanément, et le soleil a de nouveau resplendi. Ces brusques variations météorologiques étaient en train de devenir une habitude, signe que les talents de Lena fluctuaient d'un extrême à un autre sans qu'elle parvienne à les contrôler.

— Que fais-tu ? ai-je demandé en trottinant afin de la rejoindre.

— Je tiens à examiner ce qui reste.

Elle ne parlait pas des pierres et des boiseries incendiées. Elle traquait une émotion à laquelle s'accrocher, une preuve de l'instant de bonheur que nous venions d'expérimenter en retournant dans le passé. Je l'ai suivie jusqu'aux fondations, lesquelles avaient à présent des allures de mur. Peut-être est-ce mon imagination galopante, mais j'ai eu l'impression que plus nous nous en rapprochions, plus subsistait l'odeur de cendre. On distinguait les anciennes marches du perron menant à la véranda qui avait disparu dans le sinistre. J'étais assez grand pour voir de l'autre côté du mur. Il n'y avait rien, au-delà, sinon un trou plein de

béton fissuré et de bouts de poutres noircies en décomposition qui jonchaient le sol.

Lena s'est agenouillée dans la boue. Elle a attrapé un objet qui avait la taille d'une boîte à chaussures.

— Qu'est-ce que c'est ? me suis-je enquis.

Même de près, c'était difficile à dire.

— Je ne sais pas trop.

Elle a essuyé la terre, révélant du métal rouillé et cabossé. Une serrure, sur l'un des côtés, avait fondu.

— Un coffre-fort.

Lena me l'a tendu. Il était plus lourd qu'il n'y paraissait de prime abord.

— La serrure est inutilisable, mais je pense réussir à l'ouvrir.

Après avoir inspecté les environs, j'ai ramassé un éclat de caillou. Je l'ai inséré dans l'interstice séparant les deux moitiés de la boîte mais, avant que j'aie pu exercer une pression, celle-ci s'est ouverte toute seule dans un grincement de charnières métalliques.

— Que diable...

J'ai regardé Lena, qui a haussé les épaules.

— Parfois, mes pouvoirs fonctionnent comme je le désire, a-t-elle expliqué en donnant un coup de pied dans une flaque. D'autres fois, non.

Malgré les assauts qu'elle avait subis à l'extérieur, la boîte avait bien protégé son contenu : un bracelet en argent au motif alambiqué, un exemplaire de poche usé des *Grandes Espérances* de Dickens, une photo de Sarafine en robe bleue au bras d'un jeune homme brun lors d'une fête de fin d'année scolaire, sur une toile de fond miteuse qui n'était pas sans rappeler celle devant laquelle Lena et moi avions posé l'année précédente, à l'occasion du bal d'hiver de Jackson. Un second cliché était coincé sous le bijou, le portrait d'un bébé, une fillette. Lena. Je l'ai aussitôt reconnue, car elle ressemblait au nourrisson qu'avait bercé Sarafine lors de notre aperçu du passé.

Lena a effleuré le bord de la photo et l'a sortie du coffre-fort. Autour de nous, le monde s'est effacé, et la radiance du soleil a cédé la place à l'obscurité. J'ai compris ce qui se produisait, même si, cette fois, ce n'était pas à moi que ça arrivait. Je me bornais à suivre Lena dans l'une de ses visions, comme elle l'avait fait, un jour que j'étais à la messe avec les Sœurs. En quelques secondes, le sol boueux s'est couvert d'herbe...

Izabel tremblait de tous ses membres. Elle savait ce qui était en train d'avoir lieu, et c'était forcément une erreur. C'était sa pire crainte, la réalisation concrète des cauchemars qui la hantaient depuis son enfance. Elle n'était pas censée subir cela – elle était Lumière, pas Ténèbres. Elle s'était tant efforcée d'agir correctement, de devenir celle que tout un chacun souhaitait qu'elle fût. Après autant de peine, comment pouvait-elle se transformer en autre chose qu'en Lumière ? Pourtant, un froid dévastateur envahissait ses veines. Elle devina qu'elle se leurrait, qu'il n'y avait pas d'erreur. Elle s'apprêtait à virer Ténèbres.

La lune, sa Seizième Lune, était pleine et brillante, à présent. Alors qu'elle la contemplait, Izabel sentit que les rares talents dont sa famille la croyait dotée, les pouvoirs d'une Élue, mutaient en quelque chose de différent. Bientôt, ses pensées et son cœur ne lui appartiendraient plus. Chagrin, destruction et haine remplaceraient tout le reste. Tout ce qui en elle était bon.

Si ces perspectives la torturaient, la douleur physique, elle, était intolérable. À croire que son corps se lacérait de l'intérieur. Elle s'obligea pourtant à se remettre debout et s'enfuit en courant. Elle n'avait qu'un endroit où aller. Elle clignait fort des paupières, sa vision obscurcie par un halo doré. Des larmes brûlaient sa peau. Ça ne pouvait être vrai.

Lorsqu'elle arriva à la maison de sa mère, elle haletait. Tendant la main, elle toucha le linteau. Mais, pour la première fois de son existence, la porte ne céda pas. Elle martela le battant de ses poings jusqu'à les avoir en sang, puis elle s'écroula sur le sol, la joue contre le bois du chambranle.

Soudain, on ouvrit. Izabel tomba, et sa tête heurta le carrelage en marbre du hall. Même cette souffrance ne fut rien, comparée à celle qui la ravageait. Une paire de bottines à lacets apparut à quelques centimètres de son visage. Izabel s'accrocha désespérément aux jambes de sa mère. Emmaline releva sa fille.

— Qu'y a-t-il ?

Izabel tenta de cacher ses prunelles, sans résultat.

— Une erreur, maman. Je sais à quoi ça ressemble, mais je suis toujours la même. Je suis moi.

— Non ! C'est impensable.

Emmaline attrapa sa fille par le menton afin d'examiner ses yeux. Ils luisaient, jaunes comme le soleil. Une jeune demoiselle à peine plus âgée qu'Izabel descendait l'escalier deux à deux.

— Que se passe-t-il, maman ?

L'interpellée se retourna vivement, tout en tentant de dissimuler sa cadette dans son dos.

— Remonte, Delphine !

Malheureusement, il était vain de vouloir occulter les iris d'un or étincelant. Delphine se figea.

— Maman ?

— Je t'ai dit de remonter ! Tu ne peux rien pour ta sœur. Il est trop tard.

La voix d'Emmaline avait des accents de défaite.

Trop tard ? songea Izabel. Sa mère n'était pas sérieuse. Elle l'enlaça, et Emmaline sursauta comme si elle s'était brûlée. La peau d'Izabel était gelée. Elle lui fit de nouveau face, la tenant par les épaules. Des larmes roulaient sur ses joues.

— Je ne puis rien pour toi, lui dit-elle. Je n'ai pas de solution.

La foudre déchira le firmament nocturne. Un éclair s'abattit sur l'immense chêne qui abritait la maison, le fendant en deux. Le tronc s'écrasa en emportant une partie du toit. À l'étage, une vitre explosa, et le bruit de verre brisé retentit en échos infinis dans les tréfonds de la demeure.

Izabel finit par identifier l'expression de sa mère, une expression qu'elle ne lui connaissait pas.

La peur.

— C'est une erreur, plaida-t-elle. Je ne suis pas...

Ténèbres. Elle ne parvint pas à se forcer à prononcer le mot.

— Il n'y a pas de place pour les erreurs, pas en ce qui concerne la malédiction. On est Voué soit à la Lumière, soit aux Ténèbres. Il n'existe pas d'entre-deux.

— Mais maman...

Emmaline secoua la tête et repoussa sa fille sur le seuil.

— Tu ne peux pas rester ici. Plus maintenant.

Izabel écarquilla des yeux fous avant d'éclater en sanglots.

— Bonne-maman Katherine refusera de m'héberger, à présent. Je n'ai nulle part où aller. S'il vous plaît, maman, aidez-moi ! Nous nous battrons ensemble. Je suis votre fille !

— Non, tu ne l'es plus.

Delphine avait gardé le silence. Elle n'en croyait pas ses oreilles. Comment sa mère osait-elle parler ainsi ? Rejeter sa propre chair ?

— Maman ! s'écria-t-elle. C'est Izabel ! Nous devons l'aider.

Emmaline contempla sa cadette et se souvint du jour de sa naissance. Celui où elle-même avait tacitement choisi le véritable prénom de son bébé. Elle avait imaginé l'instant où elle le lui confierait, le lui chuchotant en regardant ses yeux verts et en écartant une mèche brune. Elle toisa une dernière fois les prunelles or, puis se détourna.

— Elle ne s'appelle plus Izabel, lâcha-t-elle. Désormais, elle sera connue sous le nom de Sarafine.

La réalité se manifesta de nouveau, lentement. Lena se tenait à quelques pas de moi ; elle n'avait pas lâché la boîte, qui tremblait entre ses doigts. Ses yeux étaient humides. J'étais incapable d'imaginer ce qu'elle ressentait.

Dans cette vision, Sarafine n'était qu'une adolescente dont le sort avait été scellé sans qu'elle y puisse rien. Elle n'avait alors en elle aucune trace de celle qu'elle était aujourd'hui. Était-ce ainsi que ça se déroulait ? Vous ouvriez les yeux, et toute votre existence était bouleversée ?

L ? Ça va ?

Nos regards se sont croisés et, l'espace d'un instant, elle n'a pas répondu. Lorsqu'elle s'y est résolue, sa voix a résonné doucement dans ma tête.

Elle était exactement comme moi.

15 septembre

La ville qui a oublié tout souci

Dans le noir, j'avais les yeux baissés sur mes tennis. Une humidité en transperçait la toile puis mes chaussettes, jusqu'à ce que mes pieds soient transis. J'étais debout dans une sorte de mare. Je l'entendais vivre ; moins un courant continu que des ridules à la surface. Quelque chose frôlait ma cheville avant de s'éloigner. Une feuille. Une branchette.

Une rivière.

J'en humais l'odeur de pourriture mêlée à celle de la vase. Je me trouvais peut-être dans les marécages des alentours de Wader's Creek. La bordure sombre que je distinguais au loin pouvait être des herbes des marais, et les hautes silhouettes, des cyprès. Je levais un bras, effleurant des plumets frémissants et dégoulinants, longs, légers. Mousse espagnole. J'étais bien dans le bayou.

M'accroupissant, je plongeais une main dans l'eau, à la texture épaisse et lourde. J'en écopais une poignée et la portais à mon nez, la laissant s'écouler entre mes doigts. Je tendais l'oreille.

Ça ne collait pas.

Malgré tout ce contre quoi on m'avait mis en garde, bactéries et larves des eaux stagnantes, je suçais mon index.

Ce goût m'était connu. Je l'aurais identifié entre mille. C'était celui des pièces que j'avais volées, à neuf ans, dans la fontaine de Forsyth Park.

Ce n'était pas de l'eau.

C'était du sang.

C'est alors que résonnait le chuchotement familier et que se produisait la pression d'un autre corps heurtant le mien.

C'était lui de nouveau. Le moi qui n'était pas moi.

J'ATTENDS.

J'entendais les mots au moment où je tombais. Je tentais de répondre mais, quand j'ouvrais la bouche, je buvais la tasse. Du coup, je formulais les mots dans ma tête, même si j'avais du mal à réfléchir.

Qu'attends-tu ?

Je coulais vers le fond. Sauf qu'il n'y avait pas de fond, et que je ne cessais de m'enfoncer, encore et encore...

Je me suis réveillé en me débattant comme un fou furieux. Je devinais encore ses mains autour de mon cou, et le vertige me submergeait, étouffante sensation que la chambre se refermait sur moi. J'ai eu beau m'obliger à respirer calmement, l'impression ne m'a pas lâché. La saveur de pièces sales s'attardait dans ma bouche, et mes draps étaient tachés de sang. Roulant en boule celui de dessus, je l'ai fourré sous mon lit. Il faudrait que je le jette. Hors de question qu'Amma découvre un drap ensanglanté dans son panier à linge.

Lucille a bondi sur le lit, tête penchée sur le côté. Les siamois avaient une façon énervante de vous regarder comme si vous les déceviez. Lucille était championne à ce jeu.

— Tu arrêtes de me reluquer comme ça ?

J'ai repoussé une mèche de cheveux trempés de devant mes yeux. Le sel de ma sueur se mêlait à celui du sang. J'étais incapable de trouver un sens à mon rêve. Pour autant, il me serait impossible de me rendormir.

Bref, j'ai appelé la seule personne dont j'étais sûr qu'à cette heure elle était éveillée.

Link a grimpé par ma fenêtre vingt minutes plus tard. Bien qu'il n'ait pas encore rassemblé assez de courage pour s'essayer à Voyager, se volatiliser dans l'espace afin de resurgir où il le désirait, il était sacrément furtif.

— Bon Dieu ! C'est quoi, tout ce sel ?

Une pluie de cristaux blancs a dégringolé du rebord de la croisée quand il l'a enjambé. Il s'est gratté les paumes.

— C'est censé me faire du mal, un truc comme ça ? En tout cas, c'est hyper agaçant.

— Amma est encore plus dingue que d'habitude.

C'était peu dire. La dernière fois que je m'étais cassé le nez sur une telle multitude d'herbes ensachées et de minuscules poupées cousues main, c'était à l'époque où elle s'était efforcée de tenir Macon à distance de ma chambre. J'aurais bien aimé savoir qui elle tentait d'éloigner, ces jours-ci.

— Comme tout le monde, a répliqué Link. Ma mère est repartie sur son projet de creuser un bunker. Elle rafle toutes les conserves qu'elle peut au Stop & Steal, à croire qu'on va se terrer dans la cave jusqu'à ce que le diable renonce.

Il s'est affalé sur mon fauteuil pivotant, devant mon bureau.

— Je suis content que tu m'aies téléphoné, a-t-il enchaîné. En général, vers les une ou deux heures du matin, c'est le moment où je commence à m'ennuyer.

— Qu'est-ce que tu fabriques, la nuit ?

Je ne lui avais encore jamais demandé. Il a haussé les épaules.

— Je lis des BD, je regarde des films sur mon ordi, je traîne dans la chambre de Savannah. Mais ce soir, j'ai juste espionné ma mère qui a jacassé pendant des heures au bigophone avec le pasteur et Mme Snow.

— Est-elle bouleversée par ce qui est arrivé à Savannah ?

— Pas autant qu'elle l'est par l'assèchement du lac. Elle pleure, elle prie et elle mobilise les lignes de téléphone afin de raconter à tout un chacun que c'est l'un des sept signes annonciateurs. Je te parie que je suis bon pour passer ma journée à l'église, demain.

J'ai repensé à mon cauchemar et à mes draps souillés.

— Qu'est-ce que c'est que cette histoire de lac asséché ?

— Le lac Moultrie. Dean Wilks y est allé cet aprèm pour pêcher, et il n'y avait plus de flotte. Il a dit que les lieux ressemblaient à un cratère et il a pu marcher jusqu'en son centre.

J'ai attrapé un tee-shirt.

— Les lacs ne tarissent pas comme ça, ai-je objecté.

Ça empirait. La canicule, les criquets, les pouvoirs déréglés des Enchanteurs et, à présent, ça. Quelle serait la prochaine étape ?

— J'en ai bien conscience, mec. Sauf que je ne peux pas balancer à ma mère que ta petite amie a rompu l'équilibre de l'univers, hein ?

Il a ramassé une cannette de thé non sucré restée sur mon bureau.

— Depuis quand bois-tu des machins pareils ? Et où as-tu dégoté une boisson sans sucre ?

Je comprenais son étonnement. Depuis que j'avais onze ans, je me gavais de lait chocolaté. Ces derniers temps, cependant, tout m'avait paru écœurant, et je supportais à peine plus d'une gorgée de ma boisson favorite.

— Le Stop & Steal en commande pour Mme Honeycutt, qui souffre de diabète. Je n'arrive plus à avaler quoi que ce soit de trop sucré. Mes papilles gustatives débloquent.

— Sans déc' ! D'abord, tu bouffes les hamburgers dégueu de la cantoche, et voilà que tu sirotes du thé. En comparaison, l'assèchement du lac n'est peut-être pas si bizarre.

— Je ne…

Lucille a sauté du lit, tandis que Link virevoltait en direction de la porte.

— Chut ! Quelqu'un est debout.

J'ai écouté, n'ai rien perçu cependant.

— Sûrement mon père. Il a un nouveau projet de livre.

— Non. Ça vient du rez-de-chaussée. Amma est réveillée.

Hybride d'Incube ou pas, il avait une ouïe impressionnante.

— Elle est dans la cuisine ?

D'une main dressée, il m'a imposé le silence.

— Oui, a-t-il soufflé. Je perçois du remue-ménage.

Il y a eu une pause d'une minute, puis :

— Elle est à la porte de derrière, maintenant. Une charnière de la moustiquaire grince.

Pardon ?

Frottant les dernières traces de sang de mon bras, je me suis levé. La dernière fois qu'Amma avait quitté la maison en pleine nuit, ça avait été pour retrouver Macon et discuter de Lena et de moi. Avaient-ils un nouveau rendez-vous ?

— Il faut que je sache où elle va, ai-je décrété en enfilant un jean et mes tennis.

Derrière Link, j'ai descendu l'escalier. J'ai fait craquer toutes les marches mal ajustées, là où lui n'émettait pas un son. La cuisine était plongée dans le noir, ce qui ne m'a pas empêché de distinguer Amma sur le trottoir, sous la lune. Elle était vêtue de sa robe jaune pâle du dimanche et portait ses gants blancs. Pas de doute, elle s'apprêtait à se rendre dans les marais. Comme dans mon rêve.

— Elle va à Wader's Creek, ai-je annoncé à Link. Suivons-la.

J'ai tâtonné sur le comptoir, en quête des clefs de la Volvo.

— On n'a qu'à prendre La Poubelle.

— Il faudra rouler tous feux éteints. C'est plus difficile que tu ne crois.

— Pff ! J'ai pratiquement une vision laser. C'est parti !

Nous avons guetté la Studebaker des années 1950. J'étais sûr qu'elle ne tarderait pas à se ranger le long du caniveau. Ça n'a pas loupé. Au bout de cinq minutes, la fourgonnette de Carlton Eaton est apparue dans Cotton Bend.

— Pourquoi est-ce M. Eaton qui passe chercher Amma ? s'est enquis Link.

Il a laissé La Poubelle rouler au point mort avant de mettre le contact.

— Il lui sert parfois de chauffeur, lors de ses expéditions nocturnes à Wader's Creek. Je n'en sais pas plus. Peut-être que, en retour, elle lui prépare des gâteaux ?

— C'est le seul truc qui me manque depuis que je ne mange plus, a soupiré mon pote. La pâtisserie d'Amma.

Il ne s'était pas vanté quand il avait affirmé qu'il n'avait pas besoin de phares. Il a laissé un peu de distance entre nous et la camionnette, mais pas parce qu'il se concentrait sur la route. Il a en effet consacré l'essentiel du trajet à se plaindre de Ridley, sujet dont il ne parvenait pas à s'arracher, apparemment, ou à me passer des nouvelles chansons de son groupe, les Crucifix Vengeurs. Ils étaient mauvais comme jamais, mais, même en pleine campagne, la musique étouffait les stridulations des sauterelles, un bruit que je ne supportais plus.

Les Crucifix Vengeurs n'avaient pas terminé leur quatrième morceau que la Studebaker a atteint le sentier non signalé qui menait à Wader's Creek. C'était là que Carlton Eaton avait déposé Amma, la nuit où je l'avais filée à son rancard avec Macon. Sauf que, là, le véhicule a poursuivi son chemin.

— Où va-t-il, bon sang ? a ronchonné Link.

Je n'en avais pas la moindre idée, mais nous l'avons vite découvert.

La fourgonnette de Carlton Eaton a dévalé pratiquement toute l'étendue de poussière longue d'un kilomètre et demi qui, à peine quelques mois auparavant, avait servi de parking et s'adossait à un immense terrain, sans doute aussi ravagé et desséché que les autres terres du comté. Canicule ou pas, l'herbe ici ne s'était sûrement pas encore remise des roues de caravane et des piquets de tente, des mégots et des structures métalliques pesantes qui avaient laissé des cicatrices noires sur la terre.

— Le champ de foire ? a murmuré Link, surpris, en se garant près d'un bosquet de buissons morts. Pourquoi a-t-il amené Amma ici ?

— À ton avis ?

Maintenant que les attractions s'en étaient allées, il ne subsistait dans les parages qu'une chose digne d'intérêt. Un portail extérieur menant aux Tunnels des Enchanteurs.

— Je ne pige pas. Pour quelle raison M. Eaton conduit-il Amma dans les souterrains ?

— Que veux-tu que j'en sache ?

Eaton a coupé le contact avant de contourner le véhicule afin d'ouvrir la portière à Amma. Elle l'a éloigné d'une tape lorsqu'il a tenté de l'aider à descendre. Il aurait dû être au courant, pourtant. Elle avait beau ne mesurer qu'un mètre cinquante-trois et ne peser que cinquante kilos, Amma n'avait rien d'un bibelot fragile. Elle a suivi son chauffeur à travers le champ, ses gants blancs luisant dans l'obscurité.

J'ai poussé ma propre portière le plus doucement possible.

— Dépêche, sinon on va les perdre.

— Tu te fiches de moi ? Je les entends jacasser jusqu'ici.

— Ah bon ?

Je savais qu'il avait des pouvoirs, mais j'imagine que je ne m'attendais pas à ce qu'ils soient aussi développés.

— Je ne suis pas un super-héros à la noix comme Aquaman, a-t-il rétorqué.

Link n'était nullement impressionné par mes talents de Pilote. Au demeurant, ce en quoi ils consistaient n'était pas très clair (ni pourquoi j'en étais doté), mis à part que je me débrouillais avec un plan et l'Orbe Lumineux. Bref, la comparaison avec le personnage de BD qui parlait aux poissons n'était pas mal trouvée.

— Je me vois plutôt comme Magneto ou Wolverine, a poursuivi Link. J'hésite encore.

— Tu as réussi à tordre du métal par la seule force de ta pensée ou à lancer des couteaux à partir de tes phalanges ?

— Non, mais j'y travaille. Chut ! Ils parlent.

— Pour dire quoi ?

— M. Eaton cherche sa clef d'Enchanteur pour déverrouiller le portail, et Amma l'enguirlande parce qu'il n'arrête pas d'égarer ses affaires.

Voilà qui ressemblait bien à ma gouvernante.

— Attends ! Il l'a trouvée. Il ouvre. Et maintenant, il aide Amma à descendre.

Il y a eu une pause.

— Que font-ils ?

— M. Eaton s'en va. Elle y est allée toute seule.

Inutile que je m'inquiète. Amma avait arpenté les Tunnels à de multiples reprises, en général pour me venir en aide parce que j'y étais en fâcheuse posture. J'avais un mauvais pressentiment, cependant. Nous avons attendu que Carlton ait regagné sa fourgonnette, puis nous avons galopé jusqu'au portail. Link y est arrivé le premier, ce qui n'avait rien d'étonnant, vu qu'il donnait un sens nouveau au concept de vitesse. Je me suis accroupi près de lui afin d'examiner les contours de la trappe – qu'on n'aurait pas remarquée, à moins de la chercher.

— Comment entre-t-on ? Tu n'as pas tes cisailles sur toi, non ?

Lors de notre dernière incursion par ici, il avait forcé notre passage à l'aide d'un immense outil de jardin qu'il avait fauché dans le labo du bahut.

— J'ai mieux, a-t-il répondu. J'ai une clef.

J'ai contemplé avec des yeux ronds l'objet en forme de croissant de lune. Même Lena n'en possédait pas.

— Où l'as-tu piquée ?

Il m'a donné un léger coup sur l'épaule. J'ai basculé en arrière et me suis affalé dans la poussière.

— Désolé, mec, j'ignore ma force.

Il m'a relevé avant d'enfoncer son passe dans la serrure.

— C'est l'oncle de Lena qui me l'a filée, afin que je puisse le rejoindre à ma guise dans son bureau sinistre et qu'il m'apprenne à être un gentil Incube.

Je n'étais guère surpris. Macon avait consacré des années à se débrouiller seul pour s'habituer à se contenter, par nécessité, de se nourrir des rêves des Mortels plutôt que de leur sang. C'était soit ça, soit devenir comme Abraham ou Hunting et sa Meute Sanglante.

La clef a parfaitement fonctionné, et Link a soulevé la trappe ronde avec fierté.

— Magneto, tu vois ?

D'ordinaire, je n'aurais pas manqué de faire une blague ; cette nuit-là, je m'en suis abstenu, cependant. Link ressemblait beaucoup plus au héros des BD Marvel que moi.

Les Tunnels m'évoquaient toujours les oubliettes d'un vieux château fort. Les plafonds étaient bas, et les parois de roche brute, humides. L'eau qui dégouttait résonnait à travers les corridors, bien que, nulle part, il n'y eût trace d'une source quelconque. J'étais déjà venu ici, mais le souterrain donnait la curieuse impression d'être différent. Ou alors, c'est moi qui avais changé. Quoi qu'il en soit, j'étouffais et j'avais hâte de sortir de là.

— Vite ! Elle va nous semer, ai-je dit.

Alors que c'était moi qui nous ralentissais à force de trébucher dans le noir.

— Relax ! Elle est aussi bruyante qu'un cheval piétinant du gravier.

Amma aurait peu goûté l'analogie.

— Tu l'entends marcher ?

Moi, je ne percevais même pas Link.

— Oui. Et je sens son odeur. Mine de crayon et bonbons à la cannelle.

Il a donc suivi la trace olfactive de ma gouvernante – ses mots croisés et ses sucreries préférées –, et je lui ai emboîté le pas jusqu'à ce qu'il s'arrête devant un escalier grossièrement taillé dans la roche qui ramenait à l'univers des Mortels. Il a inspiré profondément, comme autrefois quand l'une des génoises aux pêches d'Amma cuisait au four.

— Elle est montée, a-t-il annoncé.

— Sûr ?

— Aussi sûr que ma mère se permettrait de faire un prêche à un prêcheur, a-t-il riposté avec dédain.

Link a poussé une lourde porte en pierre, et un rayon de lumière a inondé le Tunnel. Nous étions à l'arrière d'une vieille bâtisse, le portail avait été aménagé dans de la brique effritée. L'air était lourd, collant, mélange puant de bière et de transpiration.

— Où sommes-nous, bon sang ?

Link a contourné le bâtiment. L'odeur de bière a forci. Il a jeté un coup d'œil par une fenêtre.

— On dirait une espèce de pub.

Une grande plaque en fer était clouée près de l'entrée : LAFITTE : MARÉCHAUX-FERRANTS.

— Ça ne ressemble pas à une forge.

— Parce que ça n'en est pas une.

Un homme âgé coiffé d'un panama pareil à celui que le défunt mari de tante Prue avait eu l'habitude de porter s'est approché de Link. Il s'appuyait lourdement sur une canne.

— Vous êtes devant l'un des immeubles les plus tristement célèbres de Bourbon Street, et son histoire est aussi connue que le Quartier lui-même.

Bourbon Street. Le Quartier français.

— Nous sommes à La Nouvelle-Orléans.

— Exact.

Depuis l'été, Link et moi savions que les Tunnels étaient susceptibles de déboucher n'importe où ; le temps et les distances n'y opéraient pas comme dans le monde des Mortels. En vieille habituée, Amma était au courant elle aussi.

— On raconte, poursuivait le vieux bonhomme, que Jean et Pierre Lafitte ont ouvert une forge ici à la fin du XVIIIe siècle comme couverture à leurs activités de contrebande. C'étaient des pirates qui pillaient les galions espagnols et revendaient leur butin à La Nouvelle-Orléans, des épices aux meubles, en passant par les esclaves. Mais aujourd'hui, les gens viennent ici surtout pour la bière.

J'ai tressailli. Notre interlocuteur a souri et effleuré le bord de son chapeau.

— Amusez-vous bien dans la Ville qui a oublié tout souci, les gars !

Nous amuser ? Je n'aurais pas parié là-dessus.

Le vieux s'est encore plus voûté sur sa canne et nous a agité son panama sous le nez.

— Ah, oui, bien sûr.

J'ai fouillé mes poches, n'y ai déniché qu'une pièce de vingt-cinq *cents*. J'ai regardé Link. Il a haussé les épaules. Je me suis rapproché pour lâcher la pièce dans le chapeau, et une main osseuse a crocheté mon poignet.

— Un garçon malin comme toi. À ta place, je filerais d'ici à toute vitesse.

Je me suis dégagé. Le vieillard a souri encore plus, dévoilant des dents jaunes et inégales.

— À bientôt.

J'ai frotté mon poignet. Lorsque j'ai relevé les yeux, il avait disparu.

Link n'a pas mis longtemps à détecter la trace d'Amma. Un vrai chien de chasse ! Je comprenais désormais pourquoi Hunting et sa Meute Sanglante n'avaient eu aucune difficulté à nous localiser lorsque nous avions cherché Lena et la Grande Barrière. Nous avons traversé le Quartier français pour gagner le fleuve. Les effluves des eaux brunes et boueuses mélangés aux odeurs de transpiration et aux parfums des épices émanant des restaurants voisins m'assaillaient les narines. Y compris en pleine nuit, l'humidité pesait, veste dont il était impossible de se débarrasser, quand bien même on ne souhaitait que cela.

— Tu es certain que nous allons dans la bonne…

D'un geste du bras, Link m'a arrêté.

— La ferme. Bonbons à la cannelle.

J'ai scruté le trottoir devant nous. Amma se tenait sous un réverbère, face à une créole assise sur une caisse en plastique destinée au transport des bouteilles de lait. Nous avons avancé en douce en espérant qu'Amma ne nous repérerait pas et nous nous sommes blottis dans l'ombre d'une façade, près de la flaque de lumière pâlotte que dispensait le lampadaire.

La créole vendait des beignets à même la rue. Ses cheveux étaient nattés en centaines de minuscules tresses. Elle m'a rappelé Twyla.

— *Te te* beignets ? a-t-elle demandé en brandissant un petit baluchon rouge. Tu achètes ? Tu achètes. Bonus.

— Qu'est-ce qu'elle baragouine ? a marmonné Link, perdu.

J'ai désigné du doigt le ballot.

— J'ai l'impression qu'elle propose à Amma de lui offrir quelque chose si elle lui prend ses beignets.

— Hein ?

— Regarde.

Amma a tendu une poignée de dollars à la femme, en échange de quoi elle s'est emparée des pâtisseries et du baluchon rouge. La vendeuse a vivement inspecté les alentours, faisant voler ses tresses par-dessus ses épaules. Une fois sûre que personne n'écoutait, elle a brièvement murmuré quelques paroles dans ce qui semblait être du créole français. Amma a acquiescé, puis a fourré le ballot dans son sac à main.

— Qu'a-t-elle dit ? ai-je soufflé à Link en lui donnant un coup de coude dans les côtes.

— Que veux-tu que j'en sache ? J'ai bien entendu, mais je ne parle pas français.

Tant pis. Amma repartait déjà dans la direction opposée. Ses traits arboraient une expression indéchiffrable, ce qui ne m'a cependant pas empêché de songer que quelque chose clochait.

Toute cette nuit clochait, d'ailleurs. Je n'étais pas en train de pister Amma à l'un de ses rendez-vous secrets avec Macon à Wader's Creek. Qu'est-ce qui justifiait sa présence à mille cinq cents kilomètres de chez nous à des heures aussi indues ? Qui connaissait-elle à La Nouvelle-Orléans ?

— Où va-t-elle ? a lâché Link.

Encore une question à laquelle je n'avais pas de réponse.

Le temps que nous rejoignions Amma sur Saint Louis Street, cette dernière était vide. Pas illogique, vu l'endroit où nous étions. J'ai contemplé le haut portail du cimetière Saint Louis n° 1.

— Ce n'est pas bon signe, quand les cimetières sont si nombreux qu'on est obligé de les numéroter, a commenté Link.

Bien qu'en partie Incube, il ne semblait pas particulièrement ravi à l'idée de se balader dans une nécropole au beau milieu de la nuit. Il subissait encore l'influence de dix-sept années de baptisme sudiste fondé sur la crainte de Dieu. J'ai poussé la grille.

— Finissons-en.

L'endroit n'avait rien en commun avec les cimetières que j'avais eu l'occasion de voir. Ici, pas de vastes pelouses ponctuées de stèles et de chênes tordus. Nous étions dans une ville réservée aux défunts. Les allées étroites se serraient entre des rangées de mausolées ornementés à divers stades de délabrement, dont certains étaient aussi hauts que des maisons. Les plus impressionnants étaient protégés par des grilles en fer forgé noir ; d'énormes statues de saints et d'anges nous observaient depuis les toits. Les gens d'ici honoraient leurs morts. La preuve en était taillée sur les visages des sculptures, sur les noms que des centaines de mains caressantes avaient fini par effacer à demi.

— Ces lieux feraient passer Son Jardin du Repos Éternel pour une décharge publique.

J'ai pensé à ma mère ; j'ai compris le désir de ceux qui érigeaient un foyer en marbre aux êtres qu'ils avaient aimés, exactement ce que le cimetière n° 1 semblait être.

— On s'en fout, a répondu Link, hermétique. Quand je mourrai, contente-toi de jeter une poignée de terre sur moi et garde tes sous.

— D'accord. Tu me le rappelleras à ton enterrement, dans quelques centaines d'années.

— Bon, ben dans ce cas, c'est moi qui balancerai de la poussière sur toi...

— Chut ! Tu as entendu ?

J'avais perçu des crissements sur le gravier. Nous n'étions pas seuls.

— Évidemment...

Les paroles de Link se sont estompées, tandis que, soudain, une ombre floue me dépassait. Sa texture brumeuse était identique à celle d'un Diaphane, sans les traits qui permettaient aux Diaphanes d'avoir une appa-

rence humaine cependant. La silhouette a dansé autour de moi, m'a même traversé, et j'ai senti l'affolement familier de mes rêves qui m'oppressait. Comme si j'étais acculé dans mon propre corps et incapable de bouger.

Qui es-tu ?

Je me suis forcé à me concentrer sur l'ombre, afin de distinguer plus qu'un frémissement trouble de l'air. En vain.

Que veux-tu ?

— Hé, mec ? Ça va ?

La voix de Link m'est parvenue, dissipant la pression. Un peu comme si quelqu'un, agenouillé sur mon torse, s'était brutalement relevé. Mon copain me regardait. Je me suis demandé combien de temps il avait jacassé sans que je l'entende.

— Ça va, oui.

C'était faux, mais je ne tenais pas à lui confier que… quoi ? Que j'avais des hallucinations ? Que je faisais des cauchemars dans lesquels figuraient des rivières de sang et des chutes du sommet de châteaux d'eau ?

Au fur et à mesure que nous nous enfoncions dans le cimetière, les tombes ouvragées et celles qui s'écroulaient laissaient place à des sentiers bordés de mausolées en complète décrépitude. Certains étaient en bois, au demeurant, pareils aux cabanons délabrés qui s'élevaient sur certaines parties du marigot, à Wader's Creek. J'ai déchiffré les noms de famille encore lisibles. Delassixe, Labasiliere, Rousseau, Navarro. Tous créoles. Le dernier tombeau, en bout de rangée, se tenait à l'écart des précédents. C'était un édifice en pierre étroit, large de moins de un mètre. De style néoclassique, comme Ravenwood Manor. Sauf que, là où la demeure de Macon avait des allures de plantation digne de figurer dans un ouvrage illustré sur la Caroline du Sud, cette tombe ne méritait pas qu'on s'y attarde. À première vue du moins.

En effet, après m'être approché, j'ai découvert que des sautoirs de perles auxquels étaient noués des crucifix et des roses en soie rouge étaient suspendus près de la porte, et que la pierre du bâti était balafrée de centaines de X grossiers de toutes les tailles et de toutes les formes. Ils voisinaient avec d'autres dessins étranges, visiblement réalisés par des visiteurs. Le sol était jonché d'offrandes et de souvenirs : poupées de mardi gras, bougies dans des verres sur lesquels étaient peints des visages de saints, bouteilles de rhum vides et clichés couleur sépia, cartes de tarot, et autres colliers bigarrés.

Se penchant, Link a retourné l'une des cartes sales entre ses doigts. La Maison de Dieu. J'avais beau ignorer sa signification, il me paraissait évident qu'un truc représentant des types tombant d'une tour ne présageait rien de bon.

— Nous y sommes, a annoncé mon pote. C'est ici.

— Qu'est-ce que tu racontes ? ai-je objecté en contemplant les alentours. Il n'y a rien.

— Je ne suis pas d'accord, a-t-il répondu en montrant la porte du mausolée avec la carte tachée et gondolée. Amma est entrée là-dedans.

— Tu rigoles ?

— À ton avis ? Tu crois vraiment que j'ai envie de rigoler en te suggérant d'entrer de nuit dans une tombe de la ville la plus hantée du sud des États-Unis ? (Il a secoué la tête.) Parce que je sais bien que c'est ce que tu vas vouloir faire.

Pas plus que lui je ne tenais à m'aventurer à l'intérieur. Il a rejeté sa carte dans la pile des offrandes. J'ai soudain aperçu une plaque en laiton au pied de la porte. Je me suis baissé afin de la déchiffrer à la lueur de la lune : MARIE LAVEAU. CETTE TOMBE DE STYLE NÉOCLASSIQUE EST LE LIEU DE SÉPULTURE DE LA CÉLÈBRE « REINE DU VAUDOU ».

— Une « reine du vaudou » ? a répété Link en reculant d'un pas. Comme si on n'avait pas assez d'ennuis comme ça !

— Qu'est-ce qu'Amma peut bien fabriquer dans un endroit pareil ? ai-je murmuré en l'écoutant à peine.

— J'en sais rien, mec. Ses grigris, passe encore, mais je ne crois pas que mes pouvoirs d'Incube fonctionnent face à une reine du vaudou morte. Fichons le camp.

— Ne sois pas idiot. Il n'y a aucune raison d'avoir peur. Le vaudou n'est qu'un culte comme un autre.

Link a regardé nerveusement autour de lui.

— C'est ça. Un dont les adeptes fabriquent des poupées avant de les perforer d'épingles.

Sûrement un truc que lui avait raconté sa mère. Néanmoins, je fréquentais Amma depuis assez longtemps pour savoir que le vaudou faisait partie de son héritage, un mélange de religion et de mysticisme qui était aussi unique que sa cuisine.

— Ça, ai-je riposté, ce sont seulement ceux qui pratiquent la magie noire. Rien de tel, ici.

— Tu as intérêt à avoir raison, parce que je déteste les piqûres.

J'ai plaqué ma paume sur le battant et j'ai poussé. Rien.

— Il y a peut-être un sortilège. Comme pour les portes des Enchanteurs.

Link s'est jeté dessus et, d'un coup d'épaule, a enfoncé la porte qui a crissé sur le sol de pierre.

— Bon, peut-être pas, à la réflexion.

Je suis entré, sur mes gardes. J'espérais découvrir ma gouvernante penchée au-dessus d'os de poulet. Mais la crypte était noire et vide, à l'exception d'un châssis en ciment sur lequel était posé le cercueil, des toiles d'araignée et de la poussière.

— Il n'y a rien, là-dedans.

Link est allé jusqu'au fond de la pièce exiguë.

— Je n'en suis pas aussi certain que toi.

Il a fait courir ses doigts par terre. Un carré était sculpté sur la pierre, percé en son centre d'un anneau métallique.

— Vise-moi ça. On dirait une trappe.

C'en était une, qui donnait accès au sous-sol du cimetière et ce, à partir de la tombe d'une défunte reine du vaudou. Les choses commençaient à franchement dépasser le ténébreux, y compris selon les standards d'Amma.

— On y va, oui ou non ? m'a lancé Link, la main refermée autour de l'anneau.

J'ai hoché la tête, il a soulevé le portail.

15 septembre
La Roue de Fortune

Quand j'ai découvert les marches en bois pourrissant illuminées par une lueur jaunâtre qui provenait d'en bas, j'ai deviné qu'elles ne conduisaient pas à un Tunnel. J'avais descendu plus que ma part d'escaliers qui tournicotaient depuis le monde des Mortels dans ces souterrains et ne les avais que rarement vus. Ils étaient en général dissimulés par des sortilèges protecteurs, de façon à ce qu'on ait l'impression de sauter droit vers sa propre mort pour peu qu'on osât effectuer le premier pas.

Ce premier pas était différent et, bizarrement, il m'a inspiré plus de craintes. Les degrés étaient de guingois, la rampe guère plus que des planches clouées ensemble au petit bonheur la chance. J'aurais pu tout aussi bien me trouver au-dessus de la cave empoussiérée des Sœurs, laquelle était toujours obscure car elles ne m'autorisaient pas à remplacer l'ampoule située au-dessus de l'escalier. Mais ici, nous n'étions pas dans un soubassement ; et ça ne sentait pas la poussière. Quelque chose brûlait, dégageant une puanteur épaisse et répugnante.

— C'est quoi, cette odeur ?

Link a inhalé avant de tousser.

— Réglisse et essence, a-t-il diagnostiqué.

Super ! Un mélange qu'on rencontrait au quotidien. J'ai tendu la main vers la balustrade de fortune.

— Tu crois que ces marches tiendront le coup ?

— Elles ont bien supporté le poids d'Amma.

— Sauf qu'elle pèse cinquante kilos toute mouillée.

— Il n'y a qu'une façon de le savoir.

Je suis passé le premier, chaque planche grinçant sous mes pieds. Ma paume serrait fort la rambarde, et des échardes s'enfonçaient dans ma peau. En bas, une vaste pièce s'ouvrait sur le côté de l'escalier. C'était de là que provenaient la lumière et les effluves nauséabonds.

— Où est-on, nom d'un chien ? a chuchoté Link.

— Aucune idée.

Sinon qu'il s'agissait d'un lieu ténébreux, un lieu où Amma ne se serait jamais rendue en des circonstances ordinaires. Ils empestaient autre chose que la réglisse et l'essence, qui plus est. La mort flottait dans l'air. J'ai compris pourquoi quand nous sommes entrés dans la salle souterraine.

C'était une sorte de boutique, dont les murs étaient cachés par des rangées de rayonnages abritant des volumes en cuir craquelé et des bocaux de verre remplis de créatures mortes ou vivantes. Dans l'un d'eux, des ailes de chauves-souris, intactes mais détachées des corps auxquels elles avaient appartenu. Un autre débordait de dents d'animaux ; d'autres encore recelaient des griffes et des peaux de serpent. Des flacons plus petits et dénués d'étiquettes renfermaient des liquides stagnants et des poudres noires. Mais ce sont les êtres vivants emprisonnés dans ces bas-fonds qui m'ont le plus perturbé. D'énormes crapauds se pressaient contre les parois de vivariums, comme s'ils cherchaient désespérément à s'échapper. Des serpents glissaient les uns sur les autres dans des terrariums bondés et souillés d'épaisses couches de poussière. Des chauves-souris étaient suspendues au sommet de cages rouillées.

Cet endroit dégageait une atmosphère plus que malsaine, de la table en acier éraflée qui trônait au centre de la pièce jusqu'à l'autel curieux placé dans un coin et entouré de cierges, de sculptures et d'un gros bâton d'encens noir, celui-là même qui émettait l'odeur de réglisse et d'essence. D'un coup de coude, Link a attiré mon attention et m'a montré le cadavre d'une grenouille qui trempait dans un récipient.

— C'est encore pire que le labo du bahut en plein été, a-t-il commenté.

— Tu es sûr qu'Amma est ici ?

Je n'arrivais pas à l'imaginer dans cette version tordue de la cave de mes grands-tantes. Du menton, il a désigné le fond de la salle, là où crépitait la lueur jaune.

— Bonbons à la cannelle, a-t-il marmonné.

Nous avons avancé parmi les étagères et, quelques secondes plus tard, j'ai perçu la voix d'Amma. Au bout de l'allée, deux bibliothèques basses encadraient un étroit passage menant à l'arrière-boutique – enfin, si c'était bien un magasin. Nous mettant à quatre pattes, nous nous sommes dissimulés derrière. Des pattes de poulet flottaient dans un récipient, près de mon épaule.

— Montre-moi le bonus, a lâché une voix masculine éraillée au fort accent. Tu serais surprise du nombre de personnes qui réussissent à venir jusqu'ici et ne sont pas celles qu'elles prétendent être.

Je me suis mis à plat ventre avant de ramper jusqu'à ce que je puisse voir de l'autre côté de l'étagère. Link avait raison : Amma était plantée devant une table en bois sombre. Elle agrippait son sac à main de ses dix doigts. Les pieds du meuble étaient sculptés en pattes d'oiseau, dont les éperons n'étaient qu'à quelques centimètres des chaussures orthopédiques de la visiteuse. De profil, sa peau sombre luisait sous les éclats lumineux jaunâtres ; son chignon était sagement glissé sous son chapeau à fleurs, celui qu'elle mettait pour se rendre à la messe, le dimanche. Elle redressait le menton et se tenait bien droite. Si elle avait peur, rien ne le laissait soupçonner. L'orgueil d'Amma la caractérisait tout autant que ses devinettes, ses biscuits et ses mots croisés.

— J'imagine, a-t-elle acquiescé.

Ouvrant son sac, elle en a sorti le baluchon que lui avait offert la créole.

— C'est ce truc que lui a refilé la dame aux beignets ? s'est enquis Link, lui aussi à plat ventre.

J'ai hoché la tête tout en lui intimant de se taire. L'homme qui était de l'autre côté de la table s'est penché sous la lumière. Son teint était d'ébène, plus foncé et plus lisse que celui d'Amma. Il avait les cheveux noués en tresses grossières rassemblées à la base de son cou. Des bouts de ficelle et de minuscules objets, indistincts depuis ma planque, s'entremêlaient aux nattes. Il a observé Amma avec intensité tout en caressant les contours de son bouc.

— Donne.

Comme il tendait la main, la manchette de sa tunique noire est remontée le long de son bras. Son poignet était entouré de fines bandelettes de cuir et de fils de coton auxquels étaient accrochées quantité d'amulettes. Son épiderme était abîmé, gondolé et brillant, comme s'il avait été brûlé à plusieurs reprises. Amma a lâché le ballot dans sa paume en prenant soin de ne pas toucher son interlocuteur. Le remarquant, ce dernier a souri.

— Vous autres, femmes des îles, êtes toutes pareilles. Vous pratiquez l'art pour vous défendre contre ma magie. Mais vos herbes et vos poudres ne sont pas de taille à lutter contre l'ouvrage d'un bokor.

L'art. Le vaudou. Ce n'était pas la première fois que je l'entendais nommer ainsi. Et si Amma et ses pairs fournissaient des protections contre les agissements de ce bokor, ce sorcier, ça ne pouvait signifier qu'une chose : qu'il pratiquait la magie noire.

Il a dénoué le baluchon, en a retiré une unique plume, qu'il a inspectée de près, la tournant et la retournant entre ses doigts.

— Tu n'es pas une intruse, a-t-il fini par conclure. Que veux-tu ?

Amma a jeté un mouchoir sur la table.

— Je ne suis pas une intruse, a-t-elle confirmé, ni l'une de ces filles des îles que tu as l'habitude de recevoir.

Le bokor a soulevé le tissu délicat, dont il a examiné la broderie. J'en connaissais le motif, même si je ne pouvais pas le distinguer de ma place – un corbeau. L'homme a regardé le mouchoir, puis Amma.

— La marque de Sulla la prophétesse, a-t-il marmonné. Ainsi, tu es une Voyante. L'une de ses descendantes ?

Son sourire s'est élargi, dévoilant des dents blanches qui ont brillé dans la pénombre.

— Voilà qui rend ta petite visite encore plus inattendue. Au nom de quoi une Voyante héritière de Sulla viendrait-elle dans mon atelier ?

Amma l'a observé attentivement, comme s'il était l'un des reptiles se tortillant dans son terrarium.

— J'ai commis une erreur, a-t-elle fini par marmonner. Je n'ai rien à voir avec ceux de ton espèce. Je m'en vais.

Plaçant son sac dans le creux de son coude, elle a tourné les talons.

— Tu pars déjà ? Tu n'as donc pas envie d'apprendre comment changer les cartes ?

Le rire menaçant du sorcier maléfique a résonné dans la pièce. Amma s'est arrêtée net.

— Si, a-t-elle chuchoté.

— Pourtant, tu connais la réponse, Voyante. D'où ta présence ici.

Elle a virevolté pour l'affronter.

— Tu me crois d'humeur à faire des mondanités ?

— On ne peut modifier les cartes après les avoir distribuées. Pas celles dont nous parlons, s'entend. Le destin est une roue qui tourne seule.

Amma a abattu sa paume sur la table.

— Cesse de me vendre des fadaises aussi noires que ton âme ! Je sais très bien que c'est faisable.

Le bokor a tapoté un bocal de coquilles d'œufs posé près de lui. De nouveau, ses dents blanches ont lui dans la pénombre.

— Tout est possible, en effet. À condition d'y mettre le prix, Voyante. La question est de déterminer ce que tu es prête à payer.

— Ce qu'il faudra.

J'ai frissonné. La façon dont Amma avait prononcé ces mots, ses intonations donnaient l'impression que la frontière invisible séparant ces deux-là était en train de s'effacer. Cette ligne était-elle plus profonde que celle que ma gouvernante avait traversée la nuit de la Seizième Lune, quand elle et Lena s'étaient servies du *Livre des lunes* pour me ramener d'entre les morts ? Nous avions d'ores et déjà transgressé bien trop de limites. Le magicien l'a dévisagée avec soin.

— Montre-moi les cartes, a-t-il ordonné ensuite. Il faut que je voie ce à quoi nous avons affaire.

De son sac, Amma a tiré un paquet de ce qui ressemblait à des cartes de tarot ; mais les illustrations n'étaient pas les bonnes : il s'agissait d'un autre jeu. Elle les a alignées sur la table, recréant une main. Le bokor les a observées, la plume roulant entre ses doigts. Amma a posé la dernière carte.

— Et voilà.

L'homme a reculé en marmonnant dans une langue inconnue. Il était évident cependant qu'il n'était pas content. D'un grand geste, il a balayé la surface de son bureau branlant, envoyant valser des flacons et des bouteilles qui se sont fracassés par terre. Il s'est penché vers Amma, s'en approchant comme je n'avais encore vu personne oser se le permettre.

— La Reine Furieuse. La Balance Déséquilibrée. Le Bouclier Ténébreux. La Tempête. Le Sacrifice. Les Jumeaux Séparés. La Lame Sanglante. L'Âme Fracturée.

Il énumérait les cartes en crachant presque et en agitant sa plume sous le nez d'Amma, sorte de version personnelle de la Menace du Cyclope.

— Une Voyante descendant de Sulla la Prophétesse devrait être assez maligne pour savoir que ceci n'est pas une main normale, a-t-il enchaîné.

— Serais-tu en train de me dire que tu n'en es pas capable ? l'a-t-elle provoqué. Que je me suis traînée jusqu'ici pour des coquilles d'œufs brisées et des grenouilles de marais mortes ? N'importe quelle diseuse de bonne aventure aurait pu me procurer ces choses-là.

— Je te dis que tu n'es pas en mesure de payer le prix de tes exigences, vieille femme !

Il avait élevé le ton. Je me suis raidi. Amma était la seule mère qui me restait. Je ne supportais pas qu'on s'adresse à elle ainsi. Elle a levé les yeux au plafond en marmottant. J'aurais parié qu'elle parlait aux Grands.

— Si j'avais eu le choix, je ne me serais pas égarée dans ce nid diabolique...

Le bokor s'est emparé d'un long bâton entouré d'une mue de serpent desséchée et a commencé à tourner autour d'Amma, tel un animal sur le point d'attaquer.

— Tu es quand même là, a-t-il objecté. Parce que tes petites poupées et tes potions sont incapables de sauver le *ti-bon-ange*. N'est-ce pas ?

Elle lui a jeté un regard de défi.

— Quelqu'un va mourir, si tu ne m'aides pas.

— Et quelqu'un mourra si je le fais.

— Ça, ce n'est pas mon problème, a-t-elle riposté en tapotant l'une des cartes. Voici le décès qui me préoccupe.

Il a examiné la carte désignée, l'a caressée avec la plume.

— Tu as choisi la personne déjà perdue. Amusant. Encore plus intéressant, tu es venue me trouver, moi, plutôt que tes chers Enchanteurs. Ça les concerne pourtant aussi, non ?

Nom d'un chien ! Les Enchanteurs. Mon estomac s'est noué. Qui donc était déjà perdu ? Lena ?

— Ils ne me seront d'aucun secours, a soupiré Amma. Ils arrivent à peine à s'en sortir eux-mêmes.

Link s'est tourné vers moi, interrogateur. Sauf que je ne comprenais pas plus que lui. Comment le bokor était-il en mesure de seconder Amma là où les Enchanteurs ne l'étaient pas ? Malgré moi, des images ont défilé devant mes yeux : l'intolérable chaleur, l'invasion de criquets dans tous les recoins de la ville, les cauchemars et l'affolement, les Enchanteurs incapables de contrôler leurs pouvoirs ou de les utiliser, une rivière de sang, la voix d'Abraham résonnant dans la grotte après que Lena s'était Appelée.

Tout cela ne serait pas sans conséquences.

Le sorcier vaudou s'est posté devant Amma, jaugeant l'expression de ses traits.

— Tu parles des Enchanteurs de la Lumière, là.

— Il n'en existe pas d'autres auxquels je m'adresserais.

La réponse a paru plaire à l'homme. Pas pour la raison à laquelle je m'attendais, cependant.

— Tu t'es décidée à me consulter, parce que je maîtrise quelque chose qu'ils ignorent : la vieille magie que notre peuple a apportée avec lui de l'autre côté de l'océan. Ils ne saisissent pas les arcanes du *ti-bon-ange*.

Une allusion au vaudou, une religion née en Afrique et aux Caraïbes. Amma l'a toisé comme si elle désirait le pétrifier. Mais elle n'est pas partie. Elle avait besoin de lui, même si ses raisons m'échappaient.

— Dis ton prix, a-t-elle lancé d'une voix mal assurée.

J'ai observé l'homme qui calculait à la fois le coût de la requête d'Amma et celui de son intégrité. Lui et elle incarnaient des forces opposées qui œuvraient à chaque extrémité d'une mystique partagée, aussi blanche et noire que l'étaient la Lumière et les Ténèbres de l'univers des Enchanteurs.

— Où est-il ? a-t-il demandé. Sais-tu où ils l'ont caché ?

— Qui donc ? m'a soufflé Link. Quoi ?

J'ai secoué la tête, histoire de souligner mon ignorance.

— Il n'est pas caché, a-t-elle répondu en le regardant droit dans les yeux pour la première fois depuis le début de l'entretien. Il est libre d'accès.

L'homme n'a d'abord pas réagi, comme si Amma avait déparlé. Puis, lorsqu'il s'est rendu compte qu'elle était sérieuse, il a regagné son côté de la table afin d'examiner de nouveau la donne. Il a prononcé quelques mots en créole français de sa voix rauque.

— Si tu dis la vérité, vieille femme, il n'y a qu'un prix pour ce que tu demandes.

Amma a ramassé les cartes.

— Je sais. Je le paierai.

— Tu es consciente qu'il n'y a pas de reculade possible ? Aucune façon de défaire ce qui aura été fait ? Si tu truques la Roue de Fortune, elle continuera de tourner jusqu'à t'écraser sur son chemin.

Elle a remis le jeu dans son sac. J'ai constaté que ses mains tremblaient.

— Agis comme tu le dois, je ferai de même, a-t-elle lâché en fermant brusquement son sac et en se tournant pour partir. Au bout du compte, la Roue nous écrase tous.

19 septembre
La Garde Suprême

— Ensuite, Link et moi avons décampé comme si Amma nous pourchassait en brandissant la Menace du Cyclope. J'avais tellement la frousse qu'elle découvre qu'on l'avait suivie que je ne suis pas sorti de mon lit avant le lendemain matin.

J'ai omis de préciser que je m'étais réveillé sur le plancher, comme toujours après l'un de mes rêves. Le temps que je termine mon récit, le thé de Marian avait refroidi.

— Et Amma ? s'est-elle enquise.

— J'ai entendu la moustiquaire se refermer à l'heure où le soleil se levait. Quand je suis descendu, elle préparait le petit déjeuner comme si de rien n'était. Les mêmes flocons d'avoine et œufs que d'habitude.

Et ni les uns ni les autres n'avaient eu le bon goût d'autrefois.

Nous étions dans les archives de la bibliothèque de Gatlin, le sanctuaire de Marian, celui qu'elle avait partagé avec ma mère. C'était également là qu'elle cherchait des réponses à des questions que la plupart des habitants de la ville n'auraient même pas eu l'idée de se poser. D'où ma présence ici. Marian Ashcroft avait été la meilleure amie de ma mère et avait toujours eu à mes yeux des allures de tante, plus que ma véritable tante Caroline, d'ailleurs. Sans doute la seconde raison de ma visite, j'imagine.

Amma était désormais pour moi la personne qui ressemblait le plus à une mère. Je n'étais pas prêt à présumer de ses pires aspects ; je ne voulais pas non plus que quiconque le fasse. Pourtant, je n'étais pas très à l'aise de savoir qu'elle fréquentait un type qui se situait du mauvais côté de tout ce à quoi elle croyait. Il fallait que je le confie à quelqu'un. Marian a distraitement remué son thé.

— Tu es absolument certain de ce que tu as entendu ?

— Oui. Ce n'était pas le genre de conversation qu'on oublie, crois-moi.

J'avais tenté d'effacer l'image d'Amma et du bokor depuis cette fameuse nuit.

— J'ai déjà vu Amma paniquer lorsqu'elle n'aimait pas ce que lui disaient les cartes. Quand elle a deviné que Sam Turkey allait tomber en voiture du pont de Wader's Creek, elle s'est enfermée dans sa chambre et n'a pas prononcé un mot de toute une semaine. Mais là, c'était différent.

— Une Voyante n'essaye jamais de changer la donne, a marmonné Marian en réfléchissant. Surtout si elle est l'arrière-arrière-arrière-petite-fille de Sulla la Prophétesse. Pourquoi Amma s'y risquerait-elle maintenant ?

— Je l'ignore. Le sorcier a affirmé qu'il y arriverait, mais que ça aurait un coût, et elle a répondu qu'elle paierait ce qu'il faudrait. Quel que soit le montant. Je n'ai pas bien compris, sinon qu'il y avait un lien avec les Enchanteurs.

— Si cet homme est un vrai bokor, ce ne sont pas des paroles en l'air. Ces gens utilisent le vaudou pour faire du mal et détruire au lieu de guérir et de réparer.

J'ai acquiescé. Pour la première fois depuis aussi longtemps que remontaient mes souvenirs, j'avais peur pour

Amma. Ce qui avait à peu près autant de sens qu'un chaton craignant pour la vie d'un tigre.

— J'ai conscience que tu n'as pas le droit d'interférer dans l'univers des Enchanteurs, ai-je repris, mais le magicien est un Mortel.

— Ce qui explique pourquoi tu es passé me voir, a grogné Marian. D'accord, je vais farfouiller. Cependant, je préfère te prévenir, la seule interrogation à laquelle je ne serai pas en mesure de répondre sera la seule qui compte : qu'est-ce qui a poussé Amma à rencontrer une personne à laquelle toutes ses croyances l'opposent ?

Signe qu'elle n'avait pas de solution à la question qu'elle venait de formuler, Marian m'a tendu une assiette de biscuits. J'ai grimacé. Il s'agissait d'une marque anglaise – la valise de Liv en avait été remplie quand elle était arrivée en Caroline du Sud, au début de l'été. Avec un soupir, Marian a reposé l'assiette.

— As-tu pu parler à Olivia de ce qui s'est passé ? m'a-t-elle demandé.

— Je ne sais pas. Non, pas de... ben non. Ce qui m'embête vraiment, parce que Liv est... ben Liv, quoi.

— Elle me manque également.

— Pourquoi ne l'as-tu pas autorisée à continuer à travailler avec toi, alors ?

Après que Liv avait enfreint le règlement en aidant à libérer Macon de l'Orbe Lumineux, elle avait disparu de la bibliothèque municipale du comté de Gatlin. Il avait été mis un terme à sa formation de Gardienne, et je m'étais attendu à ce qu'elle regagne l'Angleterre. Au lieu de quoi, elle avait entrepris de passer ses journées dans les Tunnels, en compagnie de Macon.

— Cela m'était impossible. Ça aurait été déplacé. Ou, si tu préfères, interdit. Jusqu'à ce que l'affaire soit réglée, nous n'avons pas le droit de nous rencontrer. Officiellement, du moins.

— Elle n'habite plus chez toi ?

— Pour le moment, elle s'est installée dans les Tunnels. Elle y sera peut-être plus heureuse. Macon a veillé à ce qu'elle ait son propre bureau.

J'avais du mal à imaginer Liv condamnée à l'obscurité souterraine, tant je la considérais comme solaire. Se tournant sans se lever, Marian a tiré une lettre pliée d'un tiroir et me l'a tendue. Elle était lourde, à cause, me suis-je aperçu au bout d'un instant, de l'épais sceau de cire collé en bas de page. Bref, ce n'était pas le genre de courrier qu'on recevait par la poste.

— Qu'est-ce que c'est ?

— Lis.

— « Le Conseil de la Garde Suprême, arguant du cas sérieux de Marian Ashcroft, de la *Lunae Libri*… »

J'ai sauté quelques lignes.

— « … suspendue de ses responsabilités, en considération de la Garde Occidentale… date du jugement restant à définir. »

Incrédule, j'ai relevé les yeux.

— Ils t'ont virée ?

— Je préfère le terme « suspendue ».

— Et il va y avoir un procès ?

Elle a posé sa tasse sur la table et fermé les paupières.

— Oui. Enfin, c'est ainsi qu'ils ont décidé de l'appeler. Ne crois pas que les Mortels aient le monopole de l'hypocrisie. Comme tu as pu le constater par toi-même, l'univers des Enchanteurs n'est pas franchement une démocratie. La notion de libre arbitre a tendance à être un tantinet dévoyée dans l'intérêt de la règle.

— Mais tu n'as rien à voir là-dedans ! C'est Lena qui a rompu l'Ordre des Choses.

— Merci pour ta vision des événements. Toutefois, tu habites Gatlin depuis assez longtemps pour savoir que les versions ont la sale habitude de différer les unes des autres. Il n'en reste pas moins que j'espère bénéficier de ton témoignage à la barre.

Lorsqu'elles se creusaient sous l'effet de l'inquiétude, les rides de son visage se transformaient en ombres. C'était le cas en ce moment.

— Tu ne t'es pas impliquée, ai-je persisté.

Un de nos vieux points de désaccord, au demeurant. Dès que j'avais appris qu'elle était une Gardienne, comme ma mère avant elle, j'avais aussi appris que seule la loi comptait. Quels que soient les événements, Marian ne s'en mêlait pas. Elle observait, elle était chargée de conserver le témoignage du monde des Enchanteurs et elle repérait les endroits où ce dernier croisait celui des Mortels.

Marian gardait l'histoire, elle ne la fabriquait pas.

Telle était la règle. Que son cœur lui dicte de l'observer ou non était autre chose. Ainsi, Liv avait découvert à ses dépens qu'elle n'arrivait pas à s'y conformer et, maintenant, elle ne serait jamais Gardienne. J'étais à peu près certain que ma mère lui avait ressemblé, de ce point de vue-là.

J'ai ramassé la lettre que j'avais laissée choir sur le bureau. J'en ai effleuré le sceau de cire noire, identique aux armes de l'État de Caroline de Sud : une lune d'Enchanteur au-dessus d'un palmier. Alors que je caressais le croissant de l'astre, la mélodie familière s'est mise à retentir, et je me suis figé, à l'affût. J'ai fermé les yeux.

Dix-huit lunes et diaphanes, De tes pires peurs se pâment, Ires face aux noirs secrets, Cécité et surdité...

— Ethan ?

J'ai rouvert les paupières. Marian se penchait sur moi.

— Ce n'est rien.

— Ça n'est jamais rien. Pas avec toi, EW.

Elle m'a gratifié d'un petit sourire triste.

— Je viens d'entendre la chanson, ai-je avoué.

Je continuais de taper la cadence sur mes cuisses, les notes s'attardant dans mon crâne.

— Ton Air Occulte ?

J'ai opiné.

— Et ?

Je ne tenais guère à lui confier le contenu du couplet, mais je ne voyais pas comment l'éviter ; d'autant que trois secondes ne me suffiraient pas pour en inventer d'autres.

— Rien de bon. Les trucs habituels. Diaphanes, Ires, secrets et ténèbres.

J'ai tenté d'étouffer ce que je ressentais, les soubresauts de mon ventre, le frisson qui me secouait. Ma mère essayait de me transmettre un avertissement. Si elle m'envoyait la chanson, c'est qu'il se déroulait des événements graves. Et dangereux.

— C'est sérieux, Ethan.

— Tout l'est, tante Marian. J'ai du mal à définir ce qu'on attend de moi.

— Parle-moi.

— Plus tard. Pour l'instant, j'ignore ce que je pourrais te dire.

Je me suis levé, prêt à partir. J'aurais mieux fait de me taire. Je ne pigeais pas ce qui était en train de se produire, et plus Marian me pressait, plus j'avais envie de m'enfuir.

— Je me sauve.

Elle m'a raccompagné à la porte des archives.

— Tâche de te faire moins rare, Ethan. Tu me manques.

Je lui ai souri et l'ai enlacée. Alors que je regardais par-dessus son épaule, en direction de la bibliothèque, j'ai failli mourir de frayeur.

— Que s'est-il passé ?

Marian a paru aussi surprise que moi. Les lieux étaient dans un état ahurissant, le désastre avait frappé du sol au plafond. À croire qu'un ouragan les avait ravagés pendant que nous discutions. Des piles de livres avaient été renversées, des ouvrages ouverts gisaient partout, sur les tables, sur le comptoir et même par terre. Je n'avais assisté à pareille catastrophe qu'une fois auparavant, à Noël dernier, lorsque les bouquins s'étaient ouverts sur des citations nous concernant, Lena et moi.

— C'est de pire en pire, a murmuré Marian.

J'étais bien d'accord. Il s'agissait là d'un nouveau message à mon adresse. Comme l'année précédente.

— En effet.

— Eh bien, allons-y. Es-tu aussi irrité qu'une Ire ? Parce que moi, je le suis.

Elle s'est emparée d'un livre posé sur le fichier.

— Ça ne va pas tarder, ai-je répondu en rejetant mes cheveux en arrière. Je regrette de ne pas connaître le sortilège qui rangerait ces bouquins sans qu'on ait à les ramasser.

Marian a attrapé celui qui se trouvait à ses pieds et me l'a donné.

— Emily Dickinson, a-t-elle annoncé.

J'ai baissé les yeux sur l'ouvrage, retardant au maximum l'échéance.

— « Grande folie est sagesse la plus divine... » La démence. Formidable !

Qu'est-ce que ça signifiait ? Surtout, qu'est-ce que ça signifiait pour *moi* ? J'ai interrogé Marian du regard.

— Qu'en penses-tu ? ai-je demandé.

— J'en pense que le Désordre des Choses a fini par contaminer mes étagères. Tiens, Léonard de Vinci.

De mieux en mieux. Encore un cinglé célèbre.

— À ton tour.

— « Alors que je croyais apprendre à vivre, j'apprenais à mourir. »

Elle a doucement refermé le volume.

— Après la folie, la mort, ai-je râlé. Ça s'arrange.

Marian a posé une main sur ma nuque, l'autre laissant tomber le livre. « Je suis là, avec toi. » C'était ce que ses mains disaient. Les miennes n'exprimaient rien, sinon que j'étais terrifié, ce dont elle devait se douter, vu comment elles tremblaient.

— On va se relayer, a-t-elle proposé. L'un de nous lit, l'autre range.

— Je me charge du classement.

Elle m'a jeté un drôle de regard tout en me passant un nouvel ouvrage.

— Parce que c'est toi qui distribues les tâches dans ma bibliothèque, maintenant ?

— Non, madame. Ce ne serait pas très élégant.

J'ai consulté le titre du bouquin que je tenais.

— Bon Dieu !

Edgar Allan Poe. Cet écrivain était si lugubre que, en comparaison, les deux précédents avaient l'air de joyeux drilles.

— Quoi qu'il ait écrit, je ne tiens pas à le découvrir.

— Ouvre-le.

— « Scrutant profondément ces ténèbres, je me tins longtemps plein d'étonnement, de crainte, de doute / rêvant des rêves qu'aucun mortel n'a jamais osé rêver[1]... »

J'ai brusquement refermé le volume.

— J'ai pigé. Je perds la boule. Je deviens dingue. Cette ville craque de partout. L'univers n'est qu'un immense asile.

— Sais-tu ce que Leonard Cohen chante à propos de ce qui craque, Ethan ?

— Non, mais j'ai l'impression, à force de consulter d'autres livres de cette fichue bibliothèque, que je finirai par l'apprendre.

— « Il y a une fissure dans tout. »

— Voilà qui m'aide.

— Oui. Tout est effectivement fissuré. C'est ce qui permet à la lumière d'entrer.

Elle n'avait pas tort. Du moins, ce type, ce Leonard Cohen n'avait pas tort. J'étais heureux et triste en même temps, et les mots me manquaient. Voilà pourquoi je me suis mis

1. *Le Corbeau*, traduction de Charles Baudelaire.

à genoux afin de commencer à rassembler les ouvrages épars.

— Mieux vaut s'attaquer à ce capharnaüm tout de suite.

Elle a pigé.

— Je n'aurais jamais cru t'entendre prononcer ces paroles un jour, EW.

Exact. L'univers devait vraiment avoir pété un plomb, et moi avec.

J'ai prié pour que, d'une façon ou d'une autre, la lumière se fraye un chemin jusqu'à nous

19 septembre
Le Diable que tu connais

Je rêvais. Je n'étais pas prisonnier d'un cauchemar, si réel que le vent sifflait à mes oreilles tandis que je tombais ou que la puanteur métallique de la Santee sanglante parvenait à mes narines ; non, je rêvais vraiment. Des scènes entières défilaient dans mon esprit. Quelque chose était biaisé, cependant. Le songe l'était – ou ne l'était pas, parce que je ne ressentais rien. J'aurais pu tout aussi bien être assis sur le trottoir à regarder les événements s'enchaîner devant mes yeux…

La nuit où Sarafine avait convoqué la Dix-septième Lune.

La lune se fendant en deux dans le firmament, au-dessus de Lena, ses deux moitiés dessinant les ailes d'un papillon, l'une verte, l'autre dorée.

John Breed sur sa Harley, les bras de Lena serrés autour de sa taille.

La tombe vide de Macon au cimetière.

Ridley tenant un baluchon en tissu noir à travers lequel s'échappait de la lumière.

L'Orbe Lumineux posé sur le sol boueux.

Un bouton argenté égaré dans les replis du siège avant de La Poubelle par une nuit pluvieuse.

Les images flottaient à la périphérie de mon cerveau, hors d'atteinte. Ce voyage onirique m'apaisait. La moindre de mes réflexions inconscientes n'était peut-être pas une prophétie, une pièce déformée du puzzle qui constituait mon destin de Pilote. À moins que le rêve n'ait été justement *ça*. Oscillant entre sommeil et veille, j'étais détendu, bercé par la douce tension des extrêmes. Mon esprit traquait des pensées plus concrètes, les isolant de la brume comme Amma tamisait la farine d'un gâteau. Encore et encore, je revenais à l'Orbe Lumineux.

L'Orbe Lumineux entre mes mains.

L'Orbe Lumineux dans la tombe.

L'Orbe Lumineux et Macon, dans la grotte marine de la Grande Barrière.

Macon se tournait vers moi.

— Ceci n'est pas un songe, Ethan. Réveillez-vous ! Tout de suite !

Puis il s'enflammait, mon cerveau se grippait, et je ne distinguais plus rien, car la douleur était si féroce que je n'étais plus en mesure ni de rêver ni de réfléchir.

Un bruit perçant a rompu le bourdonnement rythmique des criquets, dehors. Je me suis redressé d'un bond. J'ai pris conscience que j'étais réveillé, tandis que le son s'intensifiait.

Lucille. Debout sur mon lit, le poil de son dos arqué tout hérissé et raide, elle crachait. Ses oreilles étaient aplaties en arrière et, pendant une seconde, j'ai cru que c'était après moi qu'elle en avait. À travers l'obscurité, j'ai suivi la direction de son regard. Un homme se tenait au pied de mon lit. Le pommeau luisant de sa canne reflétait la lueur de la lune.

Ce n'était pas mon esprit qui avait traqué des pensées plus concrètes.

C'était Abraham Ravenwood.

— Sainte merde !

J'ai eu un mouvement de recul, et j'ai heurté de plein fouet la tête de lit en bois. Bien qu'il n'y ait eu aucune échappatoire, je ne désirais qu'une chose : décamper. L'instinct me dictait de fuir ou de combattre. Or il était hors de question que j'essaye de lutter contre Abraham Ravenwood.

— Partez ! Tout de suite !

J'ai pressé mes tempes entre mes paumes, comme si le démon pouvait encore m'atteindre à travers la migraine sourde qui m'emprisonnait le crâne. Il m'a observé avec attention, jaugeant mes réactions.

— Bonsoir, mon garçon. Je constate que, à l'instar de mon petit-fils, tu n'as toujours pas appris à rester à ta place. (Il a secoué le menton.) Misérable Macon Ravenwood. Une telle déception, et si constante.

Malgré moi, mes mains se sont serrées en poings. Amusé, Abraham a agité un doigt. Je me suis écroulé sur le sol, devant lui, haletant. Mon visage s'est aplati sur les planches dures du parquet, et mon champ de vision s'est rétréci jusqu'à ce que je ne distingue plus que le cuir craquelé de ses bottes. Je me suis débattu, j'ai tenté de relever la tête.

— Voilà qui est mieux, a-t-il décrété en souriant, sa barbe blanche encadrant des canines encore plus blanches.

Il semblait avoir changé depuis notre dernière rencontre, à la Grande Barrière. Son costume du dimanche blanc avait disparu au profit d'une tenue sombre plus imposante. La fine cravate noire qui était sa signature était soigneusement nouée sous le col de sa chemise. L'illusion du charmant gentleman sudiste s'était évaporée. La *chose* qui se tenait devant moi n'avait rien d'un homme, encore moins que Macon. Abraham Ravenwood, le géniteur de tous les Incubes Ravenwood qui l'avaient suivi, était un monstre.

— Je n'emploierais pas ce terme. Mais bon, ton opinion de moi n'a guère d'importance, mon garçon.

Lucille a craché plus fort. J'ai essayé de me remettre debout.

— Que diable fichez-vous dans ma tête ? ai-je demandé en tâchant de raffermir ma voix.

Il a soulevé un sourcil.

— Ah, tu m'as senti me nourrir. Pas mal, pour un Mortel. (Il s'est penché vers moi.) Dis-moi, à quoi cela ressemble-t-il ? Je me suis toujours posé la question. À une lame qui entre dans la chair ? à une morsure ? Lorsque je tranche dans tes pensées les plus chères ? dans tes secrets ? dans tes rêves ?

Lentement, j'ai réussi à me redresser. Je tanguais et j'avais du mal à supporter mon propre poids.

— Vous feriez mieux de rester hors de mon esprit, espèce de dingue ! Voilà à quoi ça ressemble.

Il a éclaté de rire.

— J'en serais ravi, il ne contient pas grand-chose d'intéressant. Tu as dix-sept ans, tu as à peine vécu. Mis à part quelques rendez-vous galants idiots avec une petite roulure d'Enchanteresse.

J'ai tressailli sous l'insulte. Je l'aurais volontiers attrapé par le col et jeté par la fenêtre, je l'aurais sans doute fait si j'avais pu bouger les bras.

— Ah ouais ? ai-je riposté. Puisque mon cerveau est si peu utile, pourquoi débarquez-vous en douce dans ma chambre pour trifouiller dedans ?

Je tremblais de tous mes membres et je me concentrais pour ne pas m'évanouir devant l'Incube le plus puissant que nous ayons croisé. Il s'est approché de la fenêtre, a promené son doigt sur le rebord et la ligne de sel qu'Amma y avait consciencieusement déposée. Il a léché les cristaux qui s'étaient accrochés à son index.

— Je ne mange jamais trop de sel, a-t-il lâché. Il gâte la saveur du sang.

Il s'est interrompu afin de contempler la pelouse calcinée, en bas.

— J'ai une question à te poser. On m'a dérobé quelque chose, et je crois que tu sais où ça se trouve.

D'un nouveau geste infime du doigt, il a fait exploser la vitre de la croisée. J'ai avancé d'un pas dans sa direction avec l'impression de marcher dans du ciment.

— Qu'est-ce qui vous amène à penser que je vous répondrai ?

— Voyons un peu. La peur, d'abord. Regarde.

Il s'est penché par la fenêtre.

— Hunting et ses chiens ne seront pas venus ici pour rien. Ils raffolent d'un médianoche.

Le cœur battant la chamade, j'ai découvert le susnommé en compagnie de sa Meute Sanglante dans notre jardin. Abraham s'est retourné vers moi, ses prunelles noires étincelantes.

— Assez parlé, mon garçon. Où est John ? Je suis certain que mon incapable de petit-fils ne l'a pas tué. Où le cache-t-il ?

Nous y étions. Quelqu'un l'avait enfin dit. John était vivant.

C'était vrai, je n'en ai pas douté une seconde. Je l'avais pressenti depuis le début. Nous n'avions pas retrouvé son cadavre. Il avait dû errer dans les Tunnels, traîner dans des clubs comme l'Exil, à attendre son heure. La colère m'a soudain submergé, et j'ai eu du mal à m'exprimer.

— La dernière fois que je l'ai vu, il était dans la caverne de la Grande Barrière et vous aidait, vous et Sarafine, à détruire l'univers.

Quand il n'était pas occupé à me piquer ma petite amie, s'entend.

— J'ai l'impression que la gravité de la situation t'échappe, a répliqué Abraham avec dédain. Aussi, permets-moi d'éclairer ta lanterne. Le monde des Mortels, le tien, y compris ta misérable bourgade, est en train d'être ravagé par la nièce de Macon et ses comportements ridicules. Pas par moi.

Je suis retombé sur mon lit comme s'il m'y avait poussé d'une bourrade. D'ailleurs, j'en ai eu la forte impression.

— Lena a agi comme elle le devait. Elle s'est Appelée elle-même.

— Elle a rompu l'Ordre, mon garçon. Et elle a opéré le mauvais choix en décidant de s'éloigner de nous.

— Qu'est-ce que ça peut vous faire ? Il est clair que vous ne vous souciez que de votre personne.

Il a eu un rire bref.

— Pas mal jugé. Bien qu'elle nous ait mis dans une situation périlleuse, son attitude me fournit certaines *possibilités.*

Excepté John Breed, je ne voyais pas ce qu'il entendait par là ; je n'y tenais pas non plus, au demeurant. Je me suis cependant efforcé de ne pas lui montrer à quel point j'étais terrifié.

— Je me fiche que John ait un rôle à jouer dans vos possibilités. Je vous répète que j'ignore où il est.

Il m'a fixé attentivement, pareil à une Sibylle essayant de déchiffrer le moindre de mes traits.

— Imagine une fissure qui soit plus profonde que les Tunnels. Qui aille jusqu'au Monde Souterrain, là où vivent les pires Démons. Ce sont le caractère rebelle et immature de ta petite amie, de même que ses pouvoirs, qui l'ont provoquée, cette fissure.

Il a observé une pause afin de feuilleter avec décontraction le manuel d'histoire posé sur mon bureau.

— Je ne suis pas jeune, a-t-il continué, mais avec l'âge vient la puissance. Je suis également doté de talents très spéciaux. Ainsi, je suis en mesure de convoquer les Démons et les créatures des Ténèbres, même sans le *Livre des lunes.* Si tu ne me révèles pas où est John, je t'en ferai la démonstration.

Il m'a de nouveau gratifié de son sourire de dément.

Pourquoi John Breed comptait-il autant à ses yeux ? Je me suis souvenu de la conversation entre Liv et Macon, dans le bureau de ce dernier. John était bien la clef. Mais de quoi ?

— Je vous ai dit que...

Abraham ne m'a pas laissé finir. Dans un froissement de déchirure, il s'est transporté jusqu'à mon lit. J'ai discerné de la haine dans ses prunelles sombres.

— Ne me mens pas, mon garçon !

Lucille a sifflé encore une fois. Soudain, j'ai entendu un second froissement. Je n'ai pas eu le temps de voir de qui il s'agissait. Un poids énorme s'est abattu sur moi, pareil à un tombereau de briques tombant du plafond, et m'a cloué sur ma couche. Ma tête a heurté le cadre en bois, et je me suis mordu la lèvre inférieure. Le goût écœurant et métallique du sang, identique à celui de mes rêves, a envahi ma bouche.

Le bruit de l'acajou centenaire qui se fendillait a couvert les miaulements aigus de Lucille. Un coude s'est enfoncé dans mes côtes, et j'ai compris. Ce n'étaient pas des briques qui avaient dégringolé sur moi.

C'était quelqu'un.

Le lit a cédé avec un craquement sonore, le matelas s'est retrouvé par terre. J'ai voulu m'en dépêtrer, sauf que j'étais coincé.

« Pourvu que ce ne soit pas Hunting ! » ai-je eu le temps de prier.

Un bras a volé devant moi, comme ma mère avait eu l'habitude de faire en voiture quand j'étais enfant et qu'elle était obligée de freiner brutalement.

— Du calme, mon pote !

Je me suis arrêté net.

— Link ?

— Qui d'autre courrait le risque de se désintégrer en millions de morceaux pour sauver ta fichue peau, hein ?

J'ai failli éclater de rire. Link n'avait encore jamais Voyagé. Je comprenais pourquoi, maintenant. Se déplacer ainsi devait être plus difficile que ça n'en avait l'air, et il était nul à ce jeu-là.

La voix d'Abraham a retenti dans le noir.

— Le sauver ? Toi ? J'ai l'impression qu'il est un peu tard pour ça.

En l'entendant, Link a presque bondi du fatras qu'était à présent mon lit. Je n'ai pas eu le temps de réagir, car, tout à coup, la porte de la chambre s'est ouverte à la volée, si violemment qu'elle a manqué sortir de ses gonds. L'interrupteur a cliqueté, et des taches noires ont dansé devant mes yeux, brouillant ma vue avant qu'elle n'ait pu s'habituer à la lumière.

— Bon Dieu de...

— Par tous les diables, que se passe-t-il ici ?

Amma se tenait sur le seuil, revêtue du peignoir à motif de roses que je lui avais offert pour son dernier anniversaire, ses cheveux enserrés dans des bigoudis et sa main refermée autour de son vieux rouleau à pâtisserie en bois.

— ... merde ! a conclu Link dans un chuchotis.

Il était pratiquement assis sur mes genoux. Amma n'y a prêté aucune attention, cependant. Son regard était fixé sur Abraham Ravenwood. Elle a brandi le rouleau dans sa direction, l'air mauvais. Puis elle s'est mise à tourner autour de lui, tel un animal sauvage, sauf que j'aurais été infichu de déterminer qui était le prédateur et qui, la proie.

— Que fabriques-tu dans cette maison, toi ? a-t-elle interpellé Abraham d'une voix basse et furieuse.

Si elle avait la frousse, elle n'en montrait rien. L'Incube s'est esclaffé.

— Crois-tu vraiment arriver à me chasser d'ici avec un ustensile de cuisine, comme si j'étais un malheureux chien ? Tu peux faire mieux, mademoiselle Treadeau.

— Fiche le camp de chez moi ou tu regretteras de ne pas être un malheureux chien, le Seigneur m'en soit témoin !

Le visage d'Abraham s'est durci. Amma a orienté son rouleau à pâtisserie vers son torse, comme si c'était la pointe d'une épée.

— Personne n'ennuie mon garçon, a-t-elle enchaîné. Surtout pas Abraham Ravenwood. Ni le Serpent ni même Lucifer en personne, compris ?

À présent, le rouleau s'enfonçait dans la veste de l'Incube. Chaque petit coup porté augmentait la tension entre les deux adversaires. Link et moi nous sommes relevés et avons encadré Amma.

— Je vais poser la question pour la dernière fois, a lancé Abraham en toisant ma gouvernante. Et si le garçon ne me répond pas, le diable que tu connais aura l'allure d'un soulagement bienvenu en comparaison de l'enfer que je déverserai sur cette ville. Où est John ? m'a-t-il alors demandé en se tournant vers moi.

J'ai reconnu l'éclat de ses prunelles. Il était identique à celui de mes visions, celles où je l'avais vu tuer son frère et s'en nourrir. Il était méchant et sadique et, pendant un instant, j'ai envisagé de dire n'importe quoi afin que ce monstre s'en aille. Hélas, j'ai manqué de repartie.

— Au nom de Dieu, je jure que je ne…

Une violente bourrasque de vent s'est engouffrée par la fenêtre brisée, et a éparpillé des papiers dans toute la pièce. Amma a reculé en titubant, et son rouleau à pâtisserie lui a échappé des mains. Abraham n'a pas bronché, la tornade l'évitant sans même agiter sa veste, comme si, à l'instar de nous autres, elle était terrifiée par lui.

— À ta place, je ne jurerais pas, mon garçon, a-t-il lâché avec un sourire terrible et dénué de vie. Je prierais.

19 septembre
Souffles Infernaux

Le courant d'air qui se ruait par la croisée était si brutal qu'il a emporté dans son sillage tout ce qui se trouvait sur mon bureau. Livres et papiers, et même mon sac à dos ont virevolté dans la pièce, tel un tourbillon prisonnier d'une bouteille. Les piles de boîtes à chaussures alignées le long des murs se sont effondrées, expédiant leur contenu – de mes BD à la collection de capsules que j'avais amassée au CP – dans le maelström qui ravageait ma chambre. Amma étant si menue, je l'ai prise dans mes bras, par crainte qu'elle ne s'envole avec toutes mes affaires.

— Que se passe-t-il ? a hurlé Link, derrière moi.

L'ouragan d'objets alentour m'empêchait de le voir. Au milieu de la pièce, Abraham s'adressait au vortex noir qui virevoltait.

— J'invite le chaos dans la demeure de ceux qui ont apporté la destruction dans la mienne !

Le vent faisait rage autour de lui, sans cependant frôler les pans de sa veste. Il lui obéissait.

— L'Ordre a été brisé. Le portail, ouvert. Relevez-vous ! Montez ! Ravagez !

D'une voix plus forte, il a repris ses incantations :

— *Ratio fracta est ! Ianua aperta est ! Sugite ! Ascendite ! Excindinte !*

Il s'époumonait, à présent :

— *Ratio fracta est ! Ianua aperta est ! Sugite ! Ascendite ! Excindinte !*

La tornade s'est assombrie et a commencé à s'organiser. Des silhouettes sourdes ont surgi de la spirale, comme si elles s'extirpaient de l'œil du cyclone afin de se précipiter par-dessus bord, droit dans le monde. Ce qui était assez perturbant, considérant qu'elles se ruaient dans ma chambre à coucher.

Je savais de quelles créatures il s'agissait. J'en avais déjà rencontré ; or je n'avais aucune envie de réitérer l'expérience.

Des Ires, démons dénués d'âme et de contours précis qui peuplaient le Monde Souterrain, ont émergé des rafales, se sont roulées en boule et ont dessiné des formes qui planaient près du plafond bleu, grossissant jusqu'à donner l'impression qu'ils allaient vider la pièce de son oxygène. Ces monstres ombreux se déplaçaient comme une espèce d'épais brouillard agité de soubresauts. Je me suis souvenu de la fois où l'un d'eux nous avait presque agressés à la sortie de l'Exil, du hurlement épouvantable qu'il avait poussé en reculant et en déployant ses serres. Au fur et à mesure que les Ires se transformaient en bêtes sous nos yeux, j'ai deviné que leurs cris ne tarderaient pas à suivre.

Amma a tenté d'échapper à mon étreinte, mais j'ai résisté. Si je l'avais laissée faire, elle aurait attaqué Abraham à mains nues.

— Ne crois pas que tu puisses entrer dans ma maison en amenant avec toi un univers diabolique issu d'une minuscule fente dans le ciel ! a-t-elle lancé.

— Ta maison ? a ricané l'Incube. Il me semble que c'est plutôt celle du Pilote. Or le Pilote est exactement la bonne personne pour indiquer le passage à mes amis, celui de ta minuscule fente dans le ciel.

Fermant les paupières, Amma a commencé à marmonner :

— Tante Delilah, oncle Abner, grand-mère Sulla...

Elle invoquait les Grands, ses ancêtres de l'Autre Monde, qui nous avaient défendus contre les Ires à deux reprises déjà. Abraham s'est esclaffé, sa voix couvrant les sifflements furieux du vent.

— Inutile d'en appeler à tes fantômes, vieille femme. Nous partons.

Sur ce, un bruit de déchirure a résonné.

— Ne t'inquiète pas, a-t-il poursuivi. Nous nous reverrons bientôt. Plus tôt que tu ne le voudrais.

Il a écarté le ciel et s'y est engouffré, disparaissant complètement.

Avant que nous n'ayons eu le temps de répliquer, les Ires se sont ruées par la fenêtre, noire parade qui survolait les foyers endormis de Cotton Bend. Au bout de la rue, la ligne de Démons s'est séparée, et les créatures maléfiques se sont égaillées, tels les doigts d'une main ténébreuse qui cherchait à s'emparer de notre ville.

Un silence étrange est retombé sur la pièce. Link a navigué entre les papiers et les BD éparpillés sur le sol. Il tenait à peine debout.

— Bon sang, mec ! J'ai bien cru que ces horreurs allaient nous entraîner droit en enfer, ou dans le lieu d'où elles viennent. Si ça se trouve, ma mère a raison. C'est la Fin des Temps.

Il s'est gratté la tête avant d'ajouter :

— On a de la veine qu'elles soient parties.

Amma s'est approchée de la croisée en frottant l'amulette en or qu'elle portait autour du cou.

— Elles ne sont pas parties, et nous n'avons pas de chance. Seul un sot pourrait penser cela.

Dans le jardin, les criquets stridulaient, symphonie brisée de la destruction qui était devenue la bande-son de nos existences. L'expression d'Amma était tout aussi brisée, mélange de peur, de chagrin et d'une émotion que je n'avais encore jamais vue.

Amma, indéchiffrable, énigmatique, qui fixait la nuit.

— Le trou dans le ciel, a-t-elle murmuré. Il s'élargit.

Impossible de retourner nous coucher après ça. Au demeurant, Amma aurait refusé de nous lâcher des yeux. Aussi, nous nous sommes attablés tous les trois dans la cuisine, à l'écoute de la pendule qui égrenait les minutes. Par chance, mon père était à Charleston, comme la plupart des nuits de la semaine, maintenant qu'il enseignait à l'université. Ce qui s'était déroulé ici l'aurait renvoyé aussi sec à l'asile de Blue Horizons.

J'ai pris la mesure de la distraction d'Amma quand elle a servi une part de gâteau au chocolat et aux noix de pécan à Link en même temps qu'à moi. Avec une grimace, il a glissé son assiette près du bol d'eau de Lucille. Celle-ci l'a reniflée avant de s'éloigner pour s'asseoir sans bruit sous la chaise en bois d'Amma. Même elle avait l'appétit coupé, cette nuit-là.

Lorsque Amma a fini par se lever pour mettre la bouilloire sur le feu, Link ne tenait plus en place. Il tambourinait sur son set à l'aide d'une fourchette. Il m'a regardé.

— Tu te rappelles le jour où ils ont servi cet horrible gâteau au chocolat et aux noix de pécan, à la cantine ? Quand Dee Dee Guinness a raconté à tout le monde que c'était toi qui avais donné à Emily la carte de Saint-Valentin anonyme ?

— Oui.

Je grattais la colle qui avait séché sur la table et qui remontait à l'époque où j'étais tout gamin. Je n'avais pas touché à ma pâtisserie.

— Attends ! ai-je sursauté. Tu disais quoi, là ? Je n'écoutais pas, désolé.

— Dee Dee Guinness était plutôt mignonne, a-t-il continué en souriant d'un air rêveur.

— Qui ça ?

J'ignorais complètement de qui il parlait.

— Pardon ? Tu étais tellement furax que tu as écrasé une fourchette sous tes pieds. Ça t'a valu d'être exclu de la cafèt' pendant six mois !

— Je me souviens de ça, me semble-t-il, mais quelqu'un prénommé Dee Dee, ça ne me dit rien.

Mensonge. Je ne me rappelais même pas l'incident de la fourchette. À la réflexion, je ne me rappelais pas non plus la carte de Saint-Valentin. Link a secoué la tête.

— Nous la connaissions depuis toujours, et elle t'a complètement cafté au CE2. Comment as-tu pu l'oublier ?

Bonne question. Comme je ne répondais pas, il a repris ses martèlements de couvert.

Amma a apporté sa tasse de thé et s'est rassise. Le silence a de nouveau régné. Comme si nous guettions le moment où un raz-de-marée s'abattrait sur nous et qu'il était trop tard pour céder à l'affolement ou nous enfuir. La sonnerie du téléphone a fait tressaillir Amma.

— Qui peut bien appeler aussi tard ? ai-je marmonné.

En réalité, je pensais à « aussi tôt ». Il était presque six heures du matin. Chacun de nous a été traversé par la même idée : quoi qu'il arrive, quoi qu'Abraham ait déclenché, nous allions l'apprendre en cet instant. Link a haussé les épaules, tandis qu'Amma attrapait le combiné noir de l'appareil à cadran qui était fixé au mur depuis l'enfance de mon père.

— Allô ?

Je l'ai contemplée qui écoutait son interlocuteur, à l'autre bout du fil. Link a cogné ses phalanges devant moi pour attirer mon attention.

— C'est une dame, mais je ne sais pas qui. Elle parle trop vite.

J'ai entendu Amma retenir son souffle, puis elle a raccroché. L'espace de quelques secondes, elle n'a pas bougé.

— Qu'y a-t-il ? ai-je demandé.

Elle s'est tournée vers nous, les yeux humides.

— Ton auto est là, Wesley Lincoln ?

Mon père avait pris la Volvo.

— Oui, madame. Elle est un peu crasseuse, mais...

Amma s'était déjà engagée dans le couloir.

— Dépêchez-vous ! Il faut qu'on y aille.

Link a démarré un peu plus doucement que d'habitude, par égard pour Amma. Je ne crois pas qu'elle s'en serait rendu compte, cependant, s'il avait dévalé la rue sur deux roues. Assise à l'avant, elle regardait droit devant elle en agrippant l'anse de son sac des deux mains.

— Que se passe-t-il, Amma ? Où allons-nous ?

Je me penchais par-dessus le dossier, et elle ne m'a même pas enguirlandé parce que je n'avais pas bouclé ma ceinture de sécurité. C'est que ça devait drôlement barder.

Ce que j'ai pu constater quand Link a bifurqué dans Blackwell Street.

— Qu'est-ce que c'est que ce b...

Il s'est tourné vers sa passagère, a toussoté et s'est repris juste à temps.

— ... bazar ?

Des arbres barraient la route, arrachés de terre, racines comprises. On aurait dit une scène de catastrophe comme celles que diffusaient les émissions que suivait Link sur Discovery Chanel. L'homme confronté aux éléments naturels. Sauf que ceci n'avait rien de naturel. C'était le résultat d'une catastrophe surnaturelle : les Ires. Je sentais leur présence et la ruine qu'elles transportaient avec elles peser sur moi. Elles étaient passées par ici, dans cette rue. Elles avaient provoqué ce désastre et ce, à cause de moi.

À cause de John Breed.

Amma a prié Link de tourner dans Cypress Grove, mais la chaussée était bloquée, et il a dû regagner la Grand-Rue. Les réverbères étaient tous éteints, et la lumière du jour commençait à peine à poindre, dotant le firmament sombre de teintes bleues. Un instant, j'ai eu l'impression que l'artère principale avait échappé à la tornade envoyée par Abraham, jusqu'à ce que je distingue la Pâture. Car il ne restait plus qu'elle. Oublié le pneu de la balançoire volé ; à présent, même l'antique chêne avait disparu. La statue du général Jubal A. Early ne s'érigeait plus en son centre, sabre fièrement brandi avant l'attaque.

Le vaillant soldat était tombé, et la poignée de son arme s'était cassée.

Le fourreau noir des sauterelles qui avait recouvert la sculpture pendant des semaines s'était également envolé. Même les insectes avaient déserté notre héros.

Je ne me souvenais pas d'avoir jamais vu les lieux sans le général, en train de monter la garde sur sa pâture et notre ville. Il était plus qu'une simple sculpture ; il était une part de Gatlin, intrinsèque à nos traditions si peu traditionnelles. Le 4 Juillet[1], son dos était drapé d'une bannière américaine ; à Halloween, il était affublé d'un chapeau de sorcière, et une citrouille en plastique pleine de bonbons était suspendue à son bras ; lors de la reconstitution de la bataille de Honey Hill, quelqu'un glissait toujours une redingote par-dessus celle en bronze dans laquelle il était engoncé de façon permanente. Le général était l'un des nôtres, qui avait veillé sur Gatlin depuis son poste, génération après génération.

J'avais longtemps aspiré à ce que les choses changent dans ma bourgade ; jusqu'à ce qu'elles se mettent à changer pour de vrai. Désormais, je désirais que Gatlin redevienne la ville ennuyeuse que j'avais toujours connue. Que la situation soit celle qu'elle était quand je la détestais. Que ressus-

1. Fête nationale des États-Unis.

cite l'époque où j'étais en mesure de prédire des événements qui n'arrivaient jamais.

Je ne voulais pas être témoin de ce que je découvrais à cette heure.

Je fixais encore le général déchu par la vitre arrière quand Link a ralenti.

— La vache ! On dirait qu'une bombe a dévasté le coin.

Les trottoirs devant les boutiques alignées le long de la Grand-Rue étaient jonchés de bris de verre. Toutes les vitrines sans exception avaient explosé, privant les magasins de leurs noms, les dénudant. J'ai distingué le P doré de Petite Mademoiselle séparé des autres lettres. Des robes rose pétant et rouges traînaient par terre, des milliers de minuscules paillettes reflétant les pans de nos vies quotidiennes.

— Ce n'est pas une bombe, Wesley Lincoln.

— Madame ?

Amma contemplait ce qui restait de la voie principale de Gatlin.

— Les bombes tombent du ciel, ceci est monté de l'enfer.

Sans rien ajouter, elle a tendu le doigt. Sa façon de lui ordonner de repartir. Il s'est exécuté. Ni lui ni moi n'avons osé demander où nous allions. Puisque, jusqu'à présent, elle ne m'avait rien dévoilé de son but, ce n'était pas maintenant qu'elle le ferait. Il se pouvait que nous n'ayons aucun objectif précis, qu'Amma souhaite juste voir quels quartiers avaient été épargnés ou condamnés.

C'est alors que j'ai aperçu les lumières rouge et blanche qui clignotaient au bout de la rue. D'énormes oreillers de fumée noire envahissaient les parages. Un bâtiment brûlait. Pas n'importe lequel, qui plus est, mais le cœur de la ville, son âme, à mes yeux du moins.

Un endroit dont j'avais cru qu'il ne risquerait jamais rien.

La bibliothèque municipale de Gatlin, tout ce qui avait un sens pour Marian, tout ce qui subsistait de ma mère était englouti sous les flammes. Un pylône téléphonique s'était effondré sur le toit affaissé, des langues orangées en léchaient le bois de part en part. Les tuyaux déversaient leurs grandes eaux, mais, dès qu'elles parvenaient à étouffer l'incendie sur un flanc, ce dernier reprenait de plus belle ailleurs. Le pasteur Reed, qui vivait dans le coin, balançait des seaux de flotte alentour. Il avait le visage noir de suie. Au moins une quinzaine de membres de sa paroisse s'étaient rassemblés pour l'aider, ce qui était d'une ironie grinçante, dans la mesure où la plupart d'entre eux avaient signé la pétition inspirée par Mme Lincoln afin de bannir certains ouvrages de l'institution qu'ils s'échinaient présentement à sauver. « Ceux qui exilent les livres ne valent pas mieux que ceux qui les brûlent », avait eu l'habitude de me répéter ma mère. Je n'aurais jamais osé imaginer qu'un jour viendrait où j'assisterais pour de bon à un autodafé littéraire.

Link a levé le pied, sinuant entre les voitures garées et les engins des pompiers.

— La bibliothèque ! s'est-il exclamé. Marian va péter un câble. À ton avis, ce sont ces créatures, les responsables ?

— Et qui d'autre ? ai-je répondu d'une voix lointaine qui ne ressemblait pas à la mienne. Laisse-moi descendre. Il y a les affaires de ma mère, là-dedans.

Link a fait mine de se ranger, mais Amma l'en a empêché en posant une main sur le volant.

— Continue, lui a-t-elle dit.

— Quoi ? me suis-je insurgé.

J'avais cru qu'elle nous avait amenés ici parce que les pompiers volontaires avaient besoin de renforts pour inonder le toit et éviter que lui aussi ne prenne feu.

— Nous n'allons pas partir ! Nous pourrions leur être utiles. C'est la bibliothèque de Marian !

« Celle de ma mère. »

Amma a refusé de se détourner de sa vitre.

— On avance ou c'est moi qui conduis, a-t-elle rétorqué. Marian n'est pas ici et elle n'est pas la seule à avoir besoin de nos services cette nuit.

— Qu'en sais-tu ?

Amma s'est raidie. Je me permettais de remettre en cause ses talents de Voyante, le don qui la constituait tout autant que la bibliothèque avait constitué ma mère. Elle a fixé le pare-brise, tandis que ses jointures blanchissaient autour de l'anse de son sac.

— Ce ne sont que des livres.

Pendant une minute, j'ai été à court de mots. C'était comme si elle m'avait giflé. Puis, à l'instar d'une claque, la douleur initiale passée, tout est devenu soudain plus clair.

— Aurais-tu le cran de dire ça à Marian, ou à maman si elle vivait encore ? Ce sont des membres de notre famille...

— Je te conseille de bien ouvrir les yeux avant de me régaler d'une leçon de morale sur la famille, Ethan Wate.

J'ai suivi la direction de son regard, au-delà du bâtiment en flammes. Elle n'avait pas deviné la situation ; elle était déjà au courant de nos pertes. J'ai été le dernier à comprendre. Presque. J'avais le cœur battant et les poings serrés quand Link a désigné l'extrémité de la rue.

— Oh, vingt dieux, mec ! Ce n'est pas la baraque de tes tantes ?

J'ai acquiescé, sans ouvrir la bouche cependant. L'énergie me manquait.

— Oui, a reniflé Amma. Roule, mon garçon.

J'apercevais déjà l'éclat rouge des ambulances et du camion de pompiers garés sur la pelouse, devant le foyer des Sœurs, de ce qui l'avait été du moins. La veille, la demeure coloniale s'était fièrement élevée sur deux niveaux, cernée par une véranda, avec une rampe d'accès pour le fauteuil roulant de tante Charity. Aujourd'hui, c'était une moitié de logis, éventré en son milieu à l'instar d'une maison de poupée. Sinon que, à la place des meubles délicatement

installés dans chaque pièce, l'intérieur était détruit et sens dessus dessous. Le divan en velours d'Utrecht bleu gisait sur le dossier, des bouts de canapé et des fauteuils à bascule pressés contre lui, à croire que le contenu de la demeure avait chaviré. Des cadres qui s'étaient décrochés des murs s'empilaient sur les lits. Et cet étrange salmigondis faisait face à un amoncellement de débris : planches en bois, plaques de plâtre, morceaux de meubles impossibles à identifier, baignoire en porcelaine à pieds griffus – une grande partie de la maison n'avait pas survécu.

Penché par la fenêtre, j'ai examiné les lieux. La Poubelle donnait l'impression d'avancer au ralenti. Mentalement, j'ai compté le nombre de chambres. Celle de Thelma au rez-de-chaussée, à l'arrière, toute proche de la moustiquaire d'entrée. Elle tenait toujours debout. Tante Grace et tante Charity partageaient la plus sombre, après l'escalier. Je distinguais encore les marches. C'était mieux que rien. Je les ai cochées dans ma tête.

Tante Grace, tante Charity et Thelma.

Tante Prue.

Je ne trouvais pas la chambre de cette dernière. Je n'apercevais pas sa courtepointe rose à fleurs ponctuée de minuscules boules dont j'ignorais le nom. Je n'apercevais pas son placard aux arômes d'antimite, sa commode aux arômes d'antimite, son tapis en lirette aux arômes d'antimite.

Tout s'était volatilisé, à croire que le poing d'un géant tombant du ciel avait pulvérisé la pièce.

Ce même poing de géant avait épargné les habitations voisines. Les plus vieilles demeures d'Old Oak Road étaient indemnes, sauf pour, çà et là, un arbre abattu ou une lauze brisée traînant dans le jardin. La scène ressemblait à ce qu'un véritable ouragan aurait laissé dans son sillage, avec les destructions au hasard, touchant une maison pour éviter la suivante. Mais il ne s'agissait pas d'une catastrophe naturelle ayant frappé au petit bonheur la chance. Je savais à qui appartenait ce poing.

Le message m'était destiné.

Link a approché La Poubelle du trottoir. Amma en est sortie avant même que nous soyons complètement à l'arrêt. Elle a foncé droit sur l'ambulance, comme si elle avait deviné ce qu'elle y trouverait. Je me suis figé sur place, le cœur au bord des lèvres.

Le coup de fil. Ça n'avait pas été le formidable téléphone arabe de Gatlin annonçant qu'une tornade avait démoli la plus grande partie de la ville ; ça avait été quelqu'un joignant Amma pour lui dire que la maison de mes antiques grands-tantes s'était effondrée et que… quoi ? M'attrapant par le bras, Link m'a entraîné. Tout le quartier ou presque s'agglutinait autour de l'ambulance. Je voyais les gens sans les voir, tant la situation relevait de l'irréel, de l'impensable. Edna Haynie avait ses bigoudis en plastique rose sur la tête et portait sa robe de chambre en pilou, malgré les trente et quelques degrés qui régnaient dehors, tandis que Melvin Haynie n'était vêtu que du marcel et du short dans lesquels il dormait. Ma et Pa Riddle, qui dirigeaient le pressing local dans leur garage, étaient en tenue de combat. Ma Riddle tournait comme une dingue la manivelle de sa radio, bien que l'engin ait semblé ne pouvoir ni recevoir ni émettre. Pa Riddle refusait de lâcher son fusil.

— Pardon, madame, désolé…

Link s'est frayé un chemin à coups de coude dans la foule jusqu'à ce que nous soyons de l'autre côté des véhicules de secours. Les portes métalliques de l'ambulance étaient béantes.

Marian se tenait à côté, sur la pelouse brunie, près d'une personne enveloppée dans une couverture. Thelma. Deux silhouettes menues et osseuses les séparaient, dont les chevilles d'une blancheur bleuâtre émergeaient de longues chemises de nuit à froufrous. Tante Charity secouait la tête.

— Harlon James, y déteste être dérangé. Y va pas aimer ça du tout.

Marian a tenté de la couvrir à son tour, mais la vieille dame a refusé d'un haussement d'épaules.

— Vous êtes sous le choc, a insisté la bibliothécaire, il faut que vous vous réchauffiez. C'est ce que disent les pompiers.

Elle m'a tendu une couverture. Elle était branchée en mode « secours d'urgence » et s'efforçait de protéger ceux qu'elle aimait et de minimiser les dégâts, alors même que les flammes étaient en train de réduire son univers à néant, quelques pâtés de maisons plus loin. Or il était impossible de minimiser des dégâts de cette ampleur, à mon avis.

— Y s'est ensauvé, Charity, a marmonné tante Grace. Je t'avais ben dit que ce cabot, c'était que des ennuis. Prudence a encore dû laisser la trappe ouverte.

Je n'ai pu m'empêcher de tourner les yeux vers l'endroit où dormait le chien. Le mur entier avait disparu. Secouant la couverture, je l'ai doucement drapée autour de tante Charity, qui s'agrippait comme une enfant à Thelma.

— Faut qu'on prévient Prudence Jane. Tu sais qu'elle est folle de c'te bête. Faut qu'on lui dit. Si elle l'apprend par que'qu'un d'aut', elle sera plus mauvaise qu'une guêpe.

Thelma les a enlacées.

— Ça va aller, les a-t-elle rassurées. Juste de petites complications, comme celles que vous avez eues il y a quelques mois, Grace. Vous vous rappelez ?

Marian a longuement observé Thelma, comme une mère surveillant son enfant dans la cour.

— Tout va bien, mademoiselle Thelma ?

Cette dernière avait l'air aussi paumée que les Sœurs (sauf que, chez elles, c'était normal).

— Je ne sais pas ce qui s'est passé, a-t-elle expliqué d'une voix tremblante. Je rêvais d'une bonne grosse portion de George Clooney et d'un rendez-vous galant avec un quatre-quarts au sucre brun quand *paf !* la baraque s'est écroulée sur nous. J'ai juste eu le temps de récupérer les filles, puis j'ai trouvé Prudence Jane…

Tante Prue. J'ai cessé d'écouter.

— Les urgences s'occupent d'elle, m'a annoncé Marian. Ne t'en fais pas, Amma est avec elle.

Je l'ai écartée, mon bras glissant à travers ses doigts quand elle a tenté de me retenir. Deux ambulanciers étaient courbés au-dessus d'une civière. Des tuyaux suspendus à des perches métalliques disparaissaient dans le corps frêle de ma tante, en des endroits que je ne distinguais pas, parce qu'ils étaient recouverts de pansements. D'autres urgentistes accrochaient de nouveaux sacs d'un fluide clair à de nouvelles perches. Il était impossible de percevoir leurs paroles, sous le fracas des voix, des sanglots et des sirènes. Agenouillée près de Prudence, Amma tenait sa main inerte et chuchotait. Je me suis demandé si elle priait ou si elle s'adressait aux Grands. Les deux à la fois, sans doute.

— Elle n'est pas morte, m'a murmuré Link en s'approchant. Je peux la sentir… Je veux dire…

Il a inhalé profondément.

— Cuivre et sel, et bouillon gras au café.

Malgré moi, j'ai souri. Mon souffle a retrouvé un semblant de régularité.

— Que racontent ces gars ? Elle va s'en sortir ?

Il a écouté la conversation des infirmiers.

— Je ne sais pas. Elle a eu une attaque quand la maison s'est écroulée. Elle ne répond pas.

J'ai pivoté vers tante Charity et tante Grace. Marian et Thelma les aidaient à s'installer dans des fauteuils roulants, chassant les pompiers volontaires comme si elles ne les connaissaient pas – M. Rawls, qui remplissait leurs ordonnances au Stop & Steal, et Ed Laundry, qui faisait leur plein à la station-service.

M'accroupissant, j'ai ramassé un bout de verre dans les débris gisant à mes pieds. Je ne suis pas arrivé à définir de quel objet il s'agissait, mais la couleur m'a évoqué le chat en

cristal vert de tante Prue, celui qu'elle exposait fièrement à côté de ses grappes de raisin en pierres semi-précieuses. Le retournant, j'ai découvert une petite étiquette ronde et rouge collée derrière. Il était marqué, comme tout ce que contenait la maison des Sœurs, pour l'un ou l'autre de leurs parents quand elles seraient mortes.

Une étiquette rouge.

Le chat m'était destiné. Lui, les ruines, l'incendie – tout m'était destiné. J'ai fourré le débris dans ma poche tout en contemplant, impuissant, mes tantes qu'on emmenait vers la seconde (et seule autre) ambulance de la ville.

Amma m'a jeté un coup d'œil dont j'ai aussitôt saisi le sens. « Pas un mot, pas un geste. » Autrement dit, rentre à la maison, verrouille les portes et ne te mêle de rien. Elle avait pourtant conscience que cela m'était impossible.

Une phrase ne cessait de s'accrocher à mon cerveau. « Elle ne répond pas. » Tante Grace et tante Charity n'avaient pas compris ce que cela signifiait quand les médecins leur avaient servi ces termes. Elles n'avaient entendu que la litote. « Elle ne répond pas. »

Bref, elle était comme morte.

Et c'était ma faute. Parce que je n'avais pas pu renseigner Abraham sur l'endroit où se trouvait John Breed.

John Breed.

Soudain, tout m'est apparu très clairement.

L'Incube mutant qui nous avait conduits droit dans le piège monté par Sarafine et Abraham, qui avait essayé de voler la fille que j'aimais et qui avait Transformé mon meilleur ami s'acharnait à détruire de nouveau ma vie. Ma vie et les gens auxquels j'étais attaché. Par sa faute, Abraham avait lâché les Ires. Par sa faute, ma ville avait été démolie, et ma tante était agonisante. Des livres se consumaient et, une fois n'est pas coutume, ce n'était pas à cause d'esprits mesquins ou de personnes mesquines.

Macon et Liv avaient eu raison. Tout ramenait à John Breed.

C'était lui le responsable.

J'ai serré le poing. Pas un poing de géant, mais le mien. Comme la situation était mienne. Il s'agissait de *mon* problème. En tant que Pilote. Si j'étais censé trouver le chemin, la solution – être là pour quelque grand et terrible dessein ou pour tout ce que Marian et Liv m'avaient révélé de ma fonction, diriger les Enchanteurs quelque part ou les en faire sortir –, je l'avais trouvé. Désormais, je n'avais plus qu'à localiser John Breed.

Je n'avais pas le droit de reculer, pas après ce qui venait d'avoir lieu.

Une ambulance est partie, puis la suivante. Les sirènes ont ululé dans la rue et, alors qu'elles disparaissaient de ma vue, je me suis mis à courir. J'ai pensé à Lena. J'ai accéléré. J'ai pensé à ma mère, à Amma, à tante Prue et à Marian. J'ai galopé jusqu'à en perdre le souffle, jusqu'à ce que les camions de pompiers soient loin derrière moi.

Je me suis planté devant la bibliothèque. Les flammes avaient été pour l'essentiel éteintes. De la fumée continuait de grimper vers le ciel. Les cendres voltigeaient dans l'air comme de la neige. Des cartons de livres, certains noircis, d'autres détrempés, étaient entassés devant le bâtiment.

Ce dernier tenait encore debout, en bonne partie du moins. Mais ça n'avait pas d'importance, pas à mes yeux en tout cas. L'endroit n'aurait plus jamais la même odeur. Ma mère, ce qu'il restait d'elle à Gatlin, avait fini par s'en aller. On ne ranimait pas les ouvrages brûlés. On pouvait seulement les remplacer par des neufs. Ces nouveaux livres n'auraient pas été touchés par elle, ni cassés par une cuiller en guise de marque-page.

Une part d'elle était morte, derechef, cette nuit.

Je ne connaissais pas grand-chose à Léonard de Vinci. Qu'avait dit la citation ? Que j'apprenais à vivre ou à mourir. Après ces derniers événements, tout était possible, dans un sens comme dans l'autre. J'aurais sans doute dû écouter Emily Dickinson et me laisser guider par la sagesse de la folie. Quoi qu'il en soit, c'était Poe qui me collait aux chausses.

J'avais en effet le pressentiment que je scrutais profondément les ténèbres, aussi profondément qu'il était donné à quelqu'un de le faire.

Tirant le tesson de verre de ma poche, je l'ai examiné, comme s'il était en mesure de me souffler ce que j'avais besoin de savoir.

25 septembre
Les Dames de la maison

— Tu m'apporterais un peu de thé glacé, Ethan Wate ? m'a lancé tante Charity depuis le salon.

Tante Grace a immédiatement cru bon de s'en mêler.

— Lui donne r'en du tout, Ethan. Si elle continue à boire comme un trou, elle va devoir utiliser les ouatères.

— L'écoute pas, Ethan. L'est méchante comme la gale.

Du regard, j'ai interrogé Lena, qui tenait un pichet en plastique rempli de thé glacé et sucré.

— Je fais quoi, moi ?

Amma a claqué la porte de la pièce et a indiqué d'un geste qu'on lui remette le broc.

— Vous n'avez pas de devoirs, vous deux ?

Un sourcil arqué, Lena lui a souri avec soulagement. Depuis que tante Prue était à la clinique du County Care et que les Sœurs avaient emménagé chez nous – des siècles, me semblait-il –, elle et moi n'avions pas eu une occasion d'être seuls.

La prenant par la main, je l'ai entraînée en direction du couloir.

Prête à courir aux abris ?

Prête.

Nous nous sommes précipités à toute vitesse hors de la cuisine pour tenter de rallier l'escalier. Tante Grace était blottie sur le canapé, ses doigts agrippant les trous de son châle au crochet préféré, qui combinait une dizaine de bruns différents. Il allait parfaitement avec les couleurs du salon, à présent encombré de tas de cartons contenant tout ce que les Sœurs nous avaient obligés, mon père et moi, à trimballer depuis chez elles, la semaine précédente.

Ce qui avait survécu n'avait pas suffi à les satisfaire, cependant. Il s'agissait du contenu presque au complet de la chambre à coucher de Grace et Charity, d'un crachoir en laiton que les cinq maris de tante Prue avaient utilisé (sans jamais le nettoyer), de quatre des cuillers de collection avec blason des États du Sud, sur leur présentoir en bois, appartenant à tante Grace ; d'une pile d'albums photo poussiéreux ; de deux chaises de salle à manger dépareillées ; du faon en plastique qui ornait leur jardin de devant et de centaines de pots de confiture miniatures et jamais entamés qu'elles avaient fauchés au Breakfast 'n' Biscuits de Millie. Frustrées malgré l'ampleur de ce capharnaüm, elles nous avaient harcelés jusqu'à ce que nous transbahutions également les objets cassés.

La plupart étaient enfermés dans leurs cartons, mais tante Grace avait souligné qu'un peu de décoration allégerait leur « douleur », et Amma les avait autorisées à installer certaines choses dans la maison. Voilà pourquoi, Harlon James premier du nom, Harlon James deuxième du nom et Harlon James troisième du nom – conservés grâce à ce que tante Prue appelait « l'*art déli*cat de la tassidermie sudiste » – me fixaient maintenant de leurs prunelles mortes. Harlon James I était assis, Harlon James II était debout, et Harlon James III dormait. C'était celui-là surtout qui me perturbait. Tante Grace le gardait près du divan et quelqu'un finissait toujours par se cogner un orteil dedans en passant dans les parages.

Ça pourrait être pire, Ethan. Imagine-le trônant sur le canapé.

Installée dans son fauteuil roulant, tante Charity boudait devant la télévision, visiblement furieuse d'avoir perdu ce matin-là la bataille pour le sofa. Assis près d'elle, mon père lisait le journal.

— Comment allez-vous, les enfants ? Content de te voir, Lena.

Son expression nous intimait de décamper tant qu'il était encore temps.

— Moi de même, monsieur Wate, a répondu Lena avec un sourire.

Il s'était octroyé des jours de repos par-ci par-là quand il le pouvait, histoire d'empêcher Amma de devenir folle.

Tante Charity agrippait la télécommande, bien que l'appareil ait été éteint. Elle l'a brandie dans ma direction.

— Où que vous croilliez aller comme ça, les tourtereaux ?

Fonce vers l'escalier, L !

— Ethan, a poursuivi l'ancêtre, me dis pas que tu songes à emmener une jeune dam'zelle là-haut. Ce serait pas correc'.

Tante Charity a appuyé sur la télécommande, toujours braquée sur moi, comme si elle pouvait ainsi me mettre sur pause avant que j'aie pu gagner ma chambre.

— Et toi, ma poulette, a-t-elle ajouté à l'intention de Lena, garde ton mignon p'tiot popotin hors de la chamb' des garçons.

— Charity Lynne !

— Grace Ann !

— J'veux pas entend' pareil langage de charretier dans ta bouche !

— Qué langage ? Popotin ? Popotin, popotin, popotin !

À l'aide, Ethan !

Décampons !

— 'Videmment qu'y l'emmène pas en haut, a reniflé tante Grace. Son papa en s'rait tout retourné dans sa tombe.

— Je suis ici, lui a rappelé l'intéressé en agitant le bras sous ses yeux.

— Sa maman, l'a corrigée tante Charity.

Tante Grace a secoué son mouchoir, celui qui était toujours fourré dans sa paume recroquevillée.

— Tu dois dev'nir sénile, Charity Lynne. C'est c'que j'ai dit.

— Pas du tout. Je t'ai entendue clair et net comme la cloche de l'église avec ma bonne oreille. T'as dit que son papa…

Tante Grace s'est débarrassée de son châle.

— Pff ! T'entendrais pas la cloche de l'église même si elle te mordait le popo…

— Un verre de thé glacé, mesdames ? a proposé Amma en apparaissant au moment opportun avec son plateau.

Lena et moi avons filé en douce vers les marches, profitant de ce qu'Amma cachait la vue depuis le salon. Même en l'absence de tante Prue, échapper aux Sœurs relevait de la gageure. Et ça durait depuis des jours. Entre leur installation chez nous et le déménagement de ce qui restait de leurs possessions, mon père, Amma et moi n'avions rien fait sinon leur servir de larbins.

Lena s'est engouffrée dans ma chambre, et j'ai refermé le battant sur nous avant de l'attraper par la taille. Elle a posé sa tête contre mon torse.

Tu m'as manqué.

Je sais, poulette.

Terme qui m'a valu une bourrade joueuse sur l'épaule.

— J't'interdis de fermer c'te porte, Ethan Wate !

Je n'ai pas réussi à déterminer s'il s'agissait de la voix de tante Grace ou de celle de tante Charity, ce qui n'avait aucune importance car, sur ce coup-là, elles étaient parfaitement au diapason.

— Y a plus d'poules que d'hommes sur c'te terre, aussi certain que l'été est pas un as-kident !

En souriant, Lena a rouvert la porte.

— Non ! ai-je gémi.

Elle a effleuré mes lèvres.

— Quand les Sœurs sont-elles montées ici pour la dernière fois ?

Je me suis collé à elle, front contre front, et mon pouls s'est aussitôt affolé.

— Maintenant que tu le mentionnes, je pense qu'Amma va les abreuver de thé jusqu'à ce que le pichet soit vide.

La prenant dans mes bras, je l'ai portée jusqu'à mon lit, lequel, grâce à Link, se réduisait désormais à un matelas posé à même le plancher. Je me suis laissé tomber à côté d'elle, ignorant volontairement la fenêtre brisée, le battant béant sur le palier et l'inconfort de ma couche.

Enfin seuls ! Lena m'a observé de son œil vert et de son œil doré, ses boucles brunes répandues autour d'elle comme un halo noir.

— Je t'aime, Ethan Wate.

M'appuyant sur un coude, je l'ai dévisagée.

— On m'a souvent avoué que j'étais adorable.

— Qui donc ? s'est-elle esclaffée.

— Des tas de filles.

— Ah ouais ? a-t-elle demandé, alors que son regard s'assombrissait. Lesquelles ?

— Ma mère, ma tante Caroline. Amma.

Je l'ai chatouillée, et elle s'est tortillée en rigolant dans mon tee-shirt.

— Je t'aime, L.

— T'as plutôt intérêt. Parce que je ne sais pas ce que je deviendrais sans toi.

Ses accents étaient rauques et empreints d'une sincérité réelle.

— Je n'existe pas sans toi, Lena.

Je l'ai embrassée, plaquant mon corps contre le sien pour n'en former plus qu'un. Comme si nous étions destinés l'un à l'autre. Nous l'étions, quoi que l'univers ou mon cœur battant trop vite aient à y redire. J'ai senti mon énergie me déserter, ce qui n'a que renforcé le désir qu'avait ma bouche de la sienne. Elle s'est écartée avant que la crise cardiaque ne me menace.

— Mieux vaut s'arrêter là, Ethan.

Avec un soupir, j'ai roulé sur le dos, une main encore emmêlée dans ses cheveux.

— Nous n'avons même pas commencé, ai-je râlé.

— Nous devons être prudents. Jusqu'à ce que nous ayons découvert pourquoi ça empire, pourquoi c'est plus intense entre nous.

— Et si je te disais que je m'en fiche ?

— Je ne veux pas entendre ça. J'ai raison, et tu le sais. Pas question de te brûler accidentellement non plus.

— Ça vaudrait sûrement le coup, pourtant.

Elle m'a assené un coup de poing sur le bras, et j'ai souri en regardant le plafond. Bien sûr, qu'elle avait raison ! Les seules personnes apparemment maîtresses de leurs pouvoirs étaient les Incubes, la pagaille régnait à Ravenwood, dont les habitants ne valaient plus grand-chose. Pour autant, ça me frustrait. J'avais besoin de toucher Lena, autant que je ne pouvais me passer de respirer.

Un miaulement a retenti. Lucille piétinait l'extrémité du matelas. Depuis qu'elle avait été dépossédée de sa couche par Harlon James IV, elle avait élu domicile sur la mienne. La nuit de la prétendue tornade, mon père était rentré dare-dare de Charleston. Le lendemain, il avait découvert le toutou de tante Prue tout tremblant dans un coin de la cour de la maternelle. Une fois installé chez nous, il s'était comporté comme ses maîtresses et avait investi le panier de Lucille, avait boulotté ses dîners de poulet directement dans son assiette en porcelaine et s'était même amusé à griffer l'arbre à chat.

— Allons, Lucille, l'avais-je consolée. Tu as vécu avec eux plus longtemps que moi.

Rien n'y avait fait, cependant. Tant que les Sœurs squatteraient chez nous, Lucille resterait dans ma chambre.

Après m'avoir gratifié d'un baiser léger, Lena s'est penchée pour fouiller dans son sac. Un vieil exemplaire des *Grandes Espérances* en a glissé. Je l'ai immédiatement reconnu.

— Qu'est-ce que c'est que ça ? ai-je toutefois demandé.

Lena a ramassé le volume en évitant de croiser mon regard.

— On appelle ça un livre, a-t-elle répondu en esquivant la question.

— C'est bien celui que tu as trouvé dans la boîte de Sarafine, hein ?

— Ce n'est qu'un bouquin, Ethan. J'en lis des tonnes.

— Celui-ci est autre chose, L. Que mijotes-tu ?

Elle a hésité, feuilleté les pages abîmées. Arrivée à l'une d'elles qui était cornée, elle s'est mise à lire.

— « Et cependant pouvais-je la regarder sans compassion, en voyant son châtiment et le malheur dans lequel elle se trouvait, et sa profonde incapacité de vivre sur cette terre où elle était placée[1]... »

Elle a fixé l'intérieur du roman, comme s'il contenait des réponses qu'elle seule distinguait.

— Ce passage a été souligné, a-t-elle précisé.

Je comprenais que Lena soit curieuse de connaître sa mère – pas Sarafine, mais la femme qui lui était apparue au cours de la vision, celle qui l'avait bercée, tout bébé. Elle croyait peut-être que le roman ou le coffre-fort métallique de sa mère lui apporteraient les solutions à ses interrogations. Néanmoins, ce qui avait été souligné dans le vieil exemplaire de Dickens ne comptait pas.

Aucun des objets de la boîte n'était vierge du sang que Sarafine avait sur les mains.

---

1. Deuxième partie, chapitre XX, traduction de Charles-Bernard Derosne.

Je me suis emparé de l'ouvrage.

— Donne-le-moi.

Lena n'a pas eu le temps de protester car, déjà, les murs de ma chambre s'estompaient...

Il avait commencé à pleuvoir, comme si le ciel pleurait à l'unisson de Sarafine, larme pour larme. Elle était trempée quand elle atteignit la maison Eades. Elle escalada le treillis blanc sous la fenêtre de John, eut un instant d'hésitation. Attrapant dans sa poche les lunettes noires qu'elle avait volées à l'épicerie, elle les chaussa avant de frapper doucement au carreau.

Tant de questions se bousculaient dans sa tête. Qu'allait-elle raconter à John ? Comment allait-elle le convaincre qu'elle était toujours la même ? Un Enchanteur de la Lumière pouvait-il continuer à l'aimer, maintenant qu'elle était... ceci ?

— Izabel ?

À moitié endormi, John la contemplait depuis l'autre côté de la croisée.

— Que fais-tu ici ?

Sans lui laisser le loisir de s'expliquer, il s'empara de son bras et la hissa à l'intérieur.

— Je... je devais te voir.

John tendit la main vers la lampe de son bureau. Elle retint son geste.

— Non. N'allume pas. Tu vas réveiller tes parents.

Il l'observa plus attentivement, cependant que sa vision s'ajustait à la pénombre.

— Il est arrivé quelque chose ? Es-tu blessée ?

Elle était bien plus que cela ; désespérée ; et elle ne disposait d'aucun moyen pour préparer John à ce qu'elle était sur le point de lui annoncer. Il était au courant de la malédiction qui accablait sa famille. Sarafine, cependant, ne lui avait jamais avoué la date réelle de son anniversaire. Elle en avait inventé une, à quelques mois de là, de façon à ce qu'il ne s'inquiétât pas. Il ignorait que cette nuit était celle de sa Seizième Lune, celle qu'elle redoutait depuis aussi loin que remontaient ses souvenirs.

— Je ne veux pas te le dire, balbutia-t-elle en ravalant ses sanglots.

John l'enlaça et posa son menton sur le sommet du crâne de sa bien-aimée.

— Tu es gelée, remarqua-t-il en lui frottant les bras de ses paumes. Je t'aime. Tu peux tout me dire.

— Pas ça, chuchota-t-elle. Tout est fichu.

Sarafine repensa aux projets qu'ils avaient échafaudés. Partir ensemble à l'université, John dès l'an prochain, elle, l'année suivante. Lui souhaitait devenir ingénieur, elle, soutenir sa thèse en littérature. Elle avait toujours désiré être écrivain. Leurs diplômes obtenus, ils se marieraient. Il était vain d'y songer, désormais. Rien de tout cela n'aurait lieu.

John resserra son étreinte.

— Tu m'effraies, Izabel. Rien de ce que nous avons n'est fichu.

Le repoussant, elle retira ses lunettes de soleil, révélant les prunelles jaune d'or d'une Enchanteresse des Ténèbres.

— En es-tu bien certain ? rétorqua-t-elle.

L'espace d'une seconde, il ne put que la fixer sans réagir.

— Que s'est-il passé ? finit-il par demander. Je ne comprends pas.

Elle secoua la tête, ses larmes brûlant la peau de ses joues glacées.

— C'était mon anniversaire, aujourd'hui. Je te l'ai caché, parce que j'étais persuadée de devenir Lumière. Je voulais te tranquilliser. Mais à minuit…

Elle ne put achever sa phrase. John avait de toute façon deviné la suite. Cette dernière s'affichait dans les yeux de Sarafine.

— C'est une erreur, enchaîna-t-elle, parlant à son amoureux autant qu'à elle-même. Forcément. Je suis la même. On raconte qu'on se sent différent, une fois qu'on est voué aux Ténèbres. Qu'on oublie ceux qu'on aime. Mais pas moi. Jamais.

— Je crois que c'est progressif…

John s'interrompit.

— Je me battrai ! reprit-elle. Je refuse de virer aux Ténèbres, je te le jure.

Elle n'en pouvait plus. Sa mère qui s'était détournée d'elle, sa sœur qui l'avait hélée en vain, John qui risquait de s'éloigner d'elle. Sarafine n'était pas en état de supporter un nouveau coup de poignard dans le cœur. Elle s'effondra sur le sol. S'agenouillant, John l'enlaça.

— Tu n'es pas Ténèbres, la rassura-t-il. La couleur de tes yeux ne change rien.

— Personne n'y croit. Ma mère ne m'a même pas laissée entrer chez nous.

John la remit debout.

— Alors, nous allons partir cette nuit.

Il dénicha un sac en toile et entreprit d'y fourrer des affaires.

— Partir où ?

— Je ne sais pas. Nous trouverons bien quelque chose.

Il remonta la fermeture Éclair de sa besace et emprisonna le visage de Sarafine entre ses mains, plongeant son regard dans le sien, si doré.

— Ça n'a pas d'importance, murmura-t-il. Du moment que nous sommes ensemble.

Nous avions réintégré ma chambre et la touffeur de ce bel après-midi. La vision s'est effacée, emportant avec elle la jeune fille qui n'avait rien en commun avec la Sarafine que nous connaissions. Le livre était tombé par terre. Le visage de Lena était strié de larmes et, pendant un instant, elle a ressemblé trait pour trait à Izabel.

— John Eades était mon père, a-t-elle chuchoté.

— Tu en es sûre ?

Elle a opiné en essuyant ses joues.

— Je n'ai jamais vu de photo de lui, mais Bonne-maman m'a révélé son nom. Il paraissait si réel, comme s'il vivait encore. Et ils avaient l'air de s'aimer pour de bon.

Elle s'est baissée pour récupérer le roman. Ce dernier s'était ouvert, couverture vers le plafond, et les craquelures de son dos laissaient entendre qu'il avait été lu et relu à de multiples reprises.

— N'y touche pas, L.

— Ça ne s'était encore jamais produit, Ethan. Je crois que c'est arrivé parce que nous l'avons effleuré en même temps, toi et moi.

Elle l'a de nouveau feuilleté, et j'ai aperçu les traits noirs qui entouraient certaines phrases, en soulignaient d'autres.

— Tout l'ouvrage est ainsi, gribouillé comme une sorte de carte. J'aimerais tant comprendre où elle mène.

— Tu le sais.

À Abraham et au Feu Ténébreux, à la Grande Barrière, à l'obscurité et au trépas.

— Voici ma phrase préférée, a dit Lena, plongée dans le bouquin. « J'ai été courbée et brisée, mais, je l'espère, pour prendre une forme meilleure[1]. »

Tous les deux, nous avions été courbés et brisés par Sarafine. Le résultat en était-il une forme meilleure ? Étais-je meilleur après avoir vécu ce que j'avais vécu ? Et Lena ?

J'ai songé à tante Prue sur son lit d'hôpital, à Marian triant des cartons de livres calcinés, de documents noircis, de photographies gorgées d'eau. Le travail d'une vie entièrement détruit.

Et si jamais les gens que nous aimions étaient courbés jusqu'à ce qu'ils se brisent et en deviennent informes ?

Je devais retrouver John Breed avant qu'ils ne soient abîmés jusqu'à l'irréparable.

1. Deuxième partie, chapitre XXX, traduction de Charles-Bernard Derosne.

26 septembre
Heures de visite

Le lendemain, tante Grace a découvert où Charity planquait sa glace au café dans le congélateur. Le surlendemain, tante Charity a découvert que Grace l'avait mangée et a piqué une crise de tous les diables. Le lendemain de ce surlendemain, j'ai joué tout l'après-midi au Scrabble, me cassant la tête sur les inventions extravagantes des Sœurs, jusqu'à me retrouver dans un tel état d'épuisement que j'ai cessé de protester face à TIENDONC en un seul mot, RHUMER en guise de verbe, GRIGOUE adjectivé et CHATONE, car pourquoi ce mot-là n'aurait-il pas eu de féminin, non-mais-des-fois ?

J'étais cuit.

Une personne manquait à l'appel, cependant. Une personne qui sentait le cuivre et le sel, ainsi que le bouillon au café. Quelqu'un susceptible de placer ses lettres de façon à former MODITSOT, ce qu'elle-même était loin d'être. Une femme capable de dessiner d'une seule main le plan des Tunnels du Sud.

Quelques jours plus tard, j'ai craqué. Aussi, quand Lena a insisté pour rendre visite à tante Prue, je n'ai pas protesté. En vérité, j'avais envie de la voir, même si je ne savais pas trop à quoi elle risquait de ressembler. Aurait-elle l'air endormi, comme quand elle s'assoupissait sur le canapé ? Aurait-elle au contraire la même triste allure que celle qu'elle avait eue dans l'ambulance ? Impossible de le prédire. Je me sentais à la fois coupable et effrayé.

Plus que tout, je me sentais seul, et je souhaitais fuir cette solitude.

La clinique du County Care était un centre de rééducation, croisement entre une maison de repos et l'endroit où l'on vous expédiait lorsque vous aviez été victime d'un grave accident à bord d'un véhicule tout-terrain : quand vous tombiez d'une moto trial, bousilliez un camion, étiez renversé par un semi-remorque. D'aucuns estimaient que vous aviez de la chance quand ça vous arrivait, car vous pouviez gagner le gros lot, pour peu que le bon poids lourd soit impliqué. Sauf si vous mouriez, bien sûr. Ou les deux, comme dans le cas de Deacon Harrigan, qui avait terminé sa course sous la plus jolie pierre tombale de la ville, cependant que sa veuve et ses orphelins redécoraient leur maison, y installaient un trampoline et se mettaient à bambocher au grill de Summerville cinq soirs par semaine. Carlton Eaton l'avait raconté à Mme Lincoln qui l'avait raconté à Link qui me l'avait raconté. Qu'il pleuve ou qu'il vente, les chèques tombaient tous les mois, directement en provenance du capitole de Columbia. Du moins, c'est ce à quoi vous aviez droit quand un camion poubelles vous écrabouillait.

Quand je suis entré au County Care, rien ne m'a incité à croire que tante Prue était une petite veinarde, cependant. Même l'étrange et silencieuse climatisation de l'établissement ne m'a pas réconforté. Il régnait ici un parfum douceâtre écœurant, presque poudreux – une mauvaise odeur qui se serait efforcée de sentir bon. Pire encore, le hall, les couloirs et le plafond crépi genre faisselle étaient peints en pêche de Gatlin. Un peu comme si un tombereau

de sauce salade aromatisée au paprika et à l'orange, et susceptible d'accompagner tout un buffet froid, avait été plaqué au plafond.

De la vinaigrette, peut-être.

Lena tentait d'alléger mon humeur.

Tu crois ? En tout cas, ça me donne la gerbe.

Tout va bien, Ethan. Ce ne sera sans doute pas aussi affreux quand nous l'aurons vue.

Et si c'était pire ?

Le pire s'est cependant produit à peine dix pas plus loin, quand Bobby Murphy a relevé la tête de derrière le bureau d'accueil. La dernière fois que je l'avais croisé, il jouait dans l'équipe de basket avec moi et n'avait pas arrêté de m'embêter quand Emily J'aime-Ethan s'était transformée en Emily Je-Hais-Ethan et m'avait largué au bal de fin d'année. J'admets que je ne m'étais pas défendu : il faisait également partie de l'équipe de la fac depuis trois ans, et personne ne lui cherchait de noises. Maintenant qu'il était assis derrière la réception, affublé d'un uniforme couleur pêche, il n'avait plus l'air aussi méchant. Il n'a pas paru très content de me voir non plus. Sans doute que son badge en stratifié mal orthographié – Booby[1] – n'arrangeait rien.

— Salut, Bobby. Je te croyais à l'université de Summerville ?

— Ethan Wate. Tu es ici, et moi aussi. Je ne sais pas lequel de nous deux m'inspire le plus de pitié.

Si ses yeux ont brièvement papillonné en direction de Lena, il ne l'a pas saluée. Les rumeurs étant ce qu'elles sont, j'ai eu la certitude qu'il était au courant des derniers ragots, même dans un coin aussi reculé que le County Care, peuplé de malades dont la moitié étaient incapables de produire un son.

J'ai risqué un rire qui a plutôt ressemblé à une quinte de toux, et un silence de plomb s'est abattu sur nous.

---

1. Soit « crétin ».

— Bref, a-t-il fini par reprendre, il était temps que tu te ramènes. Ta tante Prudence a demandé après toi.

Il a souri tout en déposant un calepin sur le comptoir.

— Ah bon ?

Un instant, je me suis figé, quand bien même j'aurais dû me méfier.

— Nan ! Je blague. Allez, signe et tu pourras filer au jardin.

— Le jardin ?

— Ouais. Au fond, dans l'aile résidentielle. Là où on fait pousser nos meilleurs légumes.

Il a souri, et je me suis souvenu de scènes dans les vestiaires. « Bordel, Wate, comporte-toi en mec ! Tu nous fous la honte à tous à force d'être le toutou d'une gamine. »

Lena s'est penchée au-dessus de la réception.

— Tu ne trouves pas ta plaisanterie quelque peu éculée, Booby ?

— Pas autant que celle-ci, a-t-il rétorqué en se levant de sa chaise. Et si je te montrais mon truc, et toi, les tiens ? Qu'en penses-tu ?

Il a reluqué les seins de Lena sous son col en V, et j'ai serré les poings. Les cheveux de Lena se sont mis à boucler, tandis qu'elle s'inclinait un peu plus vers lui.

— J'en pense qu'il est grand temps que tu te taises.

Bobby a ouvert et refermé la bouche comme un poisson-chat échoué sur le fond tari du lac Moultrie. Il n'a pas pipé mot.

— J'aime mieux ça, a conclu Lena.

Avec un sourire, elle s'est emparée de nos badges visiteurs.

— À plus, Bobby ! ai-je lancé.

Nous sommes partis en direction de l'arrière du bâtiment.

Plus nous nous enfoncions dans le couloir, plus l'atmosphère était douceâtre et l'odeur, épaisse. Je jetais un coup d'œil dans les chambres devant lesquelles nous défilions, chacune donnant l'impression d'être une sorte de caricature tristement réaliste de situations cacateuses figées en brefs clichés d'une vie pathétique.

Un vieillard était assis sur son lit d'hôpital, le crâne enveloppé de bandages blancs qui le rendaient d'une taille énorme et irréelle. Il avait des allures d'extraterrestre et s'amusait à retourner un yo-yo sur un plateau en métal. La femme installée dans le fauteuil face à lui piquait des points dans un tambour à broder. Une œuvre d'art qu'il ne verrait sans doute jamais. Elle n'a pas relevé la tête à notre passage, et je n'ai pas ralenti.

Dans la chambre suivante, un adolescent était allongé. Sa main courait sur une feuille, laquelle était posée sur une tablette en faux bois. Son regard était perdu dans le vague, et il bavait ; pourtant, il ne cessait d'écrire, à croire qu'il ne pouvait s'en empêcher. Le stylo semblait ne pas se déplacer ; c'était plutôt comme si les lettres se traçaient seules. Peut-être les moindres mots qu'il avait rédigés formaient-ils un immense tas de lettres empilées les unes sur les autres. Peut-être s'agissait-il de l'histoire de sa vie. Peut-être était-ce un chef-d'œuvre. Qui pouvait le dire ? Qui s'y intéressait ? Pas Bobby Murphy, pour sûr.

J'ai résisté à l'envie de m'emparer de la feuille afin de la décoder.

Un accident de moto ?

Sûrement. Je ne veux pas y penser, L.

Lena m'a serré la main, et j'ai essayé d'oublier l'image où, pieds nus et sans casque, elle avait filé à califourchon sur la Harley de John Breed.

C'était idiot, je sais.

Je l'ai entraînée au-delà de la chambre.

Au bout du couloir, des tas de gens occupaient celle d'une fillette. C'était la fête d'anniversaire la plus triste qui soit. Il y avait un gâteau acheté au Stop & Steal, des gobelets de ce qui paraissait être du jus de canneberge. Rien d'autre. Un gros 5 ornait le gâteau, et la famille chantait. Les bougies étaient éteintes.

Ils n'ont sans doute pas le droit de les allumer ici, Ethan.

Tu as déjà vu un anniversaire aussi naze ?

L'épaisseur douceâtre s'est accentuée. Une porte donnait sur une espèce de cuisine. Des cartons de compléments alimentaires et de nourriture liquide étaient entassés du sol au plafond. L'odeur émanait de là. De la bouffe qui n'en était pas. Destinée à des existences qui n'en étaient pas.

Destinée à ma tante Prue, qui avait glissé dans le grand inconnu pendant qu'elle dormait du sommeil du juste. Ma tante Prue, qui avait établi les plans des Tunnels mal connus avec la rigueur d'Amma remplissant une grille de mots croisés.

C'était trop horrible pour être vrai. Pourtant, ça l'était. Et ça ne se produisait pas dans quelque souterrain d'Enchanteur où le temps et l'espace différaient de ceux du monde des Mortels. Cela se passait dans le grand comté de Gatlin. Dans ma ville natale, au sein de ma propre famille.

Je n'étais pas certain de pouvoir affronter cela. Je ne tenais pas à voir tante Prue dans cet état. Je ne voulais pas me la rappeler ainsi.

Des chambres tristes et des compléments nutritionnels, le tout entre des murs peints dans un pêche à vomir.

J'ai failli tourner les talons. Je l'aurais sans doute fait si, à cet instant, je n'avais pas franchi une nouvelle porte. L'odeur a changé. Nous étions rendus. Je l'ai deviné au parfum qui m'a envahi les narines, celui des Sœurs : eau de rose et lavande, ce dernier arôme provenant des petits sachets en tissu qu'elles fourraient dans leurs tiroirs. Cette fragrance était particulière, et je n'y avais guère prêté attention, toutes les fois où j'avais écouté les Sœurs me débiter leurs histoires.

— Ethan.

Lena s'est placée devant moi. Derrière elle, j'ai perçu le bourdonnement des appareils branchés dans la chambre.

— Viens.

J'ai avancé vers elle, mais elle a posé les mains sur mes épaules.

— Tu as conscience que… qu'elle risque de ne pas être là ?

J'ai essayé de comprendre. En vain. Le bruit des machines inconnues qui accomplissaient des tâches inconnues sur le corps de ma tante si connue me perturbait.

— Qu'est-ce que tu racontes ? ai-je répondu. Bien sûr, qu'elle est là. Il y a son nom sur la porte.

Un petit cadre blanc comme ceux que l'on trouve scotchés sur les chambres des cités universitaires l'annonçait en effet, au marqueur noir délavé.

STATHAM PRUDENCE.

— Je sais que son corps est là, Ethan. Mais je te parle de ce qui fait d'elle ce qu'elle est d'habitude, tu saisis ?

Je pigeais. Naturellement. Bien malgré moi. C'était surtout ça que je ne voulais pas entendre. J'ai attrapé la poignée de la porte.

— Cela signifie-t-il que tu l'as prédit ? Comme Link a su sentir l'odeur de son sang et entendre les battements de son cœur ? Serais-tu en mesure de… la trouver ?

— Trouver quoi ? Son âme ?

— Est-ce un don qu'ont les Élues ?

Il y avait tant d'espoir dans ma question.

— Je l'ignore, a murmuré Lena, au bord des larmes. J'ai l'impression que je devrais intervenir, mais j'ignore comment.

Elle a détourné les yeux, fixé l'autre extrémité du couloir. Un ruisselet a dégouliné le long de sa mâchoire.

— Tu n'es pas censée tout savoir, L. Ce n'est pas ta faute, c'est la mienne. Abraham m'a rendu visite.

— Ce n'est pas toi qu'il cherchait, mais John.

Elle n'a pas continué, ce qui ne m'a pas empêché de deviner la suite. « À cause de moi. À cause de mon Appel. »

Elle a aussitôt changé de sujet.

— J'ai demandé à oncle Macon ce qui arrivait aux gens plongés dans le coma.

J'ai retenu mon souffle, en dépit de tout ce à quoi je croyais ou pas.

— Et ?

Elle a haussé les épaules.

— Il n'avait pas de réponse bien définie. Toutefois, les Enchanteurs pensent que l'esprit peut quitter le corps dans certaines circonstances. Un peu comme s'il Voyageait. Oncle M en a parlé comme d'une sorte de liberté, comme ce que sont les Diaphanes.

— Alors, ça ne serait pas trop mal.

J'ai songé à l'adolescent qui écrivait sans but, au vieux qui jouait avec son yo-yo. Eux ne Voyageaient pas. Eux n'étaient pas des Diaphanes. Eux étaient coincés dans la situation la plus Mortelle qui fût. Prisonniers d'enveloppes charnelles abîmées. Une chose que je n'étais pas en état de supporter. Pas quand il s'agissait de tante Prue.

Surtout pas quand il s'agissait d'elle.

Sans un mot, j'ai contourné Lena et suis entré dans la pièce, où elle m'a suivi.

Tante Prudence était la personne la plus petite du monde. Comme elle aimait à le répéter, elle se courbait un peu plus à chaque nouvelle année et rétrécissait à chaque nouveau veuvage. Elle m'arrivait à peine à hauteur de torse. Se serait-elle redressée de toute sa taille dans ses chaussures à semelles compensées de la Croix-Rouge, ça n'y aurait rien changé.

Cependant, allongée au milieu de ce grand lit d'hôpital et perforée par tous les types possibles et imaginables de tubes, elle paraissait encore plus menue. Son poids ne creusait même pas le matelas. Des rais de lumière traversant les persiennes en plastique dessinaient des barres sur son visage et son corps immobiles. L'ensemble faisait songer à une infirmerie de prison. Je n'ai pas réussi à la regarder en face. Pas au début.

J'ai avancé d'un pas vers le lit. J'ai vaguement pris conscience des moniteurs, dont j'ignorais à quoi ils servaient. Ils bipaient, des lignes colorées bougeaient. Il n'y avait qu'un fauteuil, au revêtement pêche et aussi confortable qu'un rocher, et une seconde couche, vide. Après le spectacle que m'avaient offert les autres chambres, elle avait des airs de guet-apens. De quelle cassure souffrirait la personne qui en serait prisonnière, lors de ma prochaine visite à ma tante ?

— Elle est stable. Ne vous inquiétez pas. Elle ne souffre pas. Simplement, elle n'est pas avec nous.

Une infirmière venait d'entrer. Dans la pénombre, je n'ai pas distingué ses traits, juste une masse de cheveux bruns noués en queue-de-cheval.

— Je vais vous laisser une minute avec elle, si vous voulez. Vous êtes ses premiers visiteurs depuis hier. Je suis sûre qu'elle sera contente de passer un peu de temps avec vous.

La voix de la femme était réconfortante, presque familière. Elle est ressortie avant que j'aie eu le loisir de la dévisager plus avant. Des fleurs fraîches émergeaient d'un vase, sur la table de chevet. De la verveine. Elles ressemblaient à ce qu'Amma s'était résolue à faire pousser à l'intérieur de la maison, pour cause de canicule dehors. Elle les surnommait « éclats de l'été », disait d'elles qu'elles étaient « rouges comme le feu ».

Pris d'une intuition, je me suis approché de la fenêtre, dont j'ai relevé le store. La lumière est entrée à flots, la prison a disparu. Un épais alignement de sel blanc courait sous le carreau.

— Amma, ai-je murmuré en souriant, incrédule. Elle a dû passer hier, pendant que nous nous occupions de tante Grace et de tante Charity. Je m'étonne qu'elle n'ait laissé que du sel.

— Ce n'est pas le cas, est intervenue Lena.

De sous l'oreiller de tante Prue, Lena a tiré un baluchon en toile de jute à l'apparence bizarre, fermé par une ficelle. Elle l'a porté à son nez et reniflé.

— Et il ne s'agit pas de lavande, a-t-elle commenté avec une grimace.

— Le but est sûrement de protéger tante Prue.

Elle a tiré le fauteuil près de lit.

— Tant mieux. J'aurais la frousse d'être allongée toute seule ici. Cet endroit est trop silencieux.

Elle a tendu la main vers celle de l'alitée, a hésité devant la perfusion scotchée au niveau des jointures. J'ai pensé à des roses tavelées. Ces mains auraient dû tenir un paroissien ou la donne d'une partie de rami ; la laisse d'un chat ou un plan des Tunnels. J'ai secoué la tête afin de chasser le mauvais pressentiment qui s'emparait de moi.

— Vas-y, ai-je encouragé Lena.

— Je ne sais pas si...

— Je pense que tu peux lui tenir la main, L.

Elle s'est exécutée, refermant les siennes sur la minuscule menotte de tante Prue.

— Elle a l'air paisible, comme si elle dormait. Regarde son visage.

Cela m'était impossible. À mon tour, j'ai étiré le bras et, maladroitement, je me suis emparé de ce qui devait être son gros orteil, sous le monticule pareil à une tente que formait son pied sous la couverture.

N'aie pas peur, Ethan.

Je n'ai pas peur, L.

Tu crois donc que j'ignore ce que ça fait ?

Quoi ?

De redouter la mort de quelqu'un qu'on aime.

Je l'ai contemplée, penchée au-dessus de la malade, telle une espèce d'infirmière Enchanteresse.

Je m'inquiète, L. Tout le temps.

Je m'en doute, Ethan.

Marian. Mon père. Amma. Qui sera le prochain ?

Je l'ai dévisagée.

Je m'inquiète pour toi.

Ethan, ne...

Laisse-moi m'inquiéter pour toi.

— S'il te plaît, Ethan.

On y était. La prise de parole. Celle qui remplaçait le Chuchotement quand ce dernier devenait trop intime. Un pas en arrière par rapport à réfléchir, un pas de côté par rapport à carrément changer de sujet.

— C'est plus fort que moi, ai-je cependant insisté. Dès l'instant où je me réveille jusqu'à l'heure où je m'endors, puis, entre les deux, durant chaque seconde de mes rêves.

— Regarde-la, Ethan.

Venant se placer près de moi, elle a placé sa paume sur la mienne et m'a guidé vers celle de tante Prue.

— Observe ses yeux.

J'ai obéi.

La blessée semblait différente. Ni heureuse ni triste. Ses prunelles laiteuses ne visaient rien. Comme l'avait dit l'infirmière, elle paraissait absente.

— Tante Prue ne ressemble à personne, a repris Lena. Je te parie qu'elle est partie en exploration, chose qu'elle a toujours désirée. Si ça se trouve, elle est en train de terminer son plan des Tunnels en ce moment même.

Après avoir déposé un baiser sur ma joue, Lena s'est écartée.

— Je vais voir s'il y a un distributeur de boissons. Tu veux quelque chose ? Ils ont peut-être du lait chocolaté ?

C'était sa façon à elle de me donner du temps en compagnie de ma grand-tante. Je ne lui ai pas dit, pas plus que je n'ai souligné que je ne tolérais plus le goût du lait chocolaté.

— Non merci.

— Appelle-moi en cas de besoin.

Elle est sortie en refermant la porte derrière elle.

Une fois seul, je n'ai su comment me comporter. J'ai fixé Prudence sur son lit, les tubes qui perforaient sa peau. J'ai doucement soulevé sa main en prenant soin de ne pas ébranler la perfusion. Je ne voulais pas lui faire mal, persuadé qu'elle devait continuer à ressentir la douleur. Elle n'était pas encore morte, après tout. Du moins, c'est ce que je ne cessais de me répéter.

Je me suis souvenu d'avoir lu quelque part qu'on était supposé parler aux comateux, car ils nous entendaient. Je me suis creusé la cervelle pour trouver quelque chose à dire. Sauf que ce sont les mêmes phrases qui roulaient à l'infini dans mon crâne.

« Je suis désolé. C'est ma faute. »

Ce qui était vrai. Le fardeau de la culpabilité pesait tant que j'avais l'impression de le sentir m'enfoncer physiquement en terre.

Pourvu que Lena ait raison. Pourvu que tante Prue soit quelque part en train de dresser des cartes ou de semer le trouble. Était-elle en compagnie de ma mère ? Où qu'elles soient, avaient-elles réussi à se localiser mutuellement ?

J'y réfléchissais toujours quand j'ai fermé les paupières...

La main bandée de tante Prue reposait dans la mienne. Mais quand j'ai regardé le lit, la malade avait disparu. J'ai cligné des yeux, et le lit lui-même s'est volatilisé, puis la chambre, jusqu'à ce que je ne sois plus nulle part, que je ne voie plus rien, que je n'entende plus rien.

Jusqu'à ce que résonnent des bruits de pas.

— C'est toi, Ethan ?

— Tante Prue ?

Elle a émergé du néant absolu en traînant des pieds, présente et absente à la fois, comme une lumière clignote, vêtue de sa plus belle robe d'intérieur, celle à fleurs criardes et aux attaches en forme de perles. Elle portait des chaussons tricotés dans l'identique arc-en-ciel de bruns que le châle préféré de tante Grace.

— Déjà de r'tour ? a-t-elle demandé en agitant son mouchoir. Comme hier soir, ch'te répète que j'ai des trucs à régler. Tu peux pas passer ton temps à v'nir me voir chaque fois que t'as besoin d'une réponse que j'ai pas à une de tes mô-dites questions.

— Pardon ? Je ne t'ai pas rendu visite hier soir, tante Prue.

Elle a froncé les sourcils.

— Essaierais-tu de jouer de mauvais tours à une vieille dame ?

— Que m'as-tu dit ?

— Qu'as-tu demandé ?

Elle s'est gratté la tête et, de plus en plus affolé, je me suis rendu compte qu'elle recommençait à s'estomper.

— Vas-tu revenir, tante Prue ?

— J'en sais encore r'en.

— Et si tu m'accompagnais, là, tout de suite ?

Elle a secoué la tête.

— Tu sais don' pas ? Ça dépend de la Roue de Fortune.

— Quoi ?

— Tôt ou tard, e' finit par nous écraser tous. Je t'y ai dit, t'as oublié ? Quand tu m'as questionnée à propos de v'nir par ici. Pourquoi que tu poses tant de questions, aujourd'hui ? Ch'uis claquée, faut que je me r'pose.

Elle s'était presque effacée, à présent.

— Fiche-moi la paix, Ethan. Et cherche pas à descend'. La Roue en a pas fini avec toi.

J'ai contemplé ses pantoufles en crochet marron qui disparaissaient.

— Ethan ?

La voix de Lena et sa main qui secouait mon épaule m'ont réveillé. J'avais la tête lourde, et c'est lentement que j'ai soulevé les paupières. Une lumière crue se déversait par la fenêtre dont les persiennes étaient relevées. Je m'étais assoupi dans le fauteuil, près du lit, comme autrefois je somnolais sur la chaise de bureau de ma mère en attendant qu'elle en ait terminé aux archives. Baissant les yeux, j'ai découvert tante Prue allongée, ses prunelles laiteuses entrouvertes comme si de rien n'était. J'ai lâché sa main.

J'avais sans doute l'air effrayé, car Lena a paru soucieuse.

— Qu'y a-t-il, Ethan ?

— Je... j'ai vu tante Prue. Je lui ai parlé.

— Dans ton sommeil ?

— Oui. Sauf que ça ne ressemblait pas à un rêve. Elle n'était pas étonnée de me croiser. Apparemment, j'étais déjà venu.

— Mais qu'est-ce que tu racontes ?

Lena m'observait très attentivement, maintenant.

— Hier soir. Elle m'a dit que je lui avais rendu visite. Je ne m'en souviens pas.

Cela devenait de plus en plus fréquent, et de plus en plus agaçant. Je passais mon temps à oublier des choses. Lena n'a pas eu le loisir de me répondre, car on a frappé, et l'infirmière a entrebâillé la porte.

— Désolée, les heures de visite sont terminées. Il faut que ta tante se repose, Ethan.

Les intonations avaient beau être amicales, le message était on ne peut plus clair. Nous sommes sortis dans le couloir. Mon cœur battait toujours aussi fort.

Alors que nous regagnions le hall, Lena s'est aperçue qu'elle avait laissé son sac dans la chambre de tante Prue et elle est retournée le chercher. En l'attendant, j'ai remonté le corridor à pas lents, me suis arrêté dans l'embrasure d'une porte. Je n'ai pas pu m'en empêcher. Le garçon avait à peu près mon âge et, l'espace d'une seconde, je me suis surpris à m'interroger sur ce que j'aurais ressenti si j'avais été à sa place. Il était toujours assis avec la tablette devant lui, sa main poursuivait son inlassable parcours. Après avoir vérifié que les parages étaient déserts, je me suis faufilé dans la chambre.

— Salut, mec ! T'inquiète, je ne fais que passer.

Je me suis installé sur le bord d'une chaise, devant lui. Ses yeux n'ont même pas noté ma présence, le stylo a continué à gribouiller. Il avait tellement écrit au même endroit qu'il avait transpercé le papier et même entamé le plastique de la table.

J'ai tiré sur la feuille, qui a bougé de quelques centimètres.

La main s'est arrêtée. J'ai fixé le regard du type.

Rien.

J'ai recommencé à tirer sur la page.

— Allez, donne ! Tu as écrit, je vais lire. J'ai envie de savoir ce que tu as à dire. De découvrir ton chef-d'œuvre.

La main s'est remise à s'agiter. J'ai extirpé la feuille, millimètre par millimètre, en m'efforçant de m'adapter à la vitesse du stylo.

c'est ainsi que finit le monde c'est ainsi que finit le monde
c'est ainsi que finit le monde à la dix-huitième lune à la dix-huitième lune
à la dix-huitième lune
c'est ainsi que finit le monde

Le mouvement a cessé net, une goutte de bave est tombée sur le stylo et le papier.

— Pigé. J'ai pigé, mec. La Dix-huitième Lune. Je trouverai ce que ça signifie.

La main a repris sa danse et, cette fois, j'ai laissé les lettres se chevaucher jusqu'à ce que le message soit de nouveau perdu.

— Merci, ai-je murmuré.

J'ai regardé derrière lui, là où son nom était écrit sur le petit tableau blanc qui n'était pas et ne serait jamais accroché à la porte d'une chambre de cité U.

— Merci, John.

28 septembre
La Fin des Temps

— C'est une sorte de signe.

Je ramenais Lena chez elle et je roulais à tombeau ouvert sur la Nationale 9. Elle ne cessait de jeter des coups d'œil au compteur.

— Ralentis, Ethan.

Ma rencontre avec le John blessé lui flanquait autant les jetons qu'à moi, mais elle se débrouillait mieux pour le dissimuler. Personnellement, je déguerpissais du County Care, de ses murs pêche et de son odeur écœurante, de ses corps brisés et de ses regards vides, comme si j'avais eu le diable à mes trousses.

— Il s'appelle John, ai-je répété, et il écrivait encore et encore que le monde se terminerait à la Dix-huitième Lune. La tablette accrochée au bout de son lit précise qu'il a été victime d'un accident de moto.

— Tu me l'as dit, oui.

Lena a effleuré mon épaule, ses boucles se sont agitées sous l'effet du vent.

— Si tu ne lèves pas le pied, a-t-elle enchaîné, je m'en charge à ta place.

La voiture a ralenti ; mon esprit, lui, a continué à foncer. J'ai levé les mains du volant, qui n'a même pas tourné.

— Tu veux conduire ? Je peux m'arrêter.

— Non. Mais si nous finissons nous aussi au County Care, nous ne serons pas en mesure de deviner ce qu'il se trame. Fais gaffe à la route.

— Qu'est-ce que signifie ce qui vient de m'arriver ?

— Réfléchissons un peu à ce que nous savons.

Je me suis forcé à repenser à la nuit où Abraham avait investi ma chambre. Pour la première fois alors, j'avais vraiment cru que John Breed était encore vivant. C'était là que tout s'était déclenché.

— Abraham recherche John Breed. Des Ires détruisent la ville et envoient tante Prue à l'hosto. Là, je croise un gars qui me prévient au sujet de la Dix-huitième Lune. Parce que cette drôle de coïncidence est sûrement une sorte d'avertissement.

— Comme ton Air Occulte. Et le futur livre de ton père.

— Oui.

J'avais encore du mal à définir ce que mon géniteur avait à faire là-dedans.

— Bref, a poursuivi Lena, la Dix-huitième Lune et John Breed sont liés, d'une façon ou d'une autre.

— Il faut que nous déterminions la date de cette Dix-huitième Lune. Mais comment ?

— Tout dépend de celui ou de celle qu'elle concerne.

Elle a regardé par la fenêtre ; j'ai formulé ce qu'elle ne voulait pas entendre.

— Toi ?

— Je ne crois pas, non.

— Comment ça ?

— Mon anniversaire est dans longtemps. Or Abraham semble très pressé de mettre la main sur John.

Pas faux. Ce n'était pas elle qu'il voulait, cette fois, c'était lui.

— De plus, a-t-elle ajouté, ton blessé ne s'appelait pas Lena.

Ça se tenait. Le type avait pour prénom John et il avait gribouillé des messages à propos de la Dix-huitième Lune. J'ai failli nous envoyer dans le décor. Le corbillard s'est redressé tout seul, et j'ai renoncé, ôtant carrément mes mains du volant. J'étais trop énervé pour conduire.

— Ce serait donc la Dix-huitième Lune de John, à ton avis ?

— Aucune idée, a-t-elle répondu en jouant avec son collier. Mais ça paraît coller.

J'ai inspiré un grand coup.

— Et si Abraham avait dit vrai, et que John Breed n'était pas mort ? Et s'il était censé se produire une catastrophe lors de sa Dix-huitième Lune ?

— Mon Dieu ! a soufflé Lena.

La voiture s'est arrêtée net, au beau milieu de la nationale. Un camion a klaxonné, et un tourbillon flou de métal rouge délavé nous a enveloppés. Durant une bonne minute, ni elle ni moi n'avons prononcé un mot. Le monde entier s'emballait, échappant à tout contrôle, et j'étais impuissant face à cela.

Après avoir déposé Lena à Ravenwood, je n'ai pas eu envie de rentrer à la maison. Il fallait que je réfléchisse, ce qui me serait impossible chez nous. Un seul regard suffirait à Amma pour deviner que quelque chose ne tournait pas rond. Je ne tenais pas à entrer dans la cuisine en affichant une insouciance que j'étais loin d'éprouver – comme si je n'avais pas vu Amma passer une espèce de marché avec l'équivalent vaudou d'un Enchanteur des Ténèbres ; comme si je n'avais pas parlé avec tante Prue, pourtant allongée inconsciente dans sa prison couleur pêche ; comme si je n'avais pas observé par hasard un type appelé John qui m'avait transmis un message m'annonçant que la fin du monde approchait.

Je voulais me frotter à la réalité : à la touffeur, aux criquets, au lac asséché, aux maisons détruites, aux toits enfoncés et aux Ordres cosmiques que je n'étais pas en mesure de réparer ; aux répercussions que l'Appel de Lena avait eues sur le monde des Mortels, à celles que la fureur d'Abraham avait eues sur ma ville. J'ai descendu la Grand-Rue, qui m'a paru mille fois pire à la lumière du jour que quelques nuits plus tôt.

Les vitrines avaient été remplacées par du contreplaqué. Invisible, Maybelline Sutter en train de baratiner ses clients au Snip 'n' Curl, tout en coupant leurs cheveux trop court ou en les teignant d'un blanc aux reflets bleuâtres ; invisible, Sissy Honeycutt posant des vases remplis d'œillets et de gypsophile sur le comptoir du Jardin d'Éden ; invisibles, Millie et sa fille servant des gaufres aromatisées au bouillon gras, quelques portes plus loin.

Certes, toutes étaient à l'intérieur de leurs boutiques, mais Gatlin avait cessé d'être une bourgade transparente pour devenir une ville claquemurée aux placards bondés de réserves, une ville dont les habitants guettaient le prochain ouragan ou la fin du monde – selon qu'on posait la question à l'un ou à l'autre.

Je n'ai donc guère été surpris de découvrir la mère de Link debout devant l'église baptiste évangélique lorsque j'ai bifurqué dans Cypress Grove. Pas loin de la moitié de Gatlin s'était rassemblée là : méthodistes et baptistes confondus envahissaient le trottoir, la pelouse, le moindre coin où ils avaient réussi à se frayer un passage à coups de coude. Le révérend Blackwell se tenait sur le seuil des portes ouvertes de l'édifice, sous les mots gravés : SEULS LES JUSTES ONT LEUR PLACE AU CIEL. Il avait remonté les manches de sa chemise blanche, froissée et déboutonnée ; il semblait ne pas avoir dormi depuis plusieurs jours. Il brandissait un porte-voix, non qu'il en ait

eu besoin, et haranguait les foules qui agitaient leurs pancartes en carton et leurs crucifix comme s'il était Elvis ressuscité.

— La Bi-ble... (il prononçait toujours le mot en accentuant la première syllabe) nous enseigne qu'il y aura des signes. Les sept sceaux annonçant l'Apocalypse.

— Amen ! Loué soit le Seigneur ! ont braillé ses ouailles.

Une voix dominait les autres, naturellement. Celle de Mme Lincoln qui, entourée par sa garde rapprochée des FRA, les Filles de la Révolution Américaine[1], avait pris place au pied du perron. Elle levait son propre panonceau maison, sur lequel étaient écrits en lettres rouge sang les mots : LA FIN DU MONDE APPROCHE.

Je me suis garé le long du trottoir. La chaleur m'a assailli sitôt la voiture à l'arrêt. L'antique chêne tordu qui étendait sa ramure au-dessus de l'église grouillait de criquets, dont la carapace noire reflétait les rayons du soleil.

— Guerre ! Sécheresse ! Pestilence ! a martelé le pasteur avant de marquer une pause afin de contempler l'arbre qui mourait de façon si pathétique. « Il y aura des phénomènes terribles, et de grands signes dans le ciel. » Luc, 21 : 11.

Durant une seconde, il a baissé la tête avec respect, avant de repartir de plus belle, un éclat déterminé dans le regard.

— J'ai été témoin de grands signes dans le ciel !

Les badauds ont exprimé leur accord.

— Il y a quelques nuits, une tornade est descendue du ciel, pareille à la main de Dieu ! Elle nous a touchés, a mis en pièces la charpente même de notre belle ville ! Une famille de justes a perdu sa maison. Notre bibliothèque, foyer des

1. Soit « Daughters of the American Revolution », ou DAR. Société datant de la fin du XIXe siècle, réservée aux femmes et impliquée dans l'éducation et la mémoire de l'histoire des États-Unis. Prônant des opinions conservatrices, les DAR ont soulevé la polémique à plusieurs reprises par leurs positions racistes, notamment à l'époque de la Ségrégation.

mots divins et humains, a été réduite en cendres. Croyez-vous qu'il s'agisse d'un accident ?

Nom d'un chien ! Le révérend qui défendait la bibliothèque. C'était du jamais vu. J'ai regretté que ma mère ne soit pas là pour assister à cette première.

— Non ! ont beuglé les fidèles en secouant la tête, fascinés par le prêche.

Le pasteur a tendu le doigt sur son public, balayant la mer de visages comme s'il s'adressait à chacun d'eux individuellement.

— Je vous le demande : était-ce un grand signe du ciel ?

— Amen !

— Oui ! a crié quelqu'un.

Le père Blackwell a serré sa bible contre sa poitrine comme une bouée de sauvetage.

— La Bête est à nos portes avec son armée de dé-mons !

Je n'ai pu m'empêcher de repenser à John Breed qui s'était en personne qualifié de Soldat du démon.

— Elle s'attaque à nous. Êtes-vous prêts ?

Mme Lincoln a brandi son écriteau fragile, et les dames des FRA, dont la distinction me perturbait toujours, l'ont imitée par solidarité. LA FIN APPROCHE a heurté SAUVONS LE SAINT-ESPRIT et a manqué d'arracher JE PRIE POUR MA RÉDEMPTION à son manche fabriqué avec un pieu de jardin.

— Je me battrai contre Satan à mains nues s'il le faut et je le renverrai d'où il vient ! a hurlé la mère de Link.

Je la croyais volontiers. Si nous avions vraiment affaire au diable, nous avions peut-être une chance avec elle dans nos rangs et menant la charge. Le révérend a soulevé le saint livre au-dessus de sa tête.

— La Bi-ble nous promet d'autres signes. Tremblements de terre, persécutions et tortures des é-lus.

Transporté par son propre discours, il a fermé les paupières.

— « Quand ces choses commenceront à arriver, redressez-vous et levez vos têtes, parce que votre délivrance approche. » Luc, 21 : 28.

Son message délivré, il a brutalement baissé le menton. Incapable de se contenir plus longtemps, Mme Lincoln lui a arraché le porte-voix d'une main tout en secouant sa pancarte de l'autre.

— Les démons arrivent ! s'est-elle égosillée. Nous devons nous préparer. Je le dis depuis des années ! Ouvrez les yeux et soyez vigilants ! Ils se trouvent peut-être déjà à la porte de votre cuisine ! Ils sont peut-être déjà parmi nous !

Amusant. Une fois n'est pas coutume, elle avait raison : les Démons se rapprochaient, cependant, les bonnes gens de Gatlin étaient tout sauf prêts au genre d'affrontement qu'ils leur réservaient.

Même Amma, avec ses poupées qui n'en étaient pas et ses cartes de tarot qui n'en étaient pas, ses lignes de sel sur les rebords des fenêtres et ses arbres à bouteilles, n'était pas de taille à lutter. Abraham et Sarafine soutenus par des bataillons d'Ires ? Hunting et sa Meute Sanglante ? John Breed qui n'était nulle part et partout à la fois ?

Par sa faute, la fin guettait, et les Démons étaient parmi nous. Tout tournait autour de lui. Il était coupable.

Or, s'il y avait une chose que j'avais appris à connaître tellement bien que je pouvais la sentir grouiller sous ma peau à l'instar des sauterelles qui grouillaient sur ce chêne, c'était la culpabilité.

28 septembre
Jeopardy

Il commençait à se faire tard quand je suis rentré à la maison. Lucille attendait sur la véranda, tête inclinée sur le côté comme si elle guettait mon prochain mouvement. Que j'ai moi-même découvert lorsque j'ai ouvert la porte et me suis dirigé en direction de la chambre d'Amma. Je n'étais certes pas prêt à l'affronter, mais j'avais besoin de son aide. La Dix-huitième Lune de John Breed était d'une ampleur trop formidable pour que je m'y frotte seul, et si quelqu'un savait ce qu'il fallait faire, c'était bien Amma.

La pièce était fermée. Je l'ai cependant entendue farfouiller dedans. Elle marmonnait également, d'une voix trop ténue pour que je parvienne à identifier ses paroles. J'ai frappé à petits coups, le crâne appuyé contre le bois frais.

« Qu'elle aille bien. Ne serait-ce que ce soir. »

Elle a entrebâillé la porte, juste assez pour m'apercevoir à travers la fente. Elle n'avait pas retiré son tablier ; une aiguille avec un fil pendant entre ses doigts. Derrière elle, dans la faible lueur de la chambre, j'ai distingué son lit couvert de bouts de tissu, de bobines et d'herbes. Elle était occupée à fabriquer ses amulettes, aucun doute là-dessus. Toutefois, quelque chose clochait. L'odeur – un odieux mélange d'essence et de réglisse –, la même qui avait assailli mes narines dans la boutique du bokor.

— Que se passe-t-il, Amma ?

— Rien qui te regarde. Et si tu montais faire tes devoirs ?

Elle fuyait mon regard et elle ne m'a pas demandé où j'avais disparu.

— Qu'est-ce que ça sent ?

J'ai scruté la pénombre, en quête de son origine. Une grosse bougie noire brûlait sur la commode, en tous points semblable à celle du sorcier maléfique. De minuscules paquets cousus main s'amoncelaient tout autour.

— Qu'est-ce que tu mijotes, là-dedans ?

Durant une seconde, elle a paru embarrassée, avant de se ressaisir, d'avancer et de refermer le battant derrière elle.

— Des talismans, comme d'habitude. Et maintenant, file à l'étage et inquiète-toi plutôt du triste souk que tu as le toupet d'appeler ta chambre.

Jamais encore Amma n'avait fait brûler chez nous quelque chose dont l'odeur évoquait celle de produits chimiques toxiques. Pas quand elle créait ses poupées, ni aucun de ses autres grigris. Je ne pouvais cependant pas lui dire que je connaissais l'origine de cette bougie. Elle m'aurait écorché vif en apprenant que je m'étais rendu dans l'antre du bokor ; par ailleurs, il m'était nécessaire de croire qu'elle avait une bonne raison de se comporter ainsi, une raison qui, tout bêtement, m'échappait. Parce qu'elle était ce qui se rapprochait le plus d'une mère pour moi ; parce que, à l'instar de ma mère, elle m'avait toujours protégé.

N'empêche, je souhaitais qu'elle se rende compte que j'étais attentif, que je soupçonnais une entourloupe.

— Depuis quand as-tu des bougies qui empestent au point de sembler appartenir à un labo de sciences nat' quand tu fabriques tes poupées ? Crin de cheval et...

Je me suis interrompu, l'esprit vide, incapable de me rappeler ce qu'elle fourrait dans ces fétiches, de ce que contenaient les bocaux alignés sur les étagères. Pour le crin de cheval, je me représentais concrètement le récipient. Mais qu'y avait-il dans les autres ?

Amma m'observait. Je ne voulais pas qu'elle s'aperçoive que j'avais des trous de mémoire.

— Laisse tomber. Si tu n'as pas envie de me dire ce que tu complotes, à ta guise.

J'ai décampé d'un pas rageur et suis ressorti sur la véranda. M'appuyant contre l'une des colonnes, j'ai écouté le bruit des criquets qui dévoraient la ville, comme si quelque chose semblait me manger le cerveau.

L'obscurité naissante était à la fois tiède et triste. Par la fenêtre ouverte me sont parvenus des gémissements de poêles malmenées et des grincements de parquet. Amma était en train de flanquer la raclée du siècle à la cuisine, histoire de lui apprendre à vivre. Elle avait sûrement renoncé à ses amulettes pour aujourd'hui. Pourtant, le fracas familier de ses activités quotidiennes ne m'a pas rasséréné. Au contraire, il a renforcé ma culpabilité, et mon pouls en a battu de plus belle. J'ai arpenté le porche plus vite, jusqu'à ce que les lattes du sol gémissent presque aussi fort que celles de la cuisine.

De chaque côté du mur, Amma et moi transpirions le secret et le mensonge.

Les parquets usés de notre demeure étaient-ils les seuls de Gatlin à connaître les squelettes dans nos placards de famille ? Il faudrait que je demande à tante Del de jeter un coup d'œil, si jamais elle recouvrait l'usage de ses pouvoirs.

La nuit était tombée, à présent. J'avais besoin de parler à quelqu'un. Je ne pouvais plus me tourner vers Amma. J'ai appuyé sur la touche trois de mon mobile, où j'avais enregistré un numéro de téléphone, dont je refusais d'admettre que je ne m'en souvenais plus, quand bien même je l'avais composé à des centaines de reprises. J'avais de plus en plus d'absences, désormais. J'ignorais pourquoi. Je me doutais que ce n'était pas bon signe, cependant. À l'autre bout du fil, on a décroché.

— Tante Marian ?

— Ethan ? Tu vas bien ?

Elle semblait surprise de m'entendre. « Non, je ne vais pas bien. J'ai peur et je suis paumé. Je suis aussi prêt à mettre ma main à couper qu'aucun d'entre nous ne va bien. » Je me suis efforcé de chasser ces réflexions sordides.

— Oui, oui, ai-je répondu à voix basse. Et toi, tu tiens le coup ?

— Ta mère aurait été fière de cette ville, a-t-elle lâché avec des intonations lasses. Il y a eu plus de volontaires à se présenter pour m'aider à ranger que je n'ai jamais vu de lecteurs du temps où la bibliothèque était intacte.

— C'est peut-être ça, le truc avec les livres incendiés. Tout dépend de qui les a brûlés.

— Une piste à ce sujet ? Un coupable ?

Sa façon de poser la question m'a convaincu qu'elle n'avait pensé qu'à cela depuis la catastrophe et qu'elle savait pertinemment que Mme Lincoln n'y était pour rien.

— C'est la raison de mon appel. Tu me rendrais service ?

Genre, me ramener en arrière, à l'époque où mon plus gros problème était d'être obligé de lire des magazines auto avec les copains au Stop & Steal ?

— Tout ce que tu voudras.

Sous-entendu, à condition que cela ne m'implique en aucune façon.

— Retrouve-moi à Ravenwood. Il faut que nous discutions. Toi, moi, Macon et tous les autres, j'imagine.

Silence. Juste le bruit de Marian en train de réfléchir.

— C'est à propos de ce qui vient de se passer ?

— Plus ou moins.

Nouveau silence.

— Je suis dans le pétrin, en ce moment, EW. Si le Conseil de la Garde Suprême apprend que j'enfreins encore une fois les règles...

— Tu te contentes de rendre visite à un ami dans cette maison. Aucune règle ne l'interdit. (« Vraiment ? ») Je ne te le demanderais pas si ce n'était pas important. Ça dépasse la bibliothèque, la canicule, les événements qui se produisent en ville. Il s'agit de la Dix-huitième Lune.

« Je t'en supplie. Toi et Amma êtes tout ce que j'ai, et elle a viré au noir comme jamais. Je ne peux pas m'adresser à ma mère. Donc, il ne me reste plus que toi. »

J'ai deviné sa réponse avant qu'elle ne la formule. S'il y avait un aspect que j'aimais chez Marian, c'était son aptitude à entendre ce qui était dit, y compris quand personne ne le disait.

— Accorde-moi quelques minutes.

Refermant mon portable, je l'ai balancé à côté de moi, sur la marche où je m'étais assis. Il était temps de passer un second coup de fil, mais le téléphone n'était plus nécessaire. J'ai regardé le ciel. Les étoiles avaient commencé à s'allumer, cependant que la lune les attendait déjà.

L ? Tu es là ?

Longtemps, elle n'a pas réagi. J'ai senti qu'elle se détendait lentement afin de connecter son esprit au mien.

Je suis là, Ethan.

Nous devons absolument comprendre ce qui se trame. Après ce qui s'est produit au County Care, nous ne pouvons plus nous permettre de perdre du temps. Va chercher ton oncle. J'ai déjà averti Marian, et je prendrai Link sur le chemin.

Et Amma ?

J'ai hésité à lui avouer notre confrontation de ce soir, mais c'était trop douloureux.

Elle est mal placée pour ça, en ce moment. Ta grand-mère ?

Elle est absente. Il y a tante Del. Et nous aurons du mal à exclure Ridley.

Voilà qui n'allait pas nous faciliter la tâche mais, si Link était présent, elle refuserait de s'éloigner.

Va savoir, on aura peut-être de la veine. Rid sera peut-être occupée à enfoncer des aiguilles dans de petites poupées vaudoues à l'image des cheerleaders.

Si Lena a ri, j'ai gardé mon sérieux. J'associais désormais ce genre de pratique à l'odeur empoisonnée qui avait envahi la chambre d'Amma. Bien que je sois seul sur la véranda, j'ai eu l'impression d'un baiser déposé sur ma joue.

J'arrive.

Je n'avais pas mentionné le nom de la dernière personne qui serait à notre réunion. Lena non plus, d'ailleurs.

Dans la maison, tante Grace et tante Mercy regardaient *Jeopardy !*[1]. Une bonne occasion pour moi de filer en douce, ai-je espéré. En effet, Amma avait toutes les réponses et faisait semblant de n'en connaître aucune, tandis que les Sœurs ne savaient rien du tout et soutenaient le contraire. Ce qui flanquait toujours une belle pagaille.

— « Dort durant trois ans. » Eh bé, Grace, aussi sûr que le péché ec-ziste, j'ai la réponse mais je te la dirai pas. Conchashima !

L'interjection était un juron inventé par tante Charity, qu'elle réservait aux occasions où elle voulait vraiment agacer l'une de ses frangines, car elle refusait de leur dire ce qu'il signifiait. Au demeurant, j'étais presque sûr qu'elle-même n'en avait pas la moindre idée.

— Conchashima toi-même, Charity ! Ch'uis sûre que la question qu'i' z-attendent, c'est : Que font tous les maris de Charity alors qu'i' sont censés bosser ?

1. Jeu télévisé (dont le titre signifie « péril ») créé en 1964 et toujours diffusé aux États-Unis. Le principe consiste pour les candidats à poser la question correspondant à une réponse énoncée.

— Pour moi, Grace, ch'uis plutôt d'avis qu'i' demandent combien de temps t'as ronflé au dernier sermon de Pâques. À baver sous mon beau chapeau à grosses roses.

— Ça dit trois ans, pas trois heures. Et pis, si l'révérend aimait pas tant s'écouter causer, ça nous faciliterait p'têt la tâche. Et p'is, quand ch'uis assise derrière Dot Jessup, j'vois que les plumes et les fleurs de son gros galurin de Pâques.

— Les escargots, a lancé Amma.

Les Sœurs se sont tournées vers elle, le regard vide. Amma a dénoué son tablier.

— Combien de temps un escargot peut-il dormir ? C'est ça la bonne question. Et vous, les filles, combien de temps encore allez-vous retarder mon dîner ? Et toi, Ethan Wate, où crois-tu aller comme ça, au nom du ciel ?

Flûte ! Je me suis figé sur le seuil. Rien n'arrivait jamais à tromper la vigilance d'Amma. Fidèle à elle-même, elle n'avait nullement l'intention de m'autoriser à sortir seul le soir, pas après Abraham, l'incendie de la bibliothèque et tante Prue. Elle m'a entraîné dans la cuisine, si vite qu'on aurait pu croire que je venais de me montrer insolent envers elle.

— Ne va pas croire que je ne m'en rends pas compte, quand tu me prépares un mauvais coup de derrière les fagots.

Elle a balayé la cuisine des yeux, en quête de la Menace du Cyclope. Je l'ai devancée cependant et j'ai fourré la cuiller dans la poche arrière de mon jean. Comme elle n'avait pas son crayon à papier taillé hyperpointu sur elle, elle était entièrement désarmée. Je me suis lancé :

— Ne t'inquiète pas, Amma, j'ai promis à Lena de dîner chez elle.

J'ai regretté de ne pouvoir lui avouer la vérité. Ce qui n'était pas possible, tant que je n'aurais pas éclairci ce qu'elle manigançait en s'acoquinant avec ce bokor de La Nouvelle-Orléans. Une main sur la hanche, elle a aussitôt contre-attaqué :

— Un soir de porc fumé à l'étouffée ? Sur mon riz doré de Caroline ? Celui qui a gagné trois premiers prix d'affilée ? Tu t'attends à ce que j'avale ces salades ? Toi, préférer un pâté de paon dans un plat en or à *mon* porc à l'étouffée ?

Elle a émis un reniflement dédaigneux. Précisons qu'elle n'était guère impressionnée par les talents de Cuisine. Ce en quoi je ne lui donnais pas tort.

— J'ai oublié, c'est tout.

Ce qui était vrai, alors qu'elle m'en avait parlé le matin même.

— Hum, a-t-elle marmonné, suspicieuse.

Ses soupçons étaient légitimes car, normalement, pareil repas était mon idée du paradis sur terre.

— D.I. S.S. I.M. U.L. A.T. I.O. N. Treize horizontal. Autrement dit, tu mijotes quelque chose, Ethan Wate, et ce n'est pas un dîner.

Elle était mal placée pour me le reprocher. Malheureusement, je n'avais pas de mot croisé à lui opposer. Me penchant sur elle, je l'ai enlacée.

— Je t'aime, Amma. Tu le sais, non ?

— Pour en savoir, des choses, j'en sais ! Par exemple, que tu es à peu près aussi franc du collier que la maman de Wesley est susceptible de boire un coup de gnôle, Ethan Wate !

Elle m'a repoussé, mais j'avais transpercé sa carapace. C'était mon Amma, celle qui se tenait dans sa cuisine étouffante et me grondait, que je le mérite ou pas, qu'elle en ait envie ou pas.

— Tranquillise-toi, ai-je repris. Je reviens toujours à la maison, non ?

Un instant, elle s'est radoucie et, posant une main sur ma joue, elle m'a contemplé en secouant la tête.

— Chante, beau merle, je ne t'écoute pas.

— Je serai rentré avant onze heures.

Après avoir attrapé les clefs de la voiture sur le comptoir, je l'ai vivement embrassée.

— Dix heures ! a-t-elle protesté. Une seconde de retard, et je t'oblige à baigner Harlon James demain ! *Tous* les Harlon James !

Je me suis enfui de la cuisine avant qu'elle ne tente de me retenir. Et qu'elle ne s'aperçoive que j'embarquais la Menace du Cyclope avec moi.

— Non mais vise un peu ! Waouh !

Link s'inclinait par la vitre de la Volvo, laquelle penchait dangereusement de son côté.

— Assis !

Il s'est laissé retomber sur son siège.

— Tu vois ces fossés noirs ? On dirait que quelqu'un a balancé du napalm ou joué du lance-flammes tout le long du chemin vers Ravenwood avant de s'arrêter brutalement.

Juste. Même sous la faible lueur de la lune, je distinguais les sillons profonds et larges d'au moins un mètre vingt qui bordaient chaque côté de la route et s'effaçaient à quelques pas des grilles de la plantation. Ravenwood était intact, mais l'attaque déclenchée contre la demeure par Abraham et ses Ires avait dû être massive. Lena ne m'en avait pas parlé, et je n'avais pas posé de questions, trop soucieux de ma propre famille, de ma maison, de ma bibliothèque. De ma ville.

Maintenant que j'avais les dégâts sous les yeux, j'espérais bien qu'il n'y ait pas pire. Je me suis garé, et Link et moi sommes descendus de voiture. Une pyrotechnie de cette ampleur, ça ne se loupait pas. Link s'est agenouillé devant la trace noire qui longeait le portail.

— Plus on approche de la baraque, plus c'est profond, a-t-il commenté. Juste avant de disparaître.

J'ai ramassé une branche calcinée qui s'est effritée entre mes doigts.

— Ça ne ressemble pas à la maison des Sœurs. Là-bas, on aurait plutôt dit qu'un ouragan avait tout dévasté. Ici, il y a eu un incendie. Comme à la bibliothèque.

— Si ça se trouve, les Ires infligent des punitions différentes aux… créatures différentes.

— Les Enchanteurs sont des gens, pas des créatures.

— Oui, oui, a-t-il répondu en s'emparant à son tour d'une branche. On est tous des gens, non ? En tout cas, je constate que ce bout de bois a été complètement grillé.

— Sarafine ? Le feu, c'est sa spécialité.

Bien qu'il me déplaise d'envisager cette éventualité, force m'était d'admettre qu'elle était plausible. Sarafine n'était pas morte. Elle errait quelque part dans les limbes.

— Pour sûr, elle est chaude.

Il a remarqué que je le contemplais comme s'il était cinglé.

— Ben quoi ? Je ne peux pas le formuler comme je le vois ?

— Sarafine est la Reine des Ténèbres, crétin.

— T'es allé au cinoche, récemment ? La Reine des Ténèbres est une vraie bombe. ASD.

Il a essuyé ses mains couvertes de cendres.

— Allons-y, a-t-il ensuite ordonné. Il y a quelque chose dans le coin qui me flanque la migraine. Tu entends ce bourdonnement, comme si tout un tas de tronçonneuses fonctionnaient ensemble ?

Les Sortilèges du Sceau. Il les percevait, désormais.

J'ai opiné, et nous sommes repartis. Les grilles rouillées et tordues se sont écartées dans la pénombre, comme si elles avaient guetté notre arrivée.

Où es-tu, L ?

Fourrant les mains dans mes poches, j'ai contemplé l'immense demeure, ses croisées, ses volets fendus recouverts de lierre, comme si la chambre de Lena n'avait pas changé. Une illusion, j'en avais conscience ; de là où elle était, Lena me voyait à travers ses murs en verre.

J'essaye de convaincre Reece de rester en haut avec Ryan, mais elle est aussi coopérative que d'habitude.

Link fixait le portique de la fenêtre opposée à celle de Lena.

Et Ridley ?

Je lui ai proposé de participer à la réunion, en pensant qu'elle ne manquerait pas de remarquer la présence de tout un chacun. Elle a répondu qu'elle serait là, mais, avec elle, qui sait ? Elle a un comportement très bizarre, ces derniers temps.

Si Ravenwood avait eu un visage, la chambre de Lena aurait été l'œil ouvert, et celle de Ridley, l'œil fermé. Les volets délabrés étaient poussés, de guingois, et la vitre, crasseuse. Une silhouette est apparue derrière. C'est ce qu'il m'a semblé, du moins. Dans l'obscurité naissante, ce n'était pas évident. Je ne l'ai pas identifiée, j'étais trop loin. Mais, tout à coup, la croisée s'est mise à tressauter, de plus en plus fort, jusqu'à ce que l'un des volets sorte de ses gonds et glisse le long de la façade. À croire que quelqu'un essayait de forcer la fenêtre, même si cela supposait de démolir la maison. Un instant, j'ai songé à un tremblement de terre, sauf que le sol ne bougeait pas. Seule la demeure était ébranlée.

Étrange.

Ethan ?

— Tu as vu ça ? ai-je demandé à Link.

Lui, cependant, examinait la cheminée, à présent.

— Regarde ! a-t-il répondu. Les briques dégringolent.

Les trémulations se sont accentuées, et une sorte d'énergie a paru envahir tout l'édifice. La porte d'entrée a été secouée.

Lena !

Je me suis rué en avant. De l'intérieur provenaient des bruits d'objets tombant et se brisant. J'ai appuyé sur le linteau du battant, là où se dissimulaient les bas-reliefs des Enchanteurs. Il ne s'est rien produit.

Attends, Ethan. Il y a un hic.

Tu vas bien ?

Oui. D'après oncle Macon, une énergie quelconque essaye d'entrer.

D'ici, on a plutôt l'impression qu'elle essaye de sortir.

Soudain, la porte s'est ouverte, et Lena m'a tiré dans la maison. L'épaisse couverture de pouvoirs en action a pesé sur mes épaules sitôt que j'ai eu franchi le seuil. Link a plongé derrière moi, et le battant a claqué dans notre dos. Après ce qui venait de se passer dehors, j'étais soulagé d'être dedans. Jusqu'à ce que je regarde autour de moi, cependant.

Je m'étais habitué aux constantes modifications intérieures de Ravenwood Manor. J'avais eu droit à tout, des antiquités d'une plantation traditionnelle au gothique d'un film d'horreur classique. Toutefois, je n'étais pas préparé à ce que j'ai découvert.

La pièce avait des allures de bunker surnaturel, équivalent Enchanteur de la cave de Mme Lincoln, dans laquelle elle entassait des réserves de tout ce qui était censé l'aider à survivre à une tornade comme à l'Apocalypse. Ici, les murs avaient été couverts de ce qui ressemblait à un blindage, panneaux métalliques du sol au plafond, et les meubles avaient disparu. Les livres et les fauteuils en velours avaient été remplacés par de vastes bidons en plastique, des caisses de bougies et de Scotch. Un sac de nourriture pour chien était visiblement destiné à Boo, quand bien même je ne l'avais jamais vu manger autre chose que des steaks. Une rangée de pichets blancs ressemblait de façon suspicieuse aux stocks d'eau de Javel que la mère de Link accumulait afin de « prévenir l'épidémie infectieuse ». M'approchant, je me suis saisi de l'un d'entre eux.

— Qu'est-ce que c'est ? Une espèce de désinfectant Enchanteur ?

Me le reprenant, Lena l'a remis à sa place avec les autres.

— Oui. On appelle ça de la Javel.

Link a tapoté l'un des tambours.

— Ma mère adorerait cet endroit. Ton oncle y gagnerait en prestige à ses yeux. Enfoncés, nos kits de survie pour trente-six ou soixante-douze heures. La vache ! Vous êtes prêts à affronter un sacré désastre. Vous en avez pour

tenir quoi ? Trois semaines ? Il vous manque juste un levier.

— Un levier ? ai-je répété, ahuri.

— Pour soulever les gravats afin de récupérer les cadavres.

— Hein ?

Mme Lincoln était encore plus folle que je l'imaginais.

— Vous n'avez pas de nourriture non plus, a lancé Link à Lena.

— C'est là que les Enchanteurs diffèrent des Mortels, monsieur Lincoln, a expliqué Macon, debout sur le seuil de la salle à manger, l'air parfaitement détendu. Cuisine est capable de nous fournir tout ce dont nous pourrions avoir besoin. Mais l'important est d'être préparé, n'est-ce pas ? Nous en avons la preuve ce soir.

D'un geste, il nous a invités à le suivre. La table noire aux pieds griffus s'était elle aussi volatilisée ; à sa place, il y en avait une en aluminium étincelant qui paraissait provenir d'un laboratoire de recherches. Link et moi étions bons derniers, puisqu'il ne restait que deux sièges libres, en sus de ceux de Lena et de Macon.

Pour peu que je fasse abstraction de la curieuse table et des feuilles de métal aux murs, la scène m'évoquait les Journées du Clan et la première fois que j'avais été présenté à la famille de Lena. À l'époque où Ridley était encore une Enchanteresse des Ténèbres, quand elle m'avait entourloupé pour que je l'aide à entrer dans Ravenwood. Ces souvenirs semblaient presque amusants, aujourd'hui... Un monde où la plus grande menace se réduisait à Ridley.

— Je vous en prie, asseyez-vous, messieurs. Nous sommes en train d'essayer de déterminer l'origine de ces secousses.

Je me suis glissé sur l'une des chaises vides à côté de Lena, tandis que Link occupait l'autre. À en juger par le nombre de personnes présentes, je n'étais pas le seul à avoir des soucis. Sauf que je ne l'ai pas dit. Pas à Macon, en tout cas.

Je sais. C'est comme s'il nous avait attendus. Lorsque je lui ai annoncé que tu venais, il n'a pas paru surpris. C'est alors que tous les autres ont commencé à débarquer.

Marian s'est penchée en avant, dans la flaque de lumière que dispensait la bougie la plus proche.

— Que s'est-il passé à l'instant ? Nous l'avons ressenti ici, à l'intérieur.

— Je l'ignore, mais nous l'avons également ressenti dehors, a lâché une voix dans mon dos.

Dans la pénombre, j'ai distingué Macon qui faisait un geste en direction de la table.

— Pourquoi ne t'assieds-tu pas à gauche d'Ethan, Leah ?

Le temps que je me retourne, un siège était apparu entre Link et moi, et Leah Ravenwood y était installée.

— Bonsoir, Leah, l'a saluée Link.

Lorsqu'elle a constaté les changements qui s'étaient produits en lui, elle a écarquillé les yeux. Je me suis demandé si elle était en mesure de flairer en lui les éléments de sa propre espèce.

— Bienvenue, frère, lui a-t-elle dit, comme pour confirmer mes soupçons.

Ses cheveux noirs étaient noués en une queue-de-cheval et, une fraction de seconde, cela m'a rappelé l'infirmière du County Care.

— C'était donc vous au chevet de tante Prue ?

— Chut, nous avons des matières plus importantes à discuter.

Elle a serré ma main avec un regard complice, sa manière de répondre à ma question.

— Merci d'avoir veillé sur elle.

— De rien. Je me borne à obéir aux ordres.

Elle mentait. Leah était aussi indépendante que Lena.

— Vous n'obéissez jamais aux ordres.

Elle a éclaté de rire.

— Bien. Alors, je fais ce que je veux, si tu préfères. Et j'aime garder un œil sur les miens. Les miens, les tiens, ce sont les mêmes.

Avant que j'aie pu dire quoi que ce soit, Ridley a débarqué dans la pièce, habillée de fringues qui ressemblaient plus à des sous-vêtements qu'à de vrais vêtements. Un instant, les flammes des chandelles ont vacillé ; Ridley continuait à produire son effet sur ces lieux.

— Je ne vois mon nom sur aucun carton, mais je suis invitée à la fête, n'est-ce pas, oncle M ?

— Tu es la bienvenue à notre réunion.

Macon a conservé son calme, sans doute habitué maintenant aux éclats de sa nièce.

— Que sont exactement ces habits, chérie ? s'est enquise tante Del.

Elle avait porté une main à ses yeux, comme si elle avait du mal à voir quoi que ce soit sur le corps de sa fille. Cette dernière a sorti un chewing-gum de son emballage, jetant celui-ci sur la table.

— Alors ? a-t-elle lancé. Suis-je une invitée ou la bienvenue ? J'aime connaître l'ampleur de la rebuffade. Je boude mieux ensuite.

— Tu es chez toi à Ravenwood, Ridley.

S'il a tapoté impatiemment des doigts, Macon ne s'est pas départi de son sourire, à croire qu'il avait tout le temps disponible devant lui pour pareils enfantillages.

— Soyons précis : Ravenwood appartient à ma *cousine*, oncle M. Puisque tu le lui as légué et nous a lésés.

Oups ! Elle était en pleine forme, ce soir.

— Alors, a-t-elle poursuivi, on ne bouffe pas ? Ah, oui, c'est vrai ! Cuisine n'est plus elle-même. Aucun de vous ne l'est, d'ailleurs. Amusant, non ? Je me retrouve en compagnie de toute une bande de créatures surnaturelles dotées de mégapouvoirs, et personne n'est capable de nous servir à dîner.

— Quelle insolence ! a murmuré tante Del en secouant la tête avec tristesse.

Du bras, Macon a indiqué à Ridley de s'asseoir.

— J'apprécierais que tu fasses preuve d'un peu plus de respect envers les problèmes... mineurs que nous traversons en ce moment.

— Comme tu voudras, a-t-elle rétorqué avec un geste dédaigneux de ses mains aux longs ongles vernis roses. Que la fête commence !

Elle a remonté la bretelle de sa tenue... si tant est qu'on ait pu la qualifier ainsi. Même au regard de ses standards, elle était fort peu vêtue.

— Tu n'as pas froid ? a chuchoté sa mère.

— C'est du *vintage*, a riposté Ridley.

— Qui vient d'où ? Du Moulin-Rouge ?

La remarque émanait de Liv qui se tenait dans l'encadrement de la porte, chargée de livres et de documents. Lorsqu'elle est passée devant elle pour gagner une nouvelle chaise vide, Ridley a tiré sur sa tresse.

— À vrai dire, Fifi Brindacier...

— S'il vous plaît, a lancé Macon en leur intimant le silence à toutes deux d'un seul regard. Ta théâtralité m'impressionne, Ridley, ton costume, un peu moins. Si tu avais la bonté de t'asseoir, à présent.

Il a soupiré avant de s'adresser à Liv.

— Merci de nous avoir rejoints, Olivia.

Ridley a pris place en se tortillant sur le siège qui venait de surgir à côté de Link, qu'elle a ignoré le plus attentivement possible.

— Je ne sais pas quel genre de magasin est ce Mool & Rouge, s'est-il marré, mais s'il y en a un au centre commercial de Summerville, c'est là que je t'achèterai ton cadeau d'anniversaire.

Ridley a gardé les yeux fixés devant elle, histoire de signifier qu'elle n'avait pas remarqué qu'il l'avait remarquée.

— Avez-vous ressenti les trémulations, Olivia ? a demandé Macon.

Je m'efforçais de ne regarder que Macon. Cela ne m'a pas empêché d'entendre Liv s'installer et jeter ce qui devait être son calepin rouge sur la table, puis de remonter les cadrans de son sélenomètre. Je connaissais tous les sons qui la caractérisaient, à l'instar de ceux de Link, d'Amma ou de Lena.

— Si vous permettez, monsieur ? a-t-elle répondu en poussant une pile d'ouvrages et de papiers vers lui. Je voudrais m'assurer que j'ai pris les bonnes mesures.

— Je vous en prie, Olivia.

Lena se raidissait chaque fois que Macon prononçait le prénom de Liv. Je sentais son agacement m'atteindre par vagues. Inconsciente de l'effet qu'elle produisait, Liv a enchaîné :

— Grosso modo, c'est de pire en pire. Si les nombres sont justes, une énergie particulière est attirée par cette maison.

Génial ! Je n'avais vraiment pas besoin que Liv aborde le sujet des attirances.

— Intéressant, a acquiescé Macon. Elle forcit, donc, comme nous le soupçonnions ?

Le « nous » a dû être la goutte de trop pour Lena.

Elle m'horripile.

— Liv ?

Zut ! J'avais accidentellement parlé à voix haute. Qu'est-ce qui déraillait chez moi ? Je ne pouvais même plus Chuchoter normalement ! Lena m'a dévisagé avec stupeur.

— Oui, Ethan ?

Liv attendait que je lui pose une question. Toute la tablée s'était tournée dans ma direction. Il fallait que j'invente quelque chose. Sur quoi avait porté la conversation ?

L'attirance.

— Je me demandais...

— Oui ?

Liv m'observait avec curiosité. Heureusement que Reece n'était pas là ; malgré ses pouvoirs en berne, une Sibylle aurait lu en moi comme dans un livre. Je n'avais besoin d'aucun sélenomètre pour détecter ou mesurer mes émotions : même si nous n'étions jamais plus que des amis, Liv et moi aurions toujours un lien particulier. Mon ventre s'est contracté. Pour une fois, la sensation relevait moins d'un essaim de guêpes que d'une bande d'Ires en train de me ronger les entrailles.

— Les Ires, ai-je balancé tout à trac.

L'assemblée continuait de me fixer. Liv a opiné, guettant patiemment la suite.

— Oui, m'a-t-elle encouragé, elles se sont activées beaucoup plus que d'habitude, ces derniers temps.

— Non. Enfin, ce que je veux dire, c'est… Nous partons du principe que quelque chose essaye d'entrer dans Ravenwood à cause de toutes les attaques lancées sur nous par Abraham, n'est-ce pas ?

— Ma bibliothèque a presque été réduite en cendres, a riposté Marian. La maison de tes tantes a été détruite. Il me semble que cette assertion est fondée, non ?

Malgré les regards qui laissaient supposer que j'étais un idiot, j'ai persisté :

— Et si nous nous trompions ? Si quelqu'un agissait de l'intérieur ?

Liv a haussé un sourcil. Ridley a brandi les mains en l'air.

— C'est l'idée la plus bête…

— Elle est géniale, en réalité, l'a coupée Liv.

— Voilà qui ne m'étonne pas de *toi*, Mary Poppins, a lâché Rid en levant les yeux au ciel.

— À moins que tu aies autre chose de plus convaincant à proposer, tu vas devoir la boucler et m'écouter, a craché Liv avant de s'adresser à Macon. Ethan pourrait être dans le vrai. Mes nombres montrent une anomalie que je n'ai pas réussi à m'expliquer jusque-là. Mais si j'analyse les données

d'un point de vue différent, ça devient parfaitement logique.

— Pourquoi quelqu'un comploterait-il de l'intérieur ? a demandé Lena.

Je me suis concentré sur le calepin rouge, avec ses rangées de nombres et ses notes portant sur nos rares certitudes.

— La question n'est pas pourquoi, est intervenu Macon d'une voix étrange. Mais qui.

Lena a jeté un coup d'œil à Ridley. Elle et moi étions sur la même longueur d'onde. Sa cousine a bondi sur ses pieds.

— Vous me soupçonnez ? C'est toujours moi qu'on accuse quand les choses ne tournent pas rond !

— Calme-toi, a dit Macon. Personne ne...

— N'avez-vous donc jamais douté de la véracité des chiffres de la montre débile de Mlle Je-Sais-Tout ? Bien sûr que non ! Tout ça, parce que vous lui mangez dans la main.

Lena a souri.

Ce n'est pas drôle, L.

Je ne rigole pas.

— Ça suffit ! a tonné Macon. Il est fort possible que rien ne tente de pénétrer dans Ravenwood. Si ça se trouve, les lieux sont déjà infestés.

— Mais ne l'aurions-nous pas remarqué si l'une des créatures d'Abraham avait rompu les Sceaux ? a objecté Lena, guère convaincue.

Macon s'est mis debout, le regard vrillé sur moi. Comme lors de notre première rencontre, quand je lui avais montré le médaillon de Genevieve.

— Bien vu, Lena. Encore faudrait-il que nous ayons affaire à une rupture.

— À quoi penses-tu ? lui a demandé sa sœur Leah.

Il a contourné la table jusqu'à ce qu'il soit juste en face de moi.

— Je suis plutôt intéressé par ce que pense Ethan.

Ses prunelles vertes se sont mises à luire, me rappelant la couleur luminescente qui émanait de l'Orbe Lumineux.

— Que se passe-t-il ? ai-je murmuré en direction de Leah, qui semblait ébranlée.

— Je savais que les pouvoirs de Macon avaient changé quand il est devenu Enchanteur. J'ignorais cependant qu'il avait reçu celui de la Fouille Mentale.

— Et qu'est-ce que ça signifie exactement ?

Ça ne paraissait pas de très bon augure, dans la mesure où Macon était entièrement concentré sur moi.

— L'esprit est un labyrinthe. Macon peut y naviguer à sa guise.

Une réponse à la Amma, du genre qui n'expliquait pas grand-chose.

— Quoi ? Il déchiffre les pensées des autres ?

— Pas comme tu l'imagines. Il en perçoit les perturbations, les anomalies, les parasites.

Leah ne quittait pas son frère des yeux. Les iris verts de ce dernier étincelaient, aveugles à présent. Pourtant, j'avais conscience d'être l'objet de son examen. Il était dérangeant d'être ainsi dévisagé sans être vu. Cela a duré une longue minute.

— Vous !

— Quoi, moi ?

— Il semble que vous ayez apporté quelque chose, non... quelqu'un avec vous ce soir. Un invité clandestin.

— Ethan ne ferait jamais un truc pareil ! s'est récriée Lena, aussi ahurie que moi.

Macon l'a ignorée, toujours focalisé sur moi.

— Je ne parviens pas à mettre le doigt dessus, mais un changement s'est produit.

— Qu'est-ce que vous racontez ?

Un malaise grandissant s'emparait de moi. Marian s'est levée, lentement, comme pour ne pas effaroucher l'oncle de Lena.

— Macon, vous avez conscience que l'Ordre brisé affecte les pouvoirs de tout un chacun. Vous n'êtes pas immunisé. Est-il envisageable que vous perceviez quelque chose qui n'existe pas ?

La lueur verte s'est éteinte dans les yeux de l'interpellé.

— Tout est possible, Marian, a-t-il répondu.

Mon cœur battait comme un fou dans ma poitrine. Un instant plus tôt, il m'accusait d'avoir introduit un intrus à Ravenwood, et maintenant… quoi ? Il se ravisait ?

— Monsieur Wate, j'ai la sensation que vous n'êtes pas vous-même. Un élément significatif manque. Ce qui explique pourquoi j'ai eu la sensation d'un étranger dans ma maison, quand bien même vous êtes cet étranger.

Tout le monde me reluquait. J'ai eu l'impression que le sol se dérobait sous moi.

— Comment ça, un élément manque ? Lequel ?

— Je vous le dirais si je le savais. Malheureusement, je ne suis certain de rien.

Il a commencé à se détendre. Je ne comprenais rien à ce qu'il disait, mais je m'en fichais. Il était exclu que je reste ici à me laisser accuser de crimes que je n'avais pas commis. Tout ça parce que ses dons marchaient de travers, et qu'il était trop arrogant pour l'admettre. Mon univers s'écroulait autour de moi, et j'exigeais des réponses.

— J'espère que vous vous êtes bien amusé à traficoter dans ma tête, quel que soit le terme que vous employez pour ce type d'activité. Mais je ne suis pas venu ici ce soir pour parler de cela.

— Pour parler de quoi, alors ? a-t-il riposté en se rasseyant.

Ses intonations laissaient entendre que je faisais perdre son temps à toute l'assemblée. Ma colère en a augmenté d'autant.

— La Dix-huitième Lune ne concerne ni Ravenwood ni Lena, mais John Breed. Sauf que nous ignorons où il est et ce qui va se produire.

— Je suis d'accord avec Ethan, est intervenue Liv en mâchonnant son crayon.

— Je pensais que vous aimeriez être au courant, afin de le localiser, ai-je enchaîné.

Je me suis redressé.

— Je suis navré si je vous parais ne plus être moi-même. C'est peut-être lié au fait que le monde s'écroule.

Où vas-tu, Ethan ?

Tout ça, ce ne sont que des conneries.

— Du calme, Ethan, m'a lancé Marian.

— Va dire ça aux Ires qui ont détruit la ville. Ou à Abraham, à Sarafine et à Hunting. (J'ai tourné la tête vers Macon.) Et si vous pratiquiez votre vision à rayons X sur eux ?

Ethan !

Je me tire.

Il ne voulait pas...

Je me fous de ce qu'il voulait, L.

Macon m'observait attentivement.

— Les coïncidences, ça n'existe pas, n'est-ce pas ? Quand l'univers m'avertit de quelque chose, c'est en général ma mère qui s'adresse à moi. Et je compte bien l'écouter.

Je suis sorti sans laisser à quiconque le temps de répondre. Je n'avais pas besoin d'être un Pilote pour savoir qui s'égarait.

4 octobre

Poulet caoutchouteux

J'étais cerné par le brasier. J'en sentais la chaleur, j'en distinguais les flammes colorées. Orange, rouge, bleu. Le feu était tellement plus bigarré que ce que croyaient les gens.

Je me trouvais dans la maison des Sœurs ; plus exactement, j'en étais prisonnier.

Où es-tu ?

Je baissais les yeux, conscient qu'il allait surgir d'un instant à l'autre. La voix résonnait soudain à travers le rez-de-chaussée embrasé.

J'ATTENDS.

Me ruant vers elle, je dévalais les marches, mais l'escalier cédait sous mes pieds, et je dégringolais. Le plancher s'effondrait, mon épaule traversait le bois incandescent, et je tombais au sous-sol.

Orange, rouge, bleu.

Je m'apercevais alors que j'étais dans la bibliothèque, et non dans la cave de tante Prue. Autour de moi, les ouvrages brûlaient.

De Vinci. Dickinson. Poe. Un autre aussi.

Le *Livre des lunes.*

J'entrevoyais également un éclat gris qui n'appartenait pas du tout à l'incendie.

C'était lui.

La fumée m'engloutissait, et je perdais connaissance.

Je me suis réveillé sur le sol. Lorsque je me suis regardé dans le miroir de la salle de bains, mon visage était noir de suie. Toute la journée, je me suis retenu de tousser des cendres.

Je dormais encore plus mal que d'ordinaire depuis mon altercation avec Macon – si c'en était une. Se disputer avec lui revenait en général à se brouiller avec Lena, ce qui était plus douloureux qu'une prise de bec avec toutes mes connaissances à la fois. Sauf que tout était différent, désormais, et Lena était autant que moi à court de mots.

Nous tâchions de ne pas penser à ce qui se produisait alentour, entre les événements que nous n'étions pas en mesure d'arrêter et les réponses que nous étions incapables de trouver. Malheureusement, les uns et les autres rôdaient sans cesse aux confins de nos esprits, quand bien même nous refusions de l'admettre. Nous nous efforcions de nous concentrer sur ce que nous maîtrisions, comme éviter les ennuis à Ridley et protéger nos maisons des criquets. Lorsque tous les jours ont des allures de Fin des Temps, ils finissent au bout d'un moment par ne plus se distinguer les uns des autres, bien que l'on sache que c'est dingo. Et que rien n'est jamais complètement uniforme.

La chaleur a augmenté, les sauterelles sont devenues de plus en plus voraces, et la ville, de plus en plus cinglée. Pardessus tout, c'est la canicule qui nous affectait. Elle signalait que, quel que soit le joueur qui marquait un panier, le type qui sortait avec une fille ou le malade qui végétait dans un lit du County Care – sous chaque geste, de la minute où l'on s'éveillait à celle où l'on s'endormait, et durant toutes celles dans l'intervalle –, quelque chose allait mal, et que ça ne risquait pas de s'améliorer. Que ça risquait d'empirer, même.

Je n'avais cependant pas besoin du témoignage de la touffeur extérieure. Je disposais de toutes les preuves nécessaires à l'intérieur – dans notre cuisine, plus exactement. Le lien d'Amma avec ses fourneaux s'apparentait presque à une mutuelle phagocytose et, quand elle était préoccupée, cela se répercutait toujours dans ses plats. Je n'arrivais pas à deviner ce qui la tracassait, et ce n'était certainement pas elle qui me le révélerait. Je ne pouvais que récolter les indices qu'elle laissait transparaître dans la langue qu'elle utilisait le plus – l'art culinaire.

Indice numéro un : le poulet caoutchouteux. Un élément fort pratique lorsqu'il s'agissait de déterminer un état d'esprit et un horaire, un peu comme la rigidité cadavérique d'un corps dans un feuilleton policier. Pour Amma, dont la volaille aux boulettes de pâte était célèbre dans trois comtés, un poulet caoutchouteux signifiait : a) qu'elle était distraite et b) qu'elle était affairée. Elle n'oubliait pas seulement de le sortir du four ; elle ne prenait pas le temps de s'en inquiéter ensuite. Ainsi, après avoir été trop longtemps exposé à la chaleur, il refroidissait trop. Attendant qu'Amma daigne apparaître ; ce à quoi nous autres étions également réduits : je consacrais ma vie à essayer de deviner où elle était et ce qu'elle fabriquait.

Indice numéro deux : l'absence de desserts. Ou, quand elle se résolvait à en préparer, l'absence de sa célèbre tarte au citron meringuée. Traduction : a) Amma ne consultait plus les Grands et b) notamment pas oncle Abner. Je ne m'étais pas donné la peine d'aller vérifier dans le placard aux alcools, mais du Jack Daniel's manquant à l'appel voulait souvent dire qu'un marché avait été passé avec oncle Abner.

La petite visite au bokor avait-elle quelque chose à voir là-dedans ?

Indice numéro trois : le thé glacé était affreusement douceâtre. Conclusion : a) les Sœurs se glissaient en catimini dans la cuisine afin d'ajouter du sucre dans le pichet, comme elles le faisaient avec le sel dans les sauces, ou b) Amma était tellement ailleurs qu'elle ne se rappelait plus combien de cuillerées de sucre elle mettait dans le thé, ou c) c'était moi qui délirais.

Les trois à la fois, peut-être. Il n'empêche, Amma complotait quelque chose, et j'étais bien décidé à découvrir de quoi il s'agissait. Même si, pour ça, je devais aller voir le bokor en personne.

Et puis, il y avait la chanson. Je l'entendais tous les jours un peu plus souvent, comme ces airs à la mode que diffusent les radios jusqu'à écœurement, et qui vous restent dans la tête.

Dix-huit lunes, dix-huit peurs,
Cris des Mortels ne demeurent,
Invisibles, inconnus
Que Reine des Démons tue...

La Reine des Démons ? Sans blague ? Après le vers consacré aux Ires, je n'osais imaginer ce que pouvait être une rencontre avec cette dame. Pourvu que ma mère l'ait confondue avec la reine du bal !

Malheureusement, les chansons ne se trompaient jamais.

J'essayais de ne pas songer aux hurlements des Mortels assassinés par cette Reine des Démons. Mais il m'était difficile d'échapper aux réflexions que je m'efforçais d'étouffer, aux conversations qui n'avaient pas lieu, aux peurs que je ne confessais pas, à la terreur qui montait en moi. Surtout la nuit, lorsque j'étais en sécurité dans ma chambre.

En sécurité, et plus vulnérable que jamais.

Et je n'étais pas le seul dans cette situation.

Malgré les murs Scellés de Ravenwood, Lena l'était tout autant que moi, vulnérable. Parce qu'elle avait en sa possession des messages de sa propre mère. Je n'étais pas dupe, je devinais qu'elle touchait l'un des objets enfermés dans la boîte métallique cabossée quand, de mon côté, je me noyais dans le rougeoiement orangé des flammes...

Le feu prit, les flammes vacillantes apparurent successivement autour des brûleurs, jusqu'à créer un beau cercle incandescent sur la gazinière. Sarafine contempla celle-ci avec fascination. Elle en oublia la casserole d'eau sur le plan de travail. Désormais, elle négligeait de préparer le dîner presque tous les soirs. Elle était incapable de penser à autre chose qu'au feu. Il possédait une énergie, un pouvoir qui défiait jusqu'aux lois de la science. Il était incontrôlable, anéantissait des hectares de forêt en quelques minutes.

Elle l'étudiait depuis des mois. Regardant des sinistres théoriques lors de reportages, se repaissant de sinistres réels pendant les nouvelles. La télévision était allumée tout le temps. Dès qu'on y mentionnait un incendie, elle interrompait son activité en train pour se précipiter devant le poste. Mais ce n'était pas le pire. Elle avait commencé à utiliser ses talents pour déclencher de petites flambées. Rien de dangereux, juste de minuscules brasiers dans les bois. Comme des feux de camp. Innocents.

Son envoûtement avait débuté à peu près à l'époque où elle s'était mise à entendre les voix. C'étaient peut-être ces dernières qui l'incitaient à se repaître de toutes les formes de carbonisation. Comment savoir ? La première fois que l'une d'elles avait résonné dans son crâne, Sarafine faisait la lessive.

« C'est une existence misérable et indigne, une vie qui ne vaut pas mieux que la mort. Un gâchis du plus beau don que le monde des Enchanteurs a à offrir. Celui de tuer et de détruire, d'utiliser l'air même que nous respirons pour alimenter ton arme. Le Feu Ténébreux se donne à toi. Il t'octroie la liberté. »

Le panier à linge était tombé, les vêtements s'étaient répandus par terre. Sarafine était consciente que cette voix n'était pas la sienne. Elle n'avait pas ses intonations, et les pensées qu'elle exprimait lui étaient étrangères. Pourtant, elles étaient bien là, dans son cerveau.

« Le plus beau don que le monde des Enchanteurs a à offrir. » Autrement dit, le talent de Cataclyste. Celui qui naissait quand une Élue virait aux Ténèbres, une obédience à laquelle Sarafine appartenait à présent malgré tous ses efforts pour prétendre le contraire. Son regard jaune le lui rappelait chaque fois qu'elle croisait son reflet dans un miroir. Ce qui n'arrivait pas souvent. Elle ne supportait plus de se voir, pas plus qu'elle ne supportait l'éventualité que John pût plonger dans ces prunelles dorées.

Elle portait constamment des lunettes noires, bien que John lui eût répété qu'il n'avait cure de la couleur de ses yeux.

— Ils apporteront peut-être un peu de lumière dans ce trou à rats, avait-il plaisanté un jour, tandis qu'il contemplait leur appartement exigu.

Un trou à rats, en effet. Peintures écaillées, carreaux brisés, chauffage qui ne fonctionnait jamais et électricité qui disjonctait tout le temps. Ce que Sarafine se refusait à admettre cependant, car c'était sa faute s'ils vivaient là. On ne louait pas de beaux endroits à des adolescents dont tout laissait à penser qu'ils avaient fugué.

Ils auraient eu les moyens de s'offrir plus confortable. John revenait toujours avec plein d'argent. Il n'était pas compliqué de trouver des objets à mettre au clou quand on avait le don de les faire disparaître comme par enchantement des poches des gens ou des vitrines des magasins. John était un Évanescent, comme la plupart des grands magiciens et voleurs de l'histoire. Mais il était aussi Lumière, même s'il se servait de son talent de manière vile afin qu'ils survécussent.

*Afin qu'*elle *survécût.*

Les voix ne manquaient pas de le lui rappeler à chaque jour qui passait.

« Si tu partais, il pourrait jouer de ses dons de salon pour impressionner des Mortelles, et toi, tu accomplirais alors ce pour quoi tu es née. »

Elle secouait la tête, tentant de chasser ces idées. Malheureusement, les mots laissaient des traces, images fantomatiques qui ne s'effaçaient jamais entièrement. Les voix étaient plus audibles quand elle admirait des incendies à la télévision, comme en ce moment.

Avant qu'elle n'ait eu le temps de comprendre, le torchon se mit à fumer, et ses bords noircis s'enroulèrent sur eux-mêmes, tel un animal apeuré. L'alarme se déclencha, stridente.

Sarafine abattit le linge sur le sol jusqu'à ce que les flammes fussent réduites à un filet de fumée, puis elle contempla le tissu calciné en pleurant. Il fallait qu'elle le jetât avant le retour de John. Elle ne pouvait lui avouer ceci. Ni les voix.

Son secret.

Tout le monde avait des secrets, n'est-ce pas ?

Un secret, ça ne faisait de mal à personne.

Je me suis redressé en sursaut. Le calme régnait dans ma chambre. La fenêtre était close, malgré la chaleur si intense que les rigoles de transpiration qui dégoulinaient sur ma nuque avaient des allures d'araignée rampante. J'avais conscience qu'une croisée fermée ne retiendrait pas Abraham à l'extérieur, mais, bizarrement, cela me rassérénait.

Depuis sa visite, une panique irrationnelle s'était emparée de moi. Chaque fois qu'une cloison craquait ou qu'une marche gémissait, je m'attendais à ce que le visage d'Abraham émerge de l'obscurité. J'ai observé la pièce – le noir n'était que du noir.

D'un coup de pied, j'ai repoussé les draps. J'avais si chaud que je ne parviendrais pas à me rendormir. Attrapant le verre posé sur ma table de chevet, j'ai versé un peu d'eau sur mon cou. Pendant une seconde, un air frais m'a balayé avant que la touffeur ne m'engloutisse de nouveau.

— N'oublie pas que le pire précède le mieux.

J'ai failli mourir de frousse. Relevant les yeux, j'ai distingué ma mère assise sur la chaise installée dans le coin de ma chambre. C'était là que j'avais déposé le costume porté le jour de son enterrement, pour ne plus m'en approcher depuis. Elle ressemblait à celle que j'avais vue au cimetière de Bonaventure lors de notre dernière rencontre, un peu floue au niveau des contours, mais bien elle pour l'essentiel.

— Maman ?

— Chéri.

M'extirpant de mon lit, je me suis installé par terre à ses pieds, dos au mur. Je craignais de trop m'approcher, de rêver, d'assister à sa brusque disparition. Je désirais seulement rester assis près d'elle pendant un court instant, comme si nous étions dans la cuisine à discuter de ma journée au lycée ou de quelque autre sujet insignifiant. Que cela fût ou non réel.

— Que se passe-t-il, maman ? C'est la première fois que tu m'apparais ainsi.

— Certaines... certaines circonstances te le permettent. Je n'ai pas le temps de t'expliquer. Sache juste que ce n'est plus comme avant, Ethan.

— À qui le dis-tu ! Tout a empiré.

— Oui. J'aimerais qu'il en aille autrement. J'ignore si, cette fois, ça se finira bien. Il faut que tu saisisses bien cela.

Une boule m'a obstrué la gorge ; j'ai essayé de l'avaler.

— Je n'arrive à rien. C'est lié à la Dix-huitième Lune de John Breed. Malheureusement, nous ne le trouvons pas. Je ne sais pas contre quoi nous sommes censés lutter. La Dix-huitième Lune ? Abraham ? Sarafine et Hunting ?

Elle a secoué la tête.

— Ce n'est pas aussi simple, pas aussi facile. Le mal a plusieurs visages, Ethan.

— Si, c'est facile. Nous parlons Lumière et Ténèbres, ai-je objecté. En termes de noir et de blanc, on ne fait pas mieux.

— Toi comme moi savons que ce n'est pas vrai. (Une allusion à Lena.) Tu n'es pas responsable de la terre entière. Tu n'es pas juge de cela. Tu n'es qu'un tout jeune homme.

Levant les bras, je me suis jeté sur ses genoux. Je m'attendais à ce que mes mains la traversent, au lieu de quoi j'ai réussi à la sentir, comme si elle était là pour de bon, encore en vie, quand bien même sa silhouette restait mal définie. Je me suis accroché à elle comme à une bouée, mes doigts s'enfonçant dans ses épaules douces et tièdes.

J'ai eu l'impression d'un miracle. C'en était peut-être un.

— Mon petit garçon, a-t-elle murmuré.

J'ai également pu l'humer, flairer ses odeurs – tomates frites, la créosote dont elle aspergeait ses livres aux archives, le parfum de l'herbe du cimetière fraîchement tondue, le parfum des nuits que nous avions passées là-bas ensemble à regarder les croix s'allumer.

Elle m'a bercé pendant quelques minutes, et ça a été comme si elle n'était jamais partie. Puis elle m'a relâché, même si, moi, je la tenais encore.

Durant ce bref instant, nous avons été conscients du privilège qui nous était accordé.

Alors, j'ai fondu en larmes, pleurant comme je n'avais plus sangloté depuis l'enfance ; depuis que j'étais tombé de l'escalier en jouant à la course de voitures miniatures, depuis que je m'étais cassé la figure de la cage à poules dans la cour de l'école. Cette chute-là a été plus douloureuse que ne l'avaient été celles, physiques, qui l'avaient précédée.

Ses bras m'ont enlacé, à croire que j'étais encore son bébé.

— Je comprends que tu m'en veuilles. Il faut du temps pour ressentir la vérité.

— Je ne veux pas la ressentir. Ça fait trop mal.

Elle a resserré son étreinte.

— Si tu la refuses, tu ne pourras pas la lâcher.

— Je ne veux pas la lâcher.

— On ne lutte pas contre le destin. Mon heure était venue.

Elle paraissait si sûre d'elle, si sereine. À l'instar de tante Prue, quand je lui avais tenu la main au County Care. Ou de Twyla lorsqu'elle avait glissé vers l'Autre Monde, la nuit de la Dix-septième Lune.

C'était injuste. Ceux qui restaient n'étaient jamais sûrs de rien, eux.

— J'aurais préféré qu'elle ne vienne pas, cette heure.

— Moi aussi, Ethan.

— Et puis, qu'est-ce que ça veut dire ?

Elle m'a souri tout en caressant mon dos.

— Tu le sauras quand la tienne sonnera.

— Je suis paumé. J'ai peur de tout bousiller.

— Tu feras ce qu'il faut, Ethan. Et, dans le cas contraire, ce qu'il faut te trouvera. La Roue de Fortune fonctionne ainsi.

J'ai repensé aux paroles de tante Prue. « La Roue de Fortune... e' finit par nous écraser tous. » Relevant les yeux, j'ai découvert que les joues de ma mère étaient striées de larmes, comme les miennes.

— Qu'est-ce que c'est, la Roue de Fortune, maman ?

— Ce n'est pas un quoi, mon chéri, a-t-elle répondu en caressant ma peau tout en commençant à se fondre lentement dans l'obscurité chaude. C'est un qui.

9 octobre

Crêpage de chignon

Quelques jours plus tard, j'étais installé dans mon bon vieux box du Dar-ee Keen, celui qui, de façon officieuse, était désormais réservé à Link. Au point que certains élèves nerveux de troisième ont décampé à notre arrivée, ce qui m'a rappelé nous à leur âge. À présent, Link adressait des signes de tête aux filles qui passaient devant nous, tandis que je m'empiffrais de croquettes de pommes de terre frites.

— Ils doivent acheter une marque différente, ai-je commenté, parce qu'elles sont drôlement bonnes.

J'en ai gobé une. Je n'y avais pas touché pendant des années. Mais aujourd'hui, elles m'avaient paru alléchantes, sur le triste menu.

— Bon Dieu, mec, tu dérailles ! Même moi, je ne bouffe jamais ces horreurs.

J'ai haussé les épaules. À cet instant, Lena et Ridley se sont installées à côté de nous avec deux milk-shakes. Ridley s'est aussitôt mise à boire les deux en même temps.

— Miam ! Ils sont à la framboise.

— Tu n'en avais encore jamais bu, Rid ? a lancé Link.

Il semblait heureux de la voir. Ils s'adressaient de nouveau la parole. Je leur donnais cinq minutes pour qu'ils recommencent à se chamailler.

— Miam. Ça fait sandwich, comme un BN ! Oh, mon Dieu !

Se fourrant les pailles dans le bec, elle a continué à avaler ses boissons d'un seul trait. Dégoûtée, Lena a brandi un sachet de frites.

— Qu'est-ce que tu fiches ? a-t-elle demandé.

— J'avais envie de BN à la framboise, a répondu Ridley.

J'ai désigné la pancarte qui, au-dessus de la caisse, proclamait : DEMANDEZ CE QUE VOUS VOULEZ, NOUS NOUS DÉBROUILLERONS POUR VOUS L'OBTENIR.

— Tu n'as qu'à aller en commander, ai-je suggéré.

— Je préfère mon truc à moi. C'est plus rigolo. Bon, de quoi parlons-nous, là ?

Link a balancé une liasse de papiers pliés sur la table.

— Le thème du jour, c'est la fête de Savannah Snow après le match contre Summerville, a-t-il annoncé.

— Amuse-toi bien là-bas, ai-je répondu en volant une frite à Lena.

— Beurk ! a-t-il grimacé. D'abord les croquettes, et maintenant ça ? Comment peux-tu avaler ces merdouilles ? Elles puent les cheveux sales et l'huile rance. Et le rat crevé, a-t-il ajouté après avoir reniflé.

Lena a lâché son sachet. Je me suis resservi.

— Tu te goinfrais de ces merdouilles tout le temps, avant, je te signale. Et tu étais beaucoup plus drôle.

— Eh bien, je vais l'être encore plus, parce que je vous ai décroché des entrées à la bringue de Savannah, les enfants. On y va tous.

Il a déplié l'un des papelards orange. Il ne mentait pas. Quatre invitations officielles, chacune coupée en rond et décorée afin d'évoquer un ballon de basket. Lena en a ramassé une entre deux doigts, comme si elle était couverte de cheveux sales et d'huile rance.

— Le fameux sésame, a-t-elle commenté. J'imagine que ça fait de nous des gens fréquentables, à présent.

— Ouais, a acquiescé Link sans saisir l'ironie de sa remarque. Grâce à moi.

— Mon œil, est intervenue Ridley en terminant ses milk-shakes. C'est moi qui vous les ai obtenues.

— Pardon ?

J'avais forcément mal entendu.

— Savannah a convié toute l'équipe des *cheerleaders*. Je lui ai précisé que je ne pouvais pas me passer de ma cour. Pour ma sécurité, ce genre de choses. Vous me remercierez plus tard. Ou tout de suite.

— Répète un peu ? a demandé Lena en dévisageant sa cousine comme si elle avait perdu la tête.

— Vous êtes ma cour, a répondu Ridley, sans comprendre.

— Non, l'autre partie.

— Ma sécurité ?

— Avant.

Ridley a réfléchi un instant.

— L'équipe ?

— C'est ça, a acquiescé Lena sur le ton qu'elle aurait employé pour lâcher un gros mot.

C'était une blague. Forcément. Je me suis tourné vers Link, lequel prenait grand soin de ne pas croiser mon regard. Ridley a haussé les épaules.

— Ben oui, a-t-elle confirmé. Leurs jupettes me plaisent. Et puis, leur spectacle est ce qui me rapproche le plus de l'état de Sirène tant que je suis coincée dans ce corps minable de Mortelle. Allez, les Chats Sauvages !

Elle nous a gratifiés de son sourire le plus faux. Lena en était comme deux ronds de flan. J'ai senti que les vitrines du Dar-ee Keen se mettaient à trembler, à croire qu'une tempête de force 4 les frappait de plein fouet. Ce qui était sans doute le cas. J'ai froissé ma serviette.

— Tu plaisantes ? ai-je dit. Tu es l'une d'elles, maintenant ?

— Quoi ?

— Une Savannah Snow, une Emily Asher, une de ces nanas qui n'ont jamais cessé de nous chercher des ennuis, a aboyé Lena. Une de celles que nous détestons.

— Il n'y a pas de quoi monter sur tes grands chevaux.

— Tiens donc ? Figure-toi que tu es désormais de la bande de celles qui ont formé un club l'an dernier pour me faire renvoyer du bahut. Les *cheerleaders* de la mort, genre.

Ridley a étouffé un bâillement.

— On s'en fout. Ça ne me concerne pas.

Un coup d'œil sur les vitrines m'a appris qu'elles frémissaient toujours dans leur encadrement. Une branche d'arbre a volé devant l'une d'elles, aussi légèrement qu'une mauvaise herbe. J'ai tiré l'une des boucles de Lena.

Du calme, L.

Je suis calme.

Elle ne voulait pas te blesser.

Non. Parce qu'elle ne voit rien ou qu'elle se fiche de tout.

— Tu étais au courant ? ai-je demandé à Link.

Ce dernier, les bras derrière la tête, profitait du spectacle.

— Je n'ai pas loupé une seule de leurs répétitions, s'est-il marré avant d'ajouter devant mon expression méprisante : Allons, les enfants, il n'y a pas de quoi fouetter un chat. Rid est plutôt sexy dans cette jupe ras les fesses. ASD, poupée.

L'intéressée a eu un sourire ravi. Mon copain était dingue, définitivement dingue.

— Et tu trouves que c'est une bonne idée ?

— Je ne sais pas. Du moment que ça lui convient. Et, comme on dit : Dieu me garde de mes ennemis, mes amis, je m'en charge... Attends ! Ou est-ce le contraire ?

Je me suis tourné vers Lena.

Il faut absolument que je voie ça.

Les vitrines en ont tremblé de plus belle.

Le lendemain après-midi, nous sommes donc allés sur place afin de nous rendre compte des choses par nous-mêmes. Ridley savait bouger, c'était indéniable. Force était de reconnaître qu'elle était douée. Elle portait un débardeur métallique sur sa jupette au lieu du tee-shirt standard or et bleu.

— Je me demande si elle est bonne parce qu'elle a été Sirène, ai-je murmuré, songeur, en l'observant qui faisait la roue tout le long du court.

— Mouais, a répondu Lena, peu convaincue.

— Quoi ? Tu crois qu'il existe une espèce de sortilège pour ça ?

— Aucune idée, mais je compte bien le découvrir.

Nous étions installés sur le plus haut gradin. Au bout d'une dizaine de minutes d'entraînement, ce qui était en train de se jouer réellement, la vraie raison pour laquelle Ridley avait rejoint l'équipe, est devenu évident. Elle remplaçait Savannah de toutes les façons possibles, servant de base à la pyramide, conduisant les cris d'encouragement aux basketteurs et, parfois, les inventant sur-le-champ. Les autres filles suivaient le rythme avec maladresse, essayant d'imiter ses mouvements qui paraissaient relever du plus grand des hasards. Lorsqu'elle saluait les joueurs, elle braillait si fort qu'ils en étaient distraits. À moins que cela n'ait été dû à son haut métallique.

— Allez, les Chats Sauvages ! Soyez mes chers sauvages ! Dans le slip ayez-en ! Je prends le plus bandant !

Sur le terrain, les gars se sont mis à rire, à l'exception de Link dont l'expression laissait entendre qu'il aurait volontiers jeté un ballon à la figure de sa bonne amie par intermittence. Quelqu'un l'a précédé, cependant. Savannah a bondi du banc de touche, son bras dans une attelle, et a foncé droit sur Ridley.

— Ces paroles n'ont sans doute pas été approuvées par les autorités, j'imagine.

Lena s'est pris la tête entre les mains.

— Et moi, j'imagine que, entre Ridley et Savannah, nous allons être exclus du lycée avant la fin de la saison de basket.

Elle comme moi savions ce qui se produisait quand on essayait de s'attaquer à des femmes comme Mme Snow. Sans même parler de sa fille.

— Admets que nous sommes en octobre, et que Ridley n'a pas encore été renvoyée. Elle a tenu plus de trois jours.

— Rappelle-moi de lui cuisiner un gâteau pour la récompenser quand je serai rentrée à la maison, a râlé Lena, agacée. La dernière fois que nous avons fréquenté un établissement scolaire ensemble, j'ai passé la moitié de mon temps à faire ses devoirs à sa place. Sinon, elle se serait débrouillée pour que ce soient les garçons qui s'en chargent. Elle ne connaît pas d'autre façon de fonctionner.

Elle s'est appuyée contre moi. Nos doigts se sont entremêlés, et une décharge électrique m'a secoué. Ça en valait la peine, même si ma peau allait brûler d'ici quelques minutes. Je voulais garder le souvenir de ce contact, pas la décharge, mais la caresse avant elle. La main de Lena dans la mienne.

Après avoir commencé à sortir avec Lena, je ne m'étais jamais imaginé que viendrait une époque où il faudrait que je me rappelle, où elle serait ailleurs qu'entre mes bras. Jusqu'au printemps précédent, quand elle m'avait quitté, et qu'il ne m'était resté que des souvenirs – certains trop douloureux pour que je les conserve, d'autres trop douloureux pour que je les oublie. Je m'étais accroché aux choses suivantes.

Nous deux assis côte à côte sur les marches de mon perron.

Nos échanges Chuchotés le soir, chacun dans notre lit.

L'habitude qu'elle avait de tripoter son collier quand elle réfléchissait (comme en cet instant où elle assistait à l'entraînement).

Le rien-que-de-très-ordinaire entre nous qui était si incroyable et si extraordinaire. Pas parce qu'elle était une Enchanteresse. Parce qu'elle était Lena, et que je l'aimais.

Je l'ai observée regarder Ridley et Savannah. Jusqu'à ce que la scène qui se déroulait à l'extérieur de ma bulle devienne trop bruyante et fracasse le silence, quand bien même il n'était pas besoin d'entendre les paroles que les deux rivales échangeaient pour comprendre ce qui se passait.

— C'était une erreur de débutante, se défendait Ridley.

Lena m'a rapporté l'action. Savannah braillait après Ridley, qui crachait comme une chatte de gouttière.

— On ne s'attaque pas à Rid sans risquer des griffures sur le visage.

Elle s'est tendue. Il était clair qu'elle hésitait à s'interposer avant que ça ne tourne vraiment au vinaigre. Emory est intervenu avant elle, cependant, et a entraîné Ridley au-delà de la ligne de touche. Savannah a eu beau s'efforcer d'avoir l'air en colère, elle était visiblement soulagée. Lena également.

— Voilà que je ressemble presque à Emory, a-t-elle raillé.

— Tu ne peux pas résoudre tous les problèmes de ta cousine à sa place.

— Je ne peux en résoudre aucun, même. J'ai consacré ma vie à n'en résoudre aucun.

Je lui ai donné une bourrade de l'épaule.

— C'est bien pourquoi ce sont ses problèmes, et pas les tiens.

Se relaxant, elle s'est renfoncée sur le banc.

— Depuis quand es-tu aussi zen ?

— Je ne le suis pas.

L'étais-je ? Au plus profond de moi, je ne réussissais à penser qu'à ma mère et à la sagesse post mortem qui n'appartenait qu'à elle. Si ça se trouve, elle était en train de me contaminer.

— Ma mère m'a rendu visite.

J'ai immédiatement regretté mes paroles. Lena s'est redressée si vite qu'elle m'a bousculé au passage.

— Quand ? Pourquoi ne m'en as-tu pas parlé ? Qu'a-t-elle dit ?

— Il y a quelques nuits. Je n'avais pas envie d'en discuter.

Surtout pas après la nouvelle vision que j'avais eue de Sarafine cette même nuit, dans laquelle elle s'embourbait de plus en plus dans les Ténèbres. Mes réticences avaient des raisons plus importantes encore, cependant. J'étais de plus en plus bouleversé : par la conversation que j'avais eue avec ma tante comateuse dans mon sommeil, par le pressentiment pesant de la damnation qui rôdait aux lisières de mon cerveau. Je refusais d'admettre à quel point l'avenir semblait compromis, tant devant moi-même que devant Lena.

Celle-ci s'est tournée vers le terrain.

— Eh bien, a-t-elle ronchonné, blessée, tu as tout plein d'infos, aujourd'hui.

Je voulais te le confier, L. Mais ça a été dur à avaler.

Il te suffisait de m'en parler en ces termes.

J'essayais de comprendre. Je pense que, tout ce temps, j'étais en colère contre elle. Comme si je lui reprochais d'être morte. Dingue, non ?

Rappelle-toi comment je me suis comportée quand j'ai cru qu'oncle Macon avait péri. Je suis devenue folle.

Ce n'était pas ta faute.

Je ne prétends pas que ça l'était. Pourquoi ramènes-tu toujours tout à la culpabilité ? Ce n'est pas la faute de ta mère si elle a été tuée et, pourtant, une part de toi continue à lui en vouloir. Rien de plus normal.

Nous avons cessé de communiquer durant un moment, concentrés sur les cris des *cheerleaders* et le jeu des basketteurs.

À ton avis, pourquoi nous retrouvons-nous dans nos rêves, Ethan ?

Aucune idée.

Les gens ne se rencontrent pas comme ça, d'habitude.

Non. Peut-être s'agit-il d'un de ces songes psychotiques de comateux. Si ça se trouve, en cet instant, je suis allongé sur un lit du County Care.

J'ai failli éclater de rire, mais un souvenir m'en a empêché.

Le County Care.

La Dix-huitième Lune. J'ai interrogé ma mère à ce sujet.

Et John Breed ?

J'ai hoché la tête.

Elle m'a juste répondu que le mal avait plusieurs visages, et que je n'étais pas en position de juger.

Ah ! Le fameux jugement. Tu vois ? Elle est d'accord avec moi. Je suis sûre qu'elle m'aurait appréciée.

J'avais encore une question sans queue ni tête.

As-tu entendu parler de la Roue de Fortune, L ?

Non. Qu'est-ce que c'est ?

D'après ma mère, ce n'est pas une chose. C'est une personne.

— Quoi ?

Sous l'effet de la surprise, Lena avait cessé de Chuchoter.

— Le plus bizarre, c'est que je ne cesse de croiser cette référence. Tante Prue l'a évoquée elle aussi, lorsque je me suis assoupi dans sa chambre. Il doit y avoir un lien avec la Dix-huitième Lune, sinon, ma mère ne l'aurait pas mentionnée.

— Viens, m'a ordonné Lena en se levant et en me tendant la main.

J'ai obéi.

— Qu'est-ce que tu fais ?

— Je laisse Ridley résoudre ses problèmes personnels. Allons-y.

— Où ?

— Régler les tiens.

9 octobre
Le côté de l'œil valide

Apparemment, Lena estimait que la solution à mes soucis se trouvait à la bibliothèque de Gatlin car, cinq minutes plus tard, c'est là que nous étions. Un grillage entourait le bâtiment, qui ressemblait désormais plus à un site en construction qu'à une bibliothèque. La moitié manquante du toit avait été couverte d'immenses bâches en plastique bleu ; la porte d'entrée principale était flanquée par la moquette qu'on avait arrachée au béton du sol, détruite autant par l'eau que par le feu. Enjambant des planches calcinées, nous avons pénétré à l'intérieur.

Le fond de la salle était bloqué par de lourds pans en plastique. C'était là que l'incendie avait fait rage. Je ne tenais pas à découvrir de quoi les lieux avaient l'air, de l'autre côté. Mais l'endroit où nous nous tenions était tout aussi déprimant. Les monceaux de livres avaient disparu au profit de cartons qui paraissaient avoir été entassés par catégorie.

Les ouvrages détruits. Les détruits en partie. Les récupérables.

Seul le fichier par cartes avait survécu. Nous ne nous débarrasserions donc jamais de ce système antique ?

— Tante Marian ? Tu es là ?

J'ai avancé au milieu des piles, cherchant des yeux une Marian pieds nus qui aurait erré dans ce désordre, un carton ouvert à la main. Au lieu de quoi, c'est mon père que j'ai découvert, assis sur une caisse derrière le fichier et s'adressant à une femme avec animation.

Je devais halluciner !

Lena s'est placée devant moi de façon à ce qu'ils ne remarquent pas mon expression nauséeuse.

— Madame English ! s'est-elle exclamée. Que faites-vous ici ? Et monsieur Wate ! J'ignorais que vous connaissiez notre professeur de littérature.

Elle s'est arraché un sourire, comme si tomber sur eux était une coïncidence plaisante.

Quant à moi, j'étais figé sur place.

Qu'est-ce qu'il fout ici avec elle ?

Si mon père a été décontenancé, il n'en a rien montré. Au contraire, il a même paru ravi, ce qui m'a semblé encore pire.

— Savais-tu que Lilian est presque aussi calée sur l'histoire de ce comté que l'était ta mère, Ethan ?

Lilian ? Ma mère ?

Mme English a relevé la tête des livres éparpillés autour d'elle, et nos regards se sont croisés. Un instant, ses prunelles ont pris une forme en amande, comme celles d'un chat. Même l'œil de verre m'a paru irréel.

Tu as vu ça, L ?

Quoi ?

Mais il n'y avait plus rien à voir, et la paupière de notre prof clignait au-dessus de sa prothèse, cependant que son œil valide contemplait mon père. Ses cheveux étaient un nid de pie gris assorti au gilet en coton avachi qu'elle portait sur une robe dépenaillée. Elle était l'enseignante la plus dure de Jackson, sauf pour ce qui était de son

point faible, celui qu'exploitaient la plupart des élèves, le mauvais côté de son champ de vision. Il ne me serait jamais venu à l'esprit qu'elle puisse exister en dehors d'une salle de classe. Pourtant, elle était là, et existait de façon si réelle que mon père en était tout tourneboulé. J'ai ravalé un haut-le-cœur.

— Lilian m'aide dans mes recherches pour *La Dix-huitième Lune*, continuait de pérorer mon paternel. Mon livre, tu t'en souviens ? Ils n'entendent plus un mot de ce que nous disons, a-t-il ajouté avec un grand sourire à l'adresse de la seule mère English. La moitié de mes étudiants écoutent leurs iPod ou parlent au téléphone. Ils seraient sourds que ça reviendrait au même.

Mme English l'a regardé bizarrement avant de s'esclaffer. Je me suis alors rendu compte que c'était la première fois que je percevais son rire. Ce n'était pas lui qui me perturbait ; c'était qu'elle s'amuse d'une plaisanterie de mon père. Ça me perturbait et me répugnait.

— Ce n'est pas tout à fait exact, Mitchell.

Mitchell ?

Il s'appelle comme ça, Ethan. Il n'y a pas de quoi s'affoler.

— D'après Lilian, la Dix-huitième Lune pourrait s'apparenter à un schéma historique puissant. Les phases lunaires correspondraient à...

— J'ai été très heureux de vous rencontrer, madame, l'ai-je interrompu.

Ses théories à ce sujet et, plus encore, qu'il les confie à cette femme en particulier m'étaient insupportables. Contournant le couple improbable, je me suis dirigé vers les archives.

— Sois rentré pour le dîner, papa. Amma a prévu du bœuf braisé.

En réalité, je n'avais pas la moindre idée de ce qu'elle avait cuisiné, mais il adorait le bœuf braisé. Et je voulais qu'il soit présent à table ce soir-là. Qu'il existe en dehors de ma prof de littérature.

Elle a dû deviner ce que lui n'avait pas saisi, à savoir que je refusais de l'envisager autrement que comme une enseignante, car dès que j'ai tenté de filer, Lilian English s'est effacée au profit de Mme English.

— Ethan ? N'oubliez pas de m'apporter votre plan de dissertation sur *Les Sorcières de Salem*. Je l'espère sur mon bureau demain à la fin du cours, s'il vous plaît. Vous également, mademoiselle Duchannes.

— Oui, madame.

— J'imagine que vous avez déjà une problématique ?

J'ai opiné, alors que j'avais complètement oublié que nous avions une disserte à rendre, ni même un simple plan. La littérature ne figurait pas sur la liste de mes priorités, ces derniers temps.

— Et ? a insisté la mère English.

Tu me files un coup de main, L ?

Inutile de me regarder. Je n'y ai pas réfléchi.

Merci.

Je pars me planquer dans le fourbi qu'est la salle d'études en attendant qu'ils s'en aillent.

Traîtresse.

— Ethan ?

La prof exigeait une réponse. Je l'ai dévisagée, cependant que mon père faisait de même avec moi. J'ai eu l'impression d'être un poisson rouge dans son bocal. Quelle est la durée de vie d'un poisson rouge ? Telle était l'une des questions qu'on avait posées aux Sœurs quelques soirs auparavant à *Jeopardy !* Je me suis creusé la cervelle.

— Les poissons rouges, ai-je balancé tout à trac.

J'ignore pourquoi. Récemment, j'avais une fâcheuse tendance à parler sans réfléchir.

— Je vous demande pardon ? a sursauté Mme English.

Mon père s'est gratté le crâne en s'efforçant de dissimuler son embarras.

— Euh… autrement dit, à quoi ressemble la vie dans l'aquarium d'un poisson rouge. En compagnie de congénères. C'est compliqué.

— Je vous en prie, éclairez ma lanterne, monsieur Wate.

— Jugement et liberté de pensée. Je crois que je vais réfléchir à ce sujet. Qui a le pouvoir de distinguer ce qui est bien de ce qui est mal, par exemple. Le péché et tout le reste. Existe-t-il une forme d'instance supérieure qui détiendrait la vérité ou celle-ci émane-t-elle des personnes avec lesquelles on vit ? Chez soi, dans sa ville.

Là, c'était mon rêve – ou ma mère – qui s'exprimait.

— Et que concluez-vous ? Qui a ce pouvoir, monsieur Wate ? Qui est le juge suprême ?

— Je n'en sais rien, j'imagine. Je n'ai pas encore rédigé ma dissertation, madame. Mais je ne suis pas certain que nous autres poissons rouges ayons le droit de nous juger les uns les autres. Voyez où cela a conduit ces jeunes filles des *Sorcières de Salem*.

— Quelqu'un d'extérieur à la communauté aurait-il mieux agi ?

Une sueur froide m'a envahi, comme si cette question exigeait une réponse, juste ou fausse. Or, en cours de littérature, il n'y avait pas de réponse juste ou fausse tant qu'on réussissait à avancer des arguments susceptibles d'étayer son opinion. Sauf que je n'avais plus l'impression de discuter un devoir de littérature, là.

— Je vous le dirai dans mon devoir.

J'ai détourné les yeux, accablé par le sentiment d'être idiot. En classe, ma repartie aurait constitué une bonne réponse ; mais là, la situation était complètement différente.

— Je vous dérange ? a soudain lancé Marian en volant à mon secours. Désolée, Mitchell, il faut que je ferme plus tôt, aujourd'hui. Je crains d'avoir de… la paperasse officielle à remplir.

Elle a souri à Mme English.

— N'hésitez pas à revenir. Avec un peu de chance, nous aurons relevé la tête d'ici cet été. Nous adorons que les enseignants piochent dans nos réserves.

— Naturellement, a répondu ma prof en rassemblant ses papiers.

Marian les a reconduits avant que mon père n'ait la présence d'esprit de me demander pourquoi je ne rentrais pas avec lui. Puis elle a retourné le panonceau de la porte et verrouillé cette dernière, même s'il ne restait plus grand-chose à voler.

— Merci de m'avoir sauvé la mise, tante Marian.

— Ils sont partis ? s'est enquise Lena en surgissant de derrière une pile de cartons.

Elle tenait un livre, enveloppé dans l'un de ses foulards. Le titre n'était qu'en partie caché par le tissu gris perle. *De grandes espérances*.

Le roman de Sarafine.

Comme si nous n'avions pas eu notre dose d'ennuis pour l'après-midi !

S'emparant d'un mouchoir, Marian a essuyé ses lunettes.

— L'idée n'était pas tellement de te sauver la mise, Ethan. J'attends des visiteurs officiels et je suis quasiment certaine qu'il vaudrait mieux que vous deux ne soyez pas là quand ils arriveront.

— Juste une minute, alors ! a dit Lena. Le temps que je récupère mon sac.

Elle s'est de nouveau éclipsée. Sauf que je lui ai emboîté le pas.

— Qu'est-ce que tu fiches avec ça ?

J'ai attrapé le bouquin. À la seconde où je l'ai touché, les étagères démolies se sont fondues dans l'obscurité…

Il était tard, la première fois qu'elle l'avait rencontré. Sarafine savait qu'elle n'aurait pas dû sortir à cette heure de la nuit. Si les Mortels ne représentaient aucune menace, d'autres créatures hantaient le monde. Mais les voix s'étaient remises à chuchoter dans sa tête, et elle avait dû quitter la maison.

Lorsqu'elle avait aperçu la silhouette au coin de la rue, son pouls s'était accéléré. Cependant, quand l'homme s'était rapproché, elle avait constaté qu'il n'était pas dangereux. Sa longue barbe était blanche, à l'instar de ses cheveux. Il était vêtu d'un costume sombre et d'une cravate fine, et s'appuyait sur une canne en bois noir. Il lui avait souri, comme s'ils se connaissaient.

— Bonsoir, enfant. Je t'attendais.

— Pardon ? Vous devez me confondre avec quelqu'un d'autre.

Le vieillard avait ri.

— Impossible de te confondre avec quiconque. J'identifie un Cataclyste quand j'en vois un.

Le sang glacé de Sarafine avait battu dans ses veines. Il savait.

Les flammes avaient soudain jailli du trottoir, à seulement quelques pas de la canne. Elle avait fermé les paupières afin de contrôler le brasier. En vain.

— Laisse-le brûler. Il fait plutôt frisquet, cette nuit.

L'homme souriait, indifférent au feu.

— Que voulez-vous ? avait-elle demandé en tremblant.

— Je suis venu t'aider. Nous sommes parents, toi et moi. Mieux vaudrait que je me présente, d'ailleurs. Abraham Ravenwood.

Il tendait la main. Sarafine avait déjà croisé ce nom. Sur l'arbre généalogique de ses demi-frères.

— Hunting et Macon disent que vous êtes mort.

— En ai-je l'air ? Je n'ai pas pu m'y résoudre. Je t'attendais.

— Moi ? Pourquoi ?

La propre famille de Sarafine refusait de lui parler. Il était difficile de croire que quelqu'un souhaitât le contraire.

— Tu n'as pas encore saisi ce que tu es, n'est-ce pas ? Entends-tu les appels ? Les voix ?

Il s'était tourné vers le feu avant d'ajouter :

— Je constate en revanche que tu as déjà découvert ton don.

— Ce n'est pas un don. C'est une malédiction.

Le vieillard l'avait vivement regardée, et elle avait distingué ses prunelles noires.

— Qui t'a raconté ces sottises ? Les Enchanteurs, j'imagine. (Il avait secoué la tête.) Ça ne me surprend pas. Ce sont des menteurs, à peine moins minables que les Mortels. Pas toi. Un Cataclyste est la créature la plus puissante de notre univers. Elle naît du Feu Ténébreux. Elle est trop forte pour être considérée comme un simple Enchanteur. À mon avis, du moins.

Devait-elle y croire ? Possédait-elle un talent supérieur dans le monde des Enchanteurs ? Une part d'elle-même le désirait : être spéciale plutôt que bannie. Une part d'elle-même souhaitait céder aux pressions des voix.

Incendier tout sur son chemin.

Se venger de ceux qui l'avaient blessée.

Non !

Elle s'était alors efforcée de chasser ces idées de son esprit. John. Elle s'était concentrée sur lui et ses beaux yeux verts.

— Je ne veux pas être Ténèbres, avait-elle protesté.

— Il est trop tard pour ça, s'était esclaffé Abraham, et son rire avait des accents sinistres. On ne lutte pas contre ce que l'on est. Et maintenant, montre-moi tes jolies prunelles jaunes.

Abraham avait eu raison. Sarafine ne pouvait pas lutter contre ce qu'elle était. Elle pouvait le cacher, toutefois. Elle n'avait pas le choix. Elle était constituée de deux âmes qui se disputaient un seul corps. Le bien et le mal. Le bon et le mauvais. La Lumière et les Ténèbres.

John était son unique ancrage dans la Lumière. Elle l'aimait, quand bien même, parfois, cet amour commençait à ressembler plutôt à un souvenir. À quelque chose de lointain, qu'elle voyait mais n'arrivait pas à atteindre.

Cela ne l'empêchait pas de tendre la main.

Le souvenir était plus facile à contempler lorsqu'ils étaient au lit, accrochés l'un à l'autre.

— Sais-tu à quel point je t'aime ? chuchota John, dont les lèvres effleurèrent l'oreille de Sarafine.

Elle se rapprocha, comme si la chaleur qui émanait de lui était en mesure de contaminer sa peau glacée et de la modifier de l'extérieur.

— À quel point ?

— Plus que tout et que quiconque. Plus que moi-même !

— C'est pareil pour moi.

« Menteuse ! » Elle entendait les voix en ce moment même. John s'inclina vers elle, jusqu'à ce que leurs fronts se touchent.

— Jamais je n'éprouverai ceci envers quelqu'un d'autre, murmura-t-il d'une voix rauque et basse. Ce sera toujours toi. Tu as dix-huit ans, maintenant. Épouse-moi.

Une nouvelle voix retentit dans les tréfonds de l'esprit de Sarafine, celle qui avait pénétré ses pensées et ses rêves la nuit précédente. Abraham. « Tu crois l'aimer, mais ce n'est pas vrai. Tu ne peux aimer un homme qui ignore ce que tu es. Tu n'es pas une Enchanteresse de la Lumière. Tu n'es pas l'une des leurs. »

— Izabel ?

John la dévisageait, quêtant dans ses prunelles la jeune fille dont il s'était épris. Un être qui se consumait peu à peu. Que restait-il de cette dernière ?

— Oui, répondit-elle en l'enlaçant, s'arrimant à lui une fois encore. Je me marierai avec toi.

Lena a rouvert les yeux. Elle était couchée sur le sol en béton sale à côté de moi. Les pointes de nos baskets se touchaient presque.

— Mon Dieu, Ethan ! Ça a démarré quand elle a rencontré Abraham.

— Ta mère avait commencé à virer Ténèbres.

— Tu n'en sais rien. Elle aurait sûrement pu résister, comme oncle Macon.

Il était évident que Lena désirait par-dessus tout croire qu'il y avait eu du bon en sa mère. Qu'elle n'avait pas été destinée à devenir l'assassin monstrueux que nous connaissions.

Peut-être.

Nous nous relevions quand Marian a surgi.

— Il est tard, a-t-elle dit. Vous voir allongés par terre a beau m'avoir manqué, je vous prie de partir. J'ai bien peur que mon rendez-vous n'ait rien d'agréable.

— Comment ça ?

— Le Conseil doit passer.

— Quel Conseil ?

— Celui de la Garde Suprême.

Lena a hoché la tête et lui a adressé un sourire de compassion.

— Oncle Macon m'en a parlé. Y a-t-il quelque chose que nous puissions faire ? Écrire des lettres de protestation, signer une pétition ? Distribuer des tracts ?

— Non, a décliné Marian avec un sourire las. Ces gens se contentent d'accomplir leur tâche.

— Qui consiste à ?...

— S'assurer que nous autres obéissons aux règles. Ce qui signifie, j'imagine, distribuer les punitions. Je suis prête à endosser la responsabilité de mes actes. Rien de plus, cependant. « La responsabilité est le prix de la grandeur. »

Elle m'a regardé, attendant que je réagisse.

— Euh... Platon ? ai-je lancé au hasard.

— Winston Churchill. (Elle a soupiré.) Ils ne sont pas en droit d'exiger plus de moi. Ni moi d'eux, d'ailleurs. Et maintenant, filez d'ici.

À présent que Mme English et mon père avaient quitté les lieux, je me suis rendu compte que Marian était vêtue d'habits qui ne lui ressemblaient pas. À la place de ses robes bigarrées habituelles, elle portait une blouse noire sur une jupe de la même couleur. À croire qu'elle se rendait à un enterrement. Le dernier endroit où je l'aurais laissée aller seule.

— On ne va nulle part, ai-je contré.

— Si, chez vous.

— Des clous.

— Ethan, ce n'est pas une bonne idée.

— Quand Lena et moi nous sommes retrouvés aux avant-postes, tu t'es interposée dans la ligne de mire. Avec Macon. Il est hors de question que je te déserte.

— Pareil pour moi, a renchéri Lena.

Elle s'est confortablement assise sur l'une des rares chaises ayant réchappé de l'incendie.

— Vous êtes adorables, mais j'ai bien l'intention de vous tenir à l'écart de ceci. C'est mieux pour tout le monde, à mon avis.

— As-tu déjà remarqué que, quand quelqu'un prononce cette phrase, il n'y a de mieux pour personne, surtout pas pour celui qui l'a dite ?

Je me suis tourné vers Lena.

File chercher Macon. Je reste ici avec Marian. Je refuse qu'elle affronte cela toute seule.

OK.

Lena était à la porte, qui s'est déverrouillée toute seule, avant que Marian n'ait eu le temps de protester. Lui passant un bras autour des épaules, je l'ai serrée contre moi.

— N'est-ce pas là l'un de ces moments où nous tirons un livre de son rayonnage ? Un bouquin qui, comme par magie, nous assure que tout va très bien, madame la marquise ?

Elle a ri et, l'espace d'une seconde, elle a eu des allures de la Marian d'autrefois, celle qui n'était pas jugée pour des fautes qu'elle n'avait pas commises, qui ne s'inquiétait pas d'événements échappant à son contrôle.

— Je ne me rappelle pas que les ouvrages que nous avons trouvés ces derniers temps nous aient rien dit d'aussi joyeux.

— En effet. N'approchons pas des P. Je te prive d'Edgar Allan Poe, aujourd'hui.

— Les P ne sont pas si négatifs. Il y a toujours Platon, par exemple. (Elle a tapoté mon bras.) « Le courage est une forme de sauvegarde », Ethan.

Fouillant dans un carton, elle en a sorti un exemplaire noirci de *La République*.

— Tu seras ravi d'apprendre que Platon a survécu au Grand Incendie personnel de la bibliothèque du comté de Gatlin.

Les choses allaient mal, certes, mais, pour la première fois depuis des semaines, je me suis soudain senti mieux.

9 octobre
Instant de vérité

Nous étions installés, Marian, Lena (qui était revenue de sa mission) et moi, aux archives, dans la lueur tremblotante des bougies. La pièce avait été relativement peu endommagée, ce qui tenait du miracle. Elle avait surtout été inondée, à cause des jets automatiques anti-incendie installés au plafond. Nous patientions en buvant du thé, gardé au chaud dans une Thermos. J'ai remué le mien distraitement.

— Pourquoi le Conseil ne t'a-t-il pas convoquée dans la *Lunae Libri* ? ai-je demandé.

— Je ne crois pas qu'ils souhaitent que j'y remette les pieds, a expliqué Marian. Ils n'accepteront de me parler qu'ici.

— Désolée, a murmuré Lena.

— Il n'y a pas de quoi. J'espère juste que…

Le claquement d'un coup de foudre l'a interrompue, suivi par le grondement du tonnerre et des éclairs aveuglants. Voilà qui changeait du bruit de déchirure de ceux qui Voyageaient. D'abord a surgi le livre.

Chroniques des Enchanteurs.

Tel en était le titre, inscrit sur la couverture. Il a atterri sur la table, entre nous trois. Si massif qu'elle a gémi sous son poids.

— Qu'est-ce que c'est que ça ? ai-je sursauté.

— Chut !

Marian m'a intimé le silence en portant un doigt à ses lèvres. Ensuite, trois silhouettes en long manteau se sont matérialisées l'une après l'autre. La première, celle d'un homme grand au crâne rasé, a levé une main. Aussitôt, tonnerre et éclairs se sont arrêtés. La deuxième, celle d'une femme, a rejeté son capuchon en arrière, dévoilant une blancheur surnaturelle accablante. Cheveux, épiderme et iris, si pâles que la créature semblait n'être constituée de rien. La dernière, un costaud taillé comme un joueur de rugby, est apparue entre nous et le vieux bureau de ma mère, bousculant au passage ses papiers et ses bouquins. Il brandissait un gros sablier, lequel était cependant vide. Pas un grain à l'intérieur.

Le seul point commun à ces trois-là se réduisait à leur espèce d'uniforme, un lourd manteau noir à capuche et une drôle de paire de lunettes. J'ai examiné ces dernières avec soin. Les montures paraissaient mêler l'or, l'argent et le bronze entrelacés dans une épaisse tresse. Les verres étaient à facettes, comme le diamant de la bague de fiançailles de ma mère. Comment ces gens-là arrivaient-ils à y voir quelque chose ?

— *Salve*, Marian de la *Lunae Libri*, Gardienne de la Lettre, de la Vérité et du Monde Infini.

J'ai tressailli, impressionné par l'unisson parfait avec lequel ils s'exprimaient, à croire qu'ils n'étaient qu'une seule et même personne. Lena s'est emparée de ma main, tandis que Marian se mettait debout et avançait d'un pas.

— *Salve*, Haut Conseil de la Garde Suprême, Conseil de la Sagesse, de la Connaissance et de Ce-qui-ne-peut-être-connu.

— Sais-tu pour quelles raisons nous sommes venus ici ?

— Oui.

— As-tu des éléments à ajouter à ceux qui nous ont été rapportés ?

— Non.

— Admets-tu avoir interféré dans l'Ordre des Choses, en violation de ton serment sacré ?

— J'ai autorisé celle dont j'avais la charge à le faire, oui.

J'aurais bien voulu intervenir, plaider la cause de Marian, mais entre le son creux des voix chorales et les prunelles blanches de la femme, j'avais du mal à respirer.

— Où est-elle ?

Marian a resserré les pans de sa tunique autour d'elle.

— Pas ici. Je l'ai envoyée ailleurs.

— Pourquoi ?

— Pour la préserver.

— De nous.

La remarque avait été lâchée sans aucune trace d'émotion.

— Oui.

— Tu es sage, Marian de la *Lunae Libri*.

À mes yeux, elle avait moins l'air sage que terrifiée, pour l'instant.

— J'ai lu les *Chroniques des Enchanteurs*, a-t-elle repris. Là où sont rassemblés vos histoires et vos comptes rendus. Je sais donc ce que vous avez infligé aux Mortels – et aux Enchanteurs – qui, comme elle, ont transgressé les lois.

Les créatures l'ont observée comme un insecte sous un microscope.

— Tiens-tu à elle ? La Gardienne qui n'en sera jamais une ? L'enfant ?

— Oui. Elle est comme une fille, pour moi. Et vous n'avez pas à la juger.

— Ce n'est pas à toi d'évoquer nos pouvoirs, ont protesté les visiteurs en élevant le ton. Mais à nous de te rappeler les tiens.

Soudain, une nouvelle voix a retenti, une que j'avais entendue si souvent auparavant, dans des situations identiques, où j'avais l'impression d'être impuissant.

— Allons, allons, madame et messieurs, dans le Sud, on ne s'adresse pas ainsi aux dames de bonne réputation.

Macon se tenait derrière nous, Boo Radley à ses pieds.

— Je vais devoir vous prier de bien vouloir vous comporter avec un peu plus de respect envers le Dr Ashcroft, a-t-il enchaîné. C'est une Gardienne très *aimée* de notre communauté. Appréciée par nombre d'entre nous qui possédons de grands pouvoirs parmi les Enchanteurs comme parmi les Incubes.

Macon était habillé de manière impeccable. J'aurais juré qu'il portait le costume qu'il avait revêtu lors du conseil de discipline, quand il avait secouru sa nièce devant Mme Lincoln et sa meute de lyncheurs.

Leah Ravenwood s'est à cet instant matérialisée près de lui, drapée dans sa cape noire et armée de son bâton. Bade, son puma apprivoisé, l'accompagnait. Il s'est mis à arpenter le sol devant elle tout en grognant.

— Mon frère dit vrai, a-t-elle renchéri. Il a le soutien de notre famille. Je vous conseille de vous en souvenir avant de continuer sur la voie que vous avez empruntée. Notre Gardienne n'est pas seule.

Cette dernière a lancé un regard reconnaissant au frère et à sa sœur.

Brusquement, une nouvelle personne a surgi derrière Leah. Liv !

— Et s'il faut en vouloir à quelqu'un, c'est à moi ! s'est-elle exclamée en contournant les Ravenwood. Ne suis-je pas celle que vous êtes venus châtier ? Je suis ici. Allez-y.

Marian l'a attrapée par la main afin de l'empêcher d'avancer davantage. Le Conseil a toisé les nouveaux venus avec solennité.

— Incubes et Succubes ne nous intéressent pas.

— Ils me servent de famille, a répliqué Liv. Je n'ai qu'eux, et le professeur Ashcroft.

— Tu es courageuse, enfant.

— Merci.

— Et inconsciente.

— Vous n'êtes pas les premiers à me le dire. Et sans doute pas les derniers.

Elle les affrontait comme si elle n'éprouvait pas la moindre frayeur, ce qui semblait inconcevable. Pourtant, sa voix ne tremblait pas. On aurait même dit qu'elle était soulagée que cette rencontre ait enfin lieu, ce qui lui permettait désormais de ne plus la redouter.

Le Conseil n'en avait toutefois pas terminé avec elle.

— Tu étais la détentrice d'une confiance sacrée et tu as choisi de la trahir.

— J'ai choisi d'aider un ami. De sauver une vie. S'il le fallait, je le referais.

— Tu n'étais pas en droit de prendre ces décisions.

— J'accepte d'endosser les conséquences de mes actes. Je vous le répète, je recommencerais en cas de besoin. Telle est la règle qui l'emporte lorsqu'il s'agit de secourir ceux qu'on aime.

— L'amour ne nous intéresse pas, ont riposté les trois créatures aussi sec.

— « *All you need is love* », a contré Liv en citant les Beatles.

Quel culot ! Elle courait peut-être à sa perte, mais avec une fichue classe !

— Saisis-tu l'ampleur de tes paroles ?

— Oui.

Les membres du Conseil ont balayé la pièce du regard, dévisageant tour à tour Liv, Marian, Macon et Leah. Les éclairs ont soudain repris leur sarabande, chaleur et énergie ont envahi les archives. Quant aux *Chroniques des Enchanteurs*, elles irradiaient la lumière.

L'homme de haute taille s'est adressé à ses compagnons, sans que ceux-ci parlent avec lui, cette fois.

— Nous allons rapporter ce qui nous a été révélé ici à la Garde Suprême. Il y a un prix à payer, et il sera payé.

Macon s'est incliné.

— Bon voyage. N'hésitez pas à faire halte lors de votre prochain passage dans notre belle ville. J'espère que vous resterez suffisamment longtemps pour goûter à notre célèbre tarte au babeurre.

La femme aux prunelles laiteuses a soulevé ses lunettes afin de le toiser. Il m'a été cependant impossible de déterminer ce qu'elle fixait avec exactitude, car ses iris ne bougeaient pas du tout.

Dans un nouveau coup de foudre, les trois créatures se sont volatilisées. Le gros ouvrage s'est attardé une seconde dans des roulements de tonnerre, puis il a disparu à la suite des silhouettes sombres dans un éclat de lumière.

— Vingt dieux ! Quel enfer ! s'est exclamée Liv en tombant dans les bras de Marian.

Je suis resté pétrifié sur ma chaise.

L'enfer ? C'était peu dire, à mon avis.

Satisfait du départ des Gardiens, Macon s'est dirigé vers la porte.

— J'aimerais beaucoup rester, Marian, mais je voudrais consulter, ou plutôt chercher certains ouvrages.

Aussitôt, Liv s'est levée et lui a emboîté le pas. Sauf que ce n'est pas elle qu'il a invitée à le suivre.

— Lena ? Accompagne-moi, s'il te plaît.

— Pardon ? a sursauté celle-ci, surprise.

Pas autant que Liv cependant qui, déjà, brandissait son calepin rouge.

— Je peux vous donner un coup de main, a-t-elle plaidé. Je sais où sont rangés les livres...

— Merci, Olivia. Les informations dont j'ai besoin ne se trouvent pas dans les volumes que vous avez lus. La

Garde Suprême n'autorise pas les Gardiens à accéder aux documents concernant les origines du Conseil. Ceux-là sont conservés par les Enchanteurs.

Il a adressé un signe de tête à sa nièce qui, déjà, fourrait ses affaires dans son sac.

— Ah, oui, bien sûr, a marmonné Liv, un tantinet offensée. J'imagine, en effet.

Macon a observé une pause sur le pas de la porte.

— Leah ? Accepterais-tu de laisser Bade ici ? Un peu de compagnie ne fera pas de mal à Marian, cette nuit.

Autrement dit, il ne tenait pas à ce qu'elle reste seule, sans un garde du corps de cent kilos dans les parages.

— Naturellement, a répondu Leah en grattant la tête du gros chat. De toute façon, il faut que je retourne au County Care. Ils n'apprécient pas beaucoup les animaux, là-bas.

Bade a fait le tour de la table avant de se poser près de Marian. Lena m'a regardé, et j'ai deviné qu'elle n'était pas ravie à l'idée que je sois en tête à tête avec Liv, bien qu'elle ne souhaitât pas non plus lâcher Macon. Surtout quand il lui demandait son aide à la place de sa rivale.

Vas-y. Tout va bien. Ça m'est égal.

En guise de réponse, elle m'a accordé un baiser public, suivi d'un coup d'œil significatif à Liv. Puis elle et son oncle se sont éclipsés.

Liv, Marian et moi sommes restés aux archives, étirant ce moment le plus longtemps possible. J'avais oublié quand, pour la dernière fois, nous avions été ainsi seuls tous les trois. Ça m'avait manqué. Liv et Marian se jetant des citations à la figure, et moi me trompant toujours sur leurs auteurs.

— Je dois partir, a fini par décréter Liv en se levant. Inutile que je vous attire de nouveaux ennuis.

Marian a contemplé le fond de sa tasse de thé.

— Voyons, Olivia, ne crois-tu pas que je t'aurais arrêtée si je l'avais désiré ?

La jeune Anglaise m'a donné l'impression d'hésiter entre rire et pleurer.

— Vous n'étiez même pas là quand j'ai aidé Ethan à libérer Macon de l'Orbe Lumineux, a-t-elle objecté.

— Mais j'étais présente lorsque tu as filé dans les Tunnels avec Ethan et Link. J'aurais pu te retenir, à ce moment-là. (Marian a inspiré un grand coup.) Mais j'avais une amie, autrefois. Et si j'étais en mesure de remonter le temps, s'il y avait quoi que ce soit que je puisse faire pour la sauver, je le ferais. Elle est morte, à présent, et rien ne la ramènera.

J'ai serré ses doigts entre les miens.

— Je suis navrée, a chuchoté Liv. Et je regrette de vous avoir entraînée dans pareil chaos. J'aimerais les convaincre de vous fiche la paix.

— Tu ne peux pas. Personne ne le peut, d'ailleurs. Parfois, tout le monde a beau agir correctement, il faut quand même réparer les dégâts après. Quelqu'un doit prendre cette responsabilité sur lui.

— Moi, a-t-elle répondu en fixant un carton taché par terre.

— Je ne suis pas d'accord. Je tiens là ma chance d'aider une autre amie, une amie qui m'est très chère.

En souriant, Marian a tendu le bras vers Liv, avant d'ajouter :

— De plus, cette ville ne saurait se passer d'une bibliothécaire, Gardienne ou pas.

Liv l'a enlacée longuement, à croire qu'elle ne la lâcherait plus. Marian m'a regardé.

— Je te serais reconnaissante de ramener Liv à Ravenwood, EW. Je crains, si je lui confie ma voiture, que celle-ci ne finisse du mauvais côté de la route.

— Sois prudente, lui ai-je murmuré en l'embrassant à mon tour.

— Je le suis toujours.

Nous étions contraints à de multiples détours pour circuler dans Gatlin, maintenant. Voilà pourquoi, cinq minutes plus tard, je passais devant chez moi, avec Liv pour passagère, comme si nous étions en train de livrer les dernières commandes de la bibliothèque ou pour le Dar-ee Keen. Comme si nous étions encore en été.

Toutefois, l'accablante couleur brunâtre de toute chose et les stridulations de dizaines de milliers de criquets étaient là pour me rappeler que ce n'était pas le cas.

— Je sens presque la tourte d'ici, a dit Liv en jetant un coup d'œil envieux à ma maison.

— Amma n'en a pas cuisiné depuis des siècles, ai-je répondu. C'est sans doute l'odeur de son poulet frit aux noix de pécan.

— Tu n'imagines pas ce que c'est, de vivre dans les Tunnels, a gémi Liv. Surtout quand Cuisine n'est pas dans son assiette. Je ne tiens que grâce à ma réserve de biscuits anglais. Si je n'en dégote pas rapidement un nouveau paquet, je suis cuite.

— Il existe un endroit qu'on appelle le Stop & Steal, tu sais ?

— Oui. Et une chose qu'on appelle le poulet frit d'Amma.

J'avais compris tout de suite où cette conversation nous entraînait, et Liv avait à peine terminé sa phrase que je m'étais rangé le long du trottoir.

— Amène-toi. Je te parie dix dollars qu'elle a également préparé des petits pains.

— Le seul mot « frit » m'avait convaincu, mon pote.

Amma a réservé les cuisses à Liv, ce qui m'a amené à conclure qu'elle était encore désolée pour elle, après ce qui s'était passé cet été. Dieu soit loué, les Sœurs étaient déjà au lit. Je ne me sentais pas de subir un interrogatoire sur les raisons qui me poussaient à ramener chez nous une autre fille que Lena.

Liv s'est gavée encore plus vite que Link autrefois. Je n'avais pas terminé mon troisième morceau de viande qu'elle en était déjà à sa deuxième platée.

— Ceci est le second meilleur poulet frit que j'aie mangé de mon existence, a-t-elle déclaré en se léchant les doigts.

— Le second ?

J'ai vu le visage d'Amma se fermer. Ces mots étaient un blasphème à eux seuls, selon les standards de Gatlin.

— Quel était le premier ?

— Celui que je vais avaler maintenant. Et, peut-être, le suivant.

Liv a fait glisser son assiette vide à travers la table. Tout sourires, Amma a rajouté de l'huile dans sa friteuse.

— Attends d'avoir goûté à une aile toute fraîche. Ça ne t'est encore jamais arrivé, hein, Olivia ?

— Non, madame, mais je n'ai pas non plus eu droit à de la véritable cuisine depuis la Dix-septième Lune.

On y revenait. Un nuage s'est installé au-dessus de la pièce, et j'ai repoussé mon dîner. La peau croustillante me restait en travers de la gorge. Amma a essuyé la Menace du Cyclope avec un torchon.

— Ethan Lawson Wate, va donc chercher à ton amie l'une de mes meilleures confitures. Dans la réserve. L'étagère du haut.

— Oui, madame.

— Ne prends surtout pas les écorces de pastèque confites ! m'a-t-elle lancé alors que j'étais dans le couloir. Celles-là, je les garde pour la maman de Wesley. Elles ont tourné à l'aigre, cette année.

La porte de la cave était située en face de la chambre d'Amma. L'escalier était scarifié par des cicatrices noires, un peu comme une viande grillée au barbecue, datant de l'époque où Link et moi y avions posé une casserole bouillante, afin de nous préparer tout seuls, comme des grands, des barres chocolatées au riz soufflé. Nous avions bien failli creuser un trou dans le bois, et Amma m'avait fait la tête pendant des jours. Je m'arrangeais pour marcher sur les marques chaque fois que je descendais.

À Gatlin, se rendre à la cave ne différait guère de franchir un Portail Enchanteur. La nôtre n'était pas les Tunnels, mais je la considérais comme une sorte de mystérieux monde souterrain. C'était sous les lits et sous les maisons que notre ville entassait ses plus beaux secrets. Le trésor pouvait consister en des tas de vieux magazines entreposés près de la chaudière ou en un congélateur entier (taille industrielle) des cookies d'Amma. L'un dans l'autre, on en ressortait les bras chargés ou l'estomac plein.

Au pied de l'escalier, il y avait un passage encadré par du bois de charpente. Pas de porte, juste une ficelle qui pendait de l'autre côté du seuil, déclenchant l'éclairage. J'ai tiré dessus, comme un millier de fois déjà, et le butin d'Amma s'est révélé à mes yeux. Par chez nous, toutes les maisons avaient une réserve, et la nôtre était l'une des plus belles à l'échelle de trois comtés. Les bocaux de notre gouvernante contenaient tout ce qu'il était possible de mettre en conserve, des écorces de pastèque confites aux haricots verts les plus fins, en passant par les oignons les plus ronds et les tomates vertes les plus parfaites. Sans parler des farces à tourte et des confitures – pêches, prunes, rhubarbe, pommes, merises. Les rayonnages s'étendaient si loin qu'on attrapait un torticolis rien qu'à les balayer du regard.

J'ai fait courir ma main sur l'étagère supérieure, où Amma entreposait ses champions, recettes mystérieuses et délicatesses réservées aux invités de marque. Tout ici nous était rationné, à croire que nous étions dans l'armée, et que les bocaux étaient remplis de pénicilline ou de munitions, voire de mines antipersonnel, car il était recommandé de les manipuler avec le plus grand soin.

— Sacré spectacle ! a commenté Liv dans mon dos.

— Je m'étonne qu'Amma t'ait autorisée à descendre. C'est sa réserve secrète.

Elle s'est emparée d'un récipient, l'a soulevé à la lumière.

— Comme il brille !

— Il faut que la gelée étincelle, que les fruits ne flottent pas. Que les légumes au vinaigre soient tous de la même taille, que les carottes soient joliment rondes, et ton paquet bien égal.

— Mon quoi ?

— Le résultat, à l'intérieur. Tu vois ?

— Oui, a-t-elle acquiescé avec un sourire. Comment réagirait Amma si elle savait que tu dévoiles ses secrets culinaires ?

J'étais en effet le mieux placé pour les connaître. J'avais traîné avec elle dans la cuisine depuis aussi longtemps que je m'en souvenais, me brûlant les doigts à force de toucher ce que je n'étais pas censé toucher, glissant des cailloux, des brindilles et toutes sortes de menus objets dans d'innocentes poêlées de préparations destinées aux conserves.

— Le liquide doit recouvrir le tout.

— Et les bulles ? C'est bien ou mal ?

Je me suis esclaffé.

— Tu n'en trouveras jamais aucune dans les bocaux d'Amma.

Liv m'en a alors montré un, placé sur l'étagère du bas. Les bulles y étaient si nombreuses qu'on aurait pu croire que c'étaient elles qu'Amma avait voulu mettre en conserve, et non des cerises. M'agenouillant devant, je l'ai pris. Il était couvert de toiles d'araignée. Je ne l'avais encore jamais remarqué.

— Celui-ci ne peut appartenir à Amma.

Je l'ai fait tourner dans ma paume. CUISINE DE PRUDENCE STATHAM, était-il écrit sur l'étiquette.

— Tante Prue, ai-je marmonné, interloqué. Elle est encore plus folle que ce que je croyais.

Personne ne se permettait d'offrir un plat à Amma qui provienne d'ailleurs que de sa propre cuisine. Ou alors, seulement les inconscients. Je remettais le bocal en place quand j'ai aperçu un long morceau de corde sale qui pendait dans l'ombre du rayonnage.

— Attends ! C'est quoi, ce truc ?

J'ai tiré dessus, et les étagères ont grincé, comme si elles allaient dégringoler. J'ai tâtonné, jusqu'à ce que je trouve l'endroit où la corde rencontrait le mur. Tirant de nouveau dessus, j'ai senti que le bois bougeait.

— Il y a quelque chose, là-derrière.

— Attention !

Lentement, les rayonnages ont glissé vers moi, révélant un passage. Il y avait une pièce dissimulée derrière la réserve. Les murs étaient en brique, et le sol en terre battue. La salle s'enfonçait dans un souterrain. Je suis entré dedans.

— Est-ce l'un des Tunnels ? s'est enquise Liv.

— Il me semble plutôt qu'il a été construit par les Mortels.

Je me suis retourné vers Liv. Elle donnait l'impression d'être en sécurité, toute petite au milieu de la resserre, cernée par les vieux arcs-en-ciel emprisonnés dans les bocaux d'Amma. Soudain, j'ai compris où je me trouvais.

— J'ai déjà vu des reproductions de pièces cachées et de souterrains comme celui-ci. Les esclaves fugueurs s'en servaient pour quitter les maisons, la nuit.

— Serais-tu en train de suggérer que...

J'ai hoché la tête.

— Ethan Carter Wate ou un autre membre de la famille faisait partie du Chemin de fer clandestin[1].

---

1. *Underground Railroad*, en anglais. Réseau de chemins et de refuges qui permit aux esclaves noirs de fuir le Sud vers le Canada ou le Mexique à travers une quinzaine d'États. On estime que plus de cent mille fugitifs ont ainsi réussi à échapper à leur condition avec l'aide des abolitionnistes.

9 octobre
TEMPORIS PORTA

— Qui est précisément Ethan Carter Wate ? a demandé Liv.

— Mon arrière-arrière-arrière-grand-oncle. Il a été soldat pendant la guerre de Sécession avant de déserter parce qu'il la trouvait injuste.

— Je m'en souviens, maintenant. Le Dr Ashcroft m'a raconté son histoire, celle du pendentif et de Genevieve.

Un instant, je me suis senti coupable d'être en compagnie de Liv et non de Lena. Ethan et Genevieve représentaient plus qu'une histoire, pour elle et moi. *Elle* aurait parfaitement éprouvé la solennité de ce moment. Liv a promené sa main sur un mur.

— Et tu crois que cet endroit serait un tronçon du Chemin de fer clandestin ?

— Tu serais surprise de découvrir le nombre de maisons sudistes qui ont un passage comme celui-ci.

— Auquel cas, où conduit-il ?

Elle m'avait rejoint, à présent. J'ai attrapé un vieux quinquet qui était accroché à un clou planté entre deux briques effritées. J'en ai tourné la clef, et la lumière a jailli.

— Comment peut-il encore y avoir de l'huile là-dedans ? s'est étonnée Liv. Ce machin a au moins cent cinquante ans.

Un banc en bois délabré était aligné contre la paroi. Les restes d'une cantine militaire, des espèces de sacs en toile de jute et une couverture en laine étaient soigneusement empilés dessous. Une épaisse couche de poussière recouvrait le tout.

— Viens, ai-je dit. Voyons où ça mène.

J'ai brandi la lampe devant moi. Je n'ai réussi à distinguer que le souterrain qui s'éloignait en sinuant, des plaques de brique apparaissant occasionnellement dans les murs de terre.

— Maudits Pilotes ! Vous pensez pouvoir aller où bon vous semble.

Levant le bras, Liv a effleuré le plafond. Une averse de poussière s'est abattue sur nous. Se penchant, elle a toussé.

— Tu as la frousse ? me suis-je moqué en lui donnant un léger coup de coude dans les côtes.

Elle s'est redressée et a vivement tiré sur la corde des étagères. Derrière nous, la fausse porte s'est refermée d'un coup sec, nous plongeant dans l'obscurité.

— Et toi ?

Le tunnel finissait en cul-de-sac. Je n'aurais pas remarqué la trappe pratiquée au-dessus de nos têtes si Liv n'avait aperçu un rayon de lumière. Elle n'avait pas été ouverte depuis longtemps : quand nous l'avons soulevée, des masses de terre incrustées dans le plafond nous sont tombées dessus.

— Où sommes-nous ? Tu y vois quelque chose ?

Liv était restée en bas. Bien que je n'aie pas trouvé de prise où enfoncer mon pied, j'avais réussi à me hisser dehors à la force des bras.

— Dans un champ, de l'autre côté de la Nationale 9, ai-je répondu. J'aperçois ma maison, d'ici. Je crois que ces terrains appartenaient à ma famille, avant qu'on ne construise la route.

— Alors, ta baraque devait servir de refuge aux esclaves. Il était sûrement très simple de transmettre de la nourriture par ce tunnel, à partir de la réserve.

Liv avait beau me regarder, j'ai deviné qu'elle était à des kilomètres de moi, plongée dans ses réflexions.

— Puis, la nuit, quand c'était moins risqué, on aboutissait ici.

J'ai rejoint le souterrain d'un bond avant de refermer la trappe.

— Je me demande si Ethan Carter Wate était au courant. S'il a participé à ces fuites.

Après ce que j'avais découvert de lui pendant mes visions, j'avais le sentiment que c'était possible.

— Et Genevieve, a enchaîné Liv, était-elle dans le secret ?

— Que sais-tu d'elle ?

— J'ai lu les dossiers.

Évidemment.

— Ils ont peut-être œuvré ensemble.

— À moins que ce tunnel n'ait un rapport avec ceci.

Elle avait les yeux fixés sur quelque chose dans mon dos.

— Quoi donc ?

Elle a tendu le bras. Des planches avaient été clouées en un X maladroit. Comme elles avaient pourri, on distinguait une porte derrière.

— Ethan ? Suis-je en train d'halluciner ou…

— Non, je le vois aussi.

Il ne s'agissait pas d'un sas destiné aux Mortels. J'ai identifié les symboles gravés dans le bois ancien, quand bien même j'étais incapable de les déchiffrer. Au-delà de la trappe qui ramenait à notre monde, une seconde issue conduisait à celui des Enchanteurs.

— On ferait mieux de filer, a décrété Liv.

— D'entrer, tu veux dire.

J'ai posé ma lampe par terre. Liv avait déjà son calepin à la main et reproduisait les dessins qu'elle avait sous les yeux. Elle paraissait néanmoins soucieuse.

— Non, a-t-elle objecté. De rentrer chez toi.

Malgré ses intonations agacées, il était clair qu'elle était aussi curieuse que moi de ce qui pouvait se trouver derrière le portail.

— Arrête ton char. Tu adorerais aller de l'autre côté.

Certaines choses ne changeaient pas, elles. La première planche s'est fendue et a cédé dès que j'ai tiré dessus.

— J'adorerais surtout que tu restes à l'écart des Tunnels. Avant de nous attirer de nouveaux ennuis à tous les deux.

La seconde planche a craqué, révélant un encadrement sculpté qui entourait des doubles battants massifs. Le bas paraissait s'enfoncer dans le sol. Je me suis baissé afin de l'observer de plus près. De véritables racines reliaient les portes à la terre. Je les ai caressées de la paume. Elles étaient dures, solides, et je n'en ai pas reconnu les essences.

— Frêne et sorbier, a diagnostiqué Liv que j'entendais gribouiller. Or ces arbres ne poussent pas autour de Gatlin. Ce sont des espèces surnaturelles. Destinées à protéger les créatures de la Lumière.

— Ce qui signifie ?

— Que ce portail appartient sans doute à un endroit fort éloigné d'ici. Et qu'il conduit tout aussi loin.

— Où ?

— Aucune idée, a-t-elle répondu en appuyant sa main sur l'un des bas-reliefs. Madrid, Prague, Londres. Nous avons des sorbiers, au Royaume-Uni.

Elle a entrepris de recopier les symboles gravés dans le bois sur une page vierge. De mon côté, j'ai tiré sur la poignée, à deux mains. Le verrou en fer a gémi, mais les portes n'ont pas cédé.

— De toute façon, ça n'est pas la question, ai-je marmonné.

— Ah oui ?

— La question, c'est : que fichons-nous ici ? Que sommes-nous censés découvrir ? Et comment passe-t-on de l'autre côté ?

Une fois encore, j'ai tiré. En vain.

— Je compte trois questions au total. À mon avis, cette porte fonctionne comme celle de Ravenwood avec son linteau. Les sculptures constituent une sorte de code permettant de franchir l'obstacle.

— Alors, débrouille-toi pour le décrypter. Il faut que nous continuions.

— Je crains que ce ne soit pas aussi facile. Attends. Est-ce un mot, là ?

Du bout des doigts, elle a essuyé l'encadrement. Une sorte d'inscription est apparue.

— Si c'est bien un portail d'Enchanteurs, ça ne m'étonnerait pas.

J'ai frotté le bois, et des échardes ont piqueté ma main. Nous étions devant un accès très ancien.

— *Temporis Porta*, a murmuré Liv. La Porte du temps ? Qu'est-ce que ça veut dire ?

— Que nous n'avons pas le temps de nous interroger.

J'ai appuyé ma tête contre les battants, et une bouffée de chaleur et d'énergie s'est répandue en moi. La porte vibrait.

— Ethan ?

— Chut.

« Allez, ouvre-toi. Je sais que tu caches quelque chose que je suis supposé voir. »

Je me suis concentré sur le portail, comme je l'avais fait avec l'Orbe Lumineux la dernière fois que nous avions essayé de nous frayer un chemin à travers les Tunnels.

« Je suis le Pilote. Je le sais. Montre-moi la voie. »

Le son inimitable du bois se mettant à craquer a résonné. Les portes ont tremblé comme si elles allaient s'effondrer.

« Allez. Montre-moi. »

J'ai brusquement reculé, cependant que les panneaux s'écartaient à la volée sur un puits de lumière. Un nuage de poussière a accompagné le mouvement, à croire que cette entrée n'avait pas été utilisée depuis des siècles.

— Comment as-tu fait ça ?

Liv me dévisageait, bouche bée.

— Je n'en sais rien, mais le résultat est là. Viens.

Nous avons franchi le seuil. La lumière et la poussière se sont aussitôt dissoutes. Liv m'a tendu la main. Avant que j'aie eu le loisir de l'attraper, j'ai disparu…

J'étais seul au centre d'un hall immense. L'endroit avait des allures de ce que j'imaginais être l'Europe, soit en Angleterre, soit en France, à moins que ça n'ait été en Espagne. Un lieu antique et hors du temps. Je n'avais aucune certitude, toutefois. Jusqu'à maintenant, les Tunnels ne m'avaient pas mené plus loin que la Grande Barrière. La pièce, haute et rectangulaire, tout en pierre, était aussi vaste que la cale d'un navire. Ce n'était pas une église, même si ça y ressemblait. Une église ou un monastère – grand, sacré, mystérieux. Des poutres énormes supportaient le toit, bordées par de petits carrés en bois à l'intérieur desquels était sculptée une rose dorée – un cercle avec des pétales.

Des cercles d'Enchanteurs.

Ils avaient l'air étranges.

Rien ici ne m'était familier. Même la puissance magique qui bourdonnait comme une ligne à haute tension paraissait différente.

De l'autre côté de la salle, il y avait une alcôve dotée d'un balcon exigu. Cinq croisées couraient le long du mur, plus hautes que la plus haute des maisons de Gatlin. Elles dispen-

saient une lumière douce qui transperçait les bouillons de tissu transparent dont elles étaient couvertes. D'épaisses draperies couleur or étaient accrochées sur les côtés, et je n'aurais su dire si le courant d'air qui entrait par les fenêtres était Mortel ou Enchanteur.

Les murs lambrissés s'incurvaient en banquettes près du plancher. J'avais croisé ce genre d'images dans les livres de ma mère. Les moines et les clercs s'y asseyaient pour prier.

Pourquoi étais-je ici ?

Lorsque j'ai relevé les yeux, j'ai constaté que, soudain, l'endroit s'était rempli de gens : coincés sur les bancs, debout devant moi, poussant et tirant sur les flancs. Leurs visages m'étaient cachés, et la moitié portaient des manteaux. Tous étaient animés par une excitation grandissante.

— Que se passe-t-il ? Qu'attendons-nous ?

Personne ne m'a répondu. Comme si ces foules ne me voyaient pas. C'était insensé. Je ne rêvais pas. J'étais dans un lieu réel. Les badauds ont continué de se presser les uns contre les autres, avançant peu à peu, murmurant. Soudain, un marteau a été assené.

— *Silentium !*

C'est alors que j'ai reconnu les silhouettes déjà croisées et que j'ai saisi où j'étais. Ça ne pouvait être que ça.

La Garde Suprême.

Au bout du hall, sur la mezzanine surplombant la salle, se tenait Marian, vêtue d'une cape dont la capuche était rabattue sur ses yeux. Ses mains étaient attachées par une corde dorée. Près d'elle, j'ai identifié le grand homme qui lui avait rendu visite aux archives. Autour de moi, les curieux ont chuchoté son titre : Gardien du Conseil. Son *alter ego* albinos le flanquait. Il a pris la parole. Comme il s'exprimait en latin, je n'ai rien compris. Ça n'a pas été le cas de mes voisins, en revanche, chez lesquels le discours a provoqué une sorte de folie.

— *Ulterioris Arcis Concilium, quod nulli rei – sive homini, sive animali, sive Numini Atro, sive Numini Albo – nisi Rationi Rerum paret, Marianam ex Arce Occidentali Perfidiae condemnat.*

Lorsqu'il a répété ses sentences en langue vulgaire, j'ai pigé pourquoi l'assistance réagissait ainsi.

— Le Conseil de la Garde Suprême, qui ne rend de comptes qu'à l'Ordre des Choses et à nul homme, nulle créature, nul pouvoir issu de la Lumière ou des Ténèbres, déclare Marian de la Garde Occidentale coupable de trahison.

Une douleur aiguë m'a transpercé l'estomac, comme si une lame géante venait de me trancher en deux.

— Telles sont les conséquences de sa passivité. Conséquences pour lesquelles elle sera châtiée. La Gardienne, bien que Mortelle, sera rendue au Feu Ténébreux, source de tous les pouvoirs.

Le Gardien du Conseil a alors retiré la capuche de la tête de Marian. Les yeux de la condamnée étaient cernés de noir, ses cheveux avaient été rasés, et elle avait tout d'un prisonnier de guerre.

— L'Ordre a été rompu. Jusqu'à ce que l'Ordre Nouveau soit instauré, l'Ancienne Loi devra être observée, et le prix de la trahison, payé.

— Marian ! ai-je hurlé. Tu ne peux pas les laisser...

J'ai tenté de me frayer un chemin à travers la cohue. Malheureusement, plus je me démenais, plus mes voisins se ruaient en avant, et plus Marian semblait s'éloigner. J'ai fini par heurter quelqu'un qui ne bougeait pas, quelqu'un d'inamovible. Soudain, je me suis surpris à contempler l'œil de verre inerte de Mme English.

« Qu'est-ce qu'elle fabrique ici, celle-là ? »

— Ethan ?

— Madame ! Il faut que vous m'aidiez. Ils détiennent Marian Ashcroft. Ils vont lui faire du mal, alors qu'elle n'a commis aucun crime. Elle est innocente !

— Que pensez-vous du juge et des jugements, maintenant ?

Elle délirait.

— Pardon ?

— Votre dissertation. Je la veux demain sur mon bureau.

— Je sais bien ! Ce n'est pas de cela que je vous parle.

Elle était bouchée, ou quoi ?

— Je crois que si, au contraire.

Sa voix était différente, étrangère.

— Le juge se trompe. Tous se trompent.

— Il y a forcément un coupable. L'Ordre a été brisé. Si ce n'est pas par Marian Ashcroft, qui blâmer ?

— Aucune idée. Ma mère disait…

— Les mères mentent, m'a-t-elle interrompu avec des intonations dénuées d'émotion. Pour permettre à leurs enfants de vivre dans cette vaste mystification qu'est l'existence des Mortels.

La colère est montée en moi.

— Taisez-vous. Vous ne connaissez pas ma mère.

— La Roue de Fortune. Votre mère savait des choses à ce sujet. L'avenir n'est pas prédéterminé. Seul vous êtes en mesure de stopper la Roue. Avant qu'elle n'écrase Marian Ashcroft. Qu'elle ne nous écrase tous.

Ma prof de littérature s'est volatilisée, la salle s'est vidée. Une porte en sorbier lisse me faisait face, encastrée dans le mur comme si elle avait toujours été là. La *Temporis Porta*.

J'ai à peine effleuré le loquet que je me suis retrouvé de l'autre côté, dans le souterrain, nez à nez avec Liv.

— Ethan ! Que t'est-il arrivé ?

Elle s'est jetée à mon cou. Un écho du lien particulier qui nous unirait toujours a résonné en moi.

— Je vais bien, ne te bile pas, ai-je répondu en m'écartant.

Son sourire s'est fané, ses joues se sont empourprées, et elle a fourré ses bras dans son dos quand elle s'est rendu compte de ce qu'elle venait de faire, les malaxant comme si, ainsi, ils allaient disparaître.

— Qu'as-tu vu ? Où étais-tu ?

— Je ne garantis rien, mais c'était à la Garde Suprême, me semble-t-il. J'ai reconnu deux des Gardiens du Conseil qui sont venus à la bibliothèque tout à l'heure. Cependant, je pense que c'était une vision du futur.

— Hein ? Qu'est-ce qui te pousse à croire ça ?

Déjà, les rouages de son cerveau fonctionnaient à tout-va.

— C'était le jugement de Marian, lequel n'a pas encore eu lieu.

Liv a tripoté le crayon coincé derrière son oreille.

— *Temporis Porta* signifiant « Porte du Temps », c'est envisageable.

— Ah bon ?

Après ce dont j'avais été témoin, j'espérais que la scène représentait plutôt un avertissement, une espèce d'avenir pas nécessairement gravé dans le marbre.

— Il est fort possible que tu aies assisté à un événement à venir. À la réalité qui nous attend.

Elle a entrepris de griffonner dans son calepin rouge. Il était exclu qu'elle perde une miette de notre échange.

— Après ce que j'ai vu, je souhaite que tu aies tort.

Elle s'est interrompue.

— C'était si grave ?

— Oui… En tout cas, s'il s'agit vraiment du destin, nous devons empêcher Marian de se rendre au procès. Promets-le-moi. S'ils reviennent, tu m'aideras à la tenir à l'écart du Conseil. Je pense qu'elle ne se doute pas…

— Je te le jure.

Son visage était grave, sa voix peu sûre, et j'ai deviné qu'elle retenait ses larmes.

— Prions pour qu'il y ait une autre explication.

Cependant, alors même que je prononçais ces mots, j'avais conscience qu'ils sonnaient faux. Liv aussi, d'ailleurs.

Nous avons rebroussé chemin, à travers la poussière, la chaleur et l'obscurité, jusqu'à ce que je ne ressente plus que le fardeau de mon univers qui s'écroulait.

13 octobre
Ticket gagnant

Le soir de la visite de la Garde Suprême, Marian est rentrée chez elle pour n'en plus ressortir, à ma connaissance du moins. Le lendemain, je suis passé voir si elle allait bien, elle ne m'a pas ouvert ; je ne l'ai pas trouvée à la bibliothèque non plus. Le surlendemain, j'ai pris son courrier dans sa boîte aux lettres pour le porter sur la véranda. J'ai essayé de regarder par les fenêtres, mais les stores étaient baissés, et les rideaux tirés.

Le 13 octobre, j'ai de nouveau sonné – pas de réaction. Je me suis assis sur le porche et j'ai jeté un coup d'œil à ses lettres. Rien d'extraordinaire : des factures et une lettre de l'université de Duke, sans doute à propos d'une de ses allocations de recherches. Il y avait aussi un pli réexpédié, dont l'adresse m'était inconnue. Kings Langley. Le nom m'était familier. En quel honneur ? J'avais l'esprit embrumé, quelque chose titillait ma mémoire, sans que je parvienne cependant à mettre le doigt dessus.

— Celle-ci est pour moi, je pense.

Liv s'est installée à côté de moi. Elle avait tressé ses cheveux et elle était vêtue d'un bermuda coupé dans un vieux jean et d'un tee-shirt représentant le tableau périodique des éléments. En surface, elle était la même. Je savais toutefois que l'été l'avait transformée.

— Je ne t'ai pas demandé si tu t'étais remise de la scène, aux archives, avec les types du Conseil, ai-je dit. Tu tiens le coup ?

— Je crois, oui. La *Temporis Porta* m'a plus effrayée qu'eux.

— Moi aussi.

— Je suis persuadée que tu as fait un saut dans le futur, Ethan. Tu as franchi le portail, tu as été transporté dans un autre endroit physique. C'est comme ça que fonctionnent les portes temporelles.

La Garde Suprême n'avait en effet rien d'un rêve, ni même d'une vision. C'était comme si j'avais pénétré dans un monde parallèle, dont j'espérais seulement qu'il ne constituait pas l'avenir.

Liv avait le visage grave. Quelque chose la préoccupait.

— Qu'y a-t-il ?

— J'ai réfléchi, a-t-elle répondu en tripotant son sélenomètre avec nervosité. La *Temporis Porta* s'est ouverte pour toi. Pourquoi pas pour moi ?

« Parce que de sales trucs n'arrêtent pas de m'arriver. » C'est ce que je pensais, sincèrement. Sauf que je ne l'ai pas formulé. Je n'ai pas non plus mentionné que j'avais croisé ma prof de littérature dans le futur.

— Aucune idée. Bon, qu'est-ce qu'on fait, maintenant ?

— Ce que nous pouvons. Nous nous assurons que Marian ne se rend pas à la Garde Suprême, par exemple.

— Nous devrions peut-être nous réjouir qu'elle ne sorte plus de chez elle. Et moi, j'aurais dû me douter que farfouiller dans les réserves d'Amma ne déboucherait sur rien de bon.

— À l'exception de ses confitures.

Liv a eu un sourire faiblard. Elle essayait de me distraire de la seule chose qui m'obsédait : moi-même.

— À la cerise ?

— Aux fraises. Directement à la cuiller.

— On dirait Ridley. Un bec sucré comme je n'en ai jamais rencontré.

Ma remarque lui a arraché un sourire, plus authentique cette fois.

— À propos, comment vont-ils ? Ridley, Link, Lena ?

— Ben, Ridley met le bahut sens dessus dessous. Elle est *cheerleader*, maintenant.

— Sirène, *cheerleader*, s'est esclaffée Liv. J'ai beau ne pas être très calée en culture américaine, je goûte pleinement la coïncidence.

— Link est le plus costaud des costauds du lycée. Les filles le suivent partout. Un véritable aimant à minettes.

— Et Lena ? Sûrement heureuse d'avoir récupéré son oncle. Et toi.

Le silence est tombé. Elle ne me regardait pas, je ne la regardais pas. Lorsqu'elle a fini par reprendre la parole, elle l'a fait en fixant le soleil brûlant. Cela prouvait à quel point elle n'avait pas souhaité me jeter ces mots en pleine figure.

— C'est dur pour moi, tu sais ? Je me surprends à penser à toi, j'ai envie de te parler, de choses drôles ou bizarres, et tu n'es pas là.

J'ai failli lâcher le courrier de Marian et m'enfuir à toutes jambes. À la place, j'ai respiré profondément.

— Je comprends. Nous autres sommes ensemble, tu es seule. Nous t'avons écartée, malgré tout ce que nous avons traversé avec toi. C'est naze.

J'exprimais enfin ce qui me trottait dans la tête depuis notre retour à Gatlin, le jour où Liv avait disparu dans les Tunnels en compagnie de l'oncle de Lena.

— J'ai Macon, a-t-elle d'ailleurs objecté. Il est merveilleux avec moi, presque comme un père. (Elle a joué avec les cordons noués autour de son poignet.) Mais tu me manques, de même que Marian. Ne pas pouvoir discuter avec toi ou elle est horrible. Je ne veux pas attirer d'ennuis supplémentaires à Marian, bien sûr. N'empêche, j'ai l'impression qu'on me prive de ce que je préfère, glaces, chips à la crevette et Ovomaltine.

— Je saisis. Désolé que tout soit aussi étrange.

Ce qui l'était, surtout, c'était cette conversation. Il ressemblait tellement à Liv d'être celle qui avait assez de courage pour l'engager. Me regardant de biais, elle m'a adressé un demi-sourire.

— Après que nous nous sommes revus l'autre jour, sache que je suis capable de te fréquenter sans essayer de t'embrasser. Tu n'es pas irrésistible à ce point-là.

— J'en ai conscience.

— J'aimerais pouvoir imprimer une feuille que je me collerais sur le front. JE DÉCLARE OFFICIELLEMENT NE PAS VOULOIR EMBRASSER ETHAN WATE. ALORS, MERCI DE M'AUTORISER À ÊTRE SON AMIE.

— Nous pourrions aussi fabriquer des tee-shirts avec en gros le mot PLATONIQUE.

— Ou PAS ENSEMBLE.

— INDIFFÉRENCE.

Liv s'est emparée de la lettre qui lui était destinée.

— Comme je m'apitoyais sur mon sort, il y a quelques semaines, j'ai écrit chez moi pour demander à rentrer.

Je me suis alors rendu compte que j'ignorais tout de sa famille.

— Là-bas ? Chez tes parents ?

— Je n'ai plus que ma mère. Mon père a fichu le camp depuis belle lurette. Que veux-tu ? Le charme naturel d'un spécialiste en physique théorique. En réalité, ma démarche n'était qu'une tentative peu reluisante pour qu'elle accepte de m'envoyer à Oxford. J'ai envoyé bouler la fac pour venir ici. J'ai eu l'impression qu'il était temps de m'y frotter. Sur le moment, en tout cas.

— Et maintenant ?

Je ne souhaitais pas qu'elle parte.

— Maintenant, je me dis que je n'ai pas le droit d'abandonner Marian tant que tout ce pataquès n'est pas réglé.

J'ai acquiescé en tirant sur mes lacets.

— J'aimerais bien qu'elle sorte de son trou.

Même si je refusais d'envisager le futur qu'elle risquait de devoir affronter alors.

— Oui. Elle n'est pas à la bibliothèque non plus. Elle a sans doute besoin d'un peu de répit.

Liv avait évidemment suivi le même circuit que moi. Nous avions tant de points communs. Ça dépassait largement le fait d'être les deux seuls Mortels de l'équation.

— Je t'ai trouvée drôlement courageuse, l'autre fois, aux archives.

Elle a souri.

— Impressionnant, n'est-ce pas ? J'étais plutôt fière de moi. Cette nuit-là, après notre expédition dans le souterrain, j'ai pleuré dans mon lit durant dix heures d'affilée.

— Il n'y a pas de honte à ça. C'était duraille.

Or elle n'en avait vu que la moitié. La Garde Suprême était encore pire.

— À propos... ai-je commencé.

— Je dois y aller...

Nous avions parlé d'un même élan. Comme d'ordinaire, mon timing était à côté de la plaque. La gêne s'est installée entre nous, pesante. Pourtant, je ne me suis pas résolu à filer. C'est elle qui, finalement, s'est levée et a essuyé son short.

— Je suis contente que nous ayons eu l'occasion de rattraper le temps perdu.

— Moi aussi.

Alors qu'elle s'éloignait dans l'allée bien entretenue de Marian, une idée m'a soudain traversé l'esprit.

— Attends ! ai-je crié en tirant un dépliant orange de ma poche. Tiens !

— Qu'est-ce que c'est ? s'est-elle enquise en revenant sur ses pas pour s'en emparer.

— Une invitation à la fête qu'organise Savannah Snow après le match de basket contre Summerville, samedi soir. Toute la ville voudrait y assister.

J'ai eu du mal à ne pas rire.

— Comment se fait-il que Lena et toi ayez été conviés ?

— Ne sous-estime pas les pouvoirs combinés d'une ancienne Sirène et d'un Linkube.

Elle a empoché le papier.

— Et tu as envie d'y ajouter une Gardienne en formation déchue ?

— Je ne suis pas certain que nous irons. Mais Ridley et Link, si. Ça serait bien que tu viennes, que tu participes, comme au bon vieux temps.

— Je vais y réfléchir, a-t-elle marmonné après un instant d'hésitation.

— Pardon ?

— Ça risque d'être un peu gênant, si Lena est là, non ?

Certes.

— Je ne vois pas pourquoi, ai-je cependant riposté en m'efforçant de paraître convaincant.

— Je ne pige pas qu'on me serve ce genre de réponse, a-t-elle rétorqué. À la place de Lena, je ne serais pas à l'aise en ma présence.

Elle a scruté le ciel, comme si l'univers bleu paisible était susceptible de l'aider à résoudre son dilemme.

— Une bonne raison de porter ces fameux tee-shirts, a-t-elle ajouté.

J'ai croisé les doigts, ne sachant trop quoi répondre à cela.

— Tu as ramené Macon parmi nous. Tu as défendu Marian. Lena te respecte, comme elle respecte l'aide que tu nous as apportée. Tu vis pratiquement à Ravenwood, dessous en tout cas. Tu fais presque partie de la grande famille.

Elle a plissé les yeux, m'a observé de plus près, comme si elle doutait de mes paroles. Rien de plus légitime, puisqu'une partie d'entre elles étaient mensongères.

— Peut-être. On verra. Je ne peux pas faire mieux pour l'instant, vu les circonstances.

— Je considère ça comme un oui.

— Il faut que je rentre. Macon m'attend. Je te promets de songer à cette fête.

Sortant une clef de sa poche, elle l'a brandie devant elle. Elle avait la forme d'un croissant, à l'instar de celle que possédaient Marian et Link. Liv était désormais en mesure d'ouvrir les portails extérieurs qui reliaient les mondes des Mortels et des Enchanteurs. Ça m'a semblé juste. Elle a disparu au coin de la rue en m'adressant un salut, cependant que je me retournais vers la maison. Les stores n'avaient pas bougé.

J'ai déposé le courrier en tas sur le rocking-chair placé près de la porte en priant pour qu'il ne soit plus là au matin. J'ai également prié pour que mes souvenirs de la *Temporis Porta* se volatilisent encore plus rapidement.

— Hein ? Dis-moi que c'est une blague !

Nous étions au Cineplex à attendre notre tour pour acheter du pop-corn. Lena n'était pas aussi ravie que je l'aurais souhaité de ma réconciliation avec Liv. En vérité, elle était aussi furieuse que je l'avais redouté. Toutefois, si Liv se décidait à venir à la fête, Lena découvrirait vite que c'était moi qui l'avais invitée. Mieux valait affronter l'orage tout de suite. Une petite copine mécontente était une chose ; une Enchanteresse mécontente signifiait le risque de perdre une jambe ou de tomber d'une falaise.

J'avais envisagé de raconter à Lena la soirée où Liv et moi avions découvert la *Temporis Porta*. Mais vu sa réaction face à l'annonce de l'invitation, j'ai jugé qu'il était plus prudent d'attendre. Bref, je m'étais contenté d'avouer le reste. Avec un gros soupir, j'ai réitéré mes arguments, bien que conscient de leur futilité.

— Si tu avais des raisons de t'inquiéter, crois-tu que je proposerais à Liv d'être au même endroit que nous deux ? Tu ne penses pas que je m'arrangerais plutôt pour agir en catimini ?

— Genre ?

— Je ne sais pas. Je n'y ai pas réfléchi, puisque ce n'est pas nécessaire.

— Admettons que ça le devienne.

Flûte ! La conversation partait sur la mauvaise pente.

— Aucune chance.

— Ce n'est qu'une hypothèse, Ethan.

— Non. C'est un piège.

Ne jamais se lancer dans des hypothèses avec une nana. Nous avons atteint le comptoir, j'ai sorti mon portefeuille.

— Alors ?

Lena m'a dévisagé avec surprise.

— Comme d'habitude.

Bon sang ! Qu'est-ce que nous commandions, d'ordinaire ? Je n'en avais pas le moindre souvenir.

— Comme d'habitude, ai-je bêtement répété.

— Du pop-corn et un tube de pépites de chocolat, a-t-elle lancé à la caissière après m'avoir jeté un coup d'œil inquisiteur.

Tout va bien ?

Oui. J'ai juste eu un trou.

Après avoir servi Lena, l'employée m'a regardé. J'ai parcouru la liste accrochée au mur.

— Euh... pop-corn et bonbons au piment.

Qu'est-ce qui te prend ?

Ils n'en ont pas à la cannelle, L.

Serais-tu en train de penser à une personne de ma connaissance ?

J'ai haussé les épaules. Bien sûr que je songeais à Amma. Elle avait cessé d'utiliser son hachoir à viande et la Menace

du Cyclope. Ses crayons à papier n° 2 taillés en pointe étaient rangés dans son tiroir, et je n'avais pas vu la moindre grille de mots croisés traîner sur la table de la cuisine depuis des semaines.

— Aucune chance.

Ne t'en fais pas, Ethan. Elle finira par redevenir elle-même.

C'est la première fois qu'elle vire au noir aussi longtemps. Elle a fabriqué un arbre à bouteilles dans le jardin.

Suite à la visite d'Abraham dans ta chambre ?

Non. Sitôt la rentrée des classes.

Lena a versé ses pépites de chocolat dans son pot de pop-corn.

Puisque tu es si soucieux, pourquoi ne l'interroges-tu pas ?

Tu as déjà tenté de lui demander quelque chose ?

Oui. Non. Nous devrions sans doute aller voir ce bokor en personne.

Sans vouloir te vexer, L, ce n'est pas le genre de type qu'un mec a envie de présenter à sa copine. Et puis, je ne suis pas sûr qu'une Enchanteresse serait en sécurité dans son antre.

À cet instant, l'équipe des *cheerleaders* au grand complet est passée devant nous. Ridley était au bras d'un inconnu. Il avait fourré sa main dans la poche de sa jupe en stretch. Il n'était pas du lycée. Plutôt de Summerville, à mon avis. Savannah, elle, s'accrochait à Link, lequel fixait Ridley, laquelle faisait semblant de ne pas s'en apercevoir. Emily suivait le mouvement, en compagnie de Charlotte et d'Eden. La rage se lisait sur les traits de Savannah, qui ne digérait pas de ne plus être la base de la pyramide.

— Vous venez vous asseoir avec nous ? a lancé Link.

Savannah nous a souri et salués de la main. Lena les a contemplés avec des yeux aussi ronds que s'ils s'étaient baladés à poil dans la rue.

— Je ne m'y habituerai jamais, a-t-elle soufflé.

— Moi non plus.

— As-tu rancardé Rid à propos des derniers rangs ?

— Oh, zut !

Nous avons donc fini coincés entre Link et Savannah d'un côté, Ridley et son cavalier de Summerville de l'autre. Au fond de la salle. Le générique avait à peine commencé à défiler que Savannah chuchotait et ricanait dans le cou de Link, une façon comme une autre, d'après moi, de rapprocher au maximum sa bouche de la sienne. J'ai donné un violent coup de coude dans les côtes de mon pote.

— Aïe !

— Ridley est juste à côté, mec.

— Je sais. Avec cette tête de nœud.

— Tu tiens donc à ce qu'elle se jette sur lui ?

Ridley n'était pas le genre de nana à se fâcher. Elle était du genre à se venger.

Se penchant en avant, Link a regardé dans la direction de Rid et de son compagnon. Ce dernier n'avait pas perdu de temps pour poser sa paume sur la jambe de sa voisine. Lorsqu'elle s'est rendu compte que Link l'observait, elle a plaqué sa propre main sur la cuisse du mec tout en rejetant en arrière ses cheveux blond et rose. Puis elle a sorti une sucette qu'elle a entrepris de déballer. Link s'est trémoussé sur son siège.

— Tu as raison, m'a-t-il dit. Je vais devoir lui casser la...

Lena l'a attrapé par la manche avant qu'il n'ait eu le temps de se lever.

— Tu ne casseras rien du tout, l'a-t-elle morigéné. Tiens-toi bien, et elle fera de même. Ensuite, ça serait chouette que vous commenciez à sortir ensemble comme des personnes normales et que vous arrêtiez votre jeu idiot.

— Chut ! a soufflé la tête de nœud de Summerville. Fermez-la. Il y en a ici qui ont envie de regarder le film.

— Ben voyons ! a beuglé Link. Je sais exactement ce que tu essayes de regarder !

Puis il s'est tourné vers moi, suppliant.

— S'il te plaît, mec, laisse-moi sortir et lui flanquer la branlée de sa vie avant que je rate les bons moments. Tu sais bien que ça se terminera comme ça, de toute façon.

Il n'avait pas tort. Mais depuis qu'il était un Linkube, les règles avaient changé.

— Es-tu prêt à laisser Ridley flanquer la branlée de sa vie à Savannah ? Parce qu'elle ne va pas se gêner, tu en es bien conscient ?

Il a secoué la tête.

— Je crois que je ne vais pas pouvoir continuer comme ça encore longtemps. Elle me rend dingue.

L'espace d'une seconde, l'ancien Link a refait surface, celui qui s'accrochait aux nanas qui n'étaient pas pour lui, car elles jouaient dans une autre cour que la sienne. Mais c'était peut-être ça, justement. Il croyait sans doute que Ridley n'était pas pour lui, quand bien même il avait changé de cour.

— Il faut que tu lui demandes d'être ta cavalière à la bringue de Savannah.

C'était, à mon humble avis, la seule façon de désamorcer la bombe à retardement.

— Tu te fiches de moi ? Ça reviendrait à entraîner une guerre ouverte au sein de l'équipe des *cheerleaders*. Savannah m'a déjà confié des tas de missions. Je dois venir plus tôt pour l'aider, ce genre de trucs.

— Je te dis les choses comme je les vois, rien de plus.

J'ai pioché dans mon pop-corn mélangé aux bonbons pimentés. J'avais la bouche en feu, ce que j'ai considéré comme un signe : l'heure était venue que je la boucle.

Plus de conseils à personne.

En fin de soirée, Link a fichu une rouste d'enfer à la tête de nœud de Summerville sur le parking du cinéma, Ridley l'a traité de tous les noms, et Savannah s'est interposée. Pendant une minute, j'ai redouté un sérieux crêpage de chignon, jusqu'à ce que Savannah se souvienne qu'elle avait toujours le bras dans le plâtre et qu'elle décide de prétendre que cette histoire n'était qu'un malentendu.

Rentré à la maison, j'ai découvert un mot scotché sur la porte. Signé de Liv.

J'ai changé d'avis. On se voit à la fête.
Gros bisous, Liv.

Gros bisous.

C'était juste un truc que les filles écrivaient systématiquement en bas de leurs lettres, non ?

Tu parles !

J'étais mort.

18 octobre
Une très, très vilaine fille

J'ai été obligé de déployer des trésors de persuasion pour qu'Amma m'autorise à me rendre à la fête de Savannah Snow. Malheureusement, ce n'était pas comme si je pouvais m'esquiver discrètement. Elle ne sortait plus du tout de chez nous. Elle n'était pas retournée une seule fois dans sa maison de Wader's Creek depuis qu'elle avait tiré une main de cartes qui l'avait expédiée dans la tombe d'une reine du vaudou. Bien qu'elle ait refusé de l'admettre, elle a été sur la défensive quand je lui ai demandé pour quelle raison elle n'allait plus chez elle.

— Parce que tu crois que je peux laisser les Sœurs sans surveillance ? Depuis l'accident, Thelma n'est pas plus cohérente qu'elles, tu le sais.

— Oh, mam'zelle Amma ! a protesté l'intéressée depuis la pièce voisine où elle arrangeait le canapé avec soin. N'eg-zagérez pas. Ch'perds juste un peu la tête par-ci, par-là.

Tante Charity exigeait d'avoir un oreiller et deux couvertures quand elle s'y installait ; tante Grace, deux oreillers et une couverture. Tante Charity refusait d'utiliser les mêmes couvertures deux fois de suite, ce qui nous obligeait à les laver avant qu'elle daigne s'en servir. Tante Grace n'aimait pas que les oreillers sentent les cheveux, même les siens. Le plus triste là-dedans, c'était que depuis l'« accident », j'en savais plus sur leurs préférences en matière d'oreillers et les différents endroits où elles planquaient leur glace au café que je ne l'aurais souhaité.

L'« accident ».

Ce terme avait jusqu'alors désigné l'événement qui avait coûté la vie à ma mère. À présent, c'était un euphémisme dans la tradition de la courtoisie sudiste pour évoquer l'état de tante Prue. M'en sentais-je mieux ou pire ? Aucune idée. Mais une fois qu'Amma avait commencé à s'exprimer ainsi, il était impossible de l'amener à y renoncer.

Ce qui ne m'a pas empêché d'essayer de la convaincre, pour la bringue.

— Les Sœurs se couchent toujours avant vingt heures. Et si on jouait tous au Scrabble ? Je filerais après, quand tout le monde serait au lit ?

Amma a secoué la tête tout en sortant du four des plaques de biscuits pour les remplacer par de nouvelles fournées. Petits pains à la cannelle, croquants aux épices, sablés. Des gâteaux secs, pas des tartes. Ce qui supposait une livraison. Amma ne cuisinait jamais de biscuits pour les Grands. J'ignore pourquoi, ils n'étaient pas très cookies. Quoi qu'il en soit, c'était le signe qu'elle continuait à ne plus leur parler.

— Pour qui prépares-tu tout cela, Amma ?

— Comment ça ? Tu es trop bien pour mes douceurs, maintenant ?

— Non, mais tu as sorti les petits napperons en papier. J'en conclus qu'ils ne me sont pas destinés.

Elle a commencé à étaler de petites boules de pâte sur une plaque.

— Regardez-moi ce petit futé, a-t-elle grommelé. C'est pour emporter au County Care. Je me suis dit que ces gentilles infirmières ne cracheraient pas sur un ou deux gâteaux, histoire de se tenir compagnie pendant leurs longues nuits de veille.

— Alors, je peux y aller ?

— Tu es plus simplet que je ne le pensais, si tu crois que Savannah Snow a envie de toi chez elle.

— Ce n'est jamais qu'une bonne vieille fête entre lycéens.

— Les bonnes vieilles fêtes entre lycéens, ça n'existe pas quand tu y invites une Enchanteresse, un Incube et une Sirène fatiguée, a-t-elle grondé en baissant la voix.

Apparemment, même en murmurant, Amma réussissait à vous engueuler sans ménagement. Sur ce, elle a sèchement refermé la porte du four et s'est plantée devant moi, ses mains emmitouflées dans ses maniques sur les hanches.

— Un quarteron d'Incube, ai-je précisé dans un murmure. (Comme si ça changeait quoi que ce soit.) Ça a lieu chez les Snow. Tu les connais. De braves gens et de bons croyants, ai-je enchaîné en imitant au mieux les intonations du révérend Blackwell. Ils gardent la Bi-ble sur leur table de chevet.

Amma m'a foudroyé du regard ; je n'ai pas insisté.

— Il ne se passera rien, ai-je promis.

— Si on m'avait donné cinq centimes chaque fois que tu m'as servi cette phrase, j'habiterais un château, a-t-elle rétorqué avant d'emballer ses biscuits dans du film plastique. Si la fête est là-bas, je ne vois pas pourquoi tu y vas. Elle ne t'a pas invité, l'an dernier, que je sache ?

— En effet. Mais je me suis dit que ce serait marrant, c'est tout.

J'ai retrouvé Lena au coin de Dove Street, parce qu'elle avait eu encore moins de chance que moi avec son oncle et qu'elle avait été obligée de filer en douce. Elle avait tellement peur qu'Amma ne la découvre et ne la renvoie aussi sec chez elle qu'elle a préféré se garer à plusieurs maisons de la nôtre. Non que sa voiture ait été des plus discrète.

Macon avait été clair et net : personne n'irait nulle part le soir tant que l'Ordre était brisé. Surtout pas à des fêtes chez les Snow. Ce à quoi Ridley avait répondu d'une manière tout aussi claire et nette qu'elle irait où elle voudrait. Comment s'attendaient-ils à ce qu'elle se glisse dans sa peau de Mortelle s'ils l'empêchaient de s'amuser normalement avec ses nouveaux amis Mortels ? Des objets avaient volé à travers Ravenwood. Tante Del avait fini par céder ; pas Macon.

Voilà pourquoi Ridley était sortie par la porte principale, tandis que Lena se débrouillait pour fiche le camp à l'insu de tous.

— Il me croit dans ma chambre en train de bouder, a-t-elle soupiré. C'est là que j'étais, d'ailleurs, jusqu'à ce que je parvienne à mettre au point ma stratégie de fuite.

— Comment t'y es-tu prise ?

— J'ai dû recourir à… quoi ? Quinze sortilèges différents : Cachette, Aveuglement, Oubli, Déguisement, Duplication.

— Duplication ? Dois-je comprendre que tu t'es clonée ?

C'était nouveau, ça.

— Non, juste mon odeur. Ça permettra de tromper quiconque lancera un sortilège de Révélation sur la maison. Enfin, pendant une minute ou deux. Je sais qu'il est impossible d'entourlouper oncle Macon. Dès qu'il aura découvert le pot aux roses, je serai cuite. Toi qui estimes qu'il est dur de cohabiter avec une Voyante, laisse-moi te dire que ce n'est rien, comparé à ce que je subis. Oncle Macon ne pense plus qu'à mettre en pratique ses talents pour la Fouille Mentale.

— Génial ! Bon, ça signifie que nous avons la soirée devant nous.

Je l'ai serrée contre moi, elle s'est adossée contre le corbillard.

— Mouais. Peut-être plus, même. Je risque sûrement de ne pas pouvoir rentrer dans Ravenwood ce soir. L'endroit est Scellé comme jamais.

— Tu n'auras qu'à venir à la maison.

J'ai embrassé son cou, remontant peu à peu jusqu'à son oreille. Mes lèvres brûlaient déjà, mais ça m'était égal.

— Rappelle-moi pourquoi nous allons à cette bringue idiote alors que nous avons une voiture super sous la main ?

Se mettant sur la pointe des pieds, elle m'a embrassé jusqu'à ce que ma tête soit sur le point d'exploser, à l'instar de mon cœur. Puis elle s'est écartée et a échappé à mon étreinte.

— Tante Charity et tante Grace seraient aux anges, hein ? Le jeu en vaudrait presque la chandelle, rien que pour voir leur tronche au matin, quand je descendrais prendre mon petit déjeuner. Je pourrais même me draper dans l'une de tes serviettes de toilette.

Elle a ri, et j'ai imaginé la scène, mais les cris d'orfraie que j'entendais déjà étaient si bruyants que j'ai renoncé.

— Disons seulement que leur langage aurait toutes les chances d'être plus cru que le mot « popotin ».

— Je te parie qu'elles préviendraient la « môdite police » !

Sûr et certain.

— Oui, mais c'est moi qu'elles feraient arrêter, pour avoir compromis ta vertu.

— Alors, allons chercher Link avant que tu n'aies eu le temps d'essayer.

Je ne me souvenais plus de la dernière fois où j'avais mis les pieds chez Savannah, mais, à la minute où je suis entré, un malaise s'est emparé de moi. Les portraits d'elle pullulaient : posant en uniforme de *cheerleader* armée de ses pompons, coiffée de tiares étincelantes et bardée de multiples rubans de Miss Je-vaux-bien-mieux-que-toin'est-ce-pas ? Il y avait également une rangée de ce que j'ai supposé être des photos de mode, où on la découvrait en maillot de bain, avec faux cils et tonnes de rouge à lèvres. Il semblait qu'elle se peignait les lèvres depuis qu'elle avait cessé de porter des couches-culottes.

Les Snow n'avaient pas besoin d'acheter des décorations pour rehausser leurs agapes. Au-delà de la table couverte d'une centaine de petits gâteaux en forme de ballon de basket, d'un bol de punch reposant sur une couche de glace pilée emprisonnant des ballons de basket miniatures et des sandwichs poulet-mayonnaise dont le pain avait été découpé comme des ballons de basket, Savannah était l'ornement le plus frappant de la soirée. Elle avait gardé son uniforme de *cheerleader*, mais s'était peint le nom de Link sur une joue et dessiné un énorme cœur rose sur l'autre. Debout au milieu du jardin de derrière, elle montait la garde en souriant, illuminant les lieux comme si elle était un sapin à la veillée de Noël. Et, à l'instant où elle a aperçu Link, j'ai eu l'impression que quelqu'un venait de brancher la prise de ses guirlandes électriques.

— Wesley Lincoln !

— Salut, Savannah.

Cette dernière espérait bien que de sérieuses étincelles crépiteraient entre eux, ce soir-là. Pas de danger. Pour Link, il n'existait qu'une fille susceptible de provoquer ce genre d'étincelles, et elle allait arriver d'ici quelques minutes afin d'irradier la fête.

D'ici une heure, s'est-il finalement avéré.

C'est là que Ridley a fait son apparition et qu'elle a décidé de pimenter les choses un brin.

Mahousse, le brin. Genre corde.

— Bonsoir, les garçons.

La tête de Link a vivement pivoté, et son visage s'est fendu d'un sourire immense, confirmant ainsi ce que je savais depuis le départ. Il avait Ridley dans la peau et partout

ailleurs. Je comprenais ce qu'il ressentait, dans la mesure où j'éprouvais des émotions identiques envers Lena.

Oups ! Voilà qui n'augure rien de bon, L.

J'imagine, oui.

— Allons-nous-en, j'ai peur que ça ne tourne au vinaigre.

Lui prenant la main, j'ai pivoté sur les talons pour regagner la rue quand j'ai découvert Liv. Lena m'a lancé un coup d'œil.

Zut !

J'avais complètement oublié de prévenir Lena qu'elle avait finalement décidé de venir.

— Lena, l'a saluée Liv avec un sourire.

— Liv, a répliqué Lena avec un semblant de sourire. J'ignorais que tu serais là.

— Vraiment ? J'ai pourtant laissé un mot à Ethan.

Le sourire de Liv s'est accentué. À mon adresse.

— Vraiment.

Le regard que m'a jeté Lena m'annonçait que j'allais avoir droit à une petite discussion plus tard.

— Bah ! a repris l'Anglaise avec un haussement d'épaules. Tu le connais.

« N'est-ce pas ? » a entendu Lena.

— En effet, a-t-elle répliqué sans plus sourire du tout.

À deux doigts de céder à la panique, j'ai repéré le buffet, à cinq mètres de là. Une distance qui m'a paru sûre.

— Je vais me chercher à manger. Quelqu'un désire quelque chose ?

— Non, a décliné Liv, toujours aussi gracieuse.

— Rien, merci, a refusé Lena en m'adressant un rictus qui me promettait une mort imminente

Je me suis enfui à toutes jambes.

Debout près du bol de punch, Mme Snow s'entretenait avec deux étrangers. Tous deux portaient des casquettes au sigle d'une université et des polos du même genre.

— C'est une surprise, leur expliquait la mère de Savannah. Voilà pourquoi ma fille tenait à organiser ce petit raout. Elle souhaitait que vous puissiez vous entretenir avec Wesley dans un environnement décontracté.

— Une attention charmante de sa part, madame.

— Savannah est une petite pleine d'attention pour les autres, quitte à s'effacer devant eux. Quant à son cavalier, Wesley, c'est un joueur de basket fort talentueux. C'est pourquoi mon époux et moi vous avons conviés ce soir. Qui plus est, Wesley vient d'une bonne famille chrétienne. Sa mère participe à toutes les activités de notre modeste bourgade.

Je me suis figé, un ballon de basket au chocolat à moitié fourré dans la bouche. Ces gars étaient des recruteurs envoyés par les facs. Ils étaient ici pour rencontrer Link. J'ai regardé dans le jardin, où ce dernier dansait avec Savannah, pendant que Ridley tournait autour d'eux, pareille à un requin. Elle n'allait pas tarder à attaquer, à présent, frappant si vite qu'il ne resterait bientôt plus que du sang dans l'eau.

J'ai foncé, manquant de renverser le punch au passage.

— Désolé, Savannah, il faut que je parle à Link.

Attrapant mon pote, je l'ai entraîné à l'écart.

— Qu'est-ce qui te prend ? s'est-il emporté.

— Il y a des recruteurs de l'université à la soirée. La mère Snow a monté cette bringue rien que pour toi. Si tu laisses Ridley approcher de Savannah, tu vas tout faire capoter.

— Tu délires ?

— Le basket. Des envoyés des facs. Ton billet d'entrée dans l'une d'elles.

— Nan, mec. T'as tout faux. Je ne veux pas de billet d'entrée pour ailleurs que ce bled. J'en veux juste un pour filer de cette fête.

— Quoi ?

Il repartait déjà en direction de la maison en secouant la tête.

— Je me fous de Savannah. Je m'en suis toujours foutu. C'est Ridley qu'il me faut. Coûte que coûte.

Il m'a regardé comme s'il était en train de m'annoncer qu'il était atteint d'une maladie mortelle.

— Je suis mordu, mec.

— Mordu par quoi, Shrinky Dink ?

Ridley s'était approchée de nous. Contrairement à ses coéquipières, elle ne portait pas son uniforme. Sa robe verte était si moulante par endroits et fendue si haut ailleurs qu'on ne savait plus trop où poser les yeux. Link s'est approché d'elle.

— Viens, Rid, il faut que je te parle.

— Ce n'est pas ce que ta petite amie m'a dit. D'après elle, tu refuses de m'adresser la parole. Elle est allée jusqu'à me conseiller de fiche le camp de sa propriété.

— Savannah n'est pas ma copine.

J'ai tenté de faire comme si j'ignorais ce qui allait se produire. De ne pas écouter. De m'en soucier comme d'une guigne, du moins. Mais la voix de Link avait des accents désespérés.

— Je n'ai jamais craqué que pour toi.

— Qu'est-ce que tu racontes ?

Trop tard ! Link était lancé, maintenant.

— Des fois, je pense à des trucs dingues, genre que je voudrais être avec toi pour toujours. On vivrait dans un camping-car et on écumerait le monde. Enfin, les endroits où l'on peut aller en voiture, s'entend. Tu m'écrirais des chansons, je les jouerais à des concerts. Tu imagines ?

Le visage de Ridley donnait l'impression d'être sur le point de se craqueler en centaines de petits morceaux.

— Je... tu me prends de court, là.

Elle hésitait, et j'ai deviné combien la situation devait être difficile, pour elle. Car elle n'était plus celle qu'elle avait été, pas plus que Link n'était celui qu'il avait été. Plus rien n'était comme avant, et ça touchait tout le monde.

Tout à coup, Ridley a vu que Lena et Liv les observaient d'un côté, et moi de l'autre. Ses traits se sont assombris. Il était hors de question qu'elle craque, surtout devant nous.

— Tu es cinglé, ou quoi, Shrinky Dink ? s'est-elle ressaisie.

— Voyons, Rid, tu es la nana idéale. *Ma* nana. Ne prétends pas que tu ne ressens pas la même chose pour moi.

— Je suis une Sirène. Je ne suis la nana de personne. Je ne ressens rien. Et je ne tombe pas amoureuse. Cela m'est impossible. Tout ça n'a toujours été qu'une pantomime.

Elle a commencé à battre en retraite.

— Tu n'es plus une Sirène, Rid. Et tu n'en redeviendras jamais une.

Elle s'est brusquement retournée, ses yeux bleus rageurs.

— Détrompe-toi ! Je ne serai pas coincée toute ma vie dans cette espèce de bled minable. Il est également exclu que je parcoure le monde dans une caravane miteuse avec toi. J'ai des projets, figure-toi.

— Ridley… a balbutié Link, malheureux.

— De grands projets. Et, crois-moi, tu n'es pas au programme ! Ni vous, d'ailleurs !

Cette dernière pique nous avait été adressée, à Lena, Liv et moi. Link avait la tête d'un gars qu'on aurait giflé. Lui qui passait son temps à raconter des craques, voilà qu'il s'était complètement livré à une fille. Il a balancé un coup de pied dans une chaise de jardin, l'envoyant valser, tandis que Ridley filait vers le portail.

De l'autre côté de la pelouse, Savannah a constaté que la voie était libre et s'y est précipitée. Lissant sa chevelure blonde, elle s'est approchée de Link. Elle a promené ses paumes sur le tee-shirt de sa proie.

— Viens danser, Link.

L'instant d'après, ils étaient sur la piste, et Savannah mettait le paquet. Lena, Liv et moi les regardions comme nous aurions badaudé devant un carambolage sur la Nationale 9. Impossible de se détourner du spectacle.

— Faut-il laisser faire ? a demandé Liv en plissant le nez.

— Je ne vois pas comment nous pourrions intervenir, a répondu Lena avec un haussement d'épaules. À moins que tu ne souhaites t'immiscer entre eux en personne.

— Non merci.

C'est alors que Savannah, qui, visiblement, n'avait pas pigé qu'elle dansait avec un type au cœur brisé dont les espoirs et les rêves de grand amour, de disques et de camping à travers le pays venaient d'être réduits en miettes, a décidé de porter le coup fatal.

Lena, Liv et moi avons retenu notre souffle comme un seul homme.

En plein sous les guirlandes clignotantes, elle a saisi le visage de son cavalier entre ses paumes et l'a attiré vers elle.

— Bon Dieu ! a juré Liv en se cachant les yeux.

— Mauvais signe, a renchéri Lena en détournant la tête.

— On est foutus, ai-je opiné en me préparant au pire.

Le baiser a duré au moins vingt secondes.

Jusqu'au moment où Ridley a regardé par-dessus son épaule.

On a dû l'entendre sur un rayon d'un kilomètre. Plantée près du portail, au fond du jardin, elle s'est mise à hurler si fort que les danseurs se sont arrêtés net. Brandissant sa ceinture scorpion, elle bougeait les lèvres comme si elle était en train de lancer un sortilège.

— Elle ne peut… a soufflé Lena.

Je l'ai prise par la main.

— Il faut l'arrêter. Elle a pété un plomb.

Il était trop tard, malheureusement.

La seconde d'après, la soirée s'est transformée en un charivari infernal.

J'ai senti le sortilège submerger les fêtards comme une vague presque palpable, touchant une personne avant d'en contaminer une autre. Elle laissait derrière elle un sillage d'expressions furieuses et de cris. Les couples enlacés se sont mis à se disputer. Les gars se sont bousculés, tandis que d'innocentes victimes tentaient de se sauver. Puis le sortilège les atteignait à leur tour, et c'étaient elles qui se lançaient dans des bagarres et des invectives.

Le bol de punch s'est écrasé par terre, au milieu d'une mêlée de *cheerleaders* qui se tiraient les cheveux et de basketteurs qui se taclaient au sol. Même Mme Snow enguirlandait les recruteurs des facs, les accablant d'une telle diatribe qu'ils n'étaient pas près de revenir de sitôt dans notre comté.

— Je le sens, a marmonné Lena, le regard noir. Un *Furor* !

Nous attrapant par le bras, Liv et moi, elle a voulu nous emmener vers la rue. Hélas, là encore, les événements ont été plus rapides que nous. Il a été clair que la vague nous avait atteints, car Liv s'est soudain retournée pour flanquer une gifle magistrale à Lena.

— Tu es dingue ou quoi ? s'est écriée cette dernière en frottant sa joue qui rougissait déjà.

Liv a tendu un doigt accusateur vers elle, cependant que son lourd sélenomètre glissait autour de son poignet.

— Voilà qui t'apprendra à pleurnicher, princesse !

— Quoi ?

Les cheveux de Lena ont commencé à boucler, elle a plissé ses yeux vert et or.

— Pauvre, pauvre de moi, jolie poupée, a continué Liv sur le même ton. Mon superbe copain est ultra épris de moi, mais je suis triste parce que... ben, c'est ainsi que les ravissantes pimbêches comme moi sont censées se comporter.

— La ferme !

Lena semblait à deux doigts de lui balancer un coup de poing dans la figure. Le tonnerre a roulé dans le ciel.

— Au lieu d'être heureuse avec ce chouette mec qui m'adore, je vais me vernir les ongles en noir et foutre le camp avec un autre beau gosse.

— Ce n'est pas ce qui s'est passé ! a hurlé Lena en tentant de frapper Liv.

Je l'ai retenue juste à temps. Il s'est mis à pleuvoir.

— Et… attends un peu, ma fille, a poursuivi l'autre, je suis l'Enchanteresse la plus puissante de l'univers. Je vous le répète à l'envi, histoire de vous enfoncer un peu plus, minables Mortels.

— Espèce de tarée ! a braillé Lena. Mon oncle était mort. J'ai cru que je devenais Ténèbres.

— Sais-tu ce que ça fait de fréquenter un type pour lequel tu éprouves quelque chose ? De l'aider à retrouver sa nana qui ne veut pas qu'on la retrouve ? De le regarder briser son propre cœur, et le tien par la même occasion, à cause d'une débile d'Enchanteresse qui se fout de lui comme de sa première culotte ?

Un éclair a zébré le firmament, la pluie a forci, se transformant en une averse drue. Lena a bondi sur Liv. Je me suis interposé.

— Ça suffit, Liv ! ai-je ordonné. Tu te trompes.

Je ne comprenais pas trop ses intentions, mais je voulais par-dessus tout qu'elle se taise.

— Ah ! a rugi Lena. Tu avoues enfin que tu as des sentiments pour lui !

— Je n'avoue rien du tout, sinon que tu es une sale petite garce qui croit que le monde tourne autour de ses mignonnes boucles brunes.

Ça a été la phrase de trop. Se libérant, Lena a planté ses mains sur les épaules de son adversaire, laquelle est tombée durement par terre. Il n'était pas question qu'elle ait le dernier mot. Ni le dernier coup.

— Tu l'auras voulu, mademoiselle Je-ne-suis-pas-là-pour-te-piquer-ton-copain ! a-t-elle grondé avant d'imiter la voix de Liv. Non, vraiment, nous sommes juste des amis, bien que je sois plus blonde et plus maligne que vous autres. Oh ! Ai-je oublié de mentionner mon séduisant accent britannique ?

Du pied, Liv a tenté de l'asperger de terre, mais Lena a esquivé. Et enchaîné :

— Comme si cela ne suffisait pas, je joue les martyres afin de t'obliger à culpabiliser jusqu'à la fin de tes jours. Ou alors, je passe tout mon temps avec ton oncle, des fois qu'il finisse par me considérer comme la fille qu'il n'a jamais eue. Ah, mais une minute ! Il en avait déjà une, de fille adoptive. Et c'est tant mieux, d'ailleurs. Car dès que Lena possède quelque chose, je m'échine à le lui piquer !

Se relevant, Liv a tenté de me contourner. En vain.

— Arrêtez ! ai-je braillé. Vous vous comportez comme des idiotes. C'est un sortilège ! Vous ne savez même pas après qui vous devriez être en colère !

— Parce que toi, tu le sais ? m'a hurlé Lena en essayant de tirer les cheveux de Liv.

— Bien sûr que oui ! Sauf que celle à qui j'en veux n'est pas là.

Me penchant, j'ai ramassé la ceinture de Ridley et l'ai tendue à Lena.

— Ta cousine a fichu le camp. Je n'ai donc personne à qui m'en prendre.

Au loin, le moteur de La Poubelle a rugi. Au-delà du portail, nous avons vu la voiture filer dans la rue.

— J'ai aussi l'impression que quelqu'un est encore plus furax après elle que moi. Et on dirait bien qu'il part à sa recherche.

— Tu penses vraiment que c'est un sortilège ? a demandé Lena à Liv.

— Bien sûr que non, a répliqué celle-ci en levant les yeux au ciel. Toi et moi nous battons toujours comme des chiffonnières lorsque nous sommes invitées à des fêtes.

— Là, tu vois ? Tu t'efforces systématiquement de jouer à la plus fine.

Lena s'est débattue pour m'échapper. J'ai resserré ma prise autour de chacune d'elles.

— C'est un *Furor*, pauvre crétine ! a aboyé Liv.

— Moi, une crétine ? Alors que j'ai identifié le *Furor* avant même qu'il ne commence ?

Je les ai toutes les deux poussées en direction de la rue.

— Vous vous comportez l'une et l'autre comme des crétines, ai-je décrété. Maintenant, nous montons en voiture et nous filons à Ravenwood. Et puisque vous n'êtes pas capables d'être sympas entre vous, bouclez-la.

Je n'aurais pas dû m'en faire pour ça. S'il y a une chose que j'avais apprise à propos des filles, c'est qu'elles ne tarderaient pas à cesser de s'insulter, histoire de s'en prendre à moi, cette fois.

— C'est parce qu'il a trop peur de prendre des décisions, a dit Liv.

— Non, a riposté Lena. C'est parce qu'il essaye de ménager tout un chacun.

— Qu'en sais-tu ? Il ne dit jamais ce qu'il pense.

— N'importe quoi. Il ne pense jamais ce qu'il dit, plutôt.

— Vous allez arrêter ?

Je me suis engouffré entre les grilles tordues de Ravenwood. J'étais furibond. À cause d'elles. De Ridley. Du tour que l'année prenait. *Furor.* C'était le bon mot. Je détestais être dans cet état ; je le détestais d'autant plus que j'avais conscience que mon bouleversement était authentique, même si un sortilège avait été nécessaire pour qu'il s'exprime.

Lena et Liv se chamaillaient encore quand nous sommes sortis de la voiture. Elles avaient beau être conscientes d'être sous l'emprise de la magie, c'était plus fort qu'elles. Ou alors, elles aimaient ça. Nous nous sommes approchés de la porte ; je marchais entre elles pour les séparer, au cas où.

— Et si tu nous fichais la paix ? a lancé Lena en repoussant Liv. Tu n'as jamais entendu parler de la cinquième roue du carrosse ?

Liv l'a bousculée à son tour.

— Comme si j'avais envie d'être ici ! a-t-elle rétorqué. Pour, une fois encore, nettoyer derrière toi. Puis tu m'oublieras jusqu'à ce que tu aies de nouveau besoin de moi.

Je ne les écoutais plus. J'avais les yeux fixés sur la fenêtre de la chambre de Ridley. Une ombre est passée derrière les rideaux. Bien qu'elle n'ait été qu'une silhouette, j'en ai assez vu pour deviner que ce n'était pas l'ancienne Sirène. Link devait nous avoir précédés. Sauf que je n'avais pas aperçu La Poubelle.

— Je crois que Link est déjà là.

— Ça m'est égal. Ridley nous doit des explications.

Lena était à mi-chemin de l'escalier quand j'ai franchi le seuil de la maison. J'ai tout de suite perçu un changement. L'atmosphère était différente, plus légère. Je me suis tourné vers Liv. Son expression reflétait mes sentiments : confusion, perplexité.

— Est-ce que tu as l'impression de quelque chose de bizarre, Ethan ?

— Oui.

— C'est le *Furor.* Il est rompu. Sa magie ne traverse pas les Sceaux.

— Ridley ? Où es-tu ?

Lena n'était plus qu'à quelques pas de la chambre. Elle en a poussé la porte sans prendre la peine de frapper. Elle semblait se moquer que Link y soit ou non. Ce qui n'a pas eu d'importance.

Parce que le type dans la chambre n'était pas Link.

18 octobre
OTAGE

— Qu'est-ce que...

J'ai entendu sa voix avant de le voir. Sans doute parce qu'il ne s'attendait pas plus à ce que je débarque dans la chambre de Ridley que moi à l'y trouver.

John Breed était vautré sur la carpette rose, une console de jeux vidéo dans une main, un sachet de chips dans l'autre.

— John ? s'est exclamée Lena, aussi ahurie que moi. Tu es censé être mort.

— John Breed ? a renchéri Liv, elle aussi sous le choc. Ici ? C'est dingue.

— Désolé de vous décevoir, a répliqué l'interpellé en lâchant ses amuse-gueules et en sautant sur ses pieds.

Protecteur, je me suis placé devant les filles.

— Désolé est le mot juste, ai-je craché. Pour moi en tout cas.

Lena n'ayant pas besoin de moi pour se défendre, elle m'a écarté.

— Comment oses-tu entrer chez moi après ce que tu as fait ? Tu t'es débrouillé pour que je te croie mon ami, alors que tu voulais juste me jeter en pâture à Abraham. La moindre de tes paroles était un mensonge !

Dehors, le tonnerre a grondé.

— Faux, s'est défendu John. J'ignorais ce qu'ils mijotaient, lui et Sarafine. Je suis prêt à le jurer sur la Bible ou le *Livre des lunes*.

— Ce qui est impossible, puisque Abraham nous l'a volé, ai-je crié.

J'étais furax, et il était exclu que ce type s'imagine autorisé à nous raconter des salades, énième manœuvre de sa part. Par ailleurs, je ne m'étais toujours pas remis du fait qu'il était en vie et planqué chez Ridley.

— Et comme si ça ne suffisait pas, a poursuivi Lena qui n'avait pas fini de vider son sac, tu as transformé Link en... toi.

Ses boucles s'agitaient tellement que j'ai croisé les doigts pour que la pièce ne s'embrase pas d'un seul coup.

— Je n'ai pas pu m'en empêcher, s'est défendu John en arpentant la chambre. C'est Abraham qui me manipule. Je... je ne me souviens même pas de ce qui s'est passé cette nuit-là.

Je me suis approché de lui. Je me fichais qu'il me tue.

— Et quand tu as traîné Lena sur cet autel, que tu l'y as ligotée ? Ça aussi, tu l'as oublié ?

Il m'a toisé de ses yeux verts inquisiteurs.

— Oui, a-t-il murmuré d'une voix si ténue que je l'ai à peine perçue.

Je le haïssais. L'image de ses mains agressant Lena, que j'avais failli perdre... Pourtant, il semblait dire la vérité. Il s'est laissé tomber sur le lit.

— Il m'arrive d'avoir des trous de mémoire, a-t-il repris. Depuis mon enfance. D'après Abraham, c'est lié à ma différence. J'ai des doutes.

— Suggères-tu qu'il est derrière ces absences ? s'est enquise Liv en sortant son calepin rouge.

— Aucune idée.

Lena s'est tournée vers moi.

Et s'il ne mentait pas ?

Et s'il mentait ?

— Rien de tout cela n'explique ta présence ici, a-t-elle lancé. Ni comment tu as réussi à entrer dans Ravenwood.

Se relevant, John est allé se planter devant la fenêtre.

— Et si tu posais la question à ta sournoise de cousine ? a-t-il riposté.

Pour quelqu'un qui venait d'être accusé d'une infraction, il avait l'air rudement furieux.

— Qu'est-ce qu'elle a à voir là-dedans ? a maugréé Lena sur un ton sinistre.

John a flanqué un coup de pied dans un tas de fringues en secouant la tête.

— Que dire ? Tout ? C'est elle qui m'a enfermé ici.

J'ignore si c'était à cause de ses intonations, ou parce qu'il évoquait Ridley, mais une partie de moi a eu l'impression qu'il était sincère.

— Un instant ! suis-je intervenu. Qu'est-ce que ça signifie qu'elle t'a enfermé ici ?

— Pour être exact, elle m'a emprisonné à deux reprises. D'abord dans l'Orbe Lumineux, puis, après qu'elle m'en a eu sorti, dans cette pièce.

— Pardon ? a demandé Lena, médusée. Mais nous avons enfoui l'Orbe...

— Et ta cousine l'a déterré et apporté ici. Elle m'a relâché et, depuis, je suis coincé dans cette baraque. L'endroit est tellement Scellé que je ne peux pas aller plus loin que la cuisine.

Les Sceaux. Ils ne protégeaient pas Ravenwood d'une intrusion extérieure ; ils empêchaient une créature d'en partir. Mon hypothèse se révélait donc juste.

— Quand t'a-t-elle libéré de l'Orbe ?

— En août, me semble-t-il.

M'est revenu en mémoire le jour où Lena et moi étions descendus dans les Tunnels, lorsque j'avais cru capter le froissement d'une déchirure.

— Quoi ? s'est emportée Lena. Tu es ici depuis deux mois ? C'est toi qui aides Ridley ? C'est comme ça qu'elle parvient à jeter des sorts !

John s'est esclaffé, mais son rire était plus amer qu'autre chose.

— Je l'aide ? Remercie plutôt la bibliothèque de ton oncle. Elle se sert de moi comme de son génie personnel. Ce trou à rats est la lampe dont je suis prisonnier.

— Comment se débrouille-t-elle pour que Macon ne se doute de rien ? a voulu savoir Liv, qui notait tout l'échange par écrit.

— Grâce à un *Occultatio*. Un sortilège de Dissimulation. Qu'elle m'a contraint à lancer, naturellement.

Il a abattu son poing sur le mur, révélant au passage le tatouage noir qui serpentait sur son avant-bras. Marque de son appartenance aux Ténèbres, quelle que soit la couleur de ses prunelles.

— Macon possède un ouvrage sur à peu près tout, sauf sur la façon de me tirer d'ici, a-t-il ajouté avec aigreur.

Je n'avais pas envie d'écouter ses jérémiades concernant les maltraitances que lui avait infligées sa geôlière. Je le détestais depuis notre première rencontre. J'avais cru que nous en étions débarrassés au printemps, et voici qu'il resurgissait afin d'empoisonner nos existences. J'ai regardé Lena, qui arborait une expression indéchiffrable et qui m'avait fermé la porte de ses réflexions.

Éprouvait-elle à l'encontre de Liv ce que je ressentais face à John ?

Mais Liv n'avait pas essayé de kidnapper ma copine ni de conduire la plupart de mes amis à la mort.

— Amusant, ai-je lâché, mauvais. Si j'avais un arbre à lampes dans mon jardin, j'adorerais te fourrer dans l'une d'elles pour toujours.

— Je suis piégé ! a-t-il plaidé en s'adressant à la seule Lena. Ta cinglée de cousine a promis de me faire sortir, à condition que je lui rende quelques services d'abord.

Il a passé une main dans ses cheveux, et j'ai remarqué qu'il n'était plus aussi cool que dans mes souvenirs. Dans son tee-shirt noir froissé et avec sa barbe de trois jours, il donnait l'impression de s'être gavé de feuilletons débiles en bouffant des tonnes de chips.

— Ridley n'est pas une Sirène, a-t-il conclu, c'est une extorqueuse.

— Comment as-tu pu la seconder sans quitter Ravenwood ? a demandé Liv. (Bonne question.) Lui as-tu appris à jeter des sortilèges ?

— Tu rigoles ? s'est-il marré. J'ai transformé les *cheerleaders* en zombies et une fête, en tumulte. Tu crois donc que Ridley serait en mesure de déclencher un *Furor* toute seule ? Mortelle, elle est à peine capable de lacer ses souliers. À ton avis, qui s'est tapé ses devoirs de maths, depuis la rentrée ?

— Pas moi, a acquiescé Lena.

Elle commençait à se laisser convaincre, et ça me tuait. Ce type était pareil à une vilaine infection douloureuse qui refusait de guérir.

— Alors, comment s'y prend-elle, si tu ne le lui as pas enseigné ?

Il a désigné la ceinture que Lena avait mise autour de sa taille.

— Grâce à ça, a-t-il dit en tirant sur les passants vides de son propre jean. Elle fonctionne comme un conduit. Ridley la porte, et je me charge des sortilèges.

La fichue ceinture au scorpion. Pas étonnant que l'ancienne Sirène ne la quitte jamais. C'était la ligne de vie qui la reliait au monde des Enchanteurs et à John Breed, la seule façon qu'elle avait de posséder un pouvoir quelconque.

— Je le regrette, mais ces explications paraissent logiques, a commenté Liv.

Certes. Pour autant, ça ne changeait rien à mes yeux. Les gens mentaient. Or John Breed était un affabulateur de la pire espèce.

— Ne me dis pas que tu crois ces âneries ? ai-je lancé à Lena. Tu sais bien qu'il est indigne de confiance.

Elle nous a regardés tour à tour, Liv et moi.

— Et si c'était vrai ? a-t-elle objecté. Il a mentionné les *cheerleaders* et la soirée. Je suis d'accord avec Liv, ça paraît réaliste.

Parce que toi et elle êtes alliées, maintenant ?

Nous avons assisté en direct à un sortilège, Ethan. Un Furor *qui plonge les gens dans une rage incontrôlable.*

Mouais.

— Nous n'avons aucun moyen de vérifier tes assertions, ai-je dit à John, sceptique.

Il a soupiré.

— Je suis coincé dans cette pièce, a-t-il répondu.

— Je connais une façon de vérifier, est intervenue Lena en jetant un coup d'œil à la porte.

— Penses-tu à la même que moi ? a demandé Liv en opinant du bonnet.

— Hé ! a protesté John avant de se tourner vers moi. Elles sont toujours comme ça ?

— Oui. Non. La ferme.

Reece nous avait rejoints. Figée au centre de la chambre, les bras croisés sur la poitrine, elle incarnait la désapprobation la plus totale. Avec son gilet et son rang de perles, elle donnait l'impression d'avoir été expédiée ici par une famille sudiste des plus traditionaliste. Elle n'appréciait pas qu'on l'utilise comme détecteur de mensonges humain et paraissait encore plus agacée d'apprendre que John Breed vivait dans l'antre de sa frangine. Maintenant que cette dernière était Mortelle, Reece avait peut-être cru, à tort, qu'elle allait se transformer en espèce de cheftaine scoute, à l'image d'elle-même. Malheureusement, une fois encore, sa sœur ternissait sa réputation, par ricochet. À la réflexion, il était dommage que les FRA exigent de leurs membres des preuves d'une lignée sans tache, sinon Reece aurait pu fonder sa propre faction.

— Si vous espérez que je garderai le secret, vous êtes encore plus tarés que mon aînée, nous a-t-elle lancé, à Lena et à moi. Parce que ça, ça dépasse carrément les limites.

Personne n'avait envie d'une leçon de morale. Lena n'a pas renoncé, cependant.

— Nous ne te demandons pas de te taire. Nous voulons juste découvrir s'il dit la vérité avant d'aller raconter ce qui se trame à oncle Macon.

Elle espérait peut-être que John Breed mentait, et que Ridley n'avait pas caché un dangereux Incube après l'avoir sorti de la tombe afin de capter ses dons. Entre les deux méfaits, je n'arrivais pas à déterminer lequel était le pire.

— Parce que tu risques d'être punie jusqu'à la fin de tes jours ? a riposté Reece.

— Quelque chose comme ça.

— Du moment que nous sommes bien d'accord. Tu avertis oncle Macon, sinon, c'est moi qui m'en charge.

Aucun doute là-dessus. Elle n'aurait pas supporté de passer à côté d'une bonne punition des familles. Toutefois, quelque chose m'inquiétait plus que l'éventualité qu'elle nous moucharde.

— Tu es sûre que ça va marcher, vu que…

— Vu que quoi ? s'est hérissée Reece. Que mes talents sont un tantinet inconstants, ces derniers temps ? Est-ce ce que tu es en train de suggérer ?

Super ! Une Reece en rogne n'était jamais bon signe.

— Je… je… Tu pourras être certaine qu'il ment ?

Un peu tard pour rétropédaler. Elle m'a jeté un regard laissant entendre qu'elle m'aurait bien arraché la tête.

— Même si ce n'est pas tes oignons, sache que je reste une Sibylle. Quoi que je voie sur ses traits, ce sera la *vérité*. Si mes pouvoirs ne fonctionnaient pas, je ne verrais *rien*.

Lena s'est interposée.

Tu n'es pas à la hauteur, là. Je m'en occupe.

Bien.

Je gère sainte Reece de l'ordre des Clarisses depuis plus longtemps que toi. J'ai acquis une certaine expérience.

Se tournant vers sa cousine, Lena lui a pris la main. Ses cheveux se sont mis à boucler. J'ai grimacé. Lancer un sort à une Enchanteresse n'était pas une bonne idée.

— Reece, tu es la meilleure Sibylle que j'aie jamais croisée.

— Garde tes flatteries pour toi, a riposté l'interpellée en se libérant. Tu n'en connais pas d'autres.

— Mais tu sais à quel point j'ai confiance en toi.

Lena lui a adressé un sourire encourageant. Reece nous a fusillés des yeux, sa cousine et moi. Je me suis détourné. Pouvoirs altérés ou non, il était hors de question que je fixe une Sibylle en face si je pouvais l'éviter. J'ai d'ailleurs remarqué que Liv n'avait pas ouvert la bouche et n'avait pas regardé une seule fois dans sa direction.

— Un seul essai. Ensuite, tu préviens oncle Macon. Que ça donne un résultat ou pas. Parce que tout ce bazar prouve qu'on ne devrait pas être autorisé à jeter des sortilèges tant qu'on n'en a pas l'âge.

Elle a de nouveau croisé les bras sur sa poitrine. Il m'a fallu un moment pour comprendre que cette réponse équivalait à un oui. Bondissant du lit, John s'est approché de la Sibylle.

— Finissons-en, a-t-il décrété. Je fais quoi ?

Reece a plongé ses prunelles dans celles du sale type et examiné son visage comme s'il renfermait les solutions à tous les problèmes que nous avions.

— T'occupe, a-t-elle rétorqué. Tu le fais déjà.

Il n'a pas bronché. Il a vrillé son regard sur celui de Reece, la laissant absorber ses pensées et ses souvenirs. C'est elle qui a pivoté avant lui, en secouant la tête comme si elle ne goûtait guère ce qu'elle venait de découvrir.

— Il ne ment pas, a-t-elle diagnostiqué. Il ignorait ce qu'Abraham et Sarafine complotaient, il a oublié les événements de cette nuit-là. Ridley l'a libéré de l'Orbe Lumineux. Il est ici depuis, à exécuter les ordres crapoteux de ma sœur.

— Satisfait ? m'a demandé John.

— Une minute ! ai-je protesté. C'est impossible !

— Navrée de te décevoir, a répondu Reece en haussant les épaules. Il n'est pas maléfique. Juste idiot. Parfois, ça revient au même.

— Hé ! a braillé John, soudain moins fiérot. Je croyais que tu étais une gentille ? Qu'est devenue l'hospitalité légendaire de Ravenwood ?

Elle l'a ignoré.

J'aurais dû être soulagé. En réalité, j'étais déçu. Reece ne s'était pas trompée, pourtant. Je ne voulais pas que John ne soit qu'un pion d'Abraham et de Sarafine. Je voulais qu'il fasse partie des méchants. Car c'est ainsi que je l'imaginais, ainsi que je l'envisagerais toujours.

Mais surtout, je voulais que Lena le voie comme moi.

Ce qui était le cadet de ses soucis, apparemment.

— Il faut que nous allions parler à mon oncle, a-t-elle annoncé. Et que nous trouvions Ridley avant qu'elle ne commette de nouvelles bêtises.

Ben tiens ! La connaissant, elle était sûrement en train de se tirer de Summerville en auto-stop. Après l'exploit qu'elle avait accompli ce soir, elle se doutait que Lena irait trouver Macon. Or elle avait tendance à fuir les ennuis.

— À mon avis, il est un peu tard pour ça, ai-je contré.

Se baissant, Lena a soulevé le tapis rose à longs poils.

— Allons-y.

— Tu es sûre ? Ce serait dommage de le réveiller.

Je n'avais pas très envie non plus de découvrir la réaction de Macon quand nous lui apprendrions que Ridley avait transformé la maison de Savannah Snow en un ring gigantesque à l'aide de la ceinture magique d'un Incube que nous avions longtemps traqué, et qui se révélait vivre dans la chambre même de ladite Ridley.

— Je doute qu'il soit endormi, a répliqué Lena en soulevant la trappe.

— Lena a raison, a renchéri Liv. Macon doit être averti. Tout de suite. Tu ne piges pas, Ethan, nous sommes... Ton oncle traque John Breed depuis des mois, s'est-elle corrigée après un instant d'hésitation.

Lena a acquiescé. Ce n'était pas un sourire, mais c'était mieux que rien.

— On y va.

John a ouvert un nouveau sachet de chips.

— Quand vous serez là-dessous, vous pourriez lui demander de bien vouloir me laisser partir d'ici ?

— Tu lui demanderas toi-même, a lâché Lena. Parce que tu nous accompagnes.

Il a regardé dans l'obscurité qui menait aux Tunnels avant de relever la tête dans ma direction.

— Je n'aurais jamais imaginé que tu viendrais à mon secours un jour, Mortel.

Je l'aurais volontiers massacré ou boxé. J'aurais adoré lui faire payer ce qu'il avait infligé à Lena et à Link, les ennuis qu'Abraham avait causés par sa faute. Mais mieux valait laisser cela à Macon.

— Crois-moi, je ne secours rien du tout, ai-je riposté.

Il a souri, et j'ai avancé au-dessus du vide, tâtonnant pour localiser des marches que je ne verrais jamais.

18 octobre L'ARME ULTIME

J'ai frappé à la porte du bureau de Macon qui s'est ouverte en grand. Mes craintes de le réveiller se sont révélées vaines : un Link malheureux comme les pierres était déjà assis à la table de travail. D'un geste, Macon m'a invité à entrer.

— Link m'a tout raconté. Par bonheur, il est venu directement ici, avant d'avoir blessé quelqu'un.

J'avoue que je n'avais pas songé aux dégâts qu'un Incube en rogne était susceptible d'infliger.

— Qu'entendez-vous par « tout » ? ai-je répondu.

— Que ma nièce a filé en douce, par exemple, a riposté Macon en me foudroyant du regard. Une décision peu sage.

— En effet, monsieur.

Macon était furieux, et je ne tenais pas à lui annoncer des nouvelles qui renforceraient sa colère.

— Et que Ridley a réussi à déclencher un *Furor*, a-t-il ajouté en croisant les bras.

Oups !

— Je comprends que vous soyez mécontent, mais il y a plus important encore.

J'ai jeté un coup d'œil vers la porte.

— Mieux vaudrait que vous voyiez par vous-même.

— John Breed ! s'est exclamé Macon. Ma foi, tout bien considéré, voici une drôle de surprise !

John se tenait sur le seuil, l'air d'être sur le point de déguerpir. Comme un simple Mortel. En présence de Macon, son arrogance s'était volatilisée. Link le toisait avec une expression suggérant qu'il l'aurait volontiers réduit en charpie.

— Qu'est-ce qu'il fout ici, celui-là ? a-t-il tonné.

Je compatissais. Il ne devait pas être facile pour lui d'être dans la même pièce que John, qu'il haïssait sûrement plus que moi, pour peu que cela fût concevable. Lena évitait de croiser son regard ou celui de son oncle. Elle avait honte de Ridley, et d'elle-même qui n'avait pas deviné les manigances de sa cousine plus tôt. Par-dessus tout, cependant, elle s'inquiétait pour celle-ci, quoi qu'elle ait pu faire.

— Ridley a volé l'Orbe Lumineux dans la tombe d'oncle Macon après que nous l'y avons enterré. Elle a libéré John et s'est depuis servie de sa ceinture afin de capter ses pouvoirs.

— Une ceinture ?

Liv a sorti son calepin rouge.

— Celle que porte Lena, dont la boucle renferme un scorpion répugnant.

Macon a tendu la main. Lena s'est débarrassée de l'objet et le lui a remis.

— Qu'as-tu fait à Ridley ? a demandé Link à John.

— Rien. C'est elle qui m'a donné des ordres après m'avoir tiré de l'Orbe.

— Et vous avez obéi ? s'est enquis Macon, incrédule. Vous ne semblez pourtant pas du genre à rendre service.

— Je n'avais pas le choix, a soupiré John en s'adossant au mur, vaincu. Voici des mois que je suis coincé dans cette maison, malgré toutes mes tentatives pour m'en échapper. Ridley refusait de m'aider, à moins que je découvre un moyen pour qu'elle puisse de nouveau lancer des sortilèges. J'ai obtempéré.

— Un Incube hybride extrêmement puissant qui se serait laissé emprisonner par une Mortelle dans la chambre de cette dernière ? Vous espérez nous convaincre d'une pareille absurdité ?

John a secoué la tête avec agacement.

— Je vous rappelle que nous parlons de Ridley. Vous avez une fâcheuse tendance à la sous-estimer. Quand elle veut quelque chose, elle arrive toujours à ses fins.

Il avait raison, aucun de nous ne pouvait le nier.

— Il dit la vérité, oncle Macon, est intervenue Reece.

— Tu en es certaine ?

— Oui.

Contrairement à moi, Macon avait eu droit de poser la question sans risquer les foudres de la Sibylle. John a paru soulagé par ce soutien. Liv a avancé, ses notes à la main. Les raisons du comportement de Ridley ne l'intéressaient guère ; elle exigeait des faits.

— Nous t'avons cherché partout, tu sais ? a-t-elle dit à John.

— Ah ouais ? Je parie que vous n'êtes pas les seuls.

Liv et Macon ont fini par convaincre John de s'asseoir à table avec tout le monde. Du coup, Link est allé s'adosser au mur près de la cheminée, où il a boudé. Sans parler des caractéristiques propres au Linkube, John avait opéré des changements en mon ami dont la profondeur m'échappait toujours. Et puis, je savais quelque chose que John ignorait : Link avait beau adorer tourner la tête aux filles, ce n'était qu'un jeu. Il ne désirait vraiment qu'une seule nana. Laquelle avait disparu sans laisser de traces.

— Abraham s'est donné beaucoup de mal pour tenter de vous localiser, a énoncé Macon. Il a littéralement retourné Gatlin. Il faut que je sache pourquoi. Abraham n'agit jamais sans raisons précises.

Macon interrogeait John, tandis que Liv notait ses réponses, et que Reece, assise en face de lui, veillait à ce qu'il ne nous raconte pas de craques.

— Je l'ignore, a répondu John avec un haussement d'épaules. Il m'a trouvé enfant, mais il n'est pas franchement une figure paternelle, si vous voyez ce que je veux dire.

Macon a acquiescé.

— Qu'est-il advenu de vos parents ?

— Aucune idée, a admis l'Incube en se trémoussant, mal à l'aise. Ils ont disparu. Je pense qu'ils m'ont abandonné parce que j'étais… différent.

— Tous les Enchanteurs le sont, est intervenue Liv en cessant d'écrire.

— Sauf que je ne réponds pas aux critères standard, a ricané John. Mes pouvoirs ne se sont pas manifestés à l'adolescence. Voilà qui risque de t'intéresser, a-t-il ajouté en désignant le calepin du menton.

Liv a sourcillé. J'ai songé au commentaire qu'elle ne manquerait pas de rédiger : « Le sujet fait preuve d'une attitude combative. »

— Je suis né ainsi, a repris John, et mes talents ont grandi en même temps que moi. Imagine un peu l'ambiance, quand tu te distingues des autres à cause de certaines.. capacités.

— Je connais la musique, a-t-elle opiné.

Ses intonations trahissaient un mélange de tristesse et de compassion. Elle-même avait toujours été plus douée que ses pairs, inventant des outils pour mesurer l'attraction de la Lune et des machines dont personne n'avait cure parce que personne n'en pigeait l'usage.

De son côté, Macon observait John avec beaucoup d'attention. L'ancien Incube en lui jaugeait l'étrange créature qu'il avait devant lui.

— Quelles sortes de talents avez-vous, en dehors de votre imperméabilité aux effets du soleil ?

— Ceux dont sont dotés les Incubes d'ordinaire... Force physique plus développée, ouïe et odorat plus fins. Je Voyage aussi. Et les filles craquent toutes pour moi.

S'interrompant, John a jeté un coup d'œil complice à Lena. À croire qu'ils partageaient un secret quelconque. Elle a détourné la tête.

— Pas autant que tu le penses, ai-je craché.

Il m'a souri, ravi de la présence protectrice de Macon.

— J'ai d'autres cordes à mon arc, a-t-il enchaîné.

— Lesquelles ? s'est enquise Liv.

Les bras croisés sur le torse, Link contemplait la porte en prétendant ne pas écouter la conversation. Ce qui était faux. Que ça lui plaise ou non, lui et John demeureraient toujours unis par un lien particulier, dorénavant. Plus il en apprendrait sur son créateur, plus il comprendrait comment lui-même fonctionnait.

John a hésité, peu désireux de s'étendre.

— Diverses choses.

— Lesquelles ? a grondé Macon. Veuillez préciser, je vous prie.

— Ça va vous paraître plus impressionnant que ça ne l'est en réalité, a cédé John. Il se trouve que je suis en mesure d'absorber les pouvoirs des autres Enchanteurs.

— À l'instar d'un Empathique ? a demandé Liv.

Comme la grand-mère de Lena. Ce qui lui permettait d'emprunter temporairement les dons de ses congénères. Toutefois, elle n'employait pas le verbe « absorber » pour décrire cela.

— Non, a d'ailleurs précisé John. Je les conserve.

— Es-tu en train d'affirmer que tu es capable de voler leurs talents aux Enchanteurs ? s'est exclamée Liv, ahurie.

— Non. Ils les conservent, mais je les ai moi aussi. Un peu comme une collection.

— Comment est-ce possible ? a marmonné l'Anglaise.

— Répondez, monsieur Breed, a lâché Macon en se renfonçant sur son siège.

Derechef, John a regardé Lena. J'ai failli sauter par-dessus la table pour l'étrangler.

— Il me suffit de les toucher.

— Quoi ? s'est écriée Lena.

Elle avait l'air d'avoir reçu une claque en pleine figure. Était-ce donc ce qu'il avait fabriqué lorsqu'il avait dansé avec elle à l'Exil ? Ou quand elle avait grimpé sur la selle de cette imbécile de moto au lac ? La siphonner, comme un vulgaire parasite ?

— Ce n'est pas comme si je le faisais exprès, s'est-il défendu. Ça se produit tout seul. La plupart de ces pouvoirs, j'ignore comment m'en servir.

— Ce qui n'est pas le cas d'Abraham, a souligné Macon.

Il s'est versé un verre d'une liqueur sombre, prise à une carafe surgie de nulle part. Ça ne promettait rien de bon. Lui et Liv ont échangé un long regard silencieux.

— Que mijote Abraham ? a fini par lâcher cette dernière.

— Avec un Incube hybride pouvant réunir les dons de tout un chacun ? a enchaîné Macon. Je n'ai bien sûr aucune certitude, mais avec tous ces pouvoirs dans son camp, il détiendrait l'arme ultime. Face à laquelle les Mortels n'auraient aucune chance.

John a tressailli.

— Que venez-vous de dire ?

— Souhaitez-vous que je répète ce…

— Un instant, l'a interrompu John.

Fermant les paupières, il s'est concentré.

— « Les Enchanteurs sont une espèce imparfaite. Ils polluent notre lignée et utilisent leurs pouvoirs pour nous oppresser. Mais un jour viendra où nous manierons l'arme ultime et les éradiquerons de la surface de la Terre. »

— C'est quoi, ces âneries ? est soudain intervenu Link, tout ouïe.

— Ce qu'Abraham et Silas me serinaient quand j'étais gosse. J'étais censé mémoriser ces phrases. Parfois, quand je n'étais pas sage, Silas m'obligeait à les recopier pendant des heures.

— Silas ?

Macon s'était raidi quand John avait mentionné son père. Me sont revenues les images des visions déclenchées par l'Orbe Lumineux. Cet homme avait tout d'un monstre, violent et raciste, qui avait tenté de transmettre sa haine à ses fils. Ainsi qu'à John, apparemment. Macon a contemplé ce dernier, ses yeux verts s'assombrissant jusqu'à en sembler noirs.

— Comment avez-vous rencontré mon père ?

John a relevé ses prunelles vides. Lorsqu'il a répondu, ça a été d'une voix changée, qui avait perdu toute force et arrogance.

— C'est lui qui m'a élevé

24 octobre
L'Unique en valant deux

Après cela, Macon et Liv ont consacré l'essentiel de leur temps à retourner John sur le gril à propos d'Abraham et de Silas, pendant que Lena et moi fouillions les ouvrages de la bibliothèque du bureau de son oncle. Nous avons déniché de vieilles lettres encourageant Macon à rejoindre son père et son frère dans leur lutte contre les Enchanteurs. Malheureusement, nous n'avons trouvé aucun indice supplémentaire sur le passé de John ni de mentions concernant des Enchanteurs ou des Incubes susceptibles d'avoir des talents plus ou moins identiques aux siens.

Les rares fois où nous étions autorisés à assister aux interrogatoires, Macon observait de près les rapports entre Lena et John. À mon avis, il redoutait que l'étrange attraction que l'Incube avait exercée sur sa nièce ne reparte de plus belle. Mais Lena était désormais plus aguerrie, et John l'agaçait tout autant que nous autres. Liv m'inquiétait plus. J'avais assisté aux réactions des Mortelles le jour où John avait déboulé au Dar-ee Keen. Elle semblait cependant immunisée contre son charme.

À force de vivre entre le monde des Mortels et celui des Enchanteurs, je m'étais habitué aux hauts et aux bas que cela impliquait. Néanmoins, ces jours-ci semblaient n'être constitués que de bas. La même semaine où John Breed a été découvert à Ravenwood, tous les vêtements de Ridley ont disparu de sa chambre, comme si elle était définitivement partie. Quelques jours plus tard, l'état de tante Prue s'est aggravé.

Je n'ai pas demandé à Lena de m'accompagner lors de ma nouvelle visite au County Care. J'avais envie d'être seul avec ma grand-tante. J'ignore quelles étaient mes motivations, à l'instar de tout ce qui régissait mon existence à cette époque. Je devenais peut-être fou. Ou alors, je l'étais depuis le début, et je commençais seulement à m'en rendre compte.

L'air était glacial. À croire qu'on avait trouvé un moyen d'aspirer le fréon et la puissance de tous les climatiseurs du comté de Gatlin pour les rediriger sur la clinique. J'aurais préféré que le froid se répande partout ailleurs qu'ici, où il donnait l'impression de conserver les patients comme les cadavres des frigos de la morgue.

Les températures de ce genre n'auguraient rien de bon ; surtout, elles ne sentaient pas bon. Au moins, quand on transpirait, on avait le sentiment d'être vivant ; l'odeur de sueur était la plus humaine qui fût. Mais j'avais sans doute passé trop de temps à m'interroger sur les implications métaphysiques de la canicule.

Fou, je vous dis.

Bobby Murphy ne m'a pas adressé un mot, lorsque je me suis présenté à la réception. Il ne m'a même pas regardé, se bornant à me tendre la feuille des visiteurs à signer et mon badge. Le sortilège Ferme-ta-grande-gueule que lui avait lancé Lena l'affectait-il constamment ou juste en ma présence ? Aucune idée. Mais tant mieux. Je n'étais pas d'humeur bavarde.

J'ai évité de jeter un coup d'œil dans la chambre de l'autre John, dans celle du travail au point de croix et dans celle du lugubre anniversaire. J'ai retenu ma respiration quand j'ai longé la cuisine qui renfermait de la nourriture qui n'en était pas. Puis j'ai humé le parfum de la lavande – j'étais arrivé.

Assise dans le fauteuil près du lit, Leah lisait un livre rédigé dans une langue d'Enchanteur ou de Démon. Elle ne portait plus l'uniforme couleur pêche de rigueur. Ses pieds bottés étaient posés sur une poubelle de tri sélectif devant elle. Visiblement, elle avait renoncé à se faire passer pour une infirmière.

— Salut !

Elle a relevé la tête avec surprise.

— Salut toi-même ! Il était temps. Je me demandais ce que tu devenais.

— Je sais. Je suis très pris. Par des idioties.

Plus exactement : l'affolement général, la traque d'Incubes hybrides, de Ridley, de ma mère et de Mme English, mes inquiétudes à propos d'une espèce de roue débile...

— En tout cas, je suis contente de te voir, a repris Leah en me souriant.

— Moi aussi, ai-je répondu, faute de mieux. On ne vous ennuie pas pour ça ? ai-je ajouté en montrant les chaussures sur la poubelle.

— Non. Je ne suis pas franchement le genre de fille à qui on cherche des poux dans la tête.

Converser m'était de plus en plus difficile à chaque nouveau jour. Même avec ceux que j'appréciais.

— Ça ne vous embête pas que je reste un peu avec tante Prue ? Seul ?

— Bien sûr que non. J'en profiterai pour aller vérifier que Bade va bien. Je vais devoir lui apprendre la propreté très vite, sinon il sera obligé de dormir dehors. Or c'est un chat d'intérieur.

Après avoir jeté son livre sur le fauteuil, elle s'est volatilisée dans un bruit de déchirure.

Me laissant en tête à tête avec tante Prue.

Cette dernière avait encore rétréci depuis ma dernière visite. Des tubes supplémentaires avaient été adjoints aux premiers, comme si elle était peu à peu en train de se transformer en une espèce de machine. On aurait dit une pomme s'étant desséchée au soleil, ridée d'une façon inconcevable. Pendant un moment, j'ai prêté l'oreille aux pulsations rythmiques des liens en plastique noués à ses chevilles, dont le rôle était d'étirer et de contracter ses jambes.

Comme s'ils pouvaient compenser son immobilité, son incapacité à regarder *Jeopardy !* en compagnie de ses sœurs et à se plaindre sans cesse, histoire de dissimuler que tout la ravissait.

J'ai pris sa main. Le tuyau enfoncé dans sa bouche gargouillait chaque fois qu'elle inspirait, émettant des sons mouillés et maladifs, à croire qu'un humidificateur était installé dans sa gorge. Comme si l'air qu'elle respirait l'étouffait.

Pneumonie. J'avais surpris Amma en pleine discussion au téléphone avec le médecin. D'un point de vue statistique, la pneumonie était ce qui achevait les patients plongés dans le coma. Le bruit de ce tube indiquait-il qu'elle approchait d'une fin statistiquement prévisible ?

L'idée que ma tante devienne un chiffre parmi d'autres m'a donné envie de balancer la poubelle de tri par la fenêtre. À la place, je me suis emparé de la seconde et minuscule menotte de tante Prue et j'ai serré entre mes doigts puissants les siens, frêles et pas plus gros que des branchettes dénudées par l'hiver. Les yeux fermés, le front appuyé contre nos mains, j'ai imaginé que je relevais la tête et que je la découvrais souriante et débarrassée de son attirail médical. Espérer, prier… était-ce la même chose ? Quand on nourrissait un désir avec assez de force, était-on susceptible de le voir se réaliser ?

J'y réfléchissais encore lorsque j'ai rouvert les paupières, m'attendant à tomber sur la chambre de tante Prue, sur son triste lit d'hôpital et sur les murs pêche déprimants. Au lieu de quoi, je me suis retrouvé sous le soleil, devant une maison que je connaissais bien...

La demeure des Sœurs était telle que j'en avais conservé le souvenir avant que les Ires ne la ravagent. Les murs, le toit, la chambre à coucher de tante Prue, tout tenait debout, et pas une planche en pin, pas une tuile ne manquait à l'appel.

L'allée menant à la véranda était bordée des hortensias que tante Prue aimait tellement. La corde à linge réservée à Lucille s'étirait toujours au-dessus de la pelouse. Un chien était assis sur le porche, un yorkshire-terrier qui ressemblait de façon suspecte à Harlon James, sauf que ce n'était pas lui. Cet animal avait plus de doré dans son poil. Je l'ai cependant reconnu et me suis penché pour le caresser. La médaille de son collier disait : HARLON JAMES *III.*

— Tante Prue ?

Les trois habituels fauteuils à bascule en osier blanc entouraient de petites tables du même matériau. Sur l'une d'elles, un plateau avec deux verres de limonade. Je me suis assis dans un fauteuil, laissant le premier libre. Tante Prue appréciait de s'installer sur celui qui était le plus près du mur et, si elle devait apparaître, je préférais le lui laisser.

Pour peu qu'elle apparaisse, s'entend.

Car c'était elle qui m'avait convoqué ici, n'est-ce pas ?

J'ai gratouillé la tête de Harlon James. Étrange, dans la mesure où il trônait à présent dans notre salon, empaillé. J'ai de nouveau regardé la table.

— Tante Prue ! me suis-je exclamé.

Elle m'avait pris au dépourvu, quand bien même je l'attendais. Dans la réalité, elle n'avait pas meilleure mine que sur son lit du County Care. Elle a toussé, et j'ai perçu le tempo familier des pompes. Elle portait encore les liens à ses chevilles, qui tiraient et contractaient. C'était comme si elle était toujours à la clinique.

Elle m'a souri. Son visage semblait transparent, et sa peau était si pâle et si fine qu'on distinguait le mauve bleuâtre des veines en dessous.

— Tu m'as manqué. Et tante Grace, tante Charity et Thelma perdent l'esprit, sans toi. Amma également.

— Je vois l'Amma presque tous les jours, et ton papa le ouikende. Y viennent discuter avec moi bien plus régulièrement que certaines personnes.

Elle a reniflé.

— Je suis navré. Tout va de travers.

Elle a balayé mes arguments d'un geste.

— Je vais nulle part. Pas encore. Y m'ont collée aux arrêts chez moi, pareil qu'un de ces criminels de la tévé.

Une nouvelle quinte de toux l'a secouée, cependant qu'elle hochait la tête.

— Où sommes-nous, tante Prue ?

— Ch'peux pas dire que ch'sais. J'ai pas beaucoup l'temps non plus. Y te font marner, par ici.

Dégrafant son collier, elle en a retiré quelque chose. Je ne lui avais pas vu le bijou à l'hôpital, ce qui ne m'a pas empêché de le reconnaître.

— Y vient de mon papa, qui le tenait du papa de son papa. C'était bien avant que le bon Dieu, y pense à te créer.

Il s'agissait d'une rose en or martelé.

— Ça, c'est pour ta mignonne. Ça m'aidera à garder l'œil sur elle pour toi. Dis-y de pas s'en séparer.

— Pourquoi t'inquiètes-tu pour Lena ?

— T'occupe et fais ce que je t'y dis.

Une fois encore, elle a reniflé.

— Mais Lena va bien, ai-je protesté. Et je veille tout le temps sur elle. Tu le sais.

Que tante Prue se fasse du souci pour Lena m'effrayait plus que tout ce qui s'était produit ces derniers mois.

— Donne's-y quand même.

— Entendu.

Elle était déjà partie, cependant, abandonnant un verre de limonade à moitié plein, et un rocking-chair vide qui se balançait encore.

Ouvrant les yeux, j'ai plissé les paupières à cause de la clarté qui envahissait la chambre. Je me suis aperçu que le soleil entrait de biais par la fenêtre, bien plus bas qu'à mon arrivée. J'ai consulté mon portable. Trois heures s'étaient écoulées.

Que se passait-il ? Pourquoi m'était-il plus facile de me glisser dans le monde de tante Prue que d'avoir une simple conversation dans le mien ? La première fois que je lui avais parlé, c'était comme si le temps s'était arrêté ; mais mon incursion dans l'ailleurs n'avait été possible que grâce à la présence d'une Élue dans les parages.

Derrière moi, on a poussé la porte.

— Tout va bien, gamin ?

Leah se tenait sur le seuil. J'ai contemplé ma main, j'ai déroulé mes doigts autour d'une minuscule rose en or. « Ça, c'est pour ta mignonne. » Non, ça n'allait pas. J'étais quasi certain que rien n'allait.

— Très bien, ai-je cependant répondu. Je suis juste crevé. À bientôt, Leah.

Elle m'a salué d'un geste, et j'ai quitté la pièce sous le poids d'un sac à dos rempli de pierres.

Lorsque je suis monté dans la voiture, la radio s'est mise à jouer. Je n'ai pas été étonné d'entendre la mélodie bien connue. Après avoir vu tante Prue, j'ai même été soulagé. La chanson résonnait, régulière comme la pluie qui n'était pas tombée depuis des mois. Mon Air Occulte.

Dix-huit lunes, dix-huit proche,
La Roue de Fortune approche,
Et l'Unique en valant deux
Rétablira l'Ordre au mieux...

« L'Unique en valant deux », quoi que cela ait signifié, allait restaurer l'Ordre des Choses.

Quel était le lien avec la Roue de Fortune ? Qui était assez puissant pour contrôler l'Ordre et, visiblement, prendre forme humaine ?

Il existait des Enchanteurs de la Lumière et des Ténèbres, des Succubes et des Sirènes, des Sibylles et des Augures. Je me suis souvenu du dernier vers qui achevait le couplet précédent. « Que Reine des Démons tue. » Il était envisageable qu'elle soit en mesure d'épouser forme humaine, d'endosser le corps d'un Mortel. Or je ne connaissais qu'une Reine des Démons capable de cela : Sarafine.

Enfin un os à ronger. Liv et Macon avaient beau avoir passé la semaine en compagnie de John, le traitant selon les jours comme Frankenstein, un prince du sang en visite ou un prisonnier de guerre, il ne leur avait pas révélé grand-chose susceptible d'expliquer son rôle dans l'affaire.

Excepté Lena, je n'avais mis personne au courant de ma visite à tante Prue. Je commençais cependant à avoir le sentiment que tout se tenait, comme l'ensemble des ingrédients battus dans un plat creux pour s'achever en biscuits, aurait dit Amma.

La Roue de Fortune. L'Unique en valant deux. Amma et le bokor. John Breed. La Dix-huitième Lune. Tante Prue. L'Air Occulte.

Il fallait que je parvienne à comprendre comment ces éléments s'organisaient avant qu'il ne soit trop tard !

À mon retour à Ravenwood, Lena était assise sur la véranda. Je l'ai surprise à m'observer tandis que je remontais l'allée en voiture. Me sont revenues les paroles de tante Prue lorsqu'elle m'avait donné la rose en or. « Ça, c'est pour ta mignonne. Ça m'aidera à garder l'œil sur elle pour toi. »

Je n'avais pas envie d'y repenser.

Je me suis posé près de Lena. Elle a tendu la main et m'a pris le bijou, qu'elle a glissé sans un mot à son collier de babioles.

C'est pour toi. De la part de tante Prue.

Je sais. Elle m'a avertie.

— Je me suis endormie sur le canapé, a-t-elle enchaîné à voix haute et, soudain, elle était là. Identique en tous points à ce que tu m'avais décrit. Un rêve qui ne ressemble pas à un rêve.

J'ai opiné de la tête, elle a posé la sienne contre mon épaule.

— Je suis désolée, Ethan.

J'ai contemplé les jardins, encore verts malgré la chaleur, les criquets et les épreuves qui nous accablaient.

— T'a-t-elle parlé ?

Acquiesçant, Lena a effleuré ma joue d'un doigt. Lorsqu'elle s'est tournée vers moi, j'ai constaté qu'elle avait pleuré.

Je crois qu'il ne lui reste plus beaucoup de temps.

Pourquoi ?

Elle voulait me dire adieu.

Ce soir-là, je ne suis pas rentré à la maison. À la place, je me suis retrouvé seul sur la véranda de Marian. Bien qu'elle ait été à l'intérieur, et moi dehors, j'étais mieux chez elle que chez moi.

Pour l'instant.

J'ignorais combien de temps encore elle resterait confinée, je n'avais pas envie de songer à l'endroit où je me retrouverais si je devais être privé d'elle.

Je me suis endormi sur sa terrasse soigneusement balayée. Si, cette nuit-là, j'ai rêvé, je ne m'en souviens pas.

— Les bébés naissent sans rotules, vous saviez ça ?

Tante Grace s'est enfoncée entre les coussins du canapé, battant sa sœur sur le fil.

— Grace Ann ! Comment que tu peux proférer pareilles horreurs ? C'est ré-pu-gnant !

— C'est la pure vérité divine, Charity. Je l'ai lu dans le *Reader's Digestive*.

— D'ailleurs, pourquoi parles-tu de rotules de bébé, au nom du ciel ?

— Ch'sais pas. Ça m'a fait juste penser à la façon que les choses, elles changent. Si les bébés sont capabl' de se pousser des rotules tout seuls, pourquoi que j'apprendrais pas à voler ? Et pourquoi qu'y construisent pas un 'scalier jusqu'à la Lune ? Et pourquoi la Thelma, elle marie pas le Jim Clooney ?

— Tu peux pas apprendre à voler, pa'sque t'as pas d'ailes, bécasse. Et ça aurait aucun sens de construire un 'scalier jusqu'à la Lune, pa'squ'y z-ont pas d'air qu'on respire, là-haut. Et ce type s'appelle pas Jim, mais George Clooney, et la Thelma peut pas le marier, pa'squ'y vit tout là-bas à Hollywood et qu'il est même pas un bon méthodiste.

Je les écoutais jacasser dans la pièce voisine tout en mangeant mes céréales. Il m'arrivait de comprendre les Sœurs, même quand ce qu'elles racontaient relevait du délire. Elles s'inquiétaient pour tante Prue. Elles se préparaient à l'éventualité de sa mort. Il faut croire que les bébés naissaient sans rotules, finalement. Que les choses changeaient. Ce qui n'était ni bien ni mal, pas plus que les rotules étaient bonnes ou mauvaises. Enfin, c'est ce que je me suis dit.

Autre chose avait changé.

Amma n'était pas dans la cuisine, ce matin-là. Je ne me rappelais pas la dernière fois où j'avais quitté la maison sans la voir. Même quand elle était assez en colère pour refuser de préparer le petit déjeuner, elle s'agitait autour de moi, marmonnant dans la barbe qu'elle n'avait pas et en me fusillant du regard.

La Menace du Cyclope était plantée dans le pot à ustensiles, sèche.

Je ne pouvais pas m'en aller sans lui dire au revoir. Ouvrant le tiroir où elle rangeait ses crayons n° 2 acérés, j'en ai attrapé un, de même qu'une feuille du bloc-notes réservé aux messages. Juste une ligne pour lui annoncer que j'étais parti au lycée. Rien de plus. Courbé au-dessus du plan de travail, je me suis mis à écrire.

— Ethan Lawson Wate !

Ne l'ayant pas entendue arriver, j'ai sursauté.

— Bon sang, Amma ! Tu as failli me flanquer une crise cardiaque !

Mais quand je me suis retourné, c'est elle qui avait l'air d'être sur le point de succomber. Le visage cendreux, elle secouait la tête comme une femme prise de folie.

— Qu'y a-t-il ?

J'ai traversé la pièce pour la rejoindre ; elle m'a arrêté d'un bras brandi qui tremblait.

— Stop ! Que faisais-tu ?

— Je te laissais un mot.

J'ai montré mon bout de papier. D'un doigt osseux, elle a désigné mon autre main, celle qui tenait le crayon.

— Tu écrivais de la mauvaise main.

J'ai baissé les yeux. Le crayon m'a échappé et a roulé par terre.

J'avais rédigé de la main gauche.

Or j'étais droitier.

Les prunelles luisantes, Amma a reculé et s'est enfuie dans le couloir.

— Amma ! ai-je crié.

Elle a claqué la porte de sa chambre derrière elle. J'ai tambouriné dessus.

— Amma ! Tu dois m'expliquer ce qui déraille.

Chez moi, s'entend.

— Qu'est-ce que c'est que ce charivari, là-bas ? a lancé tante Grace depuis le salon. J'essaye de r'garder mon feuilleton, moi.

Je me suis laissé glisser sur le plancher, le dos contre la porte. J'ai attendu, mais Amma n'est pas sortie. Elle refusait de me dévoiler ce qui se passait. J'allais être obligé de le découvrir par moi-même.

Il était temps que mes rotules poussent.

Plus tard ce jour-là, ma détermination m'a abandonné, quand je suis de nouveau tombé sur mon père en compagnie de Mme English. Pas à la bibliothèque, cette fois. Au lycée, partageant leur déjeuner, dans la salle de littérature. Où tout le monde pouvait les voir, moi compris. Je n'étais pas prêt à affronter un bouleversement d'une telle envergure.

J'ai commis l'erreur de déposer le brouillon de ma dissertation sur *Les Sorcières de Salem* à la pause de midi, parce que j'avais oublié de le remettre plus tôt, pendant le cours. J'ai poussé la porte sans me donner la peine de regarder à travers l'imposte. C'est alors que je les ai découverts, se partageant un panier de poulet frit, les restes remis par Amma. Caoutchouteux, c'était toujours ça de pris.

— Papa ?

Mon père affichait une mine réjouie avant même de se retourner, ce qui m'a permis de conclure qu'il avait guetté cet instant.

— Ethan ? Désolé de te surprendre ainsi sur ton terrain. Je voulais discuter de certaines choses avec Lilian. Elle a des idées remarquables pour mon projet *La Dix-huitième Lune*.

— J'en suis convaincu, ai-je répondu avec un sourire contraint tout en tendant mon brouillon à ma prof. Je comptais le glisser dans votre casier. Ne faites pas attention à moi, je me sauve.

Ce qui me permettrait d'ignorer la scène de mon côté. Malheureusement, la mère English n'avait pas l'intention de me faciliter la tâche.

— Êtes-vous prêt pour demain ? m'a-t-elle demandé.

Je me suis raidi. Normalement, la réponse automatique à ce genre de question était « non ». Sauf que je n'avais pas la moindre idée de ce dont elle parlait.

— Madame ?

— La reconstitution du procès. Nous allons rejuger les affaires sur lesquelles se fonde la pièce. Avez-vous préparé votre étude de cas ?

— Oui, madame.

Voilà qui expliquait la présence de l'enveloppe en papier kraft intitulée LITTÉRATURE dans mon sac à dos. Je n'étais pas très attentif en cours, ces derniers temps.

— Quelle excellente initiative, Lilian ! s'est exclamé mon paternel. J'adorerais assister à ça, si ça ne vous dérange pas.

— Pas du tout. Vous pourriez même nous filmer, ce qui nous permettrait ensuite de visionner les performances des élèves.

— Formidable !

Mon vieux était aux anges. J'ai tourné les talons, sentant l'œil de verre me jauger froidement.

L ? Tu savais qu'on était censés rejouer le procès des sorcières demain en cours de littérature ?

Tu n'as donc pas mémorisé ton rôle ? T'arrive-t-il encore de regarder dans ton sac ?

Figure-toi que mon père va nous filmer. Je l'ai appris en déboulant au milieu du déjeuner galant qu'il avait avec la mère English.

Pouah !

Que va-t-on faire ?

Il y a eu un long silence.

Commencer à appeler la dame par son prénom, j'imagine ?

Très drôle, L.

Tu ferais sans doute mieux de terminer le bouquin d'ici demain.

Le problème, quand on est confronté au mal véritable, c'est que le mal quotidien – la CPE qui vous colle, l'agenda qui régit l'essentiel de la vie lycéenne – finit par vous paraître beaucoup moins terrifiant. Sauf quand votre père sort avec votre prof de littérature borgne.

Quelle que soit la manière dont on l'envisage, Lilian English incarnait les deux formes du mal, l'authentique comme le quotidien. Elle mangeait du poulet caoutchouteux avec mon père, et j'étais foutu.

J'ai découvert que *Les Sorcières de Salem* porte plus sur des salopes que sur des sorcières, comme Lena allait le formuler plus tard. J'ai été content d'avoir attendu la fin de la journée pour en terminer la lecture, car l'histoire m'a amené à détester encore plus que d'habitude la moitié du bahut et les *cheerleaders* au grand complet.

Le lendemain en cours, j'étais fier d'avoir terminé la pièce et d'en savoir un peu plus sur John Proctor, le personnage qui se fait complètement entuber et que j'étais censé jouer.

Ce que je n'avais pas prévu, en revanche, c'étaient les costumes : filles en robe grise et tablier, garçons en chemise de catéchisme et bas de pantalon rentré dans les chaussettes. Soit on ne m'avait pas informé de ce détail, soit je l'avais omis. Lena non plus n'était pas déguisée.

La mère English nous a chacun gratifiés d'un regard mauvais et de cinq points en moins sur notre note à venir. Je me suis efforcé d'oublier que mon père était assis au fond de la salle, armé de la caméra du lycée vieille de quinze ans.

Les pupitres et les chaises avaient été disposés en U afin d'imiter la cour d'un tribunal. Les jeunes affligées, menées par Emily Asher, étaient assises sur un côté. Leur tâche consistait apparemment à jouer les dingues et les possédées. Emily avait ça dans le sang. Ses copines aussi, d'ailleurs. Les magistrats étaient installés perpendiculairement à elles, et les témoins leur faisaient face.

Mme English a posé son œil valide sur moi.

— Monsieur Wate ? Et si vous commenciez votre incarnation de John Proctor ? Nous échangerons les rôles tout à l'heure.

J'étais le type dont la vie allait être détruite par un tas d'Emily Asher.

— Lena ? Vous serez notre Abigaïl. Nous allons jouer la pièce, puis nous consacrerons le reste de la semaine à étudier les procès historiques qui en sont à l'origine.

Je suis allé me poster dans un coin, Lena dans le sien.

— Allez-y, Mitchell ! a lancé la prof à mon père.

— Je suis prêt, Lilian.

Mes camarades se sont tournés vers moi.

La reconstitution s'est déroulée sans anicroche, ce qui signifie qu'elle a connu toutes les anicroches ordinaires de ce genre d'exercice. Les batteries de la caméra ont rendu l'âme au bout de cinq minutes ; le juge principal a dû se rendre aux toilettes ; les affligées ont été prises en flagrant délit de textos, et leurs portables leur ont été confisqués, ce qui les a bien plus affligées que les tourments de la possession diabolique dont elles étaient censées être victimes.

Mon père a eu beau garder le silence, je n'ai pas réussi à occulter sa présence, qui me paralysait. Malgré moi, je ne parvenais pas à m'exprimer, à bouger, à respirer. Que fabriquait-il ici ? Pourquoi fréquentait-il Mme English ? Je n'avais aucune explication rationnelle à son comportement.

Ethan ! Tu es censé plaider ta cause.

Quoi ?

J'ai fixé la caméra, cependant que les yeux de toute la classe étaient vrillés sur moi.

Parle, sinon je vais être obligée d'avoir une fausse crise d'asthme comme celle qu'a eue Link pendant l'examen final de sciences nat'.

— Je m'appelle John Proctor.

Je me suis interrompu. Mon prénom était John.

Comme le John du County Care ; comme le John vautré sur le tapis rose de Ridley. Une fois encore, il y avait moi, et il y avait un John.

Bon sang ! Qu'est-ce que l'univers essayait de me dire, à présent ?

— Ethan ? a insisté Mme English avec agacement.

Je suis retourné à ma feuille.

— Je m'appelle John Proctor, et ces allégations sont fausses.

Était-ce la bonne réplique ? Aucune idée. De nouveau, j'ai regardé la caméra, sans distinguer mon père derrière. J'ai vu autre chose. Mon reflet dans l'objectif a commencé à se modifier, telles des ridules sur l'eau du lac. Puis il a lentement repris sa forme initiale.

Un instant, je me suis contemplé moi-même.

Les commissures de mes lèvres se sont retroussées en un sourire tordu.

J'ai eu l'impression d'avoir reçu un coup de poing dans l'estomac.

J'ai cessé de respirer.

Parce que, en vérité, je ne souriais pas.

— Bordel ! Qu'est-ce que…

Ma voix tremblait. Les affligées se sont mises à rire.

Ethan ? Ça va ?

— Avez-vous quelque chose à ajouter à votre défense poignante, monsieur Proctor ?

À présent, Mme English était plus qu'agacée. Elle estimait que je fichais son truc en l'air exprès. J'ai farfouillé dans mes notes, jusqu'à ce que je trouve une citation.

— « Comment pourrais-je vivre sans mon nom ? Je vous ai donné mon âme, laissez-moi mon nom. »

L'œil de verre s'est posé sur moi.

Dis quelque chose, Ethan !

— Laissez-moi mon âme. Laissez-moi mon nom.

Ces mots n'étaient pas les bons, mais ils me paraissaient justes.

Quelque chose me suivait. J'ignorais ce que c'était, ce que ça voulait.

Sauf que je savais pertinemment qui j'étais.

Ethan Wate, fils de Lila Jane Evers Wate et de Mitchell Wate. Le rejeton d'une Gardienne et d'un Mortel, adorateur du basket et du lait chocolaté, des BD et des romans que je planquais sous mon lit. Élevé par mes parents, par Amma et Marian, par toute cette ville et ses habitants, bons ou néfastes.

Et j'aimais une fille. Qui s'appelait Lena.

La question est : qui es-tu ? Et qu'exiges-tu de moi ?

Je n'ai pas attendu la réponse. Il fallait que je quitte cette pièce. Je me suis frayé un chemin au milieu des chaises à toute vitesse. Je me suis rué sur la porte, je l'ai ouverte avec violence et je me suis enfui dans le couloir sans un regard en arrière.

Parce que je savais quelles paroles allaient être prononcées. Je les avais déjà entendues à une dizaine de reprises et, chaque fois, elles m'avaient paru de moins en moins sensées.

Surtout, chaque fois, elles m'avaient retourné l'estomac.

J'ATTENDS.

1er novembre
La Reine des Démons

Le problème, quand on habite une bourgade, c'est qu'on ne peut pas se permettre de sécher un cours au beau milieu de la reconstitution historique que votre prof de littérature a mis des semaines à organiser. Pas sans en payer les conséquences, s'entend. Partout ailleurs, un tel comportement supposerait un renvoi ou, pour le moins, quelques heures de colle. À Gatlin, il avait pour résultat qu'Amma vous forçait à vous rendre chez l'enseignant concerné avec une assiette de cookies au beurre de cacahuète.

J'étais donc devant la porte de la mère English.

J'ai prié pour qu'elle ne soit pas là. Me dandinant d'un pied sur l'autre, j'ai fixé le battant peint en pourpre. Lena adorait les portes rouges. D'après elle, c'était une couleur joyeuse, et les Enchanteurs n'en avaient pas de telles. Pour eux, les portes, tous les seuils étaient dangereux. Seuls les Mortels pouvaient se permettre d'en avoir des rouges.

Ma mère les avait détestées. Leurs propriétaires aussi. Pour elle, vermillonner sa porte, à Gatlin, signifiait que vous n'étiez pas du genre à redouter d'exposer votre différence. Sauf que si vous croyiez qu'une porte rouge vous différencierait des autres, c'était que vous étiez exactement comme eux.

Je n'ai pas franchement eu le temps d'arriver à mes propres conclusions sur ce sujet vital, car le battant en question s'est entrebâillé sur une Mme English en robe à fleurs et pantoufles douillettes.

— Ethan ? Que faites-vous ici ?

— Je suis venu m'excuser, madame. Je vous ai apporté des biscuits.

— Eh bien, entrez, dans ce cas.

Elle s'est effacée en écartant un peu plus la porte. Ce n'était pas la réponse à laquelle je m'étais attendu. J'avais espéré pouvoir faire amende honorable, offrir le présent d'Amma et déguerpir à toutes jambes. Je n'avais pas imaginé pénétrer dans sa minuscule maisonnette. Porte rouge ou non, je n'étais pas à la fête.

— Et si nous allions nous asseoir au salon ? a-t-elle suggéré.

Je l'ai donc suivie dans une pièce exiguë qui ne ressemblait à aucun salon de ma connaissance. La maison était d'ailleurs la plus petite dans laquelle il m'ait jamais été donné d'entrer. Les murs étaient couverts de portraits de famille en noir et blanc. Ils étaient si vieux, les visages étaient si réduits qu'il aurait fallu que je m'arrête pour les détailler, ce qui les rendait étrangement intimes. Étrange pour Gatlin, du moins, où nous exposions nos familles à tout bout de champ, les vivants comme les défunts.

Mais Mme English était étrange, de toute façon.

— Je vous en prie, prenez un siège. Je vous apporte un verre d'eau.

Il ne s'agissait pas là d'une question. La chose était obligatoire, apparemment. La dame a disparu dans la cuisine, grande comme deux placards. J'ai entendu l'eau couler.

— Merci, madame.

Une collection de figurines en céramique était posée sur le manteau de la cheminée – un globe terrestre, un livre, un chat, un chien, une lune, une étoile. La version Lilian English du bazar ordinaire que les Sœurs avaient amassé au fil des ans et qu'elles interdisaient à quiconque de toucher jusqu'à ce qu'il ne soit plus qu'un tas de débris dans leur cour. Dans le foyer était installée une petite télévision avec antennes en oreilles de lapin qui ne devait plus fonctionner depuis au moins vingt ans. Une espèce de plante aux allures d'araignée était placée dessus, donnant à l'ensemble des allures de gros cache-pot. Mais la plante avait l'air d'être en train de crever, ce qui rendait complètement inutile le cache-pot qui n'en était pas un, au sommet de la télé qui n'en était pas une, au milieu de l'âtre qui n'en était pas un.

Une minuscule bibliothèque s'élevait près de la cheminée. Pour le coup, elle était ce qu'elle semblait être, dans la mesure où elle contenait des livres. Je me suis penché pour en déchiffrer les titres. *Ne tirez pas sur l'oiseau moqueur*, *L'Homme invisible*, *Frankenstein*, *Dr Jekyll et Mr Hyde*, *De grandes espérances*.

Soudain, la porte d'entrée a claqué, et a résonné une voix que je n'aurais jamais imaginé entendre chez ma prof de littérature.

— *De grandes espérances*, une de mes œuvres préférées. Si… tragique.

Debout sur le seuil du salon, Sarafine me contemplait de ses prunelles jaunes. Avec un bruit de déchirure, Abraham a surgi dans un vieux fauteuil à motifs floraux installé dans un coin de la pièce. Un cigare à la bouche, il semblait à l'aise, comme s'il était un invité comme un autre. Le *Livre des lunes* était posé sur ses genoux.

— Ethan ? C'est vous qui avez ouvert la…

Mme English est revenue de la cuisine une minute plus tard. J'ignore si c'était la surprise de découvrir des inconnus dans son salon ou les yeux dorés de Sarafine, mais elle a lâché le verre d'eau, qui s'est brisé sur le tapis à fleurs.

— Qui êtes-vous ?

— Ils sont ici pour moi, ai-je répondu en regardant Abraham.

— Pas cette fois, mon garçon, s'est-il esclaffé. Nous avons une autre raison.

— Je n'ai aucun objet de valeur, a protesté ma prof en tremblant. Je ne suis qu'une enseignante.

Sarafine a souri, ce qui n'a fait qu'accentuer son expression de démence.

— En vérité, vous détenez quelque chose qui nous est très cher, *Lilian*.

Mme English a reculé d'un pas.

— J'ignore qui vous êtes. Je vous conseille de partir. Mes voisins ont sans doute déjà appelé la police. C'est une rue très calme.

Ses intonations devenaient de plus en plus aiguës. À mon avis, elle n'allait pas tarder à craquer.

— Fichez-lui la paix ! ai-je tonné.

Me redressant, je me suis dirigé vers Sarafine, qui a vivement écarté les doigts. Le coup, bien plus violent que ce que n'importe quel poing était susceptible de produire, m'a écrasé le torse. Je suis retombé contre la bibliothèque, dont les ouvrages poussiéreux ont dégringolé autour de moi.

— Assieds-toi, Ethan. J'estime utile que tu assistes à la fin du monde tel que tu le connais.

J'étais incapable de me relever. Le poids de la puissance de Sarafine pesait sur ma poitrine.

— Vous êtes fous ! a chuchoté Mme English en écarquillant les yeux.

Sarafine a vrillé sur elle ses iris terrifiants.

— Vous n'imaginez même pas à quel point, a-t-elle commenté.

Après avoir écrasé son cigare sur la table basse, Abraham s'est mis debout. Il a ouvert le *Livre des lunes* à une page qu'il paraissait avoir marquée.

— Qu'allez-vous faire ? ai-je braillé. Convoquer de nouvelles Ires ?

Cette fois, tous deux ont cédé à l'hilarité.

— En comparaison de ceux que je vais convoquer, une Ire a l'air d'un chaton, a riposté Abraham.

Il a entrepris de lire dans une langue que je n'ai pas identifiée. Une langue d'Enchanteurs, sans doute, du Niadic, peut-être. Les mots étaient presque mélodieux. Puis il les a répétés en anglais, j'ai compris leur sens, et ils ont perdu toute musicalité :

— Venant du sang, des cendres et du chagrin. Pour les Démons emprisonnés ci-dessous…

— Taisez-vous ! me suis-je époumoné.

Il n'a même pas daigné jeter un coup d'œil dans ma direction. D'un léger geste du poignet, Sarafine a renforcé la pression qui me serrait la poitrine.

— Tu es témoin de l'histoire, Ethan. Tant pour les Mortels que pour les Enchanteurs. Montre un peu plus de respect, s'il te plaît.

— J'en appelle à leur Créatrice, poursuivait Abraham.

À cet instant, Mme English a poussé un petit cri avant de se tétaniser. Ses yeux ont roulé dans leurs orbites, et elle s'est effondrée par terre, telle une poupée de son. La torsion de son cou était bizarre, elle semblait privée de vie.

Morte.

Abraham a continué sa lecture. J'avais l'impression d'être sous l'eau, où tout est étouffé et lent. Combien de personnes allaient-elles mourir à cause de ces deux-là ?

— … afin de les venger. De servir !

Les murs de la petite pièce se sont mis à trembler. Abraham a refermé le livre magique d'un coup sec avant de s'approcher de la silhouette immobile de ma prof de littérature. La plante aux allures d'araignée est tombée de la télévision, son pot se brisant sur les pierres du foyer. Les figurines tanguaient d'avant en arrière, pans de la vie de Mme English qui se délitaient.

— Elle arrive ! a crié Sarafine à Abraham.

Je me suis alors rendu compte que tous deux fixaient Mme English. J'ai essayé de me relever, mais le fardeau qui m'accablait était trop lourd pour moi. Quoi qu'il ait été en train de se produire, j'étais impuissant à intervenir.

Il était trop tard.

C'est le cou de Mme English qui s'est redressé en premier, lentement suivi par son corps qui se remettait debout comme s'il était tiré par une invisible ficelle. Le spectacle de ces membres se mouvant comme ceux d'une marionnette était horrible. Ensuite, ses paupières se sont brutalement soulevées.

Ses iris avaient disparu, remplacés par des flaques sombres.

Les tremblements ont cessé, le salon a retrouvé son calme.

— Qui m'appelle ? a demandé Mme English d'une voix qui n'était pas la sienne.

Les intonations en étaient inhumaines, dénuées d'inflexions et d'émotions. Elles produisaient un effet de menace spectrale. Abraham a souri, fier de son œuvre.

— Moi, a-t-il répondu. L'Ordre a été rompu, et je t'appelle afin que tu lâches les créatures sans âme, celles qui errent dans les abysses du Monde Souterrain, et qu'elles se joignent à nous.

Le regard vide de Mme English fixait un point au-delà de lui. La voix a cependant résonné.

— Cela ne se peut.

Sarafine s'est tournée vers son comparse, l'air paniqué.

— Qu'est-ce qu'elle…

D'un coup d'œil, il lui a intimé le silence, avant de s'adresser de nouveau à ce qui avait investi l'enveloppe charnelle de ma prof.

— Je n'ai pas été assez clair. Nous avons des corps à leur offrir. Libère les sans-âme, et je mettrai les Enchanteurs

de la Lumière à leur disposition. Ainsi sera créé un Ordre Nouveau que tu Scelleras.

Un grondement a parcouru Mme English, comme si la créature qui la phagocytait éclatait d'un rire malsain.

— Je suis la Lilum. Le temps. La vérité. La destinée. La Rivière Infinie. La Roue de Fortune. Tu n'es personne pour me donner des ordres.

Lilum. Lilian English. C'était une sorte de plaisanterie de mauvais goût d'une ampleur hallucinante. Excepté pour la partie qui n'était pas drôle, celle que je n'arrivais pas à oublier. « Au bout du compte, La Roue de Fortune nous écrase tous. »

Abraham a paru très surpris, et Sarafine a reculé de quelques pas mal assurés. Quelle que soit cette évanescence nommée Lilum, il était clair que tous les deux avaient espéré pouvoir la contrôler. Le vieillard a agrippé plus fermement le *Livre des lunes* avant de changer de tactique.

— En ce cas, j'en appelle à toi en tant que Reine des Démons. Aide-nous à forger un Ordre Nouveau. Où la Lumière sera enfin et à jamais éclipsée par les Ténèbres.

Je me suis figé. Les pièces du puzzle commençaient à se mettre en place. L'Air Occulte n'avait pas menti. La Lilum avait beau ne pas avoir été mentionnée, la chanson m'avait averti à propos de la Reine des Démons et de la Roue de Fortune.

Je me suis efforcé de ne pas céder à l'affolement.

— Lumière et Ténèbres ne signifient rien pour moi, a répondu la Lilum de sa voix d'une platitude crispante. Seul compte le pouvoir, né du Feu Ténébreux, la source de toute puissance.

Hein ? Si cette créature était la Reine des Démons, cela n'en faisait-il pas un être des Ténèbres ?

— Non ! a soufflé Sarafine. C'est impossible. La Reine des Démons n'est que Ténèbres.

— Ma vérité est le Feu Ténébreux, à l'origine des dons de la Lumière comme des Ténèbres.

Sarafine a semblé perdue, ce qu'elle n'avait jamais été dans mes visions.

C'est alors que j'ai deviné qu'elle et Abraham ne comprenaient pas du tout la Lilum. Moi non plus, au demeurant. Toutefois, je savais maintenant qu'elle n'appartenait pas au royaume des Ténèbres, contrairement à ce qu'ils avaient cru. Il s'agissait d'une essence unique. Grise, peut-être. Nouvelle teinte dans le spectre magique. À moins que ça n'ait été le contraire, et que la Lilum ne soit d'aucune couleur, qu'elle soit absence de Lumière et de Ténèbres.

En tout cas, elle n'était pas comme ces deux-là.

— Mais tu peux fonder un Ordre Nouveau, a insisté Sarafine.

La tête de Mme English a tressailli.

— Oui. Il faudra en payer le prix, cependant.

— Lequel ? ai-je lancé sans réfléchir.

La tête s'est tournée vers moi.

— Un Creuset.

La Reine des Démons, la Roue de Fortune, qui qu'elle soit, ne parlait pas ici de ma dissertation de littérature[1].

— Je ne saisis pas.

— Ferme-la, gamin ! a aboyé Abraham.

Ignorant son intervention, la Lilum a continué à me fixer de ses yeux vides.

— Cette Mortelle a les mots dont j'ai besoin, a-t-elle lâché.

Allusion à Mme English. Elle a marqué une pause avant de reprendre :

— Un Creuset. Un récipient dans lequel mélanger les métaux. Une allégorie Mortelle.

De nouveau, elle s'est interrompue. Cherchait-elle ses mots dans l'esprit de ma prof ?

1. En anglais, le titre de la pièce *Les Sorcières de Salem* est *The Crucibles*. Voir note p. 42.

— Une épreuve stricte, a-t-elle enchaîné. Oui. Une épreuve. Lors de la Dix-huitième Lune.

— En quoi consistera-t-elle ?

— Lors de la Dix-huitième Lune, a répété la créature. Pour L'Unique qui restaurera l'Ordre des Choses.

Voilà qui reprenait l'essentiel du message que m'avait transmis l'Air Occulte.

L'Unique en valant deux.

— Qui ? a voulu savoir Abraham. Qui rétablira l'Ordre ? Dis-le-moi ! Maintenant !

Le cou de Mme English a pivoté de manière artificielle vers lui, et les flaques noires l'ont observé. Un fracas a ébranlé la maison.

— Tu n'es personne pour me donner des ordres.

Avant qu'il n'ait eu le temps de réagir, un éclair a surgi des orbites sombres. Il a frappé Abraham et Sarafine, et une explosion de lumière a envahi le salon. La pression invisible sur mon torse a disparu, et j'ai pu me protéger les yeux avec un bras. Malgré tout, j'ai perçu le violent éclat, comme si j'avais contemplé le soleil.

En quelques secondes, l'impossible clarté s'est volatilisée, et j'ai retiré mon bras de devant mon visage. Des taches noires brouillaient ma vision J'ai regardé l'endroit où s'étaient tenus les deux Enchanteurs des Ténèbres. Ils s'étaient évaporés.

— Sont-ils morts ? ai-je chevroté, plein d'espoir.

Abraham s'était peut-être servi du *Livre des lunes* une fois de trop. L'ouvrage réclamait toujours qu'on le rembourse.

— Morts. Non. L'heure de leur jugement n'est pas encore venue.

Je n'étais pas d'accord. Mais je n'allais pas discuter avec un être suffisamment puissant pour éradiquer Abraham et Sarafine quand bon lui chantait.

— Que leur est-il arrivé, alors ?

— Je les ai renvoyés. Ils m'agaçaient.

Ce n'était pas exactement la réponse à ma question, ça. J'en avais une autre, cependant. J'ai rassemblé tout mon courage pour la poser.

— La personne qui devra passer l'épreuve de la Dix-huitième Lune… parlez-vous de l'Unique en valant deux ?

Les orbites se sont rivées sur moi, la voix a retenti.

— L'Unique en valant deux, par qui le Solde est réglé. Le Feu Ténébreux, source de tout pouvoir, restaurera l'Ordre.

— Ainsi, nous pourrions le rétablir ? L'Ordre ?

— Si le Solde est réglé, il y aura un Ordre Nouveau.

Ses accents étaient si neutres qu'on aurait pu croire que la Lilum n'avait cure de ce dans quoi je mettais tant d'espoir.

— Qu'entendez-vous par Solde ?

— Solde. Règlement. Sacrifice.

Un sacrifice.

Celui de L'Unique en valant deux.

— Pas Lena, ai-je murmuré, horrifié à l'idée de la perdre encore une fois. Elle ne peut être la sacrifiée. Elle ne voulait pas briser l'Ordre.

— Lumière et Ténèbres ensemble. L'équilibre parfait.

La Lilum s'est tue. Réfléchissait-elle ou commençait-elle à en avoir marre de mes questions ?

— Elle n'est pas le Creuset. L'enfant des Ténèbres et de la Lumière Scellera l'Ordre Nouveau.

Ainsi, ce n'était pas Lena. J'ai respiré un bon coup.

— Qui sera-ce, alors ?

— Quelqu'un d'autre.

— Qui ? ai-je insisté.

— Tu trouveras l'Unique en valant deux.

— Pourquoi moi ?

— Parce que tu es le Pilote. Celui qui montre le chemin entre nos mondes. Celui des Démons et celui des Mortels.

— Je n'ai peut-être pas envie d'être le Pilote, me suis-je écrié tout à trac.

Ce qui était vrai. J'ignorais comment identifier cette personne. Je ne tenais pas du tout à ce que le destin des univers Mortel et Enchanteur repose sur mes épaules.

Derechef, les murs se sont mis à frissonner. Les figurines en céramique se sont entrechoquées. La petite lune s'est dangereusement rapprochée du bord de la cheminée.

— Je comprends. Nous ne choisissons pas ce que nous sommes dans l'Ordre. Et je suis la Reine des Démons.

Cela voulait-il dire qu'elle non plus n'aimait pas son statut ?

— L'Ordre des Choses nous dépasse. La Rivière coule. La Roue de Fortune tourne. Le moment présent change le suivant. Vous avez tout changé.

Les tremblements ont cessé, la lune s'est arrêtée juste avant de dégringoler.

— C'est ainsi. Il n'y a pas d'autre façon de procéder.

J'étais d'accord.

Ce sont les derniers mots qu'a prononcés la Lilum. Le corps possédé de Mme English est brusquement retombé par terre.

1er novembre
Le côté de l'œil invalide

Avec ses lunettes sur le plancher, son œil de verre fermé, son chignon impeccable dénoué, Mme English ressemblait presque à une personne.

Une chouette personne.

J'ai contacté les secours avant de m'asseoir dans le fauteuil usé à motifs floraux afin de fixer le corps de ma prof tout en attendant l'ambulance. Était-elle morte ? Encore une victime de cette guerre dont je n'étais pas certain que nous la gagnerions ?

Encore une chose dont j'étais responsable ?

Les sauveteurs sont arrivés peu après. Lorsque Woody Porter et Bud Sweet ont fini par repérer les battements d'un pouls, j'ai commencé à respirer plus librement. Je les ai regardés charger la civière dans le « bus », comme l'appelait Woody.

— Y a-t-il quelqu'un que tu puisses prévenir ? m'a demandé Bud en claquant les portes arrière du véhicule.

Il y avait quelqu'un, en effet.

— Oui, oui, ai-je opiné. Je m'en charge.

Je suis retourné à l'intérieur de la maisonnette de Mme English, j'ai traversé le hall et je suis entré dans la cuisine dont le papier peint était décoré de colibris. Je n'avais pas très envie de téléphoner à mon père, mais je devais bien ça à Mme English, après ce qu'elle venait de traverser. Soulevant le combiné rose pastel, j'ai contemplé les rangées de touches.

Ma main s'est mise à trembler.

J'avais oublié mon numéro.

C'était sûrement le choc, me suis-je répété, bien que conscient que c'était plus que ça. Quelque chose se produisait en moi. Ce que j'ignorais, c'était pour quelle raison.

Fermant les yeux, j'ai ordonné à mes doigts de tapoter les bons chiffres.

Diverses combinaisons me sont venues à l'esprit. Le numéro de Lena, celui de Link, celui de la bibliothèque. Un seul a persisté à m'échapper.

Le mien.

Lilian English a été absente du lycée pour la première fois depuis au moins cent cinquante ans. On lui avait diagnostiqué un épuisement grave. Ce qui était logique, j'imagine. Abraham et Sarafine vous auraient achevé n'importe qui sans même avoir besoin de l'aide d'une Reine des Démons.

Résultat, Lena et moi nous sommes retrouvés à traîner, seuls, dans sa salle de classe. Le cours était annulé, le proviseur Harper avait ramassé les dissertations qu'il ne corrigerait pas. Pourtant, nous étions là. Je crois que Lena comme moi avions envie de nous attarder là où Mme English n'avait jamais été une marionnette, là où elle s'était comportée en Reine des Démons de sa propre farine. La véritable Mme English était le bras armé de la justice, quand bien même elle n'était pas la Roue de Fortune. Ses enseignements ne connaissaient aucune surprise. Entre ça et l'histoire du Creuset, je comprenais pourquoi la Lilum avait choisi de prospérer en elle.

— J'aurais dû m'en douter, ai-je soupiré. Elle se comportait bizarrement, depuis la rentrée. De plus, j'ai remarqué que, une fois au moins, son œil de verre n'était pas du bon côté.

— Tu crois que la Lilum nous a fait cours de littérature ? s'est récriée Lena. Tu m'as dit qu'elle avait une drôle de voix. Nous nous en serions forcément aperçus.

Certes.

— N'empêche, elle a dû investir son corps à un moment ou à un autre, puisque Abraham et Sarafine ont déboulé chez elle. Et crois-moi, ils savaient exactement ce qu'ils cherchaient.

Le silence est tombé. Nous étions installés chacun à un bout de la salle. Ce jour-là, j'étais du côté de l'œil invalide. Je l'avais senti comme ça. J'avais raconté à Lena les moindres détails de ce qui s'était déroulé l'autre soir, à trois reprises. Sauf l'oubli de mon numéro de téléphone. Je ne voulais pas qu'elle s'inquiète. Malgré cela, elle continuait à avoir des difficultés à saisir ce qui s'était passé alors. Loin de moi l'idée de le lui reprocher. J'avais assisté à l'événement, et je ne m'en sortais guère mieux qu'elle.

— À ton avis, pourquoi devons-nous trouver l'Unique en valant deux ? a-t-elle fini par me lancer depuis le côté de l'œil valide.

Ce fait la bouleversait plus que moi. Peut-être parce qu'elle venait de l'apprendre. Ou parce qu'il impliquait sa mère.

— Rappelle-toi le discours sur le Creuset.

— Non, ce n'est pas ce que je veux dire. Qu'est-ce que cet « Unique » va accomplir dont nous ne sommes pas capables ? Forger un Ordre Nouveau ou je ne sais quoi.

Délaissant sa chaise, elle est allée s'asseoir sur le bureau du prof, jambes pendantes. L'Ordre Nouveau. Pas étonnant qu'elle y réfléchisse. La Lilum avait précisé que ce serait elle qui le Scellerait, je le lui avais dit.

— Comment s'y prend-on pour Sceller un Ordre Nouveau, d'ailleurs ? ai-je demandé.

— Aucune idée.

Ça devait pouvoir se découvrir.

— Il y a peut-être un truc à ce sujet dans la *Lunae Libri* ?

— Ben tiens ! s'est-elle agacée. À la lettre O, pour Ordre Nouveau. Ou S, pour Sceau. Ou D, pour Dingue, ce que j'ai de plus en plus l'impression d'être.

— Ne m'en parle pas.

Elle a poussé un soupir, a agité ses jambes plus violemment.

— Même si je savais comment procéder, pourquoi moi ? Cette question est plus importante, à mes yeux. C'est moi qui ai rompu l'ancien.

Elle avait l'air fatiguée. Son tee-shirt noir était trempé de sueur, et son collier de colifichets, emmêlé dans ses boucles.

— Et s'il avait été nécessaire de le briser ? Parfois, il faut casser les choses avant de les réparer.

— Sauf qu'il n'avait peut-être pas besoin d'être réparé.

— On s'en va ? Assez parlé de ça aujourd'hui.

— OK, a-t-elle acquiescé, reconnaissante de ma proposition.

Nous avons emprunté le couloir, main dans la main. Les cheveux de Lena se sont mis à s'agiter. Le Souffle Enchanteur. Aussi ne me suis-je pas étonné quand Mlle Hester n'a même pas relevé les yeux de ses longs ongles qu'elle vernissait en mauve lorsque nous sommes passés devant elle, abandonnant les mondes des Mortels et des Démons derrière nous.

Les alentours du lac Moultrie étaient aussi brûlants et bruns que ce que Link avait rapporté. Il n'y avait pas une goutte d'eau à l'horizon. Les lieux étaient déserts, à l'exception de quelques souvenirs laissés par Mme Lincoln et ses amies, fichés dans la boue craquelée de la berge en pente douce.

Téléphone rouge de la veille communale
Merci de signaler tout comportement apocalyptique

Elle était allée jusqu'à ajouter son numéro personnel en bas de la pancarte.

— Qu'est-ce qu'un comportement apocalyptique ? a demandé Lena en essayant de retenir un sourire.

— Je l'ignore, mais je suis sûr que, si nous priions Mme Lincoln d'apporter des éclaircissements, elle les planterait ici pas plus tard que demain.

J'ai réfléchi un instant.

— Interdit de pêcher. De jeter des détritus. De convoquer le diable. Vagues de canicule, invasions de criquets et d'Ires également interdites.

— Pas de rivières de sang non plus, a renchéri Lena en donnant un coup de pied dans la poussière (je lui avais raconté mes rêves, celui-ci en tout cas). Et pas de sacrifice humain.

— Ne va pas donner des idées à Abraham.

Elle a posé la tête sur mon épaule.

— Te rappelles-tu la dernière fois que nous sommes venus ici ? l'ai-je taquinée en la caressant avec une herbe sèche. Tu t'es enfuie à califourchon sur la Harley de John.

— Je ne veux pas me souvenir de ce moment-là, a-t-elle murmuré. Juste des bons.

— Il y en a beaucoup aussi.

Elle a souri, et j'ai deviné que je n'oublierais jamais ce jour-là. Comme celui où je l'avais surprise en train de pleurer dans le jardin de Greenbrier. Il y avait des fois où, quand je la regardais, tout s'arrêtait. Le monde s'éclipsait, et j'étais certain que rien ne viendrait nous séparer.

L'attirant à moi, je l'ai embrassée, près d'un lac mort où personne ne pouvait nous voir, où tout le monde se moquait de nous. La souffrance s'est répandue dans mon corps, plus forte à chaque seconde supplémentaire, de même que la pression exercée sur mon cœur. Pourtant, je ne me suis pas interrompu. Rien ne comptait hormis cela, la caresse de ses mains sur ma peau, sa bouche mordillant ma lèvre inférieure. Je voulais éprouver la sensation de son corps contre le mien jusqu'à ce que je ne ressente plus rien.

Parce que, à moins que nous ne découvrions son identité et que nous ne convainquions l'Unique en valant deux d'agir comme il le fallait lors de la Dix-huitième Lune, j'avais le pressentiment de plus en plus fort que ce qui nous arriverait, à elle comme à moi, n'aurait pas la moindre importance.

Lena a fermé les yeux, et moi, les miens et, bien que nous ne nous tenions pas par la main, ça a été comme si nous le faisions.

Parce que nous étions conscients du privilège qui nous était accordé.

20 novembre
La prochaine génération

— Lâche-moi, boy-scout ! Je vous ai dit tout ce que je savais. Pourquoi me mettrais-je à vous cacher quoi que ce soit maintenant ?

Souriant, John a regardé Liv.

— Je ne porte que la culotte, ici. C'est elle qui porte la ceinture.

En effet, cette dernière pendait à la taille de Liv. Lena la lui avait donnée, dans la mesure où elle semblait servir de baby-sitter à John lorsque Macon n'était pas là. Ils ne le laissaient jamais seul. La nuit, Macon allait jusqu'à Sceller son bureau à l'aide de sortilèges de Dissimulation et de Confinement.

Cependant, si John ne mentait pas à propos de ses aptitudes, il lui aurait suffi d'effleurer Macon pour se doter de certains de ses pouvoirs. Alors, pourquoi ne le faisait-il pas ? Je commençais à penser qu'il n'avait pas envie de partir, ce qui était incompréhensible.

En même temps, tout l'était, depuis quelques semaines.

Suite à ma conversation avec la Lilum – Roue de Fortune, Reine des Démons, la Mme English qui n'était pas Mme English –, j'avais plus de questions que de réponses. Je n'avais pas la moindre idée sur la façon d'identifier l'Unique en valant deux, j'ignorais complètement le nombre de jours dont nous disposions. Il fallait que je découvre à quelle date aurait lieu la Dix-huitième Lune. Je n'arrivais pas à me débarrasser du pressentiment qu'elle concernait John Breed depuis que le John du County Care avait gribouillé son message.

Or ce John-ci semblait n'en avoir cure. Il paressait sur un lit pliant placé contre le mur, ne se réveillant que pour me chercher des noises. Lena n'en pouvait plus. Le charme de l'Incube ne fonctionnait plus sur elle.

— Abraham t'a forcément parlé de la Dix-huitième Lune !

John a haussé les épaules, l'air de s'ennuyer à cent sous de l'heure.

— C'est ton mec qui n'arrête pas de jacasser à ce sujet.

— Ah ouais ? ai-je réagi. Et si tu bougeais ton cul pour m'obliger à la fermer ?

Du calme, Ethan. Ne te laisse pas entamer par lui.

— Ethan, est intervenue Liv, il me semble que nous devrions rester un peu plus courtois. Pour ce que nous en savons, John est tout autant victime que nous de la terreur que fait régner Abraham.

Elle débordait de compassion. Beaucoup trop à mon goût.

— A-t-il mordu l'un de tes *meilleurs amis*, récemment ? ai-je rétorqué.

Elle a paru mal à l'aise.

— Alors, ai-je continué, garde tes leçons de morale.

John s'est levé du lit pliant.

— Inutile de prendre ce ton avec elle. C'est moi que tu détestes. Fiche la paix à Olivia. Elle se démène comme une malade pour t'aider.

J'ai observé l'intéressée. Rouge comme une pivoine, elle consultait les cadrans de son sélenomètre. Le magnétisme de John avait-il des effets sur elle ?

— Sans vouloir te vexer, boucle-la !

— Ethan ! m'a enguirlandé Lena en m'adressant sa propre version du Regard-Qui-Tue.

Bon sang ! Ça me tombait dessus de tous les côtés, maintenant !

— Tu veux que je parle ou que je me taise ? a dit John en rigolant. Décide-toi.

Je n'avais aucune envie de m'entretenir avec lui. Juste qu'il disparaisse.

— À quoi bon le garder ici, Liv ? ai-je contre-attaqué. Il ne nous a rien appris. Je te parie qu'il a utilisé son don d'absorption pour envoyer un message à Abraham et Sarafine, lesquels doivent être en route pour ici, à l'heure qu'il est.

Liv a croisé les bras d'un air réprobateur.

— John n'a aspiré les pouvoirs de personne, a-t-elle répondu. La plupart du temps, il est seul avec moi. Ou avec Macon et moi. (Derechef, elle a commencé à s'empourprer.) Lui brailler dessus ne te mènera nulle part. John a été torturé. Tu n'imagines pas comment Silas et Abraham l'ont traité durant son enfance. Rien de ce que tu pourras dire n'égalera ce qu'il a enduré.

— Voilà donc à quoi tu t'es amusé ! ai-je raillé en me tournant vers l'Incube. Inventer des histoires lugubres afin qu'elle ait de la peine pour toi ? Franchement, mec, tu n'es vraiment qu'un sale con manipulateur.

— C'est drôle, a-t-il riposté en venant à moi, je songeais justement que tu n'étais qu'un sale con charmant.

— Ah ouais ?

J'ai serré les poings.

— Ça suffit ! s'est interposée Lena. Vous ne nous rendez pas service, là.

— Votre comportement n'est ni scientifique ni divertissant, a renchéri Liv.

John est retourné à son lit.

— Je ne pige pas pourquoi tout le monde est à ce point convaincu que j'ai quelque chose à voir dans ce pataquès, a-t-il maugréé.

Je n'avais pas l'intention de mentionner les messages d'un adolescent gravement blessé qui ne pouvait plus s'exprimer.

— Il s'agit de la Dix-huitième Lune, ai-je repris. Celle de Lena n'aura pas lieu avant février. Sauf si Sarafine et Abraham la convoquent en avance, comme la dernière fois.

Lena s'est tournée vers John qui a de nouveau haussé les épaules, révélant le tatouage noir sur son bras.

— Eh bien, s'est-il borné à commenter, il vous reste quelques mois. Mettez-vous à la tâche tout de suite.

— Je te répète qu'on m'a précisé que Lena n'était pas concernée. Nous ne disposons peut-être pas d'autant de temps.

Liv a brusquement pivoté sur ses pieds.

— Qui ça, « on » ? m'a-t-elle demandé.

Zut ! Je ne tenais pas à lui parler de la Lilum, surtout pas en présence de John. Lena n'était pas la seule fille à avoir deux facettes. Si Liv n'était plus Gardienne, elle s'entêtait à se comporter comme telle.

— Personne. Ce n'est pas important.

— Tu nous as expliqué qu'un type appelé John, au County Care, était au courant de la Dix-huitième Lune. Le jeune dont on fêtait l'anniversaire. Je pensais que c'était pour ça que tu tarabustais John.

— Le tarabuster ? Moi ?

Je n'en revenais pas de la vitesse avec laquelle il avait réussi à la retourner en sa faveur.

— C'est même du harcèlement ! a ricané l'Incube, fort satisfait.

Je l'ai ignoré, trop occupé à tenter de couvrir mes arrières.

— Il s'agissait bien d'un John, mais ce n'était pas son anniv...

Je me suis interrompu.

John.

Lena m'a regardé.

L'anniversaire.

Nous venions de penser à la même chose.

Et si nous avions cherché du mauvais côté ?

— Quand est ton anniversaire, John ? me suis-je enquis.

Étendu sur sa couche, il lançait une balle au-dessus de ses bottes appuyées contre le mur.

— Pourquoi donc, Mortel ? Tu as l'intention d'organiser quelque chose ? Je te préviens, je ne raffole pas des gâteaux.

— Contente-toi de répondre, lui a intimé Lena.

La balle a rebondi contre la paroi.

— Le 22 décembre. D'après Abraham, du moins. Sûrement une date qu'il a choisie au hasard, puisqu'il m'a trouvé. Ce n'est pas comme si un mot précisant le jour de ma naissance avait été épinglé à mes langes.

Nom d'un chien ! Il n'était pas bête à ce point, quand même ?

— Abraham te paraît-il être le genre de mec à se soucier que tu aies ou non un anniversaire ?

La balle a cessé son va-et-vient.

Liv feuilletait un almanach. Je l'ai entendue retenir son souffle.

— Oh, mon Dieu ! a-t-elle chuchoté.

Se relevant, John l'a rejointe près de la table.

— Quoi ?

— Le 22 décembre est le solstice d'hiver. La nuit la plus longue de l'année.

L'Incube s'est laissé tomber sur un siège voisin. Il s'est efforcé d'afficher une moue ennuyée, son expression préférée, mais il était évident que sa curiosité avait été éveillée.

— Et alors ? a-t-il ronchonné. Qu'est-ce que ça change ?

— Les Celtes révéraient le solstice d'hiver comme le jour le plus sacré du calendrier. Ils croyaient que la Roue de l'Année s'arrêtait de tourner durant un petit moment à cette époque. Invitant à la purification, à la renaissance...

Je ne l'écoutais plus, tout à coup, perdu dans mes pensées.

La Roue de l'Année.

La Roue de Fortune.

Purification et renaissance.

Un sacrifice.

Était-ce le message que la Lilum avait tenté de me transmettre chez Mme English ? Lors de la Dix-huitième Lune, la nuit du solstice d'hiver, un sacrifice devrait être accompli afin de provoquer l'Ordre Nouveau.

— Ethan ? m'a lancé Lena, perplexe. Tout va bien ?

— Non, ai-je murmuré avant de m'adresser à John : pour peu que tu dises vrai et que tu n'attendes pas que Sarafine et Abraham viennent à ta rescousse, il va falloir que tu me racontes tout ce que tu peux au sujet de ce dernier.

Il s'est penché vers moi au-dessus de la table.

— Si tu crois que je ne suis pas en mesure de m'enfuir d'un petit bureau dans les Tunnels, c'est que tu es encore plus idiot que tu en as l'air. Tu n'imagines même pas ce dont je suis capable. Je reste ici, parce que... je n'ai nulle part où aller.

Il mentait peut-être. Mais les signes – la chanson, les messages, tante Prue et la Lilum – indiquaient qu'il était au cœur du problème.

— Sors ton calepin rouge, a-t-il ordonné à Liv en lui passant un crayon, et je vous dirai tout ce que vous voulez savoir.

Après avoir écouté John nous raconter son enfance sous la férule de Silas Ravenwood – lequel ressemblait à un sergent instructeur ayant passé la majeure partie de son temps à le frapper et à le forcer à mémoriser la doctrine anti-Enchanteurs d'Abraham –, même moi j'ai commencé à éprouver de la sympathie pour lui. Certes, je me serais pendu plutôt que de l'admettre. Liv n'avait pas loupé un mot.

— Pour résumer, en gros, Silas déteste les Enchanteurs, a-t-elle commenté. Intéressant, vu qu'il a épousé deux de leurs représentants. Et qu'il en a élevé un.

John a éclaté d'un rire dont l'amertume était évidente.

— Je n'aimerais pas être présent s'il t'entendait me traiter d'Enchanteur. Lui et Abraham ne m'ont jamais considéré comme tel. D'après Abraham, j'incarne « la prochaine génération ». Je suis plus fort, plus rapide, insensible aux effets de la lumière du jour, et tout le toutim. Pour un Démon, Abraham est drôlement apocalyptique. Il est convaincu de la fin du monde, même s'il doit la déclencher pour qu'elle ait lieu. Il pense que la race inférieure sera enfin balayée de la surface du monde.

Je me suis frotté le visage, accablé par ce que j'apprenais.

— J'imagine qu'il s'agit de nous autres, pauvres Mortels.

John m'a jeté un coup d'œil curieux.

— Les Mortels ne sont pas la race inférieure, m'a-t-il corrigé. Vous êtes juste au bas de la chaîne alimentaire. Non, par là, il mentionne les Enchanteurs.

Liv s'est planté son crayon derrière l'oreille.

— Je n'avais pas pris la mesure de sa haine envers les représentants de la Lumière, a-t-elle marmonné.

— Non, a objecté l'Incube. Tu ne piges pas. Il ne s'agit pas d'eux. Abraham veut se débarrasser de *tous* les Enchanteurs.

Lena a relevé la tête avec surprise.

— Mais Sarafine… a bredouillé Liv.

— Il s'en fiche, l'a coupée John d'une voix grave. Il ne lui confie que ce qu'elle a envie d'entendre. Abraham Ravenwood n'a d'égards pour aucune créature.

Il y avait eu nombre de nuits où je n'avais pas réussi à dormir ; ce soir-là, je n'en avais pas envie. Je voulais oublier Abraham Ravenwood et ses complots pour détruire le monde, oublier la promesse de la Lilum selon laquelle le monde allait se détruire tout seul. À moins, bien sûr, que quelqu'un souhaite se sacrifier. Quelqu'un que je devais identifier.

Si je m'assoupissais, ces réflexions allaient s'emmêler et se transformer en rivières de sang aussi réelles que la boue dans mes draps avant ma première rencontre avec Lena. Je cherchais une place où me cacher de tout cela, où les cauchemars, les rivières et la réalité ne me dénicheraient pas. Ce genre de refuges, je les avais toujours trouvés dans des livres.

Or j'avais l'ouvrage idéal pour ça. Pas sous mon lit, dans l'une des boîtes à chaussures empilées le long des murs de ma chambre. Ces boîtes renfermaient tout ce qui m'était précieux, j'en connaissais le contenu par cœur.

Du moins, je le croyais.

L'espace d'une seconde, j'ai été paralysé. J'ai balayé des yeux les emballages en carton aux couleurs vives, traquant le plan mental qui me conduirait au bon. Sans résultat, cependant. Mes mains ont commencé à trembler. La droite, celle avec laquelle j'avais écrit toute ma vie, et la gauche, celle dont je me servais désormais.

Je ne savais plus où était la bonne boîte.

Quelque chose déraillait en moi, qui n'avait rien à voir avec les Enchanteurs, les Gardiennes ou l'Ordre des Choses. Je changeais, je perdais des pans de moi un peu plus chaque jour, et j'ignorais complètement pourquoi.

Lucille a sauté du lit lorsque j'ai entrepris d'ouvrir les cartons, jetant leur couvercle par terre, ainsi que leur contenu, de ma collection de capsules et de cartes de basketteurs aux photos fanées de ma mère. Je ne me suis arrêté qu'en dégotant une boîte noire Adidas. Soulevant le couvercle, j'ai enfin mis la main sur mon exemplaire du livre de John Steinbeck, *Des souris et des hommes*.

Ce n'était pas une histoire heureuse comme celle dans laquelle se réfugierait une personne désireuse de fuir ce qui la hantait. Mais je l'avais élue pour une excellente raison : il y était question de sacrifice, de soi ou d'autrui, afin de sauver sa peau – la question était sujette à débat.

J'imaginais réussir à le trancher cette nuit-là en feuilletant le roman.

Il était trop tard quand je me suis rendu compte que quelqu'un d'autre s'était lancé dans une quête de réponses à ses interrogations à l'aide d'un bouquin.

Lena !

Elle aussi tournait des pages...

À l'âge de dix-neuf ans, Sarafine mit au monde une ravissante fillette. Ce fut une surprise. Bien que Sarafine contemplât durant des heures le visage délicat de son bébé, elle accueillit son arrivée avec des sentiments partagés. Elle n'avait pas désiré d'enfant. Elle rechignait à ce que sa fille vécût l'existence incertaine qu'impliquait la lignée Duchannes. Elle refusait qu'elle eût à lutter contre les Ténèbres qui rôdaient en elle, comme Sarafine elle-même était bien placée pour le savoir. En attendant que l'enfant reçût son vrai prénom à seize ans, elle l'avait baptisée Lena, parce que cela signifiait « l'étincelante », dans le vain espoir d'écarter la malédiction. John en avait ri. Pour lui, seuls les Mortels auraient agi ainsi, plaçant leurs espérances dans un nom.

Mais il fallait bien que Sarafine mît ses espoirs dans quelque chose.

Lena ne fut pas la seule personne à surgir de façon inattendue dans sa vie.

Sarafine se promenait lorsqu'elle revit Abraham Ravenwood, au même carrefour que celui où elle l'avait rencontré pour la première fois, presque un an auparavant. Il paraissait la guetter, comme s'il avait su qu'elle viendrait. Comme s'il avait réussi à distinguer la guerre qui se déroulait sur le champ de bataille de son esprit. Une guerre dont elle ignorait si elle était en train de la gagner.

Il la salua de la main, à croire qu'ils étaient de vieux amis.

— Tu sembles troublée, mademoiselle Duchannes. Quelque chose te tracasse ? Puis-je t'aider de quelque manière ?

Avec sa barbe blanche et sa canne, il évoquait à Sarafine son grand-père. Sa famille lui manquait, quand bien même ses membres l'avaient bannie.

— Je ne crois pas, non.

— Tu continues à te battre contre ta vraie nature ? Les voix ont-elles forci ?

Oui. Mais comment était-il au courant ? Les Incubes ne viraient pas aux Ténèbres ; ils naissaient Ténèbres.

— As-tu déclenché des incendies de façon accidentelle ? insista-t-il. On appelle ça l'Éveil du Feu.

Elle se figea sur place. À plusieurs reprises, elle avait en effet allumé des brasiers par inadvertance. Lorsqu'elle était particulièrement émue, ses sentiments donnaient l'impression de se manifester par des flammes. Seules deux pensées la consumaient à présent : le feu et Lena.

— J'ignorais que ça portait un nom, murmura-t-elle.

— Il y a bien des choses que tu ignores. J'aimerais que tu m'accompagnes à mon bureau. Je pourrais t'apprendre tout ce qu'il est nécessaire que tu saches.

Sarafine détourna les yeux. Cet homme était Ténèbres. C'était un Démon. Ses prunelles noires trahissaient tout ce qu'elle avait besoin de savoir. Elle ne pouvait pas avoir confiance en Abraham Ravenwood.

— Tu as une enfant, maintenant, n'est-ce pas ? (Moins une question qu'une constatation.) Souhaites-tu qu'elle s'aventure dans le monde liée par une malédiction qui date d'avant ta propre naissance ? Ne préférerais-tu pas qu'elle s'Appelle elle-même ?

Sarafine n'avoua pas à John qu'elle rejoignait Abraham Ravenwood dans les Tunnels. Il n'aurait pas compris. Pour lui, le monde était noir ou blanc, Lumière ou Ténèbres. Il n'avait pas conscience que les deux univers pouvaient coexister à travers une même personne, comme c'était le propre cas de Sarafine. Bien qu'elle détestât mentir, elle agissait ainsi pour Lena.

Abraham lui montra quelque chose que personne dans sa famille n'avait jamais mentionné. Une prophétie en rapport avec la malédiction. Une prophétie susceptible d'épargner Lena.

— Je suis sûr que les Enchanteurs de ta famille ne t'ont pas parlé de cela.

Il brandissait une feuille fanée et lisait les mots qui promettaient de tout changer.

— « Le Premier sera Noirceur / Le Second pourra choisir. »

Sarafine retint son souffle.

— Saisis-tu ce que cela implique ? enchaîna Abraham. (Lui-même ne doutait pas de l'importance que ces paroles revêtaient pour elle, et qu'elle s'y accrochait comme si elles étaient partie intégrante de la prophétie.) La première Élue de la lignée Duchannes sera Ténèbres, se transformera en Cataclyste. (Sarafine, donc.) Mais la seconde aura le choix. Elle s'Appellera elle-même.

La jeune femme trouva le courage de poser la question qui la rongeait :

— Pourquoi m'aidez-vous ?

Il sourit.

— J'ai moi-même un garçon, à peine plus âgé que Lena. C'est ton père qui l'élève. Ses parents l'ont abandonné parce qu'il était doué de talents très particuliers. Lui aussi a un destin.

— Je ne veux pas que ma fille devienne Ténèbres.

— J'ai l'impression que tu ne comprends pas vraiment ce que cela signifie. Ton cerveau a été contaminé par les Enchanteurs de la Lumière. La Lumière et les Ténèbres sont les deux faces d'une même pièce de monnaie.

Une partie de Sarafine se demandait s'il avait raison. Elle priait pour que ce fût le cas.

Abraham lui apprit également à dominer ses pulsions et les voix. Il n'y avait qu'une façon de les exorciser. Sarafine déclenchait des incendies, brûlait d'immenses champs de maïs et des étendues de forêts. Libérer ses pouvoirs était un soulagement. Et personne n'était blessé.

Malheureusement, les voix continuaient de la harceler, chuchotant à son oreille un identique mot, encore et encore.

« Brûle ! »

Lorsqu'elles se taisaient, c'était Abraham qui prenait le relais, des pans de leurs conversations se rejouant sans cesse dans sa tête. « Les Enchanteurs de la Lumière sont pires que les Mortels. Ils transpirent la jalousie car leurs dons sont inférieurs. Ils veulent souiller notre sang de celui des Mortels. Mais l'Ordre des Choses ne le permettra pas. » Tard dans la nuit, ces paroles prenaient un sens. « Les Enchanteurs de la Lumière rejettent le Feu Ténébreux, source de toute puissance. » Parfois, elle s'efforçait d'aller au-delà des couches superficielles de son cerveau. « S'ils étaient assez forts, ils n'hésiteraient pas à nous éliminer tous. »

Allongé sur le sol encombré de ma chambre, j'en fixais le plafond bleu. Assise sur ma poitrine, Lucille se léchait les pattes.

La voix de Lena s'est frayé un chemin dans ma tête, si ténue que j'ai failli ne pas la percevoir.

Elle l'a fait pour moi. Elle m'aimait.

Que répondre ? Si c'était vrai, ce n'était pas aussi simple. À chaque vision, Sarafine s'enfonçait de plus en plus dans l'obscurité.

Je sais bien qu'elle t'aimait, L. Je crois aussi qu'elle n'était pas capable de lutter contre ce qui lui arrivait.

Je n'en revenais pas de défendre la femme qui avait éliminé ma mère. Toutefois, Izabel n'était pas Sarafine. Pas tout de suite, du moins. Sarafine avait tué Izabel, comme elle avait tué ma mère.

Ce qui lui arrivait, c'était Abraham.

Lena avait besoin de rejeter le blâme sur quelqu'un ? Comme nous tous.

J'ai entendu des pages qui tournaient.

Pose ce bouquin, Lena !

Ne te bile pas. Il ne déclenche pas systématiquement de visions.

J'ai repensé à l'Orbe Lumineux, à la façon dont il m'avait extirpé de ce monde pour un autre. Je n'avais pas envie de songer à ce que venait de dire Lena. Combien de fois avait-elle ouvert le livre préféré de Sarafine ? Je ne m'étais pas encore résolu à lui poser la question quand elle s'est de nouveau adressée à moi.

Voici ma phrase favorite. Elle l'a recopiée à de multiples reprises au verso de la couverture. « La souffrance a été plus forte que toutes les autres leçons, et m'a appris à comprendre ce qu'était votre cœur[1]. »

De quel cœur parlait Sarafine ?

Du sien, peut-être.

---

1. Deuxième partie, chapitre XXX, traduction de Charles-Bernard Derosne.

24 novembre
Plus de mal que de bien

C'était Thanksgiving[1]. Ce qui signifiait deux choses.

Une visite de ma tante Caroline.

La compétition annuelle de pâtisserie entre la tarte aux noix de pécan d'Amma, la tarte aux pommes d'Amma et la tarte au potiron d'Amma. Cette dernière gagnait toujours, mais le concours restait féroce, et le jugement final, sujet à moult commentaires autour de la table.

Cette année, j'attendais l'événement avec plus d'impatience que d'habitude. C'était la première fois depuis des mois qu'Amma cuisinait des desserts, et je la soupçonnais de ne s'y être résignée que pour éviter les questions. Ce qui m'était bien égal, au demeurant. Entre mon père en veste de survêtement au lieu du pyjama de l'an passé, tante Caroline et Marian qui jouaient au Scrabble avec les Sœurs et la

1. Journée d'action de grâces qui se tient chaque quatrième jeudi de novembre depuis 1621, lorsque, un an après leur arrivée, les premiers colons célébrèrent les récoltes abondantes qui récompensaient leurs sacrifices. Aujourd'hui symbole de liberté et de prospérité, cette fête est la plus importante avec le 4 Juillet (Indépendance) pour les Américains.

bonne odeur qui s'échappait du four, j'en oubliais presque les criquets et la chaleur, ainsi que celle de mes grands-tantes qui n'était pas de la partie. L'embarrassant, c'était que la fête me rappelait tout ce que j'avais eu tendance à oublier ces derniers temps, malgré moi. Ma mémoire finirait-elle par me faire entièrement défaut ?

À mes yeux, une seule personne était en mesure de satisfaire à mes interrogations.

Je suis resté planté devant la porte de la chambre d'Amma avant de me décider à frapper. Obtenir une réponse de ma gouvernante s'apparentait à arracher une dent. D'alligator, la dent. Elle avait toujours été secrète. Cet aspect dissimulateur la constituait autant que les bonbons à la cannelle et les mots croisés, son tablier d'ouvrier et ses superstitions. Cela tenait peut-être également à son statut de Voyante. Mais ce qu'elle me taisait en ce moment relevait d'autre chose.

Jamais je ne l'avais vue s'éloigner de la cuisinière pendant que ses pâtisseries de Thanksgiving cuisaient ni manquer de préparer en même temps la tarte au citron meringuée d'oncle Abner. Il était temps que mes rotules poussent. J'ai levé la main pour cogner au battant.

— Tu vas entrer ou tu attends de creuser un trou dans le plancher ? m'a lancé sa voix depuis l'intérieur.

J'ai ouvert la porte, prêt à affronter les étagères chargées de bocaux contenant tout et n'importe quoi, du sel de gemme à de la terre de cimetière ; les rayonnages bondés de volumes craquelés hérités depuis des générations et de calepins dans lesquels elle rédigeait ses recettes. J'avais d'ailleurs compris depuis peu que ces recettes n'avaient rien à voir avec ses talents culinaires. La chambre de ma gouvernante m'avait toujours fait penser à une pharmacie à l'ancienne, pleine de mystère et de potions destinées à soigner n'importe quelle affection, y compris Amma elle-même.

Pas ce jour-là. Ce jour-là, la pièce était sens dessus dessous, à l'image de la mienne après que j'y avais renversé le contenu de vingt boîtes à chaussures. Il semblait qu'elle avait cherché un objet sur lequel elle n'arrivait pas à remettre la main.

Les flacons, d'ordinaire alignés sur les étagères avec leur étiquette bien visible, avaient été entassés sur la commode. Les livres s'empilaient sur le plancher, le lit, la moindre surface disponible, à l'exception des rayonnages. Certains béaient, anciens journaux intimes rédigés en Gullah, la langue de ses ancêtres. Il y avait également des choses que je n'avais jamais remarquées : plumes noires, branches et un seau de cailloux.

Amma était assise au milieu de tout ce bazar.

— Que s'est-il passé, ici ? ai-je demandé en entrant.

Elle m'a tendu la main pour que je l'aide à se relever.

— Rien du tout, a-t-elle répondu. Je fais le ménage. Et ça ne serait pas du luxe que tu t'y colles dans ce bouge que tu considères comme ta chambre.

Elle a tenté de me chasser, je n'ai pas bronché.

— File ! Les tartes sont presque prêtes.

Elle m'a contourné. Dans une seconde, elle aurait regagné le couloir, en chemin vers la cuisine.

— Qu'est-ce qui tourne mal en moi ? ai-je lâché tout à trac.

Elle s'est arrêtée net. Un instant, elle n'a pas pipé mot.

— Tu as dix-sept ans, a-t-elle fini par répondre, sans se retourner. Il est normal qu'il y ait plus de mal que de bien en toi.

— Comme écrire de la mauvaise main et soudain détester le lait chocolaté et tes œufs brouillés ? Comme oublier le nom de gens que je connais depuis que je suis né ? Est-ce bien à ça que tu penses ?

Elle a lentement pivoté sur ses talons, ses yeux bruns luisants. Ses mains tremblaient, elle les a enfouies dans les poches de son tablier pour que je ne m'en aperçoive pas.

Quoi qu'il m'arrive, Amma était au courant de ce que c'était.

Elle a pris une longue inspiration. Elle allait peut-être enfin m'avouer ce qui m'affectait.

— Je n'en ai aucune idée. Mais je... je cherche. Ça pourrait être lié à cette canicule et à ces fichus criquets, aux problèmes que connaissent les Enchanteurs.

Elle mentait. C'était la première fois de son existence qu'elle donnait un semblant de réponse sans détour. Ce qui la rendait encore plus suspecte à mes yeux.

— Pourquoi ne me le dis-tu pas, Amma ? Que sais-tu ?

— « Je sais que vit mon Rédempteur », a-t-elle riposté en me jetant un regard de défi.

C'était le premier vers d'un cantique que j'avais entendu à de nombreuses reprises dans mon enfance, à l'église, alors que je m'efforçais de ne pas succomber au sommeil en fabriquant des boulettes de papier enduites de salive.

— « Ces mots m'apportent le bonheur. »

Elle a abattu sa main dans mon dos.

— S'il te plaît.

Elle chantait à tue-tête, à présent, et ses intonations étaient empreintes de folie. Comme quand vous pensez qu'un événement terrible est sur le point de se produire, mais que vous essayez de vous persuader qu'il n'aura pas lieu. Votre voix trahit votre crainte du terrible, quand bien même vous croyez la dissimuler.

Sauf que c'est impossible.

— « Celui qui était mort, il vit. »

Elle m'a flanqué dehors.

— « Mon Berger éternel, il vit. »

Elle a claqué la porte.

— Et maintenant, m'a-t-elle lancé, déjà à la moitié du couloir et sans cesser de fredonner la suite de son hymne, mangeons avant que tes tantes entrent dans la cuisine et flanquent le feu à la maison.

Je l'ai observée qui détalait, hurlant à la cantonade :

— À table tout le monde ! Avant que mon repas ne soit froid !

Je commençais à songer que j'aurais eu plus de chance si je m'étais adressé à mon Berger éternel en personne.

Lorsque je me suis baissé pour entrer dans la salle à manger, les invités s'installaient à leur place. Lena et Macon venaient juste d'arriver. Ils se tenaient à une extrémité de la pièce, cependant que, dans le coin opposé, Marian et tante Caroline étaient lancées dans une grande discussion. Amma continuait à brailler des ordres depuis la cuisine, où la dinde « se reposait ». Tante Grace a gagné la table à petits pas en agitant son mouchoir.

— Faites don' pas attendre ce joli zoziau, a-t-elle piaillé. L'est défuncté d'une mort noble, et ce s'rait pas respectab' du tout.

Thelma et tante Charity la suivaient de près.

— Si se prendre un coup de fusil dans le popotin, c'est ce que t'y appelles une mort noble, alors t'as raison, a rétorqué tante Charity.

Elle a poussé sa sœur afin de s'asseoir juste devant les petits pains.

— Commence pas, Charity Lynn. T'sais bien que la végétériani-tude est un pas vers un monde sans gaines ni prêcheurs. C'est un fait prouvé.

Lena a pris place à côté de Marian en essayant de ne pas rire. Même Macon avait du mal à garder son sérieux. Debout derrière la chaise d'Amma, mon père attendait de la pousser pour elle quand elle daignerait enfin émerger de la cuisine. Entendre tante Charity et tante Grace se chamailler m'a fait ressentir l'absence de tante Prue encore plus violemment. Mais je me glissais sur mon siège quand je me suis rendu compte qu'une autre personne manquait à l'appel.

— Où est Liv ?

Marian a jeté un coup d'œil à Macon avant de répondre :

— Elle a préféré ne pas sortir, ce soir.

Tante Grace en avait assez saisi pour mêler son grain de sel.

— Eh bé, voilà qu'est pas américain pour deux sous. Tu l'as invitée, Ethan ?

— Liv n'est pas américaine. Et ouais. Pardon, oui, madame, je l'ai invitée.

C'était presque vrai. J'avais prié Marian de venir avec elle. C'était bien une invitation, ça, non ? Marian a déplié sa serviette et l'a posée sur ses genoux.

— Je crois qu'elle se serait sentie mal à l'aise.

Lena s'est mordu la lèvre comme si elle était mal.

C'est ma faute.

Ou la mienne, L. Je ne l'ai pas conviée en personne.

J'ai l'impression d'être naze.

Moi aussi.

Il n'y avait rien à ajouter, d'autant qu'Amma a choisi ce moment pour débouler avec le gratin de haricots verts.

— Très bien, remercions le Seigneur et mangeons.

Elle s'est assise, mon père a poussé sa chaise et a pris place à son tour. Nous nous sommes donné la main autour de la table, et tante Caroline a incliné la tête pour prononcer la prière de Thanksgiving, rôle qui lui était généralement dévolu.

J'ai senti le pouvoir qui émanait des miens rassemblés, comme j'avais capté la puissance magique d'un Cercle d'Enchanteurs. Je l'ai d'ailleurs éprouvée, bien que Lena et Macon aient été les seuls Enchanteurs présents. Le bourdonnement de notre propre pouvoir, au lieu de celui des sauterelles qui dévoraient la ville ou des Incubes qui déchiraient le ciel.

Soudain, j'ai perçu autre chose qui a estompé la prière. La chanson, qui a hurlé si fort dans mon esprit que j'ai cru qu'elle allait me fendre le crâne.

Dix-huit lunes, dix-huit morts
Se sont mis dans le décor
Ciel en bas et Terre en haut
Fin des Temps et Grande Faux…

Dix-huit morts ? La Grande Faux ?

Lorsque tante Caroline a eu terminé sa prière, j'étais prêt à m'attaquer au repas.

Six tartes plus tard, celle aux noix de pécan et Amma, comme toujours, ont été déclarées gagnantes. Mon père a sombré dans sa sieste habituelle après une orgie de dinde, coincé entre les Sœurs sur le canapé. On avait mis fin au dîner quand nous avions tous été trop gavés pour rester assis bien droit sur nos dures chaises en bois.

J'avais moins bâfré que d'ordinaire. Je me sentais trop coupable. Je n'arrêtais pas de penser à Liv, seule dans les Tunnels un soir de Thanksgiving. Que ce soit ou non une fête pour elle.

Je sais.

Debout sur le seuil de la cuisine, Lena me fixait.

Ce n'est pas ce que tu crois, L.

Elle s'est approchée du plan de travail où s'entassaient les restes.

— Ce que je crois, c'est que tu devrais emballer des bouts des tartes d'Amma et les porter dans les Tunnels.

— Pourquoi veux-tu que je fasse ça ?

Elle a semblé embarrassée.

— Je n'ai compris ce qu'elle vivait que le soir où Ridley a lancé le *Furor.* Je sais ce que c'est de ne pas avoir d'amis. Il est sûrement encore pire d'en avoir eu et de les avoir perdus.

— Es-tu en train de me suggérer de renouer mon amitié avec Liv ?

Ça me paraissait trop beau pour être vrai.

— Non, a-t-elle répondu en secouant la tête (et j'ai vu à quel point cette démarche lui coûtait). Je dis seulement que j'ai confiance en toi.

— S'agit-il d'un de ces tests que les mecs ne pigent jamais et foirent toujours ?

Elle a souri en enveloppant de papier alu un morceau de tarte aux noix de pécan.

— Pas aujourd'hui.

Nous avions à peine ouvert la porte qu'Amma nous est tombée sur le râble.

— Où pensez-vous aller, comme ça ?

— À Ravenwood. J'apporte un peu de tes gâteaux à Liv.

Amma a tenté de m'adresser le Regard-Qui-Tue, sans beaucoup d'efficacité cependant.

— Mouais ! Tu vas encore descendre dans ces maudits Tunnels, oui !

— Juste pour voir Liv. Promis.

Elle a frotté sa médaille en or.

— Tu reviens tout de suite après, compris ? Pas d'histoires avec des sortilèges, des incendies, des Ires ou tout autre Démon. Rien de rien. Tu m'as bien entendu ?

Je l'entendais toujours, même quand elle ne parlait pas.

Lena a soulevé le portail aménagé dans le plancher de la chambre de Ridley. J'étais toujours aussi ébahi qu'elle m'autorise à m'aventurer seul en bas. En même temps, quand on était en mesure de deviner si son petit copain envisageait d'embrasser une autre fille, ça ne représentait pas un tel danger. Elle m'a tendu la tarte.

— Retrouve-moi ici quand tu en auras fini. De toute façon, j'avais envie de fouiner un peu.

Avait-elle remis les pieds ici depuis le soir où nous avions découvert John ? J'avais conscience qu'elle s'inquiétait pour Ridley, surtout maintenant que celle-ci était dénuée de pouvoirs.

— Ce ne sera pas long, ai-je répondu.

Après l'avoir embrassée, j'ai avancé sur les marches invisibles.

J'ai entendu leurs voix avant de les voir.

— Je ne suis pas sûre qu'il s'agisse d'un repas de Thanksgiving selon la tradition, puisque c'est une première pour moi. Mais c'est plutôt chouette, surgelés et tout le toutim.

Liv paraissait d'une bonne humeur suspecte. Je n'ai pas eu besoin que son interlocuteur s'exprime pour deviner qui il était.

— Tu as du pot. Moi non plus, je n'y ai jamais eu droit. Abraham et Silas n'étaient pas très fête. Sans compter l'aspect je-peux-me-passer-de-nourriture. Bref, je n'ai aucun point de comparaison.

John.

— Comment ça ? Pas de Halloween ? Pas de Noël ? Pas de Pentecôte ?

Liv rigolait, mais j'ai perçu sa curiosité.

— Rien du tout.

— Sinistre. Désolée.

— Bah, ce n'est pas grave.

— Donc, c'est notre premier Thanksgiving à tous les deux.

— Ensemble.

La façon dont il a prononcé le mot m'a donné envie de vomir, comme si, après avoir trop mangé de tarte, je m'étais resservi un sandwich à la dinde farcie. J'ai regardé par-delà le coin du mur. John et Liv étaient attablés dans le bureau de Macon, devant deux bougies et un plateau télé surgelé dans sa barquette d'aluminium. De la dinde. J'ai eu honte de moi, surtout après le repas que nous avait servi Amma.

Liv tenait ce qui devait être le briquet de John. Elle essayait d'allumer les bougies.

— Ta main tremble.

— Non. Bon, si, un peu. C'est à cause du froid qui règne ici.

— Je te rends nerveuse ? a-t-il demandé en souriant. Ne t'en fais pas, loin de moi l'idée de te le reprocher.

— Nerveuse, moi ? a-t-elle protesté en rosissant. Tu rigoles ? Je n'ai pas peur de toi.

Ils se sont dévisagés pendant un instant.

— Aïe !

Liv a lâché le briquet en secouant le poignet. Elle avait dû se brûler.

— Ça va ? Montre.

John a attrapé sa main et l'a ouverte afin d'examiner ses doigts. Il a posé son immense paume sur celle de Liv, la recouvrant entièrement. Liv s'est mordu la lèvre.

— Je devrais aller la passer sous l'eau froide.

— Attends.

— Que...

Elle a baissé les yeux. John a retiré sa main, elle a soulevé la sienne, a remué les doigts.

— Je n'ai plus mal. Ce n'est même pas rouge. Comment t'y es-tu pris ?

Il a semblé gêné.

— Je te répète qu'il me suffit de toucher un Enchanteur pour absorber un peu de son don. Je ne vole pas. Ça se produit tout seul.

— Tu es un Thaumaturge. Un Guérisseur. Comme la cousine de Lena, Ryan. Ne me dis pas que...

— Rassure-toi, ce n'était pas elle. J'ai chopé ça par hasard chez quelqu'un d'autre.

Je n'ai pas réussi à déterminer s'il était ironique ou non. Le soulagement a envahi les traits de Liv.

— C'est remarquable. Tu en as conscience, n'est-ce pas ?

— Non. Je sais juste que je suis une erreur de la nature.

— Je ne crois pas que la nature ait grand-chose à voir là-dedans, puisqu'il n'existe personne comme toi dans tout l'univers, à ma connaissance du moins. Tu es spécial.

Elle avait prononcé l'adjectif de manière si neutre que j'ai presque cru qu'elle n'y avait mis aucune intention particulière. Mais c'est à John Breed qu'elle s'adressait.

— Je suis si spécial que personne ne veut de moi, a rétorqué ce dernier avec un rire amer. Si spécial que je fais des trucs dont je n'ai pas souvenir.

— Chez moi, on appelle ça la tournée des bars.

— J'ai oublié des semaines entières, Olivia.

J'ai détesté l'intonation avec laquelle il a épelé son prénom. « O-li-vi-a. » Comme s'il voulait en étirer chaque syllabe, s'y attarder le plus possible.

— Cela arrive-t-il tout le temps ?

Elle paraissait intriguée, maintenant. N'empêche, ce n'étaient pas juste les rouages de son cerveau qui se mettaient en branle. Car sa question avait été empreinte d'une sorte de tristesse.

— Oui. Sauf quand j'étais dans l'Orbe Lumineux. Je n'avais pas matière à souvenirs, là-dedans.

M'éclaircissant la gorge, je suis entré dans le bureau.

— Ah ouais ? ai-je lancé. Alors, on devrait sûrement t'y remettre.

Ils ont sursauté. Le visage de John s'est assombri, et le type qui avait tranquillement discuté avec Liv a disparu.

— Ethan ? s'est exclamée cette dernière. Que fiches-tu ici ?

— Je t'ai apporté un peu de la célèbre tarte aux noix de pécan d'Amma. Désolé de déranger.

Ben tiens !

Liv a jeté sa serviette sur la table.

— Ne sois pas bête. Tu ne déranges pas. Nous nous apprêtions juste à manger quelques morceaux d'une volaille suspecte.

— Hé ! a protesté John avec un grand sourire. Ne parle pas comme ça de notre premier Thanksgiving ensemble, chérie.

Il m'a toisé. Je l'ai ignoré.

— Pourrais-tu m'aider une seconde, Liv ?

Elle s'est levée.

— Je te suis, Pilote.

J'ai senti les yeux de John rivés sur mon dos quand nous avons quitté la pièce.

Chérie !

Sitôt hors de portée d'oreille de l'Incube, j'ai attrapé Liv par le bras.

— Qu'est-ce que tu fabriques, là ? ai-je sifflé.

— J'essaye de manger mon dîner de Thanksgiving, a-t-elle répondu en rougissant, mais sans ralentir le pas.

— Je veux dire, qu'est-ce que tu fabriques en sa compagnie ?

Elle s'est libérée de mon emprise.

— Tu cherches quelque chose en particulier ? C'est pour ça que tu avais besoin de moi ?

Nous avions gagné la *Lunae Libri* et nous étions enfoncés entre ses rayonnages. Les torches fichées dans les murs se sont allumées, marquant le chemin par lequel nous étions venus. Liv en a pris une.

— John ne mange que des chips, à ma connaissance.

— Il me tenait compagnie. Il était… amical.

Je me suis posté devant elle, l'arrêtant net.

— Il n'est pas ton ami, Liv.

— Qu'est-il, alors ? s'est-elle agacée. Puisque tu es un expert en la matière ?

— Je l'ignore, comme j'ignore ce qu'il trame, mais je suis sûr que ce n'est pas ton ami.

— De toute façon, en quoi ça te regarde ?

— Tu aurais pu te joindre à nous, tout à l'heure. Tu étais invitée. Macon et Marian étaient là. Ils auraient aimé que tu sois avec nous.

— Drôle d'invitation. Je ne pige pas comment j'ai pu la louper.

Je l'avais blessée et je ne savais pas comment réparer les dégâts. J'aurais dû la convier en personne.

— Nous aurions tous apprécié de te voir.

— Je n'en doute pas. Comme je ne doute pas que je porte encore les traces de ma dernière rencontre avec Lena.

— Il s'agissait d'un sortilège, je te rappelle. Et il me semble que tu as autant distribué de coups que tu en as reçu.

— C'est vrai, a-t-elle admis. J'aurais en effet pu venir dîner avec vous. Sauf que ma place n'est pas chez toi. Je n'ai de place nulle part. Comme John, d'ailleurs. Les Mortels et les Incubes ne sont peut-être pas si différents que ça les uns des autres, finalement.

— Tu as ta place parmi nous, Liv. Et rien ne te force à rester ici avec lui. Tu n'es pas un monstre.

Contrairement à lui.

Ethan ? Tout va bien ?

Lena s'inquiétait.

Oui, L. Je remonte dans une minute.

Il n'y a pas d'urgence.

Sa façon de me dire qu'elle ne me reprochait pas de discuter avec Liv, que cette dernière y croie ou non. Moi-même, je n'étais pas certain d'y croire.

— Franchement, pourquoi es-tu ici ? m'a lancé Liv en me toisant. Je ne pense pas que ma vie sociale t'intéresse autant que ça.

— Tu te trompes.

Elle s'est emparée de la part de tarte que je n'avais pas lâchée. Elle en a cassé un morceau après avoir retiré le papier alu.

— Délicieux. Bon, rien de neuf dont je devrais être avertie ?

Elle a avalé un nouveau bout de gâteau. La pâtisserie d'Amma distrayait toujours les gens.

— Que sais-tu à propos de la Roue de Fortune ?

Ma question l'a étonnée.

— C'est drôle que tu demandes ça.

C'est ainsi que nous avons clos notre conversation sur la vie privée de Liv pour retourner à son sujet préféré – tout sauf sa vie privée.

— Pourquoi ?

— J'y réfléchis depuis que nous avons découvert la *Temporis Porta*.

Sortant son calepin rouge, elle l'a ouvert au milieu. Sur la page figurait le dessin de trois cercles parfaits, chacun divisé en rayons formant des schémas variés.

— Voilà tout ce que je me rappelle.

— Ça me paraît juste. Sur le moment, tu as parlé d'un code, non ?

— Si. Je n'ai aucune certitude, car tu as ouvert sans te servir des bas-reliefs. Je suis quand même partie en quête du symbole dans la bibliothèque de Macon.

— Et ?...

— Le cercle répété. À mon avis, ça a un lien avec ce que tu appelles la Roue de Fortune.

— Et la *Temporis Porta* ?

— Je pense, oui. Malgré tout, un truc m'échappe.

— Lequel ?

Lorsque Liv ne comprenait pas quelque chose, c'était embêtant.

— Pourquoi le portail s'est ouvert tout seul. Tu n'as même pas effleuré l'un des cercles. Si je ne l'avais pas vu de mes propres yeux, j'aurais des doutes.

Je me suis souvenu du contact rude du battant en sorbier contre mon front.

— Et, a poursuivi Liv, je n'ai pas pu passer.

— Sans savoir pourquoi, cependant.

Où allait-elle, avec ça ?

— Quoi que soit la Roue de Fortune, elle a un rapport avec toi.

Bon. Je n'étais pas d'accord, toutefois. J'entendais encore la voix d'Amma :

« Au bout du compte, la Roue nous écrase tous. »

6 décembre
L'Âme Fracturée

— Ethan !

Lena hurlait, et je ne parvenais pas à la localiser. J'essayais de courir, mais je ne cessais de tomber, car le sol se dérobait sous mes pieds. La chaussée de la Grand-Rue tremblait si fort que de la poussière et des éclats de pierre volaient dans mes yeux. La route ondulait, et j'avais l'impression de me trouver au bord de deux plaques tectoniques en train de l'écraser.

Je restais planté là, un pied sur chaque plaque, cependant que le monde vacillait, et que l'abîme séparant les deux morceaux d'écorce terrestre s'élargissait. De plus en plus, jusqu'à ce que je comprenne que j'allais dégringoler dedans.

Ce n'était qu'une question de temps.

— Ethan !

Si j'entendais Lena, je ne la voyais pas.

Je regardais alors dans la fracture, et je la découvrais. Tout en bas, très loin de moi.

Puis je tombais…

Le plancher m'a paru plus dur que d'habitude.

Lena !

Sa voix m'est parvenue, lourde de sommeil.

Je suis là. Ce n'était qu'un rêve.

M'allongeant sur le dos, j'ai tenté de reprendre mon souffle. J'ai roulé les draps en boule et les ai jetés à l'autre bout de ma chambre.

Alors, ça va.

J'ai eu conscience de ne pas être très convaincant.

Tu es sérieux ? Pas trop mal à la tête ?

J'ai secoué le menton, bien qu'elle n'ait pas pu me voir.

Ça va. Je m'inquiète plutôt pour les plaques tectoniques.

Pendant un instant, elle a gardé le silence.

Et pour moi.

Oui, L. Pour toi aussi.

Elle savait, quand je me réveillais en hurlant son prénom, qu'elle venait de connaître une nouvelle fin terrifiante dans l'un de mes rêves, ceux que nous ne partagions plus depuis la Dix-septième Lune. Or ces songes empiraient.

C'est à cause de ce que nous avons affronté cet été, Ethan. Moi aussi, il m'arrive de revivre les événements.

Sauf que je ne lui avais pas avoué que, dans mon cas, ça se produisait toutes les nuits ni que, cette fois, ce n'était pas elle qui courait un danger. Je ne pensais pas qu'elle eût envie d'apprendre à quel point je revivais les choses. Je ne voulais pas qu'elle eût l'impression que cela m'empêchait d'exister.

Il y avait d'ailleurs un autre bâton dans les roues de mon existence. Pour moi du moins. La réponse à ma question, qu'Amma refusait de me donner. J'étais cependant persuadé que quelqu'un la possédait également, et j'avais fini par rassembler assez de courage pour aller trouver cette personne.

Restait à savoir si je parviendrais à la convaincre de me la fournir.

La nuit était d'encre quand j'ai tiré la porte derrière moi. Lorsque je me suis retourné, Lucille me contemplait depuis le porche où elle était assise.

— Tu n'as pas eu ta dose, la dernière fois dans les Tunnels ?

Elle a incliné la tête, sa réaction ordinaire quand je l'interrogeais.

— Bien, allons-y.

À cet instant, une déchirure a retenti. Une méchante lacération, plutôt. J'ai virevolté. Je n'étais pas enclin à rencontrer une nouvelle fois Abraham. Mais ce n'était pas lui. Loin de là, même.

Link gisait sur le dos, coincé dans les buissons.

— Bon sang, mec ! Voyager exige vachement d'entraînement.

Se relevant, il a essuyé son tee-shirt à l'effigie d'Iron Maiden.

— Où va-t-on ?

— Comment as-tu appris que j'allais quelque part ? Tu t'es permis de fouiner dans mon crâne ?

Si c'était le cas, il pouvait numéroter ses abattis.

— Je te répète que je n'ai aucune envie de traînasser dans ce temple de la perdition. Je te rappelle aussi que je ne dors plus. Je me baladais dans le coin et je t'ai entendu filer en douce. C'est l'un de mes superpouvoirs. Alors, c'est quoi, la destination ?

Je me suis demandé si je pouvais le lui confier. En même temps, j'avoue que je ne tenais pas à m'y rendre seul.

— À La Nouvelle-Orléans.

— Tu ne connais personne... Nom d'un chien ! Pourquoi faut-il toujours qu'on termine dans des cimetières et des cryptes, avec toi ? Et si, pour changer, on évitait les endroits pleins de cadavres ?

Encore une question à laquelle je n'étais pas en mesure de répondre.

La tombe de la reine vaudoue Marie Laveau n'avait pas changé. J'ai contemplé les X gravés sur la porte. Fallait-il que nous laissions nous aussi notre empreinte ? Des fois que nous ne ressortions pas de là ? Je n'ai cependant guère eu le temps d'y réfléchir, car Link a poussé le battant, et nous sommes entrés.

L'escalier pourri et bancal était là également, plongeant dans l'obscurité. La fumée et la puanteur putride, qui vous collait à la peau, y compris après avoir pris une douche, flottaient encore dans l'air.

— Réglisse et essence, a toussé Link. Répugnant.

— Chut !

Nous avons atteint le bas des marches, et nous avons débouché dans l'atelier, si tel était le nom approprié de cet endroit affreux. Une lueur sourde émanait de l'intérieur, éclairant bocaux et flacons. J'ai eu la chair de poule devant le spectacle des reptiles et des petites souris qui tentaient de s'en échapper.

Lucille s'est cachée derrière ma jambe comme si elle craignait de finir dans l'un des récipients en verre.

— Il n'est peut-être pas là ? a murmuré Link.

— Je suis toujours chez moi, a lancé une voix derrière nous. Sous une forme ou une autre.

J'ai reconnu les intonations rauques et l'accent prononcé du bokor. De près, il semblait encore plus dangereux. Sa peau avait beau ne pas être ridée, des cicatrices la marquaient, stigmates aux allures de griffures et de trous, à croire qu'il avait été attaqué par une créature qu'il n'avait pas mise en conserve. Ses longues tresses étaient miteuses, avec de minuscules objets entrelacés dedans. Symboles et amulettes en métal, osselets et perles noués si étroitement qu'ils appartenaient désormais à la chevelure. L'homme brandissait son bâton recouvert d'une mue de serpent.

— Euh... désolé de débarquer à l'improviste, ai-je balbutié.

— Le pari en valait-il la peine ? a-t-il répliqué en resserrant sa prise autour de sa crosse de sorcier. Entrer chez les autres sans permission constitue une violation de la loi. De la vôtre comme de la mienne.

— Nous ne sommes pas ici à cause d'un pari, ai-je objecté avec des trémolos. Nous voulions vous voir. J'ai des questions et je pense que vous êtes le seul à être en mesure d'y répondre.

Le bokor a plissé les yeux avant de tirer sur son bouc, intrigué. Ou alors, il réfléchissait à la meilleure façon de se débarrasser de nos corps après qu'il nous aurait tués.

— Qu'est-ce qui te fait croire ça ?

— Amma. Enfin, Amarie Treadeau. Elle vous a rendu visite. Il faut que je sache pourquoi. Ça me concerne, à mon avis.

J'avais éveillé son attention, maintenant. Il m'a soigneusement examiné.

— Ainsi, c'est toi. Il est intéressant que tu t'adresses à moi plutôt qu'à ta Voyante.

— Elle a refusé de me dire quoi que ce soit.

Une expression étrange, indéchiffrable, a traversé ses traits.

— Par ici.

Nous l'avons suivi dans la salle pleine de fumée, d'odeurs et des résidus mortifères qui s'y attardaient.

— Tu es sûr que c'est une bonne idée ? a murmuré Link à mon oreille.

— J'ai un Incube de mon côté, non ?

Certes, la plaisanterie était nulle, mais j'avais tellement la frousse que j'avais du mal à ordonner mes idées.

— Un quarteron d'Incube, a-t-il rectifié. J'espère que ça suffira.

Le sorcier maléfique s'est planté derrière sa table en bois, tandis que Link et moi lui faisions face.

— Que sais-tu des affaires qui me lient à la Voyante ?

— Elle vous a consulté à propos d'une donne qui ne lui plaisait pas.

Pas la peine de tout révéler. Je ne tenais pas à ce qu'il devine que nous avions déjà mis les pieds dans son antre.

— Je désire apprendre ce que disaient les cartes, ai-je ajouté. Et pourquoi elle a besoin de votre aide.

Derechef, il m'a observé de près, comme s'il lisait en moi. C'était ainsi qu'agissait tante Del quand elle triait les différentes couches temporelles d'un lieu.

— Cela fait deux questions, a-t-il souligné. Or une seule importe.

— Laquelle ?

Ses prunelles ont lui dans la pénombre.

— Ta Voyante a besoin d'aide afin d'accomplir un acte qui la dépasse. Lier le *ti-bon-ange*, rafistoler la couture qu'elle a elle-même déchirée.

Je ne pigeais rien. Quelle couture Amma avait-elle déchirée ?

— Le « tibon » quoi ? est intervenu Link, pas plus éclairé que moi. Qu'est-ce que c'est que ce charabia ?

Les yeux du sorcier se sont fixés sur moi.

— Ignores-tu réellement ce qui t'attend ? Ça nous surveille pourtant en ce moment même.

J'en suis resté à court de mots.

« Ça nous surveille pourtant en ce moment même. »

— Que... Quoi donc ? ai-je bégayé. Et comment je m'en débarrasse ?

L'homme s'est approché du terrarium qui grouillait de serpents et en a soulevé le couvercle.

— Deux questions encore, a-t-il lâché. Je ne peux répondre qu'à une.

— Qu'est-ce qui me surveille ?

Ma voix tremblait, ainsi que mes mains, tout mon corps. Le bokor s'est emparé d'un reptile dont la peau était cerclée de noir, de rouge et de blanc. L'animal s'est enroulé autour de son bras. Le sorcier a pris soin d'écarter sa tête, comme s'il était conscient que la bête était susceptible de mordre à tout instant.

— Je vais te montrer.

Il nous a entraînés au centre de la pièce, près de l'origine de l'odeur nauséabonde, un énorme pilier aux allures de chandelle. Façonné à la main, apparemment. Lucille s'est accroupie sous une table voisine en s'efforçant d'éviter les fumerolles – ou le serpent, ou ce dingue qui avait apporté ce qui ressemblait à des coquilles d'œufs. Il les a versées dans une coupe posée par terre et a entrepris de les écraser d'une main, cependant que l'autre continuait de maintenir les crocs venimeux loin de lui.

— Ce *ti-bon-ange* est censé être un. Jamais séparé. (Il a fermé les paupières.) Je vais appeler Kalfu. Nous avons besoin qu'un esprit puissant nous soutienne.

— Je ne suis pas sûr d'aimer ce que j'entends, m'a confié Link en m'assenant un coup de coude dans les côtes.

Le sorcier a entonné une litanie, dans laquelle j'ai décelé des traces du créole français de Twyla, mélangées cependant à une langue que je n'avais jamais entendue. Les mots étaient étouffés, comme si l'homme s'adressait à quelqu'un de suffisamment proche de lui pour qu'il n'ait qu'à murmurer. J'ignorais ce que nous étions supposés apprendre, mais ça ne pouvait pas être plus bizarre que tante Prue se baladant hors de son corps ou que la Lilum investissant celui de Mme English.

La fumée a tourbillonné en se densifiant lentement. Peu à peu, elle a pris forme.

Le bokor chantait plus fort, à présent.

Le nuage a viré du noir au gris, le reptile a sifflé. J'avais déjà assisté à ce genre de scène, au cimetière Bonaventure, lorsque Twyla avait convoqué le Diaphane de ma mère. J'avais les yeux rivés sur la fumée. Le corps a commencé à se dessiner à partir du bas, à l'instar de ce qui s'était produit avec ma mère. Pieds et jambes.

— C'est quoi, ce bordel ? a piaillé Link.

Il a voulu reculer, mais a trébuché.

Torse et bras.

Le visage a été l'ultime élément à se manifester.

Il m'a toisé.

Je l'aurais reconnu n'importe où.

Car c'était le mien.

J'ai sauté en arrière.

— Sainte merde ! s'est exclamé Link.

Sa voix semblait éloignée, cependant. L'affolement me submergeait comme deux mains qui se seraient refermées autour de mon cou. La silhouette s'est effacée. Toutefois, avant de disparaître, elle s'est exprimée :

— J'attends.

Sur ce, elle s'est volatilisée.

Le sorcier s'est tu, la bougie écœurante s'est éteinte – c'était fini.

— Qu'est-ce que c'était ? ai-je demandé en contemplant l'homme. Pourquoi existe-t-il un Diaphane qui me ressemble ?

Retournant au terrarium, il a remis l'animal avec ses congénères.

— Il ne te ressemble pas. Il est ton *ti-bon-ange*. L'autre moitié de ton âme.

— Pardon ?

Grattant une allumette, il a ranimé la flamme de la chandelle.

— La moitié de ton âme est avec le toi vivant, l'autre avec le toi défunt. Tu l'as laissée derrière toi.

— Où ça ?

— Dans l'Autre Monde. Quand tu es mort.

Ses intonations suggéraient qu'il s'ennuyait, ou tout comme.

Quand j'étais mort.

Une allusion à la nuit où Lena m'avait ressuscité, lors de la Seizième Lune.

— Mais comment est-ce possible ?

D'un bref geste du poignet, le bokor a éteint l'allumette.

— Quand on revient trop vite, il arrive que l'âme se fracture. Qu'elle se divise. Une partie d'elle rejoint l'univers des vivants, l'autre reste parmi les morts. Prise entre ce monde et l'Autre, reliée à la partie manquante jusqu'à ce que les deux soient réunies.

Divisée.

Cette explication ne tenait pas. Elle aurait supposé que je n'aie qu'une demi-âme. Ça paraissait inconcevable. Comment pouvait-on n'avoir qu'une moitié d'âme ? Qu'arrivait-il à ce qui en restait ? Où...

Reliée à la partie manquante.

Je savais maintenant ce qui me suivait depuis tous ces mois, planqué dans l'ombre.

Moi.

L'autre moi.

Voilà pourquoi je changeais. Je perdais un peu plus de ma personnalité à chaque jour qui passait. Voilà pourquoi je n'aimais plus le lait chocolaté ni les œufs brouillés d'Amma. Pourquoi je ne me souvenais plus de ce que j'avais mis dans mes boîtes à chaussures. Pourquoi j'avais oublié mon numéro de téléphone. Pourquoi j'étais soudain gaucher.

Mes genoux se sont dérobés sous moi, et j'ai plongé en avant. Le plancher est monté à ma rencontre. Une main m'a retenu par le bras et m'a remis debout. Link.

— Bien, a lâché ce dernier. Comment réunit-on les deux moitiés ? Il existe un sortilège, un truc comme ça ?

Il était impatient, comme s'il était à deux doigts de me jeter sur son épaule et de rentrer à la maison au triple galop. Rejetant la tête en arrière, le magicien a éclaté de rire. Lorsqu'il a repris la parole, j'ai eu de nouveau le sentiment qu'il lisait en moi.

— Il faut plus que cela. C'est la raison pour laquelle ta Voyante est venue à moi. Ne t'inquiète pas, nous avons scellé un accord.

Cette fois, j'ai eu l'impression qu'on m'avait balancé un seau d'eau glacée à la figure.

— Quel genre d'accord ?

M'est revenue en mémoire la phrase qu'il avait dite à Amma, la nuit où nous l'avions filée jusqu'ici. « Il n'y a qu'un prix pour ce que tu demandes. »

— Quel est le prix à payer ? ai-je hurlé, m'assourdissant moi-même.

L'homme a levé son bâton et l'a pointé sur moi.

— Je t'en ai déjà confié plus qu'il n'en fallait, ce soir.

Il a souri, et sa noirceur, sa vilenie intérieures se sont tordues pour former un visage humain.

— Comment se fait-il que vous ne nous demandiez pas de régler quelque chose ? a demandé Link.

— La Voyante paiera assez pour vous tous.

J'aurais volontiers insisté s'il n'avait été évident qu'il refuserait d'en dire plus. Par ailleurs, s'il existait des secrets plus mystérieux encore que ce que je venais d'apprendre, je ne tenais pas du tout à les connaître.

7 décembre
Les cartes de la Providence

Je suis renté chez moi bien après minuit. Tout le monde dormait, à l'exception d'une personne. La lumière brûlait chez Amma, filtrant par les volets bleus. Avait-elle découvert que je m'étais éclipsé ? Où je m'étais rendu ? Je l'ai presque souhaité. En effet, cela aurait rendu cent fois plus facile ce que je m'apprêtais à faire à présent.

Amma n'était pas le genre de personne qu'on affronte directement. Elle était une confrontation à elle seule. Elle vivait selon ses propres règles, sa propre loi : ce en quoi elle croyait, ce qui était à ses yeux aussi certain que le lever du soleil. Elle était également la seule mère qui me restait. Le seul parent aussi, la plupart du temps. La perspective d'une dispute avec elle me rendait malade.

Pas autant toutefois que d'avoir appris que je n'étais que la moitié de moi-même. La moitié de celui que j'avais toujours été. Amma était au courant, et elle ne m'en avait pas touché un mot.

Ou ceux qu'elle avait prononcés avaient été mensongers.

J'ai frappé à la porte de sa chambre avant d'avoir eu le temps de me raviser. Elle m'a ouvert tout de suite, à croire qu'elle guettait ma venue. Elle portait son peignoir blanc décoré de roses.

Elle ne m'a pas accordé un regard, préférant scruter l'obscurité dans mon dos, comme si elle distinguait autre chose que le mur du couloir. Si ça se trouve, le sol était jonché de fragments de moi, à l'instar des tessons d'une bouteille fracassée.

— Je t'attendais.

Sa voix était ténue et lasse. Elle s'est écartée pour me laisser entrer. La pièce avait toujours l'air aussi peu rangée, sauf qu'une nouveauté y avait fait son apparition. Des cartes étaient étalées sur la petite table ronde placée sous la fenêtre. M'en approchant, j'en ai ramassé une. La Lame Sanglante. Il ne s'agissait pas d'un jeu de tarot.

— Tu relis les cartes ? Que disent-elles, cette nuit ?

Traversant la chambre, elle a entrepris de les remettre en tas.

— Pas grand-chose. J'ai vu tout ce qu'il y avait à voir.

Un autre dessin a attiré mon attention. M'en emparant, je l'ai brandi sous son nez.

— Et celle-ci ? L'Âme Fracturée ? Qu'est-ce qu'elle raconte, celle-ci ?

Ses mains tremblaient tant qu'elle a été obligée de s'y prendre à trois fois pour la récupérer.

— Tu crois savoir quelque chose, mais un petit pan de quelque chose, c'est comme rien du tout. Ni l'un ni l'autre ne te renseignent beaucoup.

— Est-ce pareil pour un pan de mon âme ? Cela revient-il également à rien ?

J'avais prononcé cette phrase exprès pour la blesser, pour entamer *son* âme, histoire qu'elle constate ce que ça faisait.

— Où as-tu été pêché ça ?

Elle parlait d'un ton mal assuré. S'emparant de la chaîne passée autour de son cou, elle en a frotté l'amulette en or.

— Chez ton ami de La Nouvelle-Orléans.

Elle a écarquillé les yeux et a dû s'appuyer sur le dos d'une chaise pour ne pas tomber. Sa réaction m'a permis de deviner que, quoi qu'elle ait lu dans les cartes ce soir-là, ce n'était pas le bokor et moi nous amusant à convoquer des Diaphanes.

— Est-ce la vérité, Ethan Wate ? T'es-tu vraiment rendu chez ce diable ?

— Oui. À cause de tes mensonges. Tu ne m'as pas laissé le choix.

Elle ne m'écoutait pas, cependant. Elle battait les cartes à toute vitesse entre ses paumes menues.

— Tante Ivy, montre-moi quelque chose. Explique-moi ce que ça signifie.

— Amma !

Elle marmonnait, arrangeant les cartes encore et encore.

— Je ne vois rien. Il y a forcément une solution. Il y en a toujours une. Il faut que je continue à chercher.

Je l'ai doucement attrapée par les épaules.

— Pose ça, Amma. Parle-moi.

Elle a soulevé une carte, qui représentait un moineau à l'aile brisée.

— Le Futur Oublié. Sais-tu comment on appelle ce jeu ? Les cartes de la providence. Parce qu'elles t'en apprennent plus que sur ton simple avenir. Elles te prédisent ton destin. Tu saisis la différence ?

J'ai fait signe que non, craignant de m'exprimer à haute voix. Amma perdait les pédales.

— Ton avenir peut changer.

J'ai contemplé ses prunelles sombres qui se mouillaient.

— On peut peut-être changer le destin aussi.

Les larmes ont commencé à rouler, tandis qu'elle secouait la tête d'arrière en avant de façon hystérique.

— La Roue de Fortune nous écrase tous.

Je ne supportais plus d'entendre ces mots. Amma ne se contentait pas de virer au noir. Elle était en train de devenir complètement folle, sous mes propres yeux.

S'écartant, elle a refermé les pans de son peignoir et est tombée à genoux. Ses paupières étaient closes, mais elle avait le menton levé vers le plafond bleu.

— Oncle Abner, tante Ivy, grand-maman Sulla, je demande votre intercession. Pardonnez mon intrusion, comme le Seigneur nous pardonne à tous.

Je l'ai observée qui attendait, marmonnant ces mots à l'envi. Une bonne heure s'est écoulée avant que, épuisée et vaincue, elle ne renonce.

Les Grands ne s'étaient pas manifestés.

Quand j'étais petit, ma mère me disait que tout ce que j'avais besoin de savoir sur le Sud se trouvait soit à Savannah, soit à La Nouvelle-Orléans. Il en allait de même pour ma vie, apparemment.

Lena n'était pas d'accord. Le lendemain matin, nous nous sommes disputés à ce sujet, au fond de la classe, pendant le cours d'histoire. Je ne gagnais pas.

— Une âme fracturée n'est pas deux choses, L. C'en est une coupée en deux.

Lorsque je parlais de « deux âmes », Lena n'entendait que « deux » et s'imaginait que je me prenais pour l'Unique en valant deux.

— Ça pourrait être n'importe qui. Et moi en premier lieu. Tu n'as pas regardé mes yeux !

L'affolement la guettait.

— Je ne prétends pas être l'Unique en valant deux, L. Je ne suis qu'un Mortel. S'il a fallu une Enchanteresse pour briser l'Ordre, ce n'est pas un simple Mortel qui le réparera, non ?

Bien qu'elle ne m'ait pas semblé convaincue, elle savait forcément au plus profond d'elle que j'avais raison.

Pour le meilleur ou pour le pire, je n'étais rien de plus que ça : un Mortel. Ce qui était à l'origine du problème entre nous. La raison pour laquelle nous pouvions à peine nous toucher et ne serions jamais véritablement ensemble. Comment était-il concevable qu'il me revienne de sauver l'univers des Enchanteurs alors qu'il m'était à peine permis d'y vivre ?

— Link, a repris Lena en baissant la voix. Lui aussi est deux choses. Un Incube et un Mortel.

— Chut !

J'ai jeté un coup d'œil à l'intéressé, lequel ne nous écoutait pas, cependant, occupé à graver LINKUBUS sur son pupitre avec son stylo.

— À mon avis, ai-je enchaîné, il n'est vraiment ni l'un ni l'autre.

— Et John ? Il est un Enchanteur et un Incube.

— L.

— Ridley. Elle conserve peut-être des traces de Sirène, même maintenant qu'elle est une Mortelle. Amma est une Voyante et une Mortelle. Deux choses.

— Ce n'est pas Amma !

J'avais dû crier, car tous les élèves se sont tournés sur leurs sièges. Lena a semblé blessée.

— Vraiment, monsieur Wate ? Nous autres pensions que si, pourtant.

M. Evans avait l'air d'être sur le point de sortir son calepin rose de feuilles de colle.

— Désolé, monsieur.

Plongeant derrière mon manuel, je me suis mis à murmurer :

— Ça paraît bizarre, d'accord, mais c'est une bonne nouvelle. Maintenant, je sais pourquoi tous ces trucs m'arrivent. Comme les rêves dingues dans lesquels une autre partie de moi me suit à la trace. Désormais, c'est logique.

Ce n'était pas tout à fait exact, et Lena avait des doutes, même si elle n'a rien ajouté. Moi non plus, d'ailleurs. Entre la canicule et les criquets, Abraham et les Ires, John Breed et la Lilum qui avait pris possession du corps de notre prof de littérature, nous avions suffisamment matière à nous inquiéter, d'après moi.

Du moins, c'est ce que je me suis dit.

TOMBE LA NEIGE ! IL EST TEMPS QUE LA MÉTÉO CHANGE !
ACHETEZ VOS BILLETS MAINTENANT !

Les affiches étaient partout, comme s'il était nécessaire de faire de la publicité à l'événement. La date du bal d'hiver approchait. Cette année, le comité d'organisation, constitué de Savannah et de son fan-club, avait décidé de l'appeler Bal de la Neige. Savannah Snow (Snow... Neige... ha !) insistait pour dire qu'elle n'y était pour rien, que c'était seulement à cause de la vague de chaleur. Raison pour laquelle tout le bahut avait aussitôt rebaptisé la fiesta Bal de la Neige Fondue, puis Bal de la Bouillasse.

Lena refusait d'y aller, surtout après ce qui s'était passé l'année précédente. Lorsque je lui ai offert les billets que j'avais achetés, elle m'a donné l'impression de vouloir les brûler.

— C'est une blague, Ethan ?

— Non.

Assis face à elle à la cantine, je jouais avec la glace de ma limonade que je cassais à coups de paille. Je passais un mauvais quart d'heure.

— Pourquoi diable tiendrais-je à me rendre à cette soirée ?

— Pour danser avec moi, ai-je plaidé avec un regard misérable.

— Je danserai avec toi dans ma chambre, a-t-elle riposté avant de tendre la main et d'ajouter : Ici, même, si tu veux. En pleine cafétéria.

— Ce n'est pas pareil.

— Je n'irai pas, s'est-elle entêtée.

— Alors, je me trouverai une autre cavalière.

Un éclat furibond a traversé ses prunelles.

— Comme Amma, ai-je suggéré.

Elle a secoué la tête.

— Pourquoi as-tu tellement envie de participer à ce machin ? Et ne me réponds pas que c'est pour valser avec moi.

— Et si c'était notre dernière chance ?

Ce serait un soulagement de se faire du mouron pour un péril aussi bénin qu'une nouvelle catastrophe lors de la soirée dansante plutôt que pour la destruction du monde. J'étais presque frustré que Ridley ne soit pas là pour provoquer un désastre classieux.

Bref, Lena a fini par céder, sans décolérer toutefois. Je m'en fichais. Elle viendrait. Avec tout ce qui se produisait en ce moment, il se pouvait fort bien qu'il n'y ait plus jamais d'autre bal d'hiver à Jackson.

Assis sur les gradins métalliques chauffés à blanc, près du terrain de sport, en ce qui aurait dû être un jour froid de décembre, nous déjeunions. Lena et moi nous efforcions d'éviter Mme English, qui avait réapparu, et Link, Savannah. L'endroit était devenu notre refuge préféré.

— Tu viens toujours, demain ? ai-je demandé à Link en lui lançant une miette de sandwich.

Je parlais du Bal de la Neige. Entre lui et Lena, notre présence sur place n'était pas garantie.

— Bien sûr. Je réfléchis juste à ma coiffure. Cheveux en pétard ou rabattus. Attends un peu de voir ma nouvelle robe de soirée.

Il m'a renvoyé la miette.

— Et la mienne, est intervenue Lena en attachant ses cheveux avec un élastique qu'elle avait retiré de son poignet. Un imperméable, des bottes en caoutchouc et un parapluie, des fois que quelqu'un décide de prendre au pied de la lettre le Bal de la Bouillasse.

Elle n'a pas tenté de dissimuler son mépris. C'était ainsi depuis que je les avais tous les deux persuadés d'assister à l'événement.

— Vous n'êtes pas obligés de m'accompagner, ai-je râlé. Mais c'est peut-être le dernier bal de Gatlin. Du monde. Moi, j'y serai.

— Arrête de dire des trucs pareils, a protesté Lena, agacée. Il y en aura d'autres, des raouts de ce genre.

— Te tracasse pas, m'a lancé Link en m'assenant une bourrade un peu trop brutale sur l'épaule. Ça va être géant. Lena y veillera.

— Ah oui ? a-t-elle répondu avec un petit sourire. John a dû te mordre plus fort que nous ne le pensions.

— Tu as sûrement dans ta poche un sortilège de derrière les fagots, genre Évitons-que-cette-soirée-soit-nulle. Quoique… Non. Parce que ça sera nul, quoi que tu fasses.

— Et si tu essayais un sortilège Reste-chez-toi-et-boucle-la ? ai-je grogné. Après tout, c'est toi qui seras le cavalier de Savannah Snow.

J'ai roulé en boule l'emballage de mon sandwich.

— C'est elle qui me l'a proposé.

— Comme elle t'avait demandé de venir à la fête chez elle. Tu as vu comment ça a tourné.

Ne mets pas ça sur le tapis, Ethan.

Pourtant, c'est la vérité.

Lena a haussé un sourcil.

Tu en rajoutes, là, alors qu'il n'est déjà pas bien.

La faute à Savannah.

— Où croyez-vous qu'elle soit, maintenant ? a soupiré Link.

— Qui ? ai-je rétorqué, alors que je savais parfaitement de qui il parlait.

— Elle est probablement en train de flanquer le souk quelque part, a-t-il poursuivi en ignorant ma question.

— Pas probablement, a lâché Lena. C'est sûr et certain.

Elle pliait et repliait en carrés de plus en plus petits le sac en papier ayant contenu son déjeuner.

La cloche a retenti.

— C'est sans doute mieux ainsi, a conclu Link en se levant.

— C'est évidemment mieux, ai-je renchéri.

— Ça pourrait être pire, a-t-il continué. Ce n'est pas comme si j'étais accro à elle. Comme si je l'aimais ni rien.

Qui essayait-il de convaincre, là ? Fourrant ses pognes dans ses poches, il s'est éloigné sans nous laisser le loisir d'ajouter quoi que ce soit.

— Oui, ai-je marmonné, ça aurait vraiment fait suer.

J'ai serré la main de Lena pour la lâcher très vite, avant d'avoir le vertige.

— J'ai de la peine pour lui, a-t-elle dit.

S'arrêtant de marcher, elle a glissé ses bras autour de ma taille. Je l'ai serrée contre moi, et elle a posé sa tête contre mon torse.

— Tu sais que je ferais n'importe quoi pour toi, hein ?

J'ai souri.

— Je sais que tu accepterais d'aller à un bal débile pour moi.

— Oui.

J'ai embrassé son front, mes lèvres s'attardant le plus longtemps possible sur sa peau. Elle a levé les yeux vers moi.

— Nous arriverons peut-être à rendre cette soirée amusante. Pour aider Link à oublier ma cousine, ne serait-ce qu'un petit moment.

— C'est bien pour ça que j'ai insisté pour que nous y allions.

— J'ai une idée. Histoire de réparer le cœur brisé d'un Linkube.

Le bout de sa queue-de-cheval a commencé à s'agiter. J'ai traversé le terrain de sport en regrettant qu'il n'existe pas de sortilège contre les chagrins d'amour.

12 décembre
Le Bal de la Bouillasse

Quand Link s'est garé devant chez moi, Savannah était déjà assise à l'avant de La Poubelle. Descendant de voiture, Link est venu à ma rencontre, comme s'il avait quelque chose à me dire. Il portait une veste de soirée à jabot complètement naze qui lui donnait des airs de joueur de mariachi et un pantalon de smoking par-dessus ses Vans montantes.

— Chouettes fringues.

— Je croyais que Savannah détesterait, qu'elle refuserait de monter dans la bagnole. J'ai tout essayé.

D'ordinaire, il se serait réjoui de son mauvais tour. Ce soir-là, il avait des airs de chien battu.

Il a vraiment Rid dans la peau, L.

Débrouille-toi pour qu'il monte chez moi. J'ai un plan.

— Je pensais que tu retrouverais Savannah sur place. N'est-elle pas censée y être en avance avec Emily et le reste des organisatrices ?

J'avais baissé la voix, précaution inutile, car une cassette des Crucifix Vengeurs beuglait dans La Poubelle, comme si Link avait voulu isoler Savannah.

— Figure-toi que j'ai essayé ça aussi, mais elle voulait qu'on se prenne en photo. (Il a frissonné à ce souvenir.) Avec sa mère et la mienne. Un véritable cauchemar.

Il s'est mis à imiter sa maternelle.

— Souriez ! Wesley, tes cheveux sont en l'air ! Redressez-vous. Le petit oiseau va sortir.

J'imaginais très bien la scène. Mme Lincoln armée d'un appareil photo était une furie, et il était sans doute inimaginable à ses yeux de laisser son fils emmener Savannah Snow au bal d'hiver sans immortaliser l'événement pour les générations futures. Mmes Lincoln et Snow dans la même pièce, c'était une épreuve que je ne souhaitais à personne. Surtout quand la pièce en question était le salon de Link, où il n'y avait pas un endroit où s'asseoir, où poser les yeux ou même sa main sans se heurter à des protections en plastique sous vide.

— Je te parie cinq dollars que Savannah n'entre pas dans Ravenwood, ai-je blagué.

Il s'est enfin déridé.

— J'y compte bien.

Sur la banquette arrière de La Poubelle, Savannah avait l'air d'être assise dans une grande flaque de crème fouettée rose. Elle a tenté d'entamer la conversation avec moi à plusieurs reprises, mais on n'entendait rien, avec la musique. Lorsque nous avons emprunté la route menant à Ravenwood Manor, elle s'est agitée sur son siège. Link a coupé la radio.

— Tu es sûre que ça ne te gêne pas, Savannah ? Tu connais la légende, hein ? Comme quoi la plantation est hantée depuis la guerre de Sécession.

Il avait dit cela comme il aurait raconté une histoire de fantôme.

— Je n'ai pas peur, a répondu l'interpellée en relevant le menton. Ce n'est pas parce que les gens bavassent que c'est la vérité.

— Ah ouais ?

— Tu devrais entendre les ragots à propos de toi et de tes amis. Sans vouloir t'offenser, Ethan.

Link a remis la musique pour noyer ses paroles, cependant que les grilles de la demeure s'ouvraient en grinçant. « Ce pique-nique de la paroisse n'en est pas un / Tu es mon poulet frit / Sainte lèche de doigt… »

— Tu me traites de morceau de poulet frit ou quoi ? a braillé Savannah par-dessus le vacarme.

— Mais non, pas toi, Reine de la Bouillasse. Je ne me permettrais pas.

Fermant les yeux, il s'est mis à tambouriner à l'unisson de la batterie sur le tableau de bord de la voiture. Je suis descendu, plus peiné pour lui que jamais. Il a ouvert sa portière. Savannah n'a pas bronché. À la réflexion, l'idée de pénétrer dans Ravenwood devait lui sembler mauvaise.

La porte s'est entrebâillée avant que j'aie frappé. Un tourbillon de tissu, vert avec des reflets dorés, comme si les deux couleurs coexistaient, a alors surgi. Lena a tiré le battant ; les pans de matériau paraissaient flotter sur ses épaules, tombant jusqu'à sa taille, pareils à des ailes.

Tu te souviens ?

Oui. Tu es magnifique.

Je n'avais pas oublié, en effet. Elle était papillon, ce soir-là, comme la lune la nuit de sa Dix-septième Lune. Ce qui avait alors ressemblé à de la magie continuait à ressembler à de la magie.

Ses yeux étincelaient.

L'un vert, l'autre doré. L'Unique en valant deux.

Un frisson m'a secoué, étonnant par cette chaude soirée de décembre. Lena ne s'en est pas aperçue, et je me suis contraint à l'ignorer également.

— Tu es… Waouh !

Elle a tourné sur elle-même en souriant.

— Tu aimes ? Je voulais quelque chose de différent. Sortir un peu de mon cocon.

Tu n'as jamais été prisonnière d'un cocon, L.

Son sourire s'est élargi.

— Tu es… toi. Parfaite.

Repoussant une boucle, elle a dévoilé son lobe. Un minuscule papillon en or y était planté, une aile verte, l'autre dorée.

— C'est oncle Macon qui les a commandées. Ça aussi

Elle montrait un pendentif à l'image du même insecte suspendu à une délicate chaîne en or. J'ai regretté qu'elle n'ait pas également mis son collier de babioles. Les rares fois où je l'avais vue sans, les choses avaient mal tourné. Et puis, je voulais que rien ne change jamais chez elle.

Je sais. J'accrocherai ce papillon avec les autres colifichets demain.

Je me suis penché pour l'embrasser. Puis je lui ai donné l'écrin que je tenais. Comme l'an dernier, Amma lui avait fabriqué de ses propres mains un bouquet à attacher à son poignet. Lena a ouvert la boîte.

— C'est adorable. Je n'en reviens pas que des fleurs s'épanouissent encore à cette époque de l'année.

Pourtant, un unique bouton doré reposait entre des feuilles vertes arrondies. Pour peu qu'on regarde l'ensemble sous un certain angle, on aurait pu croire que ces dernières formaient des ailes de papillon. Comme si Amma avait deviné.

Il restait peut-être des choses qu'elle réussissait à voir.

J'ai glissé le bouquet au poignet de Lena, mais il a bloqué. En tirant dessus, je me suis rendu compte que Lena avait enfilé le fin bracelet d'argent trouvé dans le coffret de Sarafine. Je n'ai rien dit. Inutile de gâcher la soirée avant même qu'elle ait commencé.

Link a klaxonné tout en poussant le volume de la radio à fond.

— Allons-y. Link est en train de perdre tout son crédit, là-bas. Enfin, il aimerait bien.

Elle a pris une profonde inspiration.

— Un instant, a-t-elle répondu en posant une main sur mon arbre. Il y a autre chose.

— Quoi ?

— Ne te fâche pas.

Pas un mec au monde ignorait ce que signifiait cette phrase – elle était sur le point de me donner une bonne raison de me mettre en rogne.

— OK.

Un nœud a tordu mon estomac.

— Jure-le.

Encore pire.

— Promis.

Des aigreurs se sont ajoutées au nœud.

— Je leur ai dit qu'ils pouvaient nous accompagner, a-t-elle soufflé à toute vitesse, comme pour éviter que je l'entende.

— Pardon ? À qui ?

Mes questions impliquaient tant de réponses susceptibles de me déplaire que j'aurais sans doute eu meilleur temps de ne pas les poser. Lena m'a entraîné dans l'ancien bureau de Macon. John et Liv se tenaient devant la cheminée.

— Ils ne se quittent plus, maintenant, a murmuré Lena. Je me doutais qu'il y avait quelque chose entre eux. Puis Reece les a surpris en train de réparer l'ancienne horloge de Macon et l'a lu sur leurs traits.

Une horloge. Comme un sélenomètre ou une moto. Des objets qui fonctionnaient selon l'esprit de Liv. J'ai secoué la tête. Pas John Breed. Pas avec Liv.

— La réparation d'une pendule ? ai-je rétorqué. C'est ça qui les a trahis ?

— Je te répète que Reece les a vus. Regarde-les. Pas la peine d'être une Sibylle pour comprendre.

Liv était vêtue d'une robe démodée, un chiffon qu'elle avait sans doute déniché dans le grenier de Marian. Il descendait bas sur ses épaules et tombait en flots de dentelle compliqués que retenait seulement le cuir de la ceinture scorpion.

Elle semblait sortir d'un film susceptible d'être projeté en cours de littérature après que la classe aurait étudié l'œuvre d'après laquelle il était adapté. Ses cheveux blonds étaient lâches, au lieu des tresses habituelles. Elle paraissait différente… heureuse. Cette idée m'a révulsé.

Que se passe-t-il, L ?

Observe.

Debout derrière Liv, John portait ce qui devait être un vieux costume de Macon. Il avait d'ailleurs des airs de ce dernier – ténébreux et dangereux. Il était occupé à fixer un bouquet à l'une des bretelles de la robe de Liv. Elle le taquinait, sur un ton que j'ai immédiatement reconnu. Lena avait raison. Quiconque les aurait vus ainsi aurait supposé qu'ils entretenaient une relation privilégiée. Liv a saisi la main de son cavalier qui se débattait avec l'épingle.

— J'apprécierais beaucoup que tu ne me piques pas jusqu'au sang.

— Alors, tiens-toi tranquille.

— Je ne bouge pas. C'est l'épingle qui tremble.

En effet, les doigts de l'Incube étaient mal assurés.

Lorsque je me suis raclé la gorge, tous deux se sont retournés. Liv a rosi encore plus en me découvrant sur le seuil de la pièce. John, lui, s'est raidi.

— Salut ! a lancé Liv en rougissant de plus belle.

— Salut !

Que dire d'autre ?

— Ce machin n'est pas fastoche à mettre, a lâché John.

Il m'a souri comme si nous étions potes. Comme nous ne l'étions pas, j'ai regardé Lena sans répondre.

— Même si ceci n'est pas l'idée la plus bizarre que tu aies jamais eue – et elle l'est peut-être –, comment crois-tu que nous allons réussir à entrer ? Ni elle ni lui ne sont inscrits à Jackson.

Elle a brandi deux billets supplémentaires.

— Tu en as acheté deux, moi aussi. Je te présente mon cavalier.

Elle a désigné John.

Hein ?

— Et voici ta cavalière, a-t-elle poursuivi en montrant Liv.

Pourquoi m'infliges-tu cela ?

— Nous avons le droit de nous faire accompagner par qui nous voulons. C'est juste pour passer le barrage.

Tu es folle, L ?

Non. Je rends service, par amitié.

Mes yeux ont dévisagé alternativement John et Liv.

Lequel des deux est soudain ton ami ?

Se hissant sur la pointe des pieds pour placer ses mains sur mes épaules, elle m'a embrassé.

— Toi.

— Je ne saisis pas.

Il faut avancer. Advienne que pourra.

C'est ça, ta notion d'avancer ?

Elle a acquiescé.

— Hum ! a marmonné John. Si vous préférez discuter à voix haute, nous pouvons aller dans la pièce voisine.

Il s'impatientait.

— Désolée, s'est excusée Lena en m'adressant un coup d'œil lourd de sens. Nous en avons terminé.

C'était peut-être notre cas, mais je connaissais quelqu'un pour lequel ça ne le serait pas.

— As-tu réfléchi à la réaction de Link ? Il nous attend dans la voiture avec Savannah en ce moment même.

Lena a lancé un hochement de tête en direction de John. Une déchirure a résonné, dehors. Peu après, la musique qui secouait La Poubelle s'est tue.

— Link est déjà là-bas, a annoncé John en s'emparant de la main de Liv. On y va ?

Je me suis tétanisé.

— Tu l'as *expédié* au bal d'un coup de Voyage ? me suis-je écrié. Mais tu ne l'as même pas touché.

Il a haussé les épaules.

— Je ne suis pas franchement du genre à entrer dans les cadres. Je suis capable de beaucoup de choses. En général, je ne sais même pas comment.

— Voilà qui me rassure.

— Du calme. C'était une suggestion de ta petite copine.

— Que va penser Savannah ?

Je l'imaginais déjà en train de raconter ça à sa mère.

— Elle aura tout oublié, a répondu Lena en prenant ma main. Viens. On n'aura qu'à prendre le corbillard.

Elle a ramassé ses clefs.

— Se rendre au bal seul en compagnie de Savannah était la dernière chose que souhaitait Link, ai-je protesté.

— Fais-moi confiance.

Trois mots qu'aucun mec ne souhaite entendre dans la bouche de sa chérie.

— Le groupe est censé arriver plus tôt, a-t-elle enchaîné en m'entraînant dans son sillage.

— Quoi ? Tu veux dire les Crucifix Vengeurs ?

J'étais complètement largué. Le proviseur Harper n'autoriserait jamais des musiciens comme les Crucifix Vengeurs à jouer au bal de son bahut, pas plus qu'il n'autoriserait... Il n'existait pas de comparaison possible. En tout cas, ce n'était pas près d'arriver.

Les boucles de Lena se sont agitées malgré l'absence d'air, et elle m'a lancé le trousseau.

12 décembre
Une Lumière dans les Ténèbres

Des ampoules clignotaient à travers les fenêtres supérieures du gymnase, éclairant jusqu'au parking. La fête battait déjà son plein.

— Grouille ! m'a crié Lena. Ce serait dommage de rater ça.

Percevant les ululements inimitables de Link, je me suis figé sur place. Les Crucifix Vengeurs jouaient, exactement comme l'avait prédit Lena. J'ai connu un instant de panique. La Dix-huitième Lune serait bientôt là, et nous nous apprêtions à danser lors du bal de Jackson. Ça paraissait idiot, comme d'ailleurs de rester à la maison à se tourmenter au sujet de la fin du monde quand nous ne pouvions rien pour l'empêcher. À moins que le plus idiot ait été que je continue de croire que j'y parviendrais.

Bref, je me suis contenté de la seule action logique : la boucler et resserrer ma prise autour du bras de la plus jolie fille des environs.

— Très bien, L. Avoue : qu'as-tu manigancé ?

— Je me suis juste arrangée pour qu'il passe une bonne soirée sans Ridley. Et je l'ai fait pour toi.

Elle a regardé par-dessus son épaule, d'où nous parvenaient des échos de la voix grave de John et les rires de Liv.

— Pour tout le monde, j'imagine, a-t-elle ajouté.

Le plus drôle, c'est que je comprenais. Nous étions tous dans une impasse depuis l'été, comme si ce dernier durait encore. Amma ne lisait plus les cartes et ne communiquait plus avec les Grands ; Marian avait été interdite de travail ; Liv avait renoncé à sa formation de Gardienne ; Macon ne sortait quasiment plus des Tunnels ; Link essayait de s'adapter à sa nature d'Incube et d'oublier Ridley ; et John avait été coincé pour de bon, à l'intérieur de l'Orbe Lumineux. Même la chaleur s'attardait, image d'un été sans fin issu de l'enfer.

Tout à Gatlin était coincé dans une impasse.

Les agissements de Lena en cette soirée n'y changeraient rien, mais nous réussirions, peut-être, à laisser l'été derrière nous. Si ça se trouve, il se résoudrait à baisser la garde un de ces jours et à emporter avec lui la chaleur, les criquets et les mauvais souvenirs.

Avec un peu de chance, tout redeviendrait normal. Normal comme nous l'entendions par ici, du moins. Même si le compte à rebours continuait de s'écouler, et la Dix-huitième Lune, de se rapprocher.

Nous pouvons faire mieux que ça, Ethan. Nous pouvons être *normaux.*

Lena m'a souri, et je l'ai serrée encore plus fort, alors que nous entrions dans le gymnase.

L'intérieur avait été transformé. Le thème de la décoration semblait être... Link. Les Crucifix Vengeurs occupaient la scène, illuminés par des projecteurs que le comité organisateur n'avait absolument pas les moyens de louer. Au milieu de tout cela, sa chemise à froufrous déboutonnée et trempée de sueur, Link alternait entre des morceaux de batterie et le chant, glissant d'un bout de l'estrade à l'autre sans lâcher le micro. Chaque fois qu'il approchait du bord de la scène, un groupe de gamines de troisième hurlaient comme des hystériques.

Pour la deuxième fois de mon existence, les Crucifix Vengeurs avaient des allures de vrai groupe – sans sucette couleur cerise dans le coin, cependant.

— Comment t'y es-tu prise ? ai-je braillé dans l'oreille de Lena.

— Appelons ça un sortilège Évitons-que-cette-soirée-soit-nulle.

— J'en déduis qu'on est en droit de considérer que l'idée venait de Link au départ ?

J'ai souri, elle a opiné.

— Exactement.

En gagnant la piste de danse, nous sommes passés devant un décor de fond en carton. Il y avait une chaise devant, mais pas de photographe à l'horizon. Ça aussi, ça m'a paru suspect.

— Qu'est devenu l'homme de l'art, L ?

— Sa femme vient de perdre les eaux, a-t-elle répondu en évitant mon regard.

— Lena !

— Je te jure. Demande à n'importe qui. Enfin, sauf à elle, parce qu'elle a autre chose en tête en cet instant précis.

Nous avons dépassé John et Liv qui s'étaient installés à une table près de la piste.

— Je n'avais vu un truc pareil qu'à la télé, a commenté Liv, qui ne perdait pas une miette de l'ambiance.

— Un bal de lycée américain ? s'est marré John. Pareil pour moi.

Il a doucement tiré sur l'une des mèches blondes de sa cavalière.

— Allons danser, Olivia.

Une heure plus tard, force m'était d'admettre que Lena avait eu raison. Nous nous amusions tous, et l'été paraissait bien loin. C'était une vraie fête de lycéens, durant laquelle les gars guettent avec impatience les slows afin de se rapprocher de leur nana. Savannah jouait les reines du bal dans sa robe en barbe à papa ; elle a même dansé une fois avec Earl Petty. La seule exception était le retour de Link dans la peau d'un dieu du rock. Mais, ce soir-là, même ça ne semblait plus aussi inconcevable.

Pendant que la compilation ayant reçu l'aval du comité retentissait, Gros Lard a chopé les autres musiciens du groupe en train de fumer dehors. Mais il ne disposait guère de moyens répressifs, car ces gars-là avaient tous dans les vingt-cinq ans et leur diplôme de voyou. Ce qui m'a été confirmé quand le guitariste solo a murmuré quelque chose à l'oreille d'Emily Asher, la laissant bouche bée pour la première fois de son existence.

J'ai rejoint Link, qui traînait du côté des casiers, près du hall. L'obscurité régnait, trouée seulement par un néon fluo qui clignotait au plafond. Un bon endroit où se planquer de Savannah. J'avais l'intention de féliciter Link pour sa prestation musicale, car rien ne le rendait plus heureux que ça. Malheureusement, je n'en ai pas eu l'occasion.

Il essuyait la transpiration sur son visage quand je l'ai aperçue qui tournait au coin du couloir.

Ridley.

Le bonheur de Link était mal barré.

Je me suis caché dans le renfoncement du seuil du labo de sciences nat' avant qu'ils ne me repèrent. Ridley allait peut-être lui révéler où elle avait disparu, ces derniers temps. Lui aurions-nous posé la question, Lena ou moi, qu'elle nous aurait menti comme une arracheuse de dents.

— Salut, Chaud Bouillant.

Vêtue d'une robe qui dévoilait de multiples parties de son corps, elle léchait une sucette rouge cerise. Quelque chose clochait, mais je n'aurais su déterminer quoi.

— Où étais-tu, nom de Dieu ?

Link a jeté sa chemise mouillée de sueur par terre.

— Je me suis baladée.

— On s'est tous bilés pour toi. Même après ta mauvaise blague.

Tous, autrement dit, lui.

— Tu parles ! s'est esclaffée Ridley.

— Alors, où... Pourquoi portes-tu des lunettes de soleil, Rid ?

M'aplatissant contre le mur, j'ai jeté un coup d'œil. En effet, des lunettes noires dissimulaient les prunelles de la cousine de Lena, comme autrefois.

— Retire-les.

Link avait presque hurlé. Si la musique, dans le gymnase, n'avait pas été aussi forte, on l'aurait entendu.

— Ne m'en veux pas, Shrinky Dink, a-t-elle répondu en s'adossant au casier voisin du sien. Je n'ai jamais été taillée pour être une Mortelle. Toi et moi le savons pertinemment.

Il a ôté lui-même les carreaux fumés, révélant des yeux jaunes. Des yeux d'Enchanteresse des Ténèbres.

— Qu'as-tu fait ? a-t-il soufflé, vaincu.

— Ben... tu imagines, non ? J'ai supplié qu'on me pardonne et tout le toutim. À mon avis, ils ont estimé que j'avais été assez punie comme ça. Ces quelques mois dans la peau d'une Mortelle ont été une véritable torture.

Link fixait le lino du sol. Cette attitude m'était familière. C'était celle qu'il adoptait quand sa mère se lançait dans une de ses tirades lui promettant la damnation s'il n'obtenait pas de meilleures notes ou ne cessait pas de lire les bouquins qu'elle s'efforçait d'interdire. Une attitude qui disait : « Rien de ce que je pourrai faire n'y changera quoi que ce soit. »

— Qui sont ces « ils », Rid ? Sarafine ? Abraham ? Tu es allée les rejoindre après ce qu'ils t'avaient infligé ? Après qu'ils ont voulu nous éliminer ? Comme tu as libéré John Breed de l'Orbe Lumineux alors qu'il m'avait mordu ?

Se plaçant devant lui, elle a posé les mains sur son torse.

— Il fallait que je le relâche. Il m'a rendu du pouvoir. (Sa voix montait dans les aigus, dénuée de son ironie ordinaire.) Tu ne piges donc pas ? C'était le seul moyen que j'avais de redevenir celle que je suis.

L'attrapant par les poignets, il l'a repoussée.

— Je suis heureux que tu y sois parvenue. Il faut croire que je ne t'ai jamais comprise. Je suis un crétin.

Il a commencé à repartir vers les doubles portes donnant sur le gymnase.

— Je l'ai fait pour nous ! a piaillé Ridley, visiblement blessée. Si tu ne t'en rends pas compte, alors oui, tu es un crétin.

— Pour nous ? a-t-il répété en se retournant. Pourquoi t'es-tu imposé cela pour nous ?

— Tu es bouché ou quoi ? Nous pouvons être ensemble, maintenant. Nous sommes les mêmes. Je ne suis plus la débile de Mortelle dont tu te serais lassé d'ici six mois.

— Parce que tu crois que ça se serait terminé comme ça ?

— Bien sûr, a-t-elle rétorqué en riant. Je n'étais rien.

— Pas pour moi.

Il a contemplé le plafond, comme s'il y cherchait des réponses à la situation. Ridley l'a rejoint.

— Viens avec moi. Cette nuit. Je n'ai pas le droit de rester, mais je suis venue te chercher.

Tout en l'observant, j'ai eu l'impression qu'elle était Sarafine, celle des visions. Celle qui tentait de lutter contre sa nature, les Ténèbres qui l'envahissaient. La famille de Lena se trompait peut-être. Si ça se trouve, il restait une part de Lumière dans les Ténèbres.

Link a appuyé son front contre celui de Ridley durant une seconde.

— C'est impossible, a-t-il répondu. Pas après ce qu'ils ont fait à mes amis et à toi. Je ne serai pas l'un d'eux, Rid. Je ne suis pas comme toi et… je n'ai pas envie de le devenir.

Cette réponse l'a hébétée. Je l'ai lu dans ses prunelles, bien qu'elles aient été jaunes.

— Rid ?

— Regarde-moi bien, Chaud Bouillant. Tu n'en auras plus jamais l'occasion.

Elle a reculé sans cesser de le fixer, puis elle a tourné les talons et s'est enfuie.

Sa sucette rouge cerise a roulé par terre. La voix de Link était si feutrée, quand il a refermé la main dessus, que je l'ai à peine perçue.

— Bonne ou mauvaise, tu seras toujours ma nana.

Maintenant qu'il avait revu Ridley, Link se fichait comme d'une guigne d'être une rock star. Il était abattu, et il n'était pas le seul dans cet état. Depuis que je lui avais raconté la scène, Lena n'avait quasiment pas ouvert la bouche. La fête était terminée, pour ce qui nous concernait.

Le parking était désert. Personne ne quittait un bal du lycée aussi tôt. Le corbillard était garé tout au bout, sous le lampadaire cassé. Link marchait derrière nous, tandis que Liv et John nous précédaient. J'écoutais le bruit de nos pas sur l'asphalte. C'est comme ça que j'ai deviné que John s'était arrêté.

— Non, a-t-il murmuré, pas maintenant.

J'ai eu beau suivre la direction de son regard, je n'ai rien distingué, tant la nuit était noire.

— Qu'y a-t-il ?

— Quoi de neuf, mec ? a demandé Link en se postant près de moi. Je t'en prie, dis-moi que j'hallucine.

Je savais qu'il y voyait aussi bien dans l'obscurité que John.

— Hunting et sa Meute Sanglante, a lâché ce dernier sans bouger.

Liv a scruté la nuit pour tenter de les distinguer, sans résultat ; jusqu'à ce que Hunting vienne se poster sous la flaque de lumière pâle que dispensait le réverbère.

— Va-t'en ! a alors crié Liv en poussant John. Retourne aux Tunnels !

Elle voulait qu'il se dématérialise avant que Hunting n'ait le temps de faire de même. Mais John a secoué la tête.

— Je ne t'abandonne pas. Pas question.

— Tu n'as qu'à nous emmener avec toi, a-t-elle suggéré en cherchant sa main.

— Pas tous à la fois.

— Alors, file !

Liv pouvait bien plaider, c'était inutile. Il était trop tard.

Hunting s'est appuyé au lampadaire, une cigarette allumée entre les doigts. Deux nouveaux Incubes ont émergé du noir.

— Ainsi, c'est ici que tu te cachais, John. Un lycée. Je n'aurais jamais deviné. Très malin de ta part, ça m'étonne.

— Comment m'as-tu trouvé ? a répliqué l'interpellé en plaçant Liv derrière lui.

— Nous te trouverons toujours, le môme ! s'est esclaffé Hunting. Tu es équipé de ton propre système de repérage. Ce qui m'amène à me demander comment tu es parvenu à nous échapper aussi longtemps. Quel que soit l'endroit où tu t'es planqué, tu aurais mieux fait d'y rester.

Il a avancé de quelques pas, suivi de ses sbires. Lena m'a broyé les doigts.

Oh, mon Dieu ! Il ne risquait rien dans les Tunnels. C'est ma faute.

Non, celle d'Abraham.

— Je n'irai nulle part avec toi, Hunting, l'a défié John.

L'autre a écrasé sa cigarette sous son talon.

— Je regrette presque de devoir te ramener. Tu es bien plus résistant quand Abraham ne te manipule pas la cervelle. Est-ce que réfléchir par toi-même te donne le sentiment d'être différent ?

Je me suis soudain souvenu de John marchant comme un zombie dans la caverne de la Grande Barrière. Il nous avait juré avoir tout oublié de cette nuit-là. Était-il possible qu'Abraham l'ait contrôlé à ce moment ?

— Qu'est-ce que tu racontes ? a lancé John en se raidissant.

— Ta question m'amène à conclure que tu n'as pas tellement réfléchi, finalement. Bah ! Comme ça, ça ne te manquera pas. Et devine un peu ce qui ne me manquera pas, à moi ? Te regarder te contracter chaque fois, comme si quelqu'un te piquait avec un aiguillon à bestiaux.

— Ferme-la ! a crié John, dont les mains s'étaient mises à trembler.

De nouveau, je me suis rappelé la manière dont le corps de John tressaillait constamment. Comme si ses muscles bougeaient de façon involontaire. Le phénomène avait atteint son paroxysme en présence d'Abraham, lors de la Dix-septième Lune de Lena. Cela ne s'était pas produit depuis que nous l'avions découvert dans la chambre de Ridley.

— Approche et fais-moi taire, a rigolé Hunting. Mais nous pouvons aussi éviter l'étape où je te cogne ; histoire de te mettre un peu de plomb dans le crâne, avant de te ramener.

À cet instant, Link est venu se planter à côté de John.

— Explique-moi comment ça fonctionne, mec. Ça va être une baston à la régulière, ou je vais devoir utiliser des tours de passe-passe à la Jedi dont je ne sais rien du tout ?

J'en suis resté comme deux ronds de flan. Voilà que Link essayait d'équilibrer le rapport de force. John a d'ailleurs semblé aussi surpris que nous autres.

— Je m'en occupe, a-t-il répondu. Mais merci quand même.

— Qu'est-ce que tu…

Link n'a pas eu le temps de terminer sa phrase, cependant, car John a projeté ses mains en avant, comme Lena quand elle utilisait son don pour fissurer le sol ou provoquer des pluies torrentielles.

Ou des ouragans de force majeure.

John était en train de se servir du pouvoir qu'il avait absorbé chez Lena la dernière fois qu'il l'avait touchée.

La bourrasque a été si brutale que Hunting est tombé à la renverse. Les deux autres Incubes ont été projetés en arrière, glissant sur le parking à une telle vitesse qu'ils ont laissé des marques dans le bitume. Hunting a cependant réussi à se volatiliser avant que la force du vent ne l'atteigne définitivement. Il s'est de nouveau matérialisé à quelques pas de là. Le courant d'air l'a maintenu à distance, toutefois.

— Il ne renonce pas ! a hurlé Liv.

Lena m'a écarté.

Il faut que j'aide John. Il ne s'en sortira pas tout seul.

À son tour, elle a brandi les mains en avant, les paumes dirigées vers Hunting. Ses pouvoirs étaient plus développés que jamais. Et tout aussi imprévisibles.

Les nuages se sont ouverts, déversant des trombes d'eau.

Non ! Pas tout de suite !

La pluie s'abattait sur nous et sur le vent, lequel retombait rapidement. Hunting n'était pas mouillé, les gouttes formaient des ruisselets sur sa veste.

— Joli coup, gamine ! Quel dommage que la fille de Sarafine ait rompu l'Ordre ! Si tes dons n'étaient pas autant entamés, tu aurais pu sauver tes fesses.

Soudain, un chien a aboyé, et j'ai aperçu Boo Radley qui déboulait de derrière une voiture. Macon, le visage dégoulinant de pluie, le suivait de près.

— Le hasard réserve bien des surprises, a-t-il dit. Que je trouve, pour ma part, fort intéressantes.

Hunting a été aussi stupéfait de le voir que nous, même s'il l'a bien caché. En dépit de l'averse, il a allumé une nouvelle cigarette.

— Ce serait avec plaisir que je te tuerais encore une fois, a-t-il lâché.

Les membres de la Meute s'étaient relevés et étaient revenus vers nous à l'ancienne – en marchant. Ils se tenaient à présent autour de leur chef.

Macon a fermé les paupières.

Le calme s'est installé. Un calme trop calme. Comme ceux qui précèdent un événement horrible. Je n'ai pas été le seul à le sentir.

Hunting s'est évaporé en déchirant le ciel noir et luisant... pour resurgir à quelques centimètres de son frère. Une lumière verte qui pulsait nous a enveloppés. Le pouvoir qu'elle renfermait bourdonnait.

Elle émanait de Macon.

Hunting s'est alors pétrifié dans cette étrange aura, mains tendues et crocs dévoilés.

— C'est quoi, ce truc ? a demandé Link en se protégeant les yeux.

— De la lumière, a répondu Liv, ahurie.

— Comment peut-il en produire ? suis-je intervenu.

— Aucune idée.

Le halo vert a forci, et Hunting s'est affalé par terre en se débattant sur le béton étincelant. Un son épouvantable lui a échappé, comme si ses cordes vocales se déchiraient. Ses sbires se tortillaient sur le sol également. Cependant, je n'arrivais pas à m'arracher au spectacle de l'Incube Sanguinaire.

La couleur s'est mise à suinter hors de lui, commençant par le sommet de son crâne pour descendre le long de son visage. On aurait dit qu'on retirait lentement un drap qui l'aurait recouvert, sauf que celui-ci était une brume sombre. Au fur et à mesure qu'elle progressait, son cou, ses cheveux, sa peau, ses prunelles noires et vides sont devenus presque translucides. Ses comparses subissaient un sort identique.

— Que leur arrive-t-il ? ai-je soufflé.

Ce n'était pas vraiment une question appelant une réponse, mais John m'en a fourni une.

— Ils perdent leur pouvoir. Leur aspect Ténébreux.

Son expression affolée m'a laissé supposer qu'il n'avait encore jamais été témoin du phénomène en direct.

— C'est ainsi que les Incubes réagissent lorsqu'ils sont exposés à la lumière du jour.

Je l'ai regardé. Lui n'était pas affecté.

— Il produit vraiment de la lumière, a murmuré Liv.

John a ajouté quelque chose. Je n'écoutais plus, cependant. Je fixais les deux autres Incubes, translucides à présent. Leurs Ténèbres les avaient désertés bien plus rapidement. Leurs corps se sont raidis, telles des statues, leurs yeux se sont figés, dénués de vie. Mais cela n'a pas été le plus perturbant.

La brume noire, le pouvoir Ténébreux qui avait été aspiré hors des créatures, s'est enfoncée dans le sol.

— Où va ce machin ? a demandé Lena.

— Dans le Monde Souterrain, a expliqué John, en reculant comme s'il préférait ne pas être trop près de ce qui aurait pu lui arriver. L'énergie est indestructible. Elle se contente de changer de forme.

Je me suis pétrifié. Les mots se sont répétés dans mon esprit.

« Elle se contente de changer de forme. »

J'ai repensé à Twyla, aux Grands et à tante Prue. À ma mère et à Macon.

Je me suis rappelé l'éclat vert de l'Orbe Lumineux.

C'était une lumière identique qui nous enveloppait à présent. Macon avait-il subi des altérations lorsqu'il avait été prisonnier de la boule ? Ma mère l'avait-elle transformé de quelque façon ? Avait-elle recréé l'homme qu'elle avait aimé et perdu ?

— Que va-t-elle devenir, cette énergie ? a murmuré Liv, effrayée.

Une fois n'est pas coutume, c'est John qui lui apprenait quelque chose.

La couleur avait entièrement déserté Hunting, jusqu'au bout de ses doigts. Macon ne bougeait pas, les yeux toujours fermés, comme s'il se trouvait au milieu d'un cauchemar terrifiant. John n'a pas tout de suite répondu à la question de Liv et, quand il l'a fait, j'aurais préféré qu'il s'abstienne.

— Des Ires.

— Non ! a protesté l'Anglaise, choquée. Macon ne voudrait jamais ça !

— Certes, a-t-il acquiescé en lui prenant la main, mais ce n'est pas lui qui décide du fonctionnement de l'univers. Ni lui ni personne.

— Mon Dieu ! a marmonné Lena.

Elle montrait les deux Incubes, eux aussi entièrement décolorés. L'air a paru se mouvoir autour d'eux, puis j'ai compris de quoi il s'agissait. Ils se désintégraient. Pas en tombant en cendres, à l'instar des zombies ou des vampires dans les films. Non, de minuscules particules d'eux s'évaporaient comme s'ils n'avaient jamais existé.

Macon a respiré un grand coup. Il était éreinté. Il continuait de lutter afin d'en finir avec son frère, mais la lumière baissait. Peu à peu, elle a cédé la place à l'obscurité.

En gémissant, Hunting a rampé sur l'asphalte. Son visage et son torse étaient rigides et translucides.

Macon s'est agenouillé, aussitôt rejoint par Lena.

— Comment fais-tu cela ?

Il a gardé le silence, ne s'exprimant qu'après avoir retrouvé un souffle régulier.

— Je ne le sais pas trop moi-même. Il semble que je parvienne à canaliser mon énergie de la Lumière. À en créer, si tu préfères, faute d'une meilleure explication.

John s'est approché en secouant la tête.

— Et moi qui croyais être différent des autres ! Vous donnez un sens nouveau à l'appellation Enchanteur de la Lumière, monsieur Ravenwood.

Ce dernier a relevé les yeux vers l'hybride qui résistait au soleil et à ses rayons.

— La Lumière contient une part de Ténèbres, et les Ténèbres, une part de Lumière.

Un bruit de déchirure a retenti, et Hunting s'est volatilisé, à moitié estropié.

Après les événements qui s'étaient déroulés sur le parking du lycée, Macon et Liv ont ramené John dans les Tunnels : il y serait en sécurité, grâce au voile formé par le sortilège de Dissimulation et grâce au Sceau. Nous l'espérions, du moins. Il allait de soi que Hunting ne manquerait pas de tout raconter à Abraham, même si Liv l'estimait trop affaibli. Je n'ai pas insisté pour savoir si elle entendait par là qu'il l'était trop pour rapporter ou pour survivre.

Plus tard ce même soir, Lena et moi nous sommes assis sur les marches inégales du perron de Ravenwood, serrés l'un contre l'autre. Je me suis efforcé de graver dans ma mémoire la perfection avec laquelle son corps s'adaptait au mien ; j'ai enfoui mon visage dans sa chevelure, qui sentait toujours les citrons et le romarin. Un des rares éléments qui perduraient, dans notre univers bouleversé. Lui soulevant le menton, j'ai pressé ma bouche contre la sienne. Il s'agissait moins de lui donner un baiser que d'éprouver la sensation de ses lèvres sur les miennes. J'aurais fort bien pu la perdre, cette nuit-là.

Elle a posé la tête sur mon torse.

Ça n'a pas eu lieu.

Certes.

J'ai laissé mon esprit vagabonder. Malheureusement, il revenait sans cesse à ce que j'avais enduré, l'été dernier, lorsque j'avais été séparé d'elle, lorsque j'avais vraiment cru l'avoir perdue. La douleur sourde qui refusait de se dissiper ; la sensation de vide. C'était ce qu'avait dû vivre Link quand Ridley était partie. Je n'étais pas près d'oublier son expression : il était brisé. Je n'oublierais pas non plus Ridley et ses angoissantes prunelles jaunes.

Les rouages du cerveau de Lena fonctionnaient encore plus vite que les miens.

Arrête, L.

Quoi donc ?

De penser à ta cousine.

Impossible. Elle me rappelle Sara... ma mère. Tu as vu comment ça a tourné, pour elle.

Ridley n'est pas Sarafine.

Pas encore.

J'ai retiré le bouquet de son poignet, dévoilant le bracelet de sa mère. Mes doigts en ont effleuré le métal et, au même instant, j'ai deviné que tout ce qui avait appartenu à Sarafine était souillé. La véranda s'est mise à tournoyer...

Il était de plus en plus difficile de tenir le compte des jours. Sarafine avait l'impression de se mouvoir dans un brouillard permanent, d'être en pleine confusion et détachée de son quotidien. Les émotions semblaient se trouver hors de sa portée, comme si elles flottaient à la périphérie de son être, comme si elles appartenaient à une autre. Le seul endroit où elle se sentait solide, c'étaient les Tunnels. Un lien l'attachait au monde des Enchanteurs ainsi qu'aux éléments qui constituaient le don courant dans ses veines. Ce lien la réconfortait, lui permettait de respirer.

Parfois, elle y passait des heures, installée dans le bureau exigu qu'Abraham lui avait réservé. D'ordinaire, le calme y régnait. Jusqu'à ce que Hunting surgît. Son demi-frère était persuadé que leur aïeul perdait son temps avec elle, ce dont il ne faisait pas mystère.

— Encore ici ?

Le mépris dans sa voix était évident.

— Je lis, rien de plus.

Elle tentait d'éviter toute confrontation avec Hunting. Il était méchant jusqu'à la cruauté. Ce qui n'empêchait pas ses paroles de toujours comporter une once de vérité – celle qu'elle essayait désespérément d'ignorer. Hunting s'adossa à la porte, une cigarette au coin de la bouche.

— Je ne comprendrai jamais pourquoi grand-père Abraham tient à ta compagnie. As-tu la moindre idée du nombre d'Enchanteurs qui tueraient afin de l'avoir comme mentor ?

Il secoua la tête, dégoûté.

— Pourquoi me traites-tu comme une inutile ? riposta-t-elle, lasse d'être ainsi harcelée.

— Tu es une Enchanteresse des Ténèbres qui prétend appartenir à la Lumière. Un Cataclyste. Si ça, ce n'est pas du gaspillage !

Sarafine s'efforça de dissimuler que ces mots la blessaient.

— Je ne prétends rien du tout, se défendit-elle.

Hunting éclata de rire, dévoilant au passage ses canines.

— Ah oui ? As-tu parlé de tes visites secrètes ici à ton Enchanteur de la Lumière de mari ? S'il était au courant, à quelle vitesse crois-tu qu'il te tournerait le dos ?

— Ça ne te regarde pas.

— J'en conclus que tu ne lui as rien dit, lâcha-t-il en jetant son mégot dans une cannette de soda vide posée sur le bureau.

La poitrine de Sarafine se serra et, l'espace d'un instant, sa vision s'obscurcit.

La table de travail s'embrasa juste au moment où Hunting retirait sa main.

C'était arrivé sans prévenir. Elle était en colère contre son demi-frère et, la seconde suivante, le meuble partait en fumée.

— Ah ! s'exclama Hunting en toussant. Voilà qui te ressemble plus.

Sarafine entreprit d'étouffer le feu avec une vieille couverture. Naturellement, l'autre ne l'aida pas, se bornant à rejoindre le cabinet personnel d'Abraham, un peu plus loin dans le couloir. La jeune femme contempla ses paumes noircies de cendres. Son visage était sûrement sale, lui aussi. Elle ne pouvait regagner la maison et John dans cet état-là. Empruntant le corridor, elle se dirigea vers une petite salle d'eau. Elle n'avait toutefois effectué que quelques pas quand des voix lui parvinrent du bureau d'Abraham.

— Je ne sais pas d'où te vient cette obsession pour ce môme. (Hunting paraissait amer.) On se moque complètement qu'il soit en mesure d'affronter la lumière du jour. Il marche à peine, et Silas le tuera sûrement avant qu'il ne nous soit d'une quelconque utilité.

La discussion portait donc sur le petit garçon qu'Abraham avait mentionné devant Sarafine, lors de leur première rencontre. Celui qui était un peu plus âgé que Lena.

— Silas apprendra à se contrôler et à obéir, rétorqua l'aïeul. Prends un peu de hauteur, mon garçon. Cet enfant est la prochaine génération. Un Incube doté de tous nos atouts, mais dénué de nos faiblesses.

— Comment peux-tu en être aussi certain ?

— Tu crois que j'ai choisi ses parents par hasard ? (Abraham n'appréciait guère qu'on remît en cause son jugement.) Je savais pertinemment ce que je faisais.

Le silence s'installa un petit moment, puis Abraham enchaîna :

— Les Enchanteurs ne tarderont pas à être éradiqués, et je compte bien assister à leur anéantissement de mon vivant. Je te le garantis.

Sarafine frissonna. Une partie d'elle-même la poussait à s'enfuir et à ne plus jamais revenir. Elle n'en avait pas le droit, hélas. Il lui fallait rester pour Lena.

Elle devait réduire les voix au silence.

Lorsqu'elle rentra chez elle, John était dans le salon.

— Chut ! Le bébé dort.

Il embrassa sa joue, et elle s'assit près de lui sur le canapé.

— Où étais-tu ? s'enquit-il.

Un instant, elle envisagea de mentir, de lui raconter qu'elle était à la bibliothèque ou qu'elle s'était promenée dans le parc. Les paroles de Hunting continuaient de la défier, cependant. « S'il était au courant, à quelle vitesse crois-tu qu'il te tournerait le dos ? » Il se trompait à propos de John.

— Dans les Tunnels, répondit-elle donc.

— Quoi ? s'écria son mari comme s'il avait mal entendu.

— J'ai rencontré un membre de ma famille. Il m'a révélé certaines choses sur la malédiction. Des détails que j'ignorais. La seconde Élue qui naîtra chez les Duchannes sera en mesure de s'Appeler elle-même. Lena pourra choisir.

Les aveux se bousculaient dans sa bouche ; elle avait tant désiré partager ces nouvelles avec lui.

— Une minute, objecta John. Qui as-tu rencontré ?

Il était trop tard pour reculer, à présent.

— Abraham Ravenwood.

Son époux se leva, la dominant de toute sa taille.

— Abraham Ravenwood ? répéta-t-il. L'Incube Sanguinaire ? Il est mort.

— Non ! s'écria-t-elle en bondissant sur ses pieds. Il est vivant et il nous aidera à sauver Lena.

John la contemplait comme s'il ne la reconnaissait pas.

— As-tu perdu la tête ? C'est un démon qui s'abreuve de sang ! Pas le genre à aider. Il te raconte sûrement des mensonges.

— Pourquoi ferait-il cela ? Il n'avait rien à gagner en me révélant que Lena aurait le choix.

— Parce que c'est un Incube Sanguinaire, riposta John en l'attrapant par les épaules. Pire qu'un Enchanteur des Ténèbres.

Sarafine tressaillit sous l'emprise de ses doigts. Peu importait qu'il continuât à l'appeler Izabel ; ses iris restaient dorés, sa peau, froide comme la glace. Elle était l'une des leurs ; elle était Ténèbres.

— Il a le pouvoir d'aider Lena, insista-t-elle.

Ainsi que moi. Voilà ce qu'elle tut, quand bien même elle désirait le dire à John. Ce dernier était en proie à une telle colère qu'il ne se rendit pas compte que les traits de sa femme s'étaient affaissés.

— Tu n'en as aucune idée, objecta-t-il. Nous ne savons même pas si Lena est une Élue.

Sarafine sentit une émotion monter en elle, pareille à la crête d'une vague. Elle n'en identifia pas la nature – la fureur. Les voix, si : « Il n'a pas confiance en toi. Il te prend pour l'une des leurs. » Elle tenta de les repousser et de se concentrer sur John.

— Lorsqu'elle pleure, il pleut. N'est-ce pas une preuve suffisante à tes yeux ?

La lâchant, son époux passa une main dans ses cheveux.

— Ce type est un monstre, Izabel. J'ignore ce qu'il te veut, mais il joue avec tes peurs. Il ne faut plus que tu le revoies.

L'affolement s'empara d'elle. Elle était convaincue qu'Abraham ne mentait pas à propos de Lena. John n'avait pas lu la prophétie. Par ailleurs, s'il lui interdisait de fréquenter Abraham, elle ne serait plus en mesure de contrôler les voix.

— Promets-le-moi, Izabel, la supplia-t-il en la fixant avec gravité.

Comment l'amener à comprendre ?

— Mais John...

Il l'interrompit :

— J'ignore si c'est ta tête ou tes nerfs qui te lâchent, mais sache que si tu t'approches de nouveau d'Abraham Ravenwood, je te quitterai. Et j'emmènerai Lena avec moi.

— Pardon ?

Elle n'en croyait pas ses oreilles.

— Pour peu qu'il dise la vérité, et que Lena ait effectivement le choix, elle optera pour la Lumière. Je ne permettrai jamais aux Ténèbres d'entrer dans sa vie. Tu luttes contre toi-même, j'en ai conscience. Mais tu disparais toute la journée et, quand tu es à la maison, tu es distraite, ailleurs.

Était-ce vrai ? L'avait-il repéré sur son visage ?

— Il est de mon devoir de protéger Lena, poursuivait-il. Même si c'est de toi.

Il aimait leur fille plus qu'elle-même.

Il était prêt à s'en aller avec Lena.

Or, un jour, celle-ci s'Appellerait. John veillerait alors à ce qu'elle se détache de sa mère.

Un déclic se produisit en Sarafine, pareil à deux pièces d'un outil qui s'emboîteraient. Sa rage retombait sur elle, à présent, l'écrasant sous son poids, la noyant littéralement. Et une voix braillait. « Brûle ! »

Les rideaux s'embrasèrent, expédiant leurs flammes sur le mur, dans le dos de John. La fumée envahit le salon, noire et sourde, ombre vivante qui respirait de son propre souffle. L'incendie contamina le sol dans un bruit fracassant et forma un cercle de feu parfait autour de John, suivant un chemin invisible, sauf aux yeux de Sarafine.

— Arrête, Izabel ! cria son époux, la voix déformée par le rugissement du sinistre.

Que lui reprochait-il ?

— Comment as-tu pu me tromper ainsi ? hurla-t-il. Je t'ai épaulée, y compris après que tu as eu viré.

« Après que tu as eu viré. »

Il la considérait entièrement comme Ténèbres.

Et ce, depuis le début.

Elle le contempla à travers le nuage de fumée qui envahissait rapidement la pièce. Elle observa les flammes avec détachement. Elle n'était pas chez elle, elle n'était pas témoin de son mari sur le point d'être brûlé vif. Il ne ressemblait pas à l'homme qu'elle aimait. Ni même à un homme qu'elle aurait pu aimer.

« C'est un traître. » La voix était d'une limpidité absolue, maintenant, et il n'y en avait qu'une. Sarafine l'identifia aussitôt.

C'était la sienne.

Avant qu'elle ne quittât la maison et le brasier, son existence et ses souvenirs qui avaient déjà commencé à s'estomper, elle se rappela une phrase que John lui avait murmurée à maintes reprises. Elle planta ses prunelles dorées dans celles, vertes, de son mari et la lui répéta :

— Je t'aimerai jusqu'au lendemain de toujours.

Lena est tombée à genoux en sanglotant.

Je l'ai enveloppée de mes bras, sans prononcer un mot cependant. Elle venait d'assister au meurtre de son père par sa mère, laquelle l'avait également laissée pour morte.

Que pouvait-on dire face à cela ?

13 décembre
Le verdict

Quelques heures plus tard, Lena m'a réveillé en me secouant.

Debout ! Il faut que tu te lèves, Ethan...

Je me suis assis avec brusquerie.

— Ça va ! Je suis réveillé !

J'ai regardé autour de moi, perdu. En effet, ce n'était pas ma petite amie qui m'avait secoué, mais Liv. Pourtant, les échos de la voix de Lena retentissaient encore dans mon cerveau.

— C'est moi, Liv. S'il te plaît, réveille-toi, Ethan.

— Est-ce un songe ? ai-je marmonné en la contemplant à travers mes paupières à demi entrouvertes.

— Je crains que non, a-t-elle répondu en fronçant les sourcils. Nous sommes en pleine réalité.

Je me suis ébouriffé les cheveux, encore dans les vapes. Dehors, la nuit était d'encre, et je ne me souvenais pas d'avoir rêvé. Je ne me rappelais que les intonations pressantes de Lena.

— Que se passe-t-il ?

— Marian a disparu. Viens.

Les choses se sont lentement mises en place. J'étais dans ma chambre. Liv également. Je ne rêvais pas. Ce qui signifiait que…

— Un instant. Comment es-tu entrée ici ?

Elle a semblé gênée.

— Je me suis débrouillée.

D'un geste, elle a indiqué la ceinture scorpion autour de sa taille, avant de jeter un coup d'œil derrière elle. Un Incube était assis dans un coin de la pièce.

Génial !

Ramassant mon jean qui traînait par terre, John me l'a balancé.

— Grouille, boy-scout !

Pour un gars qui n'avait pas besoin de dormir, il était aussi ronchon que moi, à cette heure indue.

En rougissant, Liv s'est détournée. Quelques secondes après, j'ai perçu le bruit de déchirure qui m'était devenu si familier. Sauf que, pour la première fois, j'étais directement concerné.

— Où sommes-nous ?

D'abord, personne n'a répondu. Puis la voix de John a résonné dans l'obscurité :

— Aucune idée.

— Tu ne sais pas où tu atterris quand tu déchires le ciel ? Je croyais pourtant que ça fonctionnait comme ça ?

— C'est ainsi que les Mortels désignent le fait de Voyager ? a-t-il rétorqué sur le ton agacé auquel je m'étais désormais habitué. « Déchirer le ciel » ? Normalement, si.

La pénombre bougeait. Je me suis frotté les yeux, afin de la scruter. J'ai tendu une main… sans rien rencontrer, cependant.

— Normalement ?

— J'ai suivi le signal.

— Lequel ?

Peu à peu, ma vision s'est ajustée des ténèbres du Voyage à celles où il nous avait conduits. Au fur et à mesure que les ombres passaient d'un noir d'encre à un gris, je me suis aperçu que nous étions entassés dans un endroit exigu.

— Un *Ad Auxilium Concitatio*, m'a expliqué Liv avec un regard à l'adresse de John. Il s'agit d'un antique sortilège d'orientation. Une sorte de SOS magique, si tu préfères. Sauf que, *a priori*, seul un Chiffreur est capable de le détecter.

John a haussé les épaules.

— J'en ai fréquenté un, une fois, à l'Exil, avec Rid et...

Il s'est interrompu. Mais nous avions compris de qui il parlait.

— Bref, a-t-il conclu, j'ai récolté quelque talent en matière de Chiffre.

Des Chiffreurs ? J'ai secoué la tête avec résignation. Il y avait tant d'éléments de l'univers de Lena qui m'échapperaient toujours, quels que soient les efforts que je déploie pour tenter de me mettre au parfum.

— Tu es un type bien pratique, ai-je lâché, contrarié.

— Qui a émis le signal ? a demandé Liv.

— Moi.

Lena se tenait dans l'obscurité, derrière nous. Je distinguais à peine son visage, mais ses yeux, vert et doré, luisaient. Elle s'est tournée vers John.

— J'espérais bien que tu l'intercepterais.

— Heureux d'être utile à quelque chose.

— La Garde Suprême est en train de juger Marian pour haute trahison, a-t-elle poursuivi sur un ton las. En ce moment même. Oncle Macon s'y est rendu. Il a refusé que je l'accompagne. D'après lui, c'est trop risqué.

Marian au tribunal. Ainsi, ça se produisait réellement, comme je le craignais depuis le jour où Liv et moi avions découvert la *Temporis Porta*. Les doutes, la panique, la sensation d'une erreur judiciaire, tout cela m'a rattrapé comme un raz-de-marée, manquant de me faire perdre l'équilibre. J'ai eu l'impression de me noyer. Ou de tomber.

— Ne te bile pas, a tenté de me rassurer Liv. Je suis sûre qu'elle va bien. Cette histoire est entièrement ma faute, pas la sienne. Tôt ou tard, le Conseil sera forcé de l'admettre.

— *Ignis*, a décrété John en levant une main.

Une flamme jaune et chaude a surgi au milieu de sa paume.

— Encore un tour de passe-passe destiné à amuser la galerie ? ai-je lancé.

— Le feu n'a jamais été mon truc, a-t-il lâché avec dédain. J'imagine que j'ai dû choper ça à force de traîner avec Lena.

D'ordinaire, je lui aurais flanqué mon poing dans la figure. Du moins, j'en aurais eu envie. Lena m'a serré les doigts.

— Ces derniers temps, a-t-elle dit, je ne suis même pas capable d'allumer une bougie sans incendier toute la pièce.

De la lumière a inondé les lieux, me privant de l'occasion de coller une baffe à John, car j'ai soudain découvert où nous étions. Enfin, j'ai reconnu l'endroit : de l'autre côté de la resserre, dix pieds sous la cuisine de ma propre maison.

Attrapant le vieux fanal, je me suis enfoncé vivement dans le souterrain décrépi, en direction de la trappe au plafond que personne n'ouvrait plus et des antiques portes qui m'attendaient.

— Attends ! a crié John dans mon dos. Tu ne sais même pas où aboutit ce tunnel.

— Si, si, lui a répondu Liv. Il en a une idée très juste.

Leurs pas ont résonné derrière moi, m'incitant juste à accélérer.

Je me suis mis à tambouriner sur la *Temporis Porta* sitôt que je l'ai eu atteinte. Cette fois, cependant, elle ne s'est pas ouverte. Des échardes se sont plantées dans ma peau, ce qui ne m'a pas empêché de continuer à taper sur le bois massif.

Rien de ce que j'ai essayé n'a fonctionné.

— Tante Marian, ai-je chuchoté, la tête contre le battant, je suis ici. J'arrive !

Lena m'a rejoint.

Elle ne t'entend pas, Ethan.

J'en ai hélas conscience.

M'écartant, John a effleuré la surface du battant, avant de retirer sa paume comme s'il s'était brûlé.

— Voilà un sacré sortilège, a-t-il marmonné.

Liv lui a pris la main, laquelle n'était pourtant nullement boursouflée.

— Je ne pense pas que nous soyons en mesure d'influencer ces portes, à moins qu'elles acceptent de s'ouvrir d'elles-mêmes.

Évocation de ce qui s'était produit la dernière fois, et rien que pour moi. Sauf que là, le charme ne fonctionnait plus, apparemment. Liv a entrepris d'examiner les montants du portail, là où les sculptures étaient le plus visibles.

— Il y a forcément un moyen d'y parvenir, ai-je râlé en me ruant sur les épaisses planches gravées (sans résultat). Du moins, il faut que nous en trouvions un. Qui sait ce qu'ils sont susceptibles d'infliger à Marian ?

— Je n'ose y songer, a murmuré Liv en détournant la tête. Mais nous ne l'aiderons pas tant que nous ne serons pas entrés. Donnez-moi une minute.

De son sac à dos en cuir usé, elle a tiré son calepin rouge.

— Depuis que nous sommes tombés dessus, j'ai bossé sur ces symboles.

— Ah oui ? a demandé Lena en me lançant un coup d'œil lourd de sens.

— Ethan ne t'en a pas parlé ? a répondu l'Anglaise sans même relever la tête. Il a découvert ces portes il y a quelques semaines. Elles l'ont autorisé à les franchir, pas moi. Il ne m'a d'ailleurs pas dit grand-chose de ce qu'il avait vu de l'autre côté. Malgré tout, j'ai étudié ces signes.

— Quand exactement est-ce arrivé ? a insisté Lena.

— Je ne m'en souviens pas.

Ethan ?

Ce n'est rien de très important. Je comptais te mettre au courant le soir où nous sommes allés au cinéma, mais tu étais déjà furieuse que j'aie invité Liv à la soirée de Savannah.

De mystérieux portails ? Avec ta mystérieuse amie ? Et un mystère de l'autre côté ? Voyons un peu... pour quelle raison me serais-je fâchée ?

Pardonne-moi. Et puis, ce n'est pas comme si tu te faisais du mouron par rapport à Liv, hein ?

Je n'allais pas m'en tirer aussi aisément que ça. Évitant de la regarder, je me suis focalisé sur les dessins du calepin de Liv.

— Ce sont ceux-là ! me suis-je exclamé en reconnaissant les bas-reliefs.

Liv a plaqué la page sur les bas-reliefs, la déplaçant de l'un à l'autre afin de les comparer avec ses schémas.

— Tu remarques le motif récurrent à l'intérieur des trois cercles ?

— La Roue, ai-je aussitôt conclu. Tu as dit que ça représentait la Roue de Fortune.

— Certes. Mais pas seulement. À mon avis, chacun des cercles pourrait symboliser l'un des trois Gardiens. Ceux du Conseil de la Garde Suprême.

— Ceux qui ont déboulé aux archives ? s'est enquise Lena.

— Oui, a acquiescé Liv. J'ai lu tout ce que j'arrivais à dénicher au sujet de ces Gardiens légendaires. Ce qui ne fait pas bésef, en vérité. D'après ce que j'ai réussi à piger, ce sont bien eux.

J'ai réfléchi un instant.

— Ça paraît logique, ai-je ensuite murmuré. Ce portail m'a amené à la Garde Suprême.

— Par conséquent, tu en déduis que ces trois signes représentent les trois monstres qui en voulaient à Liv ? a lancé John.

— Et à Marian, oui.

Qu'il ait paru plus soucieux de Liv que de Marian ne m'a pas étonné ; néanmoins, ça m'a rendu furax. Comme tout ce qui sortait de sa bouche, d'ailleurs. Ignorant la tension, Liv a désigné le premier cercle, celui qui comportait le moins de rayons.

— Je pense que celui-ci incarne le présent, a-t-elle diagnostiqué. Quant à celui-là, a-t-elle ajouté en montrant le suivant, qui avait le plus de rayons, il est là pour ce qui a eu lieu, le passé.

— Qu'en est-il de celui-ci, alors ? a demandé John en pointant du doigt le dernier, vide.

— Ce qui ne sera jamais ou ce qui sera toujours, a expliqué Liv en suivant le dessin de l'index. Autrement dit, l'avenir.

— En admettant que notre raisonnement se tienne, suis-je intervenu, à quel Gardien faut-il attribuer quelle roue ?

— Pour moi, a lancé Lena qui étudiait celle qui avait le plus de rayons, celle-ci est le costaud. Le passé. Il portait un sablier vide.

— Je suis d'accord, a opiné Liv.

Levant la main, j'ai effleuré les symboles ronds. Durs et froids, ils se distinguaient étrangement des battants en bois. J'ai promené mes doigts sur le cercle vide.

— La femme, ai-je marmonné. Celle qui a tout d'une albinos. Elle est ce qui ne s'est pas produit. Le futur. Elle n'est rien. Rappelez-vous, on la distinguait à peine.

— Ce qui ferait du dernier le type de grande taille, a renchéri Liv.

La lumière a vacillé quand John a sursauté.

— Tout ça, ce sont des âneries, a-t-il ronchonné. Ce qui sera ? Ce qui ne sera pas ? Vous délirez ?

— Ce qui sera et ce qui ne sera pas sont deux choses également envisageables ou inenvisageables, a répliqué Liv. J'imagine qu'on pourrait les résumer par l'expression « absence d'histoire », l'endroit que les *Chroniques des Enchanteurs* ne sont pas en mesure de rapporter. Il est impossible de raconter l'histoire de ce qui n'a pas encore eu lieu ni de l'archiver. C'est le degré zéro de la Garde.

Elle s'était exprimée sur un ton rêveur, ce qui m'a amené à m'interroger sur ce qu'elle savait des *Chroniques des Enchanteurs*.

— Les chroniques ? a réagi John en faisant passer la lanterne d'une main à l'autre.

— Il s'agit d'un livre, a expliqué Lena sans quitter les portes des yeux. Les Gardiens sont venus avec quand ils ont rendu visite à Marian, à la bibliothèque.

— Ah bon. Alors, puisqu'on parle du futur, pourquoi ne pas l'appeler comme ça, tout bêtement ?

— On pourrait, a acquiescé Liv, mais n'oublie pas qu'il n'est pas seulement question de l'avenir des Mortels. Cela concerne aussi les Enchanteurs. Le royaume inconnu, là où le monde des Démons côtoie le nôtre.

— Le monde des Démons ? ai-je répété en tressaillant, conscient qu'il était temps que je mentionne ma rencontre avec la Lilum. Je sais où c'est. Enfin, plus exactement, je connais la Lilum. La Reine des Démons.

Liv a pâli, mais c'est John qui a eu la réaction la plus violente.

— Hein ? s'est-il écrié. Qu'est-ce que tu dis ?

— La Lilum...

— Elle n'est pas ici, m'a coupé Liv. Sa présence signifierait l'anéantissement de l'existence elle-même.

— Quel rapport avec elle ?

— « Elle » ? C'est donc elle à qui tu faisais allusion l'autre jour ? Celle qui t'a parlé de la Dix-huitième Lune était la Lilum ?

Rien qu'à mon expression, Liv a deviné qu'elle avait vu juste.

— Formidable, a maugréé John.

— Où est cet endroit, Ethan ? a repris Liv.

Rigide, elle a fermé les yeux, ce qui m'a laissé entendre qu'elle savait ce que j'allais répondre.

— Je n'en suis pas certain, mais je suis en mesure de le découvrir. Je suis le Pilote. La Lilum me l'a précisé également.

De nouveau, j'ai effleuré les cercles, promenant mes paumes sur le bois rugueux. « Le passé. Le présent. L'avenir qui sera, et celui qui ne sera pas », ai-je songé.

« Le chemin. »

Sous mes doigts, les battants se sont mis à vibrer. Paupières closes, j'ai encore une fois touché les cercles sculptés.

— La Lilum t'a vraiment dit ça ? a murmuré Liv, blême à présent.

Lorsque j'ai rouvert les yeux, tout était devenu clair.

— Quand tu contemples ce portail, tu vois un portail, n'est-ce pas ? ai-je demandé.

Elle a hoché la tête.

— Moi, ai-je alors poursuivi en me tournant vers elle, je discerne un passage.

En effet. La *Temporis Porta* était en train de céder devant moi. La matière s'est transformée en une brume dans laquelle j'ai pu enfoncer mon bras. Au-delà, je distinguais un sentier qui s'enfonçait dans le lointain.

— Venez, ai-je ordonné.

— Où ? s'est enquise Liv en attrapant ma manche.

— Chercher Marian et Macon.

Cette fois, je me suis assuré que je tenais Liv et Lena avant de franchir le seuil magique. Liv a saisi la main de John.

— Accrochez-vous !

Respirant un bon coup, j'ai plongé dans le brouillard...

13 décembre
Perfidia

Nous étions coincés dans une foule habillée de grands manteaux qui nous écrasait presque. Moi seul étais assez grand pour voir par-dessus la marée, ce qui n'avait guère d'importance de toute façon, puisque je savais où nous étions.

Ça ressemblait à un procès en cours ou à quelque chose qui s'y apparentait. Son crayon se déplaçant à toute vitesse sur les pages de son calepin rouge, Liv tâchait de ne pas perdre une miette des paroles qui volaient alentour.

— *Perfidia*, a-t-elle murmuré. Le mot latin pour « trahison ». Marian va être jugée pour haute trahison.

Elle était pâle, et je percevais à peine sa voix, noyée par les clameurs de l'assemblée.

— Je connais cet endroit, ai-je répondu.

Les vastes fenêtres aux lourdes tentures dorées, les bancs en bois. Tout était identique à ce que j'avais découvert lors de ma première visite : le vacarme émis par les badauds, les murs de pierre, les poutres du plafond, si haut qu'il paraissait infini. J'agrippais la main de Lena tout en me frayant un passage vers le devant de la salle, juste sous le balcon désert. Derrière nous, Liv et John suivaient.

— Où est Marian ? a demandé Lena, au bord de l'affolement. Et oncle Macon ? Je ne vois rien, avec tout ce peuple.

— Ça ne me plaît pas, a marmonné Liv. J'ai l'impression qu'un truc cloche.

Moi aussi.

C'était la même immense pièce que la dernière fois, celle qui m'avait alors semblé avoir des allures de château médiéval européen, à l'instar de l'illustration d'un manuel d'histoire que, apparemment, nous n'ouvrions jamais à Jackson. J'avais pensé, sur le coup, à une cathédrale ou au ventre d'un bateau. À un lieu qui vous transportait ailleurs, que ce soit au-delà des mers ou au paradis à propos duquel les Sœurs ne cessaient de jacasser.

Un changement s'était produit, cependant. Même si j'ignorais où cette salle se trouvait, et même si les personnes présentes – Enchanteurs, Mortels, Gardiens, qui que ce fût – étaient revêtues de leurs longs manteaux sombres, tous ces gens m'évoquaient des badauds banals. Ils avaient beau être entassés sur les stalles qui entouraient toute la pièce, ils auraient tout aussi bien pu être assis dans le gymnase du lycée, guettant le commencement du conseil de discipline. Que ce soit sur ces bancs ou sur des gradins, ils voulaient tous une seule et même chose. Un spectacle.

Pire encore, ils voulaient du sang.

Un bouc émissaire à punir.

On aurait dit le procès du siècle ; on aurait dit une masse de journalistes faisant le pied de grue devant la prison centrale de Caroline du Sud, à Columbia, parce qu'un condamné à mort était sur le point de recevoir une injection létale. Aucune chaîne de télévision, aucun journal ne ratait les exécutions. Quelques opposants à la peine de mort protestaient, mais ils avaient l'air d'avoir été trimballés là en bus pour la journée. Les autres retenaient leur souffle,

impatients d'assister au drame. Ce n'était guère différent des sorcières de Salem brûlées vives.

Une vague a poussé la foule agitée en avant, exactement comme je m'y attendais ; un marteau a retenti.

— *Silentium !*

C'est parti.

Lena s'est accrochée à mon bras.

— J'ai aperçu Macon, a dit Liv en désignant l'extrémité opposée de la salle.

— Aucune trace de Marian, en revanche, a grommelé John en inspectant les alentours.

Elle n'est peut-être pas ici, Ethan ?

Oh que si !

Forcément, puisque je savais ce qui allait se dérouler. Je me suis obligé à lever les yeux vers la mezzanine.

Regarde…

Du doigt, j'ai montré Marian, cachée sous le capuchon de son manteau, les poignets liés par un cordon doré. Debout sur le balcon, elle dominait la cohue, à l'instar de ce à quoi j'avais déjà assisté. Le grand Gardien qui s'était présenté aux archives la flanquait.

Le public n'avait pas renoncé à chuchoter. J'ai jeté un coup d'œil à Liv, qui m'a traduit leurs paroles.

— Il est le Gardien du Conseil. Il s'apprête à…

Elle s'est tue, les yeux écarquillés d'horreur.

— Ce n'est pas un procès, Ethan ! C'est l'énoncé de la sentence.

L'homme a entamé un discours en latin mais, cette fois, je n'ai pas cherché à le comprendre avant qu'il ne le répète en langue vulgaire – Marian avait été jugée coupable de haute trahison. Écoutant sans écouter, j'ai fixé ma bibliothécaire préférée.

— Le Conseil de la Garde Suprême, qui ne rend de compte qu'à l'Ordre des Choses et à nul homme, nulle créature, nul pouvoir issu de la Lumière ou des Ténèbres, déclare Marian de la Garde Occidentale coupable de trahison.

La suite m'est revenue d'elle-même :

— Telles sont les conséquences de sa passivité. Conséquences pour lesquelles elle sera châtiée. La Gardienne, bien que Mortelle, sera rendue au Feu Ténébreux, source de tous les pouvoirs.

J'aurais pu tout aussi bien être celui qu'on condamnait à mort. Une vague de souffrance m'a secoué tout entier. La capuche a été ôtée de son crâne rasé. J'ai plongé mes prunelles dans les siennes, creusées de cernes profonds, comme si elle avait été blessée. Impossible de définir si c'était d'une douleur physique ou mentale, voire Mortelle. Je penchais pour quelque chose de pire encore.

J'étais le seul à être préparé à cette sentence. Liv a éclaté en sanglots ; Lena a titubé, m'obligeant à la retenir par le bras. Il n'y a eu que John pour encaisser la nouvelle sans broncher, poings dans les poches.

De nouveau, la voix du Gardien du Conseil a résonné à travers la salle :

— L'Ordre a été rompu. Jusqu'à ce que l'Ordre Nouveau soit instauré, l'Ancienne Loi devra être observée, et le prix de la trahison, payé.

— Quel mélodrame de cour ! Si je ne te connaissais pas aussi bien, Angelus, je pourrais croire que tu concours afin d'obtenir une lucarne sur une chaîne câblée.

Macon ! Son interpellation a supplanté les bruits de la foule. Je n'ai toutefois pas réussi à le repérer.

— Ta légèreté de Mortel souille ces lieux sacrés, Macon Ravenwood.

— Ma légèreté de Mortel t'échappe, Angelus. Et je t'avais averti que je ne tolérerais pas pareil simulacre de justice.

— Tu n'as aucun pouvoir, ici ! s'est époumoné l'autre.

— Et toi, tu n'as aucune raison de considérer une Mortelle comme coupable de trahison envers l'Ordre.

— La Gardienne appartient aux deux mondes. La Gardienne connaissait le prix à payer. La Gardienne a choisi d'autoriser la destruction de l'Ordre.

— La Gardienne est une Mortelle. Elle s'appelle Marian Ashcroft. Elle a déjà été condamnée à mort, comme tout Mortel. Elle subira sa sentence d'ici quarante ou cinquante ans. De la manière réservée à son espèce.

— Cette affaire ne te concerne pas, a objecté le Gardien du Conseil, dont la voix a forci, cependant que l'assistance s'agitait.

— Elle est faible, Angelus. Elle est dénuée de pouvoirs, incapable de se protéger. On ne punit pas un enfant qui s'est mouillé sous la pluie.

— Qu'est-ce à dire ?

— « La seule chose qui ne souffre pas la règle de la majorité, c'est la conscience d'un homme. »

Harper Lee. Si je me trompais toujours quand il s'agissait d'identifier les auteurs que citait Marian, je me rappelais cette phrase, piochée dans *Ne tirez pas sur l'oiseau moqueur*, que nous avions étudié en littérature, l'année précédente. Ma mère aussi me l'avait plus d'une fois servie.

Tête inclinée vers Liv, John lui murmurait à l'oreille. Lorsqu'il a remarqué que je l'avais vu, il s'est arrêté.

— Ce sont des conneries, a-t-il lâché.

Une fois n'est pas coutume, j'étais d'accord avec lui.

— Quand bien même, nous sommes impuissants à les empêcher.

— Quelle idée !

Il avait du mal à piger, apparemment.

— Je sais comment ça va se terminer, ai-je soufflé, accablé. Ils l'ont jugée coupable. Elle va être renvoyée au Feu Ténébreux ou à tout ce qui arrive après. Nous ne pouvons rien pour elle. Je suis déjà venu ici.

— Ah ouais ? Ben, pas moi.

John a avancé tout en applaudissant d'une façon outrée. Aussitôt, un silence de plomb est tombé sur la salle. Il a serré l'épaule de Lena au passage.

— Eh bien, s'est-il exclamé, tout ceci n'est-il pas complètement naze ?

Il s'est frayé un chemin jusqu'à l'avant du drôle de tribunal, rejoignant Macon, que j'apercevais enfin. Il a levé la main, comme s'il attendait que Macon lui en tape cinq.

— Bien essayé, mon vieux.

Macon a été surpris, mais il s'est exécuté. Sa manchette était basse sur ses doigts, comme si sa chemise était beaucoup trop longue pour lui.

Que se passe-t-il, L ?

Je n'en sais rien.

Les cheveux de Lena ont commencé à se recroqueviller. J'ai humé une faible odeur de fumée.

Qu'est-ce que tu fiches ?

Qu'est-ce que lui *fiche, plutôt !*

John a lentement ondulé en direction du Gardien du Conseil, qui détenait Marian, sur la mezzanine.

— Je commence à penser que tu n'as pas vraiment écouté ce charmant ancien Incube, mon frère de sang, l'a-t-il apostrophé.

Il a bondi sur une stalle, en éjectant l'un des spectateurs.

— Tu n'es personne pour t'exprimer ainsi, engeance d'Abraham. Sache que les *Chroniques des Enchanteurs* ne te sont guère favorables, bébé éprouvette.

— Je n'y compte pas. Depuis quand m'est-on favorable ? Je suis un pauvre type. D'un autre côté, toi aussi, en quelque sorte.

John a sauté par-dessus le banc, manquant de peu le bas du balcon. Ses pieds se sont agités d'avant en arrière. Derrière nous, les lourdes tentures dorées se sont soudain embrasées. L'Incube a flanqué un coup dans la tête d'un chauve tatoué. J'ai reconnu la marque d'un Enchanteur des Ténèbres.

John avait maintenant gagné la mezzanine. Il s'est glissé entre Marian et le Gardien du Conseil, passant un bras autour de leur cou.

— Angelus… Car c'est bien comme ça que tu t'appelles, n'est-ce pas ? Drôle de prénom, si tu veux mon avis. Bref, laisse-moi t'expliquer. Mon amie Lena, là-bas, est une Élue.

Autour de nous, la rumeur a repris, et la cohue s'est ouverte, les gens s'écartant de Lena.

— Et si tu leur montrais ? lui a lancé John.

Elle lui a souri, et les rideaux les plus proches de l'autel ont pris feu. La fumée était de plus en plus dense, dans la salle.

— Quant à Macon Ravenwood, il est… zarbi. Bon, d'accord, j'ignore ce qu'il est précisément. C'est une longue histoire. Qui implique une sphère, du feu, et de très, très vilains Enchanteurs… Mais j'imagine que tu as déjà tout lu à ce sujet, hein ? Dans ton petit bouquin de parfait espion Enchanteur.

Je n'aurais su dire qui de Marian ou d'Angelus était le plus ébahi.

— Revenons à Macon, a poursuivi John. Un type puissant. Il aime notamment ce petit tour de passe-passe. Allons, Macon, ne soyez pas timide.

L'interpellé a fermé les paupières, et une lueur verte a jailli de son corps. L'assemblée a voulu se ruer vers les murs, mais il y avait trop de fumée.

— Et puis, a enchaîné l'Incube avec un grand sourire, il y a moi. Je ne suis pas un Élu. Ni ce que Macon est. Il se trouve cependant que je les ai touchés tous les deux. Si bien que, maintenant, je suis en mesure d'agir exactement comme eux. C'est mon truc, si tu préfères. Je te parie que ton petit livre minable ne mentionne pas d'Enchanteurs de mon acabit, hein ?

Le Gardien a tenté de s'éloigner, mais John l'a serré contre lui avec force.

— Alors, Angelus, si toi et moi nous nous amusions un peu tous les deux, afin de voir ce que tu sais faire ?

Furieux, l'homme a reculé. Levant la main, il a tendu les doigts vers John. Ce dernier l'a imité à la perfection.

Un éclair lumineux a explosé, pareil à de la foudre...

Nous étions revenus de l'autre côté de la *Temporis Porta*. Tous.

Y compris Marian.

13 décembre
Le lendemain de toujours

— Est-ce que c'était réel ? a soufflé Lena.

J'ai désigné les portes : de la fumée se glissait dessous. Puis, attrapant Marian, je l'ai enlacée, cependant que Liv faisait pareil au même instant. Gêné, je me suis reculé, et Lena en a profité pour me remplacer.

— Merci, a murmuré la bibliothécaire.

Macon a abattu sa main sur le bras de John.

— Je ne parviens pas à décider si vous avez agi par pure et brillante abnégation ou si c'était une simple tentative pour vous emparer de tous nos pouvoirs.

— J'ai remarqué que vous aviez pris soin de cacher votre peau, a riposté John avec indifférence.

Je me suis souvenu de la manche de Macon qui tombait sur sa main.

— Vous n'êtes pas encore tout à fait prêt à partager mes dons. Quoi qu'il en soit, je vous suis grandement redevable. Vous avez fait preuve d'un courage remarquable. Je ne l'oublierai pas de sitôt.

— Allons, allons. Ces gars étaient des nuls. Il ne s'agit pas d'un exploit.

John s'est éloigné de Macon, ce qui ne m'a pas empêché de remarquer son expression de fierté. Celle qu'arborait le visage de Liv était encore plus évidente.

L'oncle de Lena a offert son bras à Marian avant de l'entraîner dans le souterrain. À l'allure à laquelle ils progressaient, la courte distance allait représenter un long cheminement.

— Ridicule ! a marmonné John.

Dans un bruit de déchirure, nous nous sommes tous volatilisés.

Quelques secondes plus tard, nous étions dans le bureau de Macon.

— De quels pouvoirs dispose Angelus ? me suis-je enquis.

Je ne m'étais pas encore remis de la scène dont je venais d'être témoin.

— Je l'ignore, m'a répondu Macon, pensif, mais il m'a paru clair qu'il ne tenait pas du tout à ce que nous l'apprenions.

— Oui. Il nous a fichus dehors à la vitesse grand V, a ronchonné John. Je n'ai même pas eu le temps de le toucher.

— Je me fais horreur, a marmotté Lena, perdue dans des réflexions très différentes. Vous croyez que j'ai incendié cette magnifique salle ancienne ?

— Non, s'est esclaffé John. C'est moi.

— Cet endroit est maléfique, a renchéri son oncle. Espérons que tu l'as réduit en cendres.

— Pourquoi cet Angelus s'est-il autant impliqué personnellement dans cette affaire ? a demandé John. Elle remplirait quoi… une page des *Chroniques des Enchanteurs* ?

— Il déteste les Mortels, a expliqué Macon en aidant Marian à s'asseoir.

Elle tremblait encore. Prenant une couverture au pied de son lit, Macon l'en a drapée. Elle avait agi pareillement avec les Sœurs, la nuit où les Ires avaient attaqué. Les mondes, celui des Enchanteurs et celui des Mortels, n'étaient plus deux univers séparés. Tout s'écroulait dans un même élan, désormais.

Il était impossible que les choses en restent là. Plus longtemps, en tout cas.

Tirant la chaise voisine de celle de Marian, Liv s'y est installée et a noué ses bras autour de sa taille. D'un geste du doigt en direction de la cheminée, Lena a allumé une flambée dont les flammes ont crépité à presque trois mètres de hauteur. Au moins, elle n'avait pas déclenché d'orage.

— Si ça se trouve, a soupiré John, il n'a pas manigancé ça tout seul, mais avec Abraham. Ce dernier n'est pas du genre à renoncer facilement.

— Intéressant, a répliqué Macon, le front plissé. Angelus et Abraham… Ces deux-là auraient un objectif commun ?

— Seriez-vous en train de suggérer que ces Gardiens sont de mèche avec Abraham ? s'est emportée Liv. Ce serait inouï, tellement mal ! C'est impensable.

— Quelqu'un a-t-il remarqué le nombre d'Enchanteurs des Ténèbres qui assistaient à cette mascarade ? a demandé John qui se réchauffait devant le feu.

— J'ai bien vu celui que tu as frappé en pleine tête, ai-je répondu en souriant.

— Je ne l'ai pas fait exprès.

— Quoi qu'il en soit, a repris Macon, mécontent, la sentence a été exprimée. Nous avons une semaine pour trouver une solution, avant que…

Nous nous sommes tous tournés vers Marian. Cette dernière était sous le choc. Les yeux clos, elle se balançait, blottie dans la couverture. À mon avis, elle revivait cette soirée cauchemardesque.

— Les hypocrites ! a marmonné Macon.

— Comment ça ? me suis-je enquis.

— J'ai ma petite idée sur ce que mijote la Garde Suprême et je ne crois pas que ça ait quoi que ce soit à voir avec le maintien de la paix. Je crains qu'ils n'aient plus les principes d'autrefois.

Il avait du mal à dissimuler sa déception. Et sa fatigue. Il avait beau faire bonne figure, il avait l'air de ne pas s'être reposé depuis des jours. Lena m'avait confirmé qu'il avait besoin de dormir, désormais. J'étais cependant surpris de constater qu'il lui fallait autant de sommeil qu'à nous autres.

— L'essentiel, a-t-il enchaîné, c'est que Marian soit avec nous, en sécurité.

Il a posé une main sur son épaule ; elle n'a pas réagi.

— Pour l'instant, ai-je tempéré.

J'avais envie de retourner de l'autre côté de la *Temporis Porta*, histoire de flanquer une rouste à tous ceux qui avaient été présents. Je ne supportais pas que Marian soit dans cet état. Macon s'est laissé tomber sur une chaise voisine de la sienne.

— Pour l'instant, a-t-il confirmé. Ce qui est notre cas à tous, ces derniers temps. Marian a été convaincue de trahison. Il faudra environ une semaine pour que la Proclamation de *Perfidia* prenne effet. Je la protégerai de toutes mes forces, Ethan. C'est plus qu'une promesse.

Liv s'est affalée sur la table, complètement désemparée.

— Si quelqu'un doit veiller à ce qu'il ne lui arrive rien, c'est moi, a-t-elle soufflé. Si je n'étais pas partie avec vous, si j'étais restée à la bibliothèque comme j'étais censée le faire…

— Hé, qui est l'Enchanteresse sentimentale, ici ? a plaisanté Lena. Tu me piques mon truc, là. Je te rappelle que tu es la blonde maligne et pleine d'entrain.

— Quelle goujaterie de ma part ! Désolée.

Liv a souri, Lena aussi, avant de glisser son bras autour de son cou, à croire qu'elles étaient les meilleures amies du monde. Ce qui était sans doute le cas, j'imagine. Après tout,

nous étions unis par ce qui menaçait nos destinées. La Dix-huitième Lune était pour très bientôt, or aucun de nous n'avait de réponse à nos questionnements. John a rejoint Liv, protecteur.

— Ce n'est pas ta faute, lui a-t-il dit en me jetant un regard mauvais. C'est la sienne.

Hum... l'amitié, ce n'était peut-être pas gagné, finalement.

— Ramenons Marian chez elle, ai-je décrété en me levant.

Pour la première fois, l'intéressée a relevé la tête.

— Je... non, a-t-elle murmuré.

D'accord. Elle refusait de dormir seule, ce qui risquait de durer. Cette nuit était la première qu'elle et Liv allaient passer ensemble sous le même toit depuis un bon moment. Ce toit était le plafond des Tunnels. Est-ce que les sortilèges de Dissimulation fonctionnaient également auprès des Gardiens ? Fonctionnaient-ils seulement, d'ailleurs ?

Il existait un endroit où nous pouvions nous réfugier, en dépit de la délitation incontrôlable de nos univers. Le lieu où tout avait commencé entre Lena et moi. Celui qui nous appartenait.

Le lendemain de la condamnation de Marian, nous y sommes retournés.

Le jardin ravagé de Greenbrier était toujours aussi carbonisé, même si l'on apercevait çà et là des taches où l'herbe s'était remise à pousser. Les minuscules brins n'étaient pas verts, cependant. Ils étaient bruns, comme la totalité du comté de Gatlin. Les murs invisibles qui défendaient Ravenwood Manor ne s'étendaient pas jusqu'ici.

Lena s'est installée sur la pierre de l'ancien foyer et m'a attiré à elle.

— Te rappelles-tu combien ce jardin était beau ?

J'ai contemplé la fille la plus jolie que j'avais jamais vue.

— Il le reste.

— T'arrive-t-il de penser à ce que ce serait si tout ceci disparaissait ? Si nous ne parvenions pas à réparer les dégâts, si un Ordre Nouveau ne remplaçait pas l'Ancien ?

Je ne songeais qu'à ça ou presque, avec la canicule, les criquets et le tarissement du lac. Quel fléau allait donc suivre ? Un déluge ?

— Je ne crois pas que ça aurait beaucoup d'importance. Nous aussi aurions disparu, sans doute, et nous ne verrions pas la différence.

— Toi comme moi avons eu droit à un aperçu suffisant de l'Autre Monde pour savoir que ce n'est pas vrai.

Elle avait conscience que je tentais de la rassurer.

— Combien de fois as-tu croisé ta mère ? a-t-elle poursuivi. Elle comprend ce qui se passe. Plus que n'importe qui d'autre, peut-être.

Que répondre à cela ? Elle avait raison. Néanmoins, il était exclu que je la laisse supporter ce fardeau seule.

— Tu n'as pas agi de façon intentionnelle, L.

— Je ne suis pas sûre que cela me rassérène. J'ai quand même détruit le monde.

Je l'ai attirée à moi, sentant les douces pulsations de son cœur contre le mien.

— Il n'est pas détruit. Pas encore.

Elle jouait avec l'herbe sèche.

— Ce qui n'empêchera pas une vie de l'être, a-t-elle objecté. L'Unique en valant deux devra être sacrifié afin de créer un Ordre Nouveau.

Ni elle ni moi n'étions en mesure d'oublier cela, bien que nous n'ayons toujours pas découvert l'identité de la personne concernée. Or si la Dix-huitième Lune était vraiment celle de John, il ne nous restait que cinq jours pour l'identifier. La vie de Marian, notre vie à tous étaient en danger.

Lui.

Elle.

Ça pouvait être n'importe qui.

Qui que ce fût, je me suis demandé ce que cette personne était en train de faire ; si elle se doutait de quoi que ce soit. Elle ne s'inquiétait pas du tout, peut-être. Si ça se trouve, elle ne verrait rien venir.

— Ne te bile pas. John nous a gagné un peu de temps. Nous finirons bien par tomber sur une solution.

Elle a souri.

— J'ai apprécié de le voir agir pour nous et non contre nous.

— Ouais. Si c'était bien le cas, cependant.

J'ignore pourquoi, mais je ne me résolvais pas à apprécier ce mec. Même si, de son côté, Lena paraissait prête à donner sa chance à Liv.

— Comment ça ? s'est-elle agacée.

— Tu as entendu ton oncle. Et s'il profitait de l'occasion pour siphonner tous vos dons ?

— On n'en sait rien. Laissons-lui le bénéfice du doute.

— En quel honneur ? ai-je protesté, peu enclin à une telle mansuétude.

— Parce que les gens changent. Comme les choses. Tout a changé, les choses et les personnes que nous connaissions.

— Et si je te disais que je ne le veux pas ?

— Tes désirs ne comptent pas. Nous changeons, que nous le souhaitions ou pas.

— Certaines choses sont immuables, ai-je persisté. Nous ne décidons pas de la façon dont fonctionne le monde. La pluie tombe du ciel, elle ne monte pas de la terre. Le soleil se lève à l'est et se couche à l'ouest. Il en va ainsi. Pourquoi ce concept vous est-il si difficile à saisir, à vous autres Enchanteurs ?

— Sûrement parce que nous sommes des espèces de monstres souhaitant tout contrôler ?

— Vraiment ?

Ses cheveux ont bouclé.

— Il est difficile de résister à l'envie de faire quelque chose quand on en est capable. Et, dans ma famille, il y a très peu de choses dont nous ne soyons capables.

— Ah ouais ?

Je l'ai embrassée.

— Tais-toi, a-t-elle murmuré avec un sourire.

— Et ça, est-ce dur d'y résister ?

J'ai déposé un baiser sur son cou ; sur son oreille ; sur ses lèvres.

— Et ça ?

Elle a ouvert la bouche afin de protester, mais aucun son n'en est sorti. Nous nous sommes embrassés jusqu'à ce que mon cœur flanche. Même alors, je crois que je ne me serais pas arrêté.

Si je n'avais pas perçu un bruit de déchirure.

Le temps et l'espace se sont ouverts devant nous. J'ai distingué le bout de la canne d'Abraham Ravenwood se glisser à travers un trou du ciel, cependant que la nue se refermait brutalement derrière lui. Il était vêtu d'un costume sombre et coiffé d'un haut-de-forme en soie – on aurait dit le père d'Abraham Lincoln.

— Il m'a semblé entendre qu'on parlait de l'Ordre Nouveau, non ?

Retirant son chapeau, il en a tapoté le bord, histoire d'en chasser une poussière inexistante.

— Il s'avère que la destruction me convient parfaitement, a-t-il enchaîné. Et je ne doute pas que mon cher John partagera mon avis une fois qu'il aura réintégré le camp auquel il appartient par nature.

Je n'ai pas eu le temps de répondre, car des pas ont martelé le sol terreux. Des bottes de moto sont apparues.

— Je ne peux qu'être d'accord, a lancé Sarafine.

Elle était debout sous l'arche de pierre, ses boucles étaient aussi agitées et sauvages que celles de Lena. Bien que la température ait avoisiné les trente-sept degrés, elle portait une longue robe noire dont les pans de tissu s'entrecroisaient sur son corps. Cette tenue m'a évoqué une camisole de force.

Lena...

Si elle n'a pas répondu, j'ai perçu les battements paniqués de son cœur. Sarafine a posé sur moi ses prunelles or.

— Le monde Mortel est dans un magnifique état de destruction et de chaos, qui le mènera inexorablement à son exquise perte. Nous n'aurions pas mieux fait.

Facile à dire, dans la mesure où leur plan d'origine avait échoué.

Que Sarafine ait été ici après que nous l'avions vue abandonner la maison d'enfance de Lena en feu, avec son bébé et son mari dedans, avait quelque chose de terrifiant. Il était cependant impossible aussi d'oublier les images de la jeune fille à peine plus âgée que ne l'était Lena aujourd'hui, résistant aux forces sombres qui l'assaillaient… en vain.

J'ai aidé Lena à se remettre debout. Sa main a brûlé ma peau.

Je suis là, L. Avec toi.

Je sais.

Ses intonations étaient creuses. Sarafine lui a souri.

— Ma chère fille, endommagée et à moitié Ténèbres J'adorerais pouvoir te dire combien je suis heureuse de te revoir, mais ce serait un mensonge. Or je suis l'honnêteté incarnée.

Le visage de Lena s'était vidé de toutes ses couleurs. Elle était si immobile que je n'étais plus très certain qu'elle respirait encore.

— Alors, tu n'es rien, mère, a-t-elle riposté. Car toi comme moi savons pertinemment que tu es une menteuse invétérée.

— Dois-je te rappeler le proverbe parlant d'hôpital et de charité ? À ta place, je ne me moquerais pas, chérie. Tu es en train de me regarder d'un œil jaune.

Lena a tressailli, une bourrasque de vent a soufflé.

— C'est différent, suis-je intervenu. Lena a en elle Ténèbres *et* Lumière.

Sarafine a eu un geste impatient, comme si je n'étais qu'un insecte agaçant, un criquet essayant de fuir le soleil.

— Nous sommes tous composés de Lumière et de Ténèbres, Ethan. Tu ne l'as pas encore compris ?

Un frisson a secoué ma colonne vertébrale.

— Parle pour toi, très chère, a lancé Abraham en se penchant sur sa canne. Le cœur du vieil Incube que je suis est aussi noir que le goudron de l'enfer.

Lena se fichait du cœur d'Abraham ou du manque de cœur de sa mère.

— J'ignore ce que vous voulez, et ça m'est bien égal. Filez avant qu'oncle Macon ne devine votre présence.

— Je crains que ce ne soit pas possible, a rétorqué l'ancêtre des Ravenwood en vrillant Lena de ses yeux vides. Nous avons une affaire à régler.

Chaque fois que la voix de cet homme résonnait, une vague de fureur me submergeait. Je le haïssais pour ce qu'il avait infligé à tante Prue.

— Quel genre d'affaire ? ai-je aboyé. Raser ce qu'il reste de la ville ?

— Ne t'inquiète pas, nous y viendrons en temps et en heure.

Abraham a sorti de sa poche une montre à gousset en or et l'a consultée.

— Mais d'abord, a-t-il repris, nous devons tuer l'Unique en valant deux.

Comment a-t-il deviné qui c'était, L ?

Ne Chuchote pas. Elle capte nos échanges.

J'ai raffermi ma prise autour des doigts de Lena, tandis que ma peau se couvrait d'ampoules au contact de la sienne.

— Nous ne savons pas de quoi vous parlez.

— Ne me raconte pas d'histoires, mon garçon ! a tonné l'aïeul en pointant sa canne sur moi. Tu croyais donc que nous ne comprendrions pas ?

Sarafine avait le regard vrillé sur sa fille. Cette dernière, prisonnière d'une sorte de sortilège ténébreux qui l'avait plongée dans un état onirique, n'avait pas été consciente de leur présence lors de la Dix-septième Lune.

— C'est nous qui détenons le *Livre des lunes*, après tout.

Le tonnerre a grondé. Aussi furieuse qu'elle était, Lena ne parvenait pas à déclencher la pluie.

— Grand bien vous fasse ! Nous n'en aurons pas besoin pour instaurer l'Ordre Nouveau.

Abraham n'aimait pas être défié, surtout par une Enchanteresse à demi Lumière.

— En effet, petite. C'est de l'Unique en valant deux dont tu as besoin. Nous n'avons cependant pas l'intention de te laisser te sacrifier. Nous te tuerons d'abord.

Je me suis forcé d'évacuer mes réflexions dans un coin de mon esprit auquel Lena n'avait pas accès, car si elle percevait ce que je pensais, ce serait également le cas de Sarafine. Malheureusement, même dans cet endroit reclus, une seule idée ne cessait de vouloir s'exprimer.

Les deux Enchanteurs des Ténèbres croyaient que l'Unique en valant deux était Lena.

Et ils s'apprêtaient à l'éliminer.

J'ai voulu la repousser derrière moi. Sauf que, à l'instant où je bougeais, Abraham a brandi une main. Mes pieds ont décollé du sol, j'ai été rejeté en arrière, un étau d'acier autour du cou. Il a contracté les doigts, j'ai senti un gant invisible se refermer autour de ma gorge.

— Tu m'as causé assez d'ennuis pour pourrir deux existences, petit. J'en ai assez.

— Ethan ! a hurlé Lena. Laissez-le tranquille !

La poigne s'est resserrée, commençant à écraser ma trachée. Mon corps tressautait et tremblait, et je me suis rappelé John dont, parfois, les mouvements avaient semblé incontrôlables. Était-ce donc ça, que de se trouver sous la griffe d'Abraham Ravenwood ?

Lena s'est élancée vers moi, aussitôt arrêtée par un cercle de feu qu'un simple claquement de doigts de Sarafine avait provoqué. J'ai repensé à John, son père, debout au milieu des flammes, cependant que sa femme le regardait brûler vif.

Mais Lena a levé sa propre paume, et Sarafine a été expédiée en arrière. Elle est durement retombée par terre, a glissé plus vite que cela était humainement possible. Elle s'est relevée, a brossé sa robe de ses mains écorchées.

— On s'est entraîné, à ce que je vois, a-t-elle ricané. Mais moi aussi, figure-toi.

Dessinant la forme d'un cercle, elle a créé une seconde ronde incendiaire autour de la première.

Sauve-toi, Lena !

Privé d'air, j'ai été incapable de prononcer ce conseil, je n'ai réussi qu'à le Chuchoter.

— Il n'y aura pas d'Ordre Nouveau, a décrété Sarafine en avançant. L'univers a d'ores et déjà déversé les Ténèbres sur le monde des Mortels. Et les choses vont empirer.

Un éclair a zébré le ciel bleu. Il a frappé l'arche de pierre, l'a réduite en poussière. Les yeux jaunes de Sarafine étincelaient ; ceux, bicolores, de Lena se sont mis à luire également. Les flammes de l'anneau extérieur avaient gagné du terrain et effleuraient celles du cercle intérieur.

— Sarafine ! a crié Abraham. Assez de ces amusements ! Tue-la, sinon je m'en charge.

L'interpellée a marché sur Lena, sa robe flottant autour de ses chevilles. Les Quatre Cavaliers de l'Apocalypse n'avaient rien à lui envier. Elle incarnait la rage et la vengeance, le courroux et la méchanceté, le tout sous l'apparence de la beauté humaine dévoyée.

— C'est la dernière fois que tu me couvres de honte, a-t-elle lancé à Lena.

Le ciel s'est assombri, un épais nuage noir s'est formé. J'ai essayé d'échapper à l'étau surnaturel qui me clouait sur place ; malheureusement, dès que je bougeais, Abraham accentuait sa prise, m'étranglant un peu plus. J'avais du mal à garder les paupières ouvertes. Je clignais des yeux afin de ne pas perdre connaissance.

Lena a plongé ses mains dans le feu, et l'anneau incandescent a reculé. Si elle ne l'éteignait pas, elle était en mesure de l'orienter.

Le tourbillon noir planait au-dessus de Sarafine, la suivant pas à pas. J'ai cligné plus fort des yeux, je me suis concentré. Soudain, je me suis rendu compte qu'il ne s'agissait pas d'un signe avant-coureur de la tempête.

C'était un essaim d'Ires.

Sarafine s'est mise à parler d'une voix forte destinée à couvrir le rugissement du brasier.

— Le premier jour, il y a eu la Matière Noire ; au deuxième, un Abysse d'où, le troisième jour, est monté le Feu Ténébreux. Le quatrième, la fumée et des flammes ont engendré le Pouvoir absolu.

Elle s'est arrêtée juste devant le cercle infernal.

— Au cinquième jour, la Lilum, la Reine des Démons, est née des cendres. Au sixième, l'Ordre a été créé afin d'équilibrer l'énergie qui n'avait pas de limites.

La chaleur a roussi les pointes de ses cheveux.

— Le septième jour est apparu un ouvrage.

Le *Livre des lunes* a surgi par terre, à ses pieds. Ses pages, insensibles aux flammes, ont défilé avant de s'arrêter brusquement sur l'une d'elles. Sarafine a entonné une invocation, de mémoire :

DES VOIX DES TÉNÈBRES, JE VIENS.
DES PLAIES DES BLESSÉS, JE NAIS.
DU DÉSESPOIR QUE J'APPORTE, JE SUIS APPELÉE.
DU CŒUR DE CE LIVRE, J'ENTENDS L'APPEL.
QUAND IL CHERCHE VENGEANCE, IL OBTIENT SATISFACTION.

Elle avait à peine prononcé le dernier mot que le feu s'est séparé, ménageant un passage jusqu'au centre de l'incendie. Fermant les yeux, elle a levé les bras. Écartant les doigts, elle a projeté des étincelles. Son visage s'est toutefois tordu sous l'effet de la surprise. Un truc ne se déroulait pas normalement.

Ses pouvoirs ne fonctionnaient pas.

Les flammes ne quittaient pas le bout de ses doigts ; les étincelles ont dégringolé, incendiant sa robe.

J'ai fait appel aux dernières forces qui subsistaient en moi. J'étais au bord de l'évanouissement. Une voix a retenti dans les tréfonds de mon cerveau. Elle n'appartenait ni à Lena, ni à la Lilum, ni même à Sarafine. Elle chuchotait des paroles, encore et encore, si doucement que je ne les percevais pas.

L'étau mortel qui me tordait le cou s'est desserré. Un coup d'œil à Abraham m'a toutefois appris qu'il n'avait pas bougé la main. J'ai avalé l'air si goulûment que je me suis étranglé. Dans mon crâne, les mots ont forci.

Deux mots.

J'ATTENDS.

Alors, j'ai distingué son visage – le mien – durant une fraction de seconde. Celui de mon autre moitié, de mon Âme Fracturée. Elle s'efforçait de m'aider.

La poigne invisible a été arrachée de ma gorge, l'oxygène a déchiré mes poumons. Les traits d'Abraham ont exprimé un mélange d'étonnement, de confusion et de rage. J'ai couru en titubant vers Lena tout en essayant de reprendre haleine. Lorsque j'ai atteint la lisière de l'anneau brûlant, Sarafine était prisonnière d'un nouveau cercle. Elle agrippait l'ourlet de sa robe calcinée.

Je me suis arrêté à quelques pas. La chaleur était si intense qu'il m'était impossible d'approcher davantage. Lena faisait face à sa mère, séparée d'elle par la ronde incandescente. Ses boucles étaient également roussies par le feu, son visage était noir de suie. Le nuage d'Ires s'éloignait de sa mère, se dirigeant vers Abraham, lequel observait la scène sans cependant faire mine de secourir Sarafine.

— Aide-moi, Lena ! a crié cette dernière en tombant à genoux. Je ne voulais pas te blesser. Je ne voulais pas ceci.

Elle ressemblait de façon frappante à Izabel, le soir où elle avait été Appelée, recroquevillée aux pieds de sa mère.

— En effet, a répondu Lena, dont la figure noircie était colorée par la fureur. Tu voulais juste me tuer.

Les yeux de Sarafine coulaient sous l'effet des volutes sombres ; on aurait pu croire qu'elle pleurait.

— De mon existence, je n'ai jamais agi de ma propre volonté. On a choisi pour moi. J'ai tant lutté contre les Ténèbres ! Malheureusement, je n'étais pas assez forte. C'est toi qui étais forte. Même bébé. C'est ainsi que tu as survécu.

Elle a toussé, a tenté d'essuyer la fumée. Ses joues salies de larmes et ses yeux rougis rendaient difficile de distinguer l'or de ses iris. Un éclat de confusion a illuminé les prunelles de Lena. Sa mère était victime de la malédiction qu'elle-même redoutait depuis sa naissance, celle qui l'avait épargnée. Sarafine aurait-elle pu avoir ce destin ?

— Comment ça ? a-t-elle demandé.

— Un orage épouvantable s'est déclenché, et la pluie a éteint l'incendie. Tu t'es sauvée toute seule.

L'Enchanteresse des Ténèbres paraissait soulagée, comme si elle n'avait pas abandonné son enfant aux flammes.

— Et aujourd'hui, a craché Lena, furieuse, tu avais l'intention de terminer ce que tu avais commencé alors.

Un tison a de nouveau embrasé la robe de Sarafine. Elle l'a étouffé de sa paume nue, avant de relever la tête et de regarder sa fille droit dans les yeux.

— Je t'en supplie, a-t-elle murmuré d'une voix si rauque qu'elle était à peine perceptible. Je ne songeais pas à te faire du mal. Mon plan était seulement que lui le croie.

Allusion à Abraham, celui qui l'avait incitée aux Ténèbres, celui qui restait là sans bouger, celui qui contemplait, impassible, sa complice menacée d'être brûlée vive. Lena a secoué le menton, le visage mouillé de larmes.

— Comment veux-tu que j'aie confiance en toi ?

Malgré cette question, les flammes entre elles ont baissé d'intensité. Elle a tendu le bras. Leurs doigts n'étaient plus séparés que par quelques centimètres. J'ai distingué les brûlures sur la peau de Sarafine.

— Je t'ai toujours aimée, Lena. Tu es ma petite fille.

Celle-ci a fermé les paupières. Sarafine offrait un triste spectacle, avec ses cheveux roussis, ses cloques. Elle semblait sur le point de craquer. J'imagine que c'était encore plus dur quand elle était votre mère.

— Comme je voudrais te croire...

— Regarde-moi. Je t'aimerai jusqu'au lendemain de toujours.

Ces paroles, Sarafine les avait dites à son mari agonisant lors de la dernière vision que nous avions eue d'elle. Lena ne les avait pas oubliées, elle non plus. Une grimace de souffrance a déformé ses traits, tandis qu'elle reculait vivement.

— Tu ne m'aimes pas. Tu n'es pas capable d'aimer.

Le brasier a repris de plus belle là où, une minute auparavant, il s'était presque calmé. Il a emprisonné l'Enchanteresse des Ténèbres, consumant celle qui l'avait autrefois dominé et dont les pouvoirs étaient désormais aussi imprévisibles que ceux de ses pairs.

— Non ! a-t-elle hurlé.

— Pardonne-moi, Izabel, a chuchoté Lena.

Sarafine s'est ruée en avant, incendiant au passage la manche de sa robe.

— Sale petite garce ! Je regrette que tu n'aies pas péri dans les flammes comme ton misérable père ! Je te retrouverai dans une autre vie...

Ses cris sont montés crescendo jusqu'au moment où le brasier l'a engloutie, en quelques secondes seulement. Ils étaient pires que les piaillements à vous glacer les sangs des Ires. Ils incarnaient la douleur, la mort et le supplice. Son corps s'est écroulé, dévoré par les langues de feu qui, tel un essaim de locustes, ne laissaient rien derrière elles, sinon un mur incandescent. À ce moment-là, Lena est tombée à genoux à son tour, ses prunelles vides contemplant l'endroit où la main de sa mère avait été tendue un instant plus tôt.

Lena !

Me précipitant sur elle, je l'ai tirée loin de l'incendie. Des quintes de toux l'étouffaient, elle haletait. Abraham s'est approché, survolé par la sombre nuée d'esprits démoniaques. Serrant Lena contre moi, nous avons regardé Greenbrier être réduit en cendres pour la seconde fois. L'ancêtre des Ravenwood nous dominait, le bout de sa canne touchait presque le bout fondu de mes tennis.

— Vous connaissez le dicton, a-t-il lâché. Quand on veut que quelque chose soit bien fait, mieux vaut s'en charger en personne.

— Vous ne l'avez pas aidée ! me suis-je exclamé.

J'ignore pourquoi, d'ailleurs. Il m'était égal que Sarafine fût morte. Mais lui ? Il s'est esclaffé.

— Ça m'a épargné le souci de la tuer moi-même. Elle ne me servait plus à rien.

Sarafine avait-elle eu conscience qu'elle était loin d'être irremplaçable ? À quel point elle était dénuée de valeur aux yeux du maître qu'elle avait servi ?

— Elle était des vôtres, pourtant, ai-je objecté.

— Les Enchanteurs des Ténèbres n'ont rien de commun avec moi et mon espèce, jeune homme. Ce ne sont que des rats. Il en existe des tas d'autres susceptibles de remplacer Sarafine.

S'interrompant, il a contemplé Lena. Ses traits se sont assombris autant que ses orbites vides.

— Quand ta petite amie sera morte, me débarrasser d'eux deviendra ma priorité.

Ne l'écoute pas, L.

Mon conseil était inutile, cependant, car elle ne m'écoutait pas. Ni personne d'autre, au demeurant. Dans sa tête, elle balbutiait les mêmes mots, encore et encore.

J'ai laissé mourir ma mère.

J'ai laissé mourir ma mère.
J'ai laissé mourir ma mère.
Bien que Lena ait eu beaucoup plus de chances de résister à Abraham que moi, je me suis placé devant elle.
— Ma tante avait raison, ai-je lancé. Vous êtes le diable.
— Trop aimable de sa part. Je regrette de ne pas l'être, hélas.
L'aïeul a consulté sa montre à gousset.
— Toutefois, je connais quelques Démons. Or voilà longtemps qu'ils attendent de pouvoir rendre une petite visite à ce monde.
Il a rangé sa montre dans sa poche.
— J'ai l'impression qu'il ne vous reste plus beaucoup de temps, les enfants.

14 décembre
La porte démoniaque

Abraham a récupéré le *Livre des lunes*, dont les pages se sont remises à défiler, si vite que j'ai craint qu'elles ne se déchirent. Lorsqu'elles se sont arrêtées, il a promené son doigt sur les lignes avec respect. Ceci était sa Bible. Encadré par les volutes noires qui montaient derrière lui, il a entonné une incantation :

AUX HEURES LES PLUS SOMBRES DU SANG RÉPANDU,
DES LÉGIONS DE DÉMONS VENGERONT LES LEURS.
À DÉFAUT DE LA PORTE MARQUÉE NON TROUVÉE,
LA TERRE S'OUVRIRA POUR OFFRIR L'UN DES SIENS.

SANGUINE EFFUSO, ATRIS DIEBUS,
ORIETUR DÆMONUM LEGIO UT INTERFECTOS ULCISCATUR.
SI IANUA NOTATA INVENIRI NON POTUERIT,
TELLUS HISCAT UT DE TERRA IPSA IANUAM OFFERAT.

Pas question de rester là à attendre que nous exterminent les légions de Démons invoquées par Abraham. Les Ires me suffisaient amplement. Attrapant Lena par la main, je l'ai relevée et entraînée à toutes jambes loin du feu et du cadavre de sa mère, d'Abraham et du *Livre des lunes*, de toutes les créatures atroces auxquelles il en appelait.

— Ethan ! Tu te trompes de chemin !

Elle avait raison. Nous aurions dû courir vers Ravenwood au lieu de foncer à travers les champs de coton enchevêtrés qui avaient appartenu à Blackwell, la plantation qui avait jadis été la voisine de Greenbrier. Sauf qu'il n'y avait nulle part ailleurs où aller. Abraham nous bloquait le chemin de Ravenwood. Son sourire sadique révélait la vérité : ceci était un jeu, et il en adorait chaque mouvement.

— Nous n'avons pas le choix. Il faut que nous...

— Il y a un pépin, m'a-t-elle coupé. Je le pressens.

Au-dessus de nous, le ciel s'est assombri, et un grondement sourd a résonné. Qui n'était cependant ni le tonnerre ni les cris si particuliers des Ires.

— C'est quoi, ça ?

Je menais Lena sur la colline qui avait relié Blackwell à la route. Avant qu'elle n'ait eu le temps de répondre, le sol a commencé à bouger sous nos pieds. J'ai eu l'impression qu'il roulait, et j'ai failli perdre l'équilibre. Le bruit sourd s'est poursuivi, accompagné par de nouveaux sons : arbres fendus qui s'abattaient, symphonie étranglée de milliers de criquets, un léger craquement provenant de derrière nous.

Ou d'en dessous.

C'est Lena qui, la première, a compris.

— Mon Dieu !

La terre se fendait au beau milieu du chemin de poussière, et la fissure se dirigeait droit sur nous. Elle s'est élargie, le sol s'est écarté, engloutissant des débris comme un sable mouvant avalé par un trou.

Un séisme !

Ce qui était invraisemblable, car ce genre de phénomène ne se produisait pas ici, dans le Sud. Cela arrivait dans l'Ouest, en Californie. J'avais vu assez de films pour identifier pareille catastrophe. Le fracas était aussi épouvantable que le spectacle du terrain qui s'effondrait. Dans notre dos, l'essaim noir des Ires s'est cabré avant de foncer sur nous. La cassure du sol s'est accélérée, telle une couture se déchirant.

— Nous sommes piégés !

— Peut-être pas.

En effet, un coup d'œil sur le côté m'avait appris que La Poubelle filait sur la route en contrebas. Link conduisait comme si sa mère venait de le surprendre en train de picoler à l'église. Une créature précédait le véhicule, encore plus rapide que lui.

Boo.

Ce n'était plus le chien paresseux qui dormait au pied du lit de Lena ; c'était un chien d'Enchanteur qui ressemblait à un loup et courait plus vite qu'un loup.

— On n'y arrivera pas ! a pantelé Lena en regardant par-dessus son épaule.

Au loin, Abraham n'avait pas bougé. Les bourrasques furieuses qui soufflaient l'évitaient. Il s'est retourné afin de contempler La Poubelle. Je l'ai imité. Penché par la vitre, Link me braillait quelque chose. Je ne l'entendais pas, malheureusement. Et puis, quoi qu'il m'ait conseillé – courir, sauter, allez savoir –, je n'en avais plus le temps.

Sans mot dire, j'ai secoué la tête avant de jeter un ultime regard du côté d'Abraham. Link a fait de même.

La seconde suivante, il s'était volatilisé.

La Poubelle roulait toujours, mais plus personne n'en tenait le volant. D'un bond, Boo s'est écarté, cependant que la voiture le dépassait et ignorait le virage. Elle s'est retournée, a effectué une série de tonneaux. Le toit s'est enfoncé à l'instant même où retentissait un bruit de déchirure.

Une main a tâtonné, en quête de mon bras, et j'ai été emporté dans le néant noir qui transportait les Incubes d'un endroit à un autre. Pas la peine de le voir pour deviner que c'était mon copain qui m'enfonçait ses doigts dans la peau.

Je virevoltais toujours dans le vide lorsqu'il a lâché prise. Alors, j'ai dégringolé, le monde m'est réapparu ; des pans de ciel sombre (la nuit était tombée), des éclats bruns...

Mon dos a rebondi à plusieurs reprises sur des surfaces dures.

La nue s'éloignait, tandis que je me rapprochais du sol. Puis mon corps a heurté un obstacle solide, ma chute s'est brutalement interrompue.

Ethan !

Mon bras était coincé, la douleur irradiait jusqu'à mon épaule. J'étais coincé dans un océan de... branches longues et marron.

— Ça va, mon pote ?

Lentement, je me suis tourné en direction de la voix. Link m'observait depuis la base du tronc. Lena était à son côté, complètement paniquée.

— À ton avis ? ai-je répondu. Je suis empapaouté dans un fichu arbre !

Le soulagement a envahi les traits de Lena.

— J'ai bien l'impression que je viens de te sauver la vie grâce à mes superpouvoirs, s'est gondolé Link.

— Tu vas arriver à descendre, Ethan ? a lancé Lena.

— Oui, pas de casse, à mon avis.

Prudemment, je me suis dépêtré des branches.

— Si tu veux, je devrais réussir à te transbahuter, a proposé Link.

— Non merci, je me débrouillerai tout seul.

Je n'osais imaginer où j'allais atterrir s'il se mettait en tête de me faire Voyager une nouvelle fois.

Il m'a fallu plusieurs minutes pour regagner la terre ferme, car chaque mouvement provoquait des élancements pénibles dans tout mon corps. Dès que j'ai eu posé le pied sur le sol, Lena s'est jetée à mon cou.

— Tu n'as rien !

Inutile de mentionner que, si elle continuait à me serrer comme ça, je n'allais plus du tout aller bien. Le peu d'énergie que j'avais me désertait déjà.

— Je crois, ai-je confirmé.

— La vache, vous êtes drôlement plus lourds qu'il ne semble, vous deux ! En plus, c'était un coup d'essai. Qu'est-ce que ce sera, la prochaine fois ! Je vous ai tirés d'un sacré mauvais pas.

Link était hilare. J'ai levé le poing.

— Bien joué, mec ! Sans toi, nous serions morts.

Il a cogné ses jointures contre les miennes.

— J'imagine que je suis un héros, maintenant.

— Manquait plus que ça ! Tu vas avoir la tête encore plus grosse que tu ne l'as déjà.

Il a compris que c'était ma façon de le remercier.

— Tu es le mien, de héros, a répondu Lena en l'enlaçant.

— J'ai sacrifié La Poubelle. Elle a souffert ?

— Oui.

— Bah ! Rien qu'un peu de ruban adhésif ne pourra réparer.

— J'espère que tu en as des tonnes. Mais comment nous as-tu trouvés ?

— On raconte que les animaux ont une sorte de sixième sens qui les alerte en cas d'ouragan ou de tremblement de terre. C'est pareil pour les Incubes, apparemment.

— Le séisme, a murmuré Lena. Vous pensez qu'il a touché la ville ?

— Pour sûr, a répliqué Link. La Grand-Rue a été coupée en deux.

— Tout le monde va bien ? me suis-je enquis.

Je songeais à Amma, à mon père, à mes tantes centenaires.

— Aucune idée. Ma mère a entraîné tout un tas de gens se terrer dans l'église. Elle a mentionné la solidité des fondations, l'acier des poutres du toit et une émission qu'elle a vue à la télé.

On pouvait faire confiance à Mme Lincoln pour sauver l'ensemble de ses voisins grâce à un reportage éducatif et à son talent inné pour commander tout un chacun.

— Lorsque je suis parti, a poursuivi Link, elle beuglait au sujet de l'Apocalypse et de ses sept signes annonciateurs.

— Il faut que nous allions chez moi, ai-je décrété.

Nous n'habitions pas aussi près de l'église que les Lincoln, et j'étais à peu près certain que ma maison n'était pas conçue pour résister aux tremblements de terre.

— Impossible, a rétorqué Link. La Nationale 9 s'est écartelée juste derrière moi quand j'ai bifurqué. On va devoir passer par Son Jardin du Repos Éternel.

J'ai eu du mal à croire que mon pote était volontaire pour entrer dans un cimetière en pleine nuit, au beau milieu d'un séisme surnaturel. Lena a posé la tête sur mon épaule.

— J'ai un mauvais pressentiment, a-t-elle murmuré.

— Ah ouais ? a ricané Link. Figure-toi que j'en ai un aussi, et ce, depuis que je suis revenu du Pays Imaginaire, transformé en Incube.

Son Jardin du Repos Éternel n'avait rien de très reposant quand nous y sommes entrés. Malgré les croix lumineuses, l'obscurité était telle que j'y voyais à peine. Les criquets stridulaient comme des fous, au point qu'on se serait cru au milieu d'un nid de guêpes. Un éclair a fendu le ciel sombre, comme le séisme avait fendu la terre.

Link ouvrait la marche, puisqu'il était le seul à se repérer dans le noir.

— Ma mère a raison à propos d'un truc, vous savez ? Dans la Bible, il est mentionné qu'il y aura des tremblements de terre à la fin.

Je l'ai dévisagé comme s'il avait perdu l'esprit.

— Quand as-tu lu la Bible pour la dernière fois ? ai-je rétorqué. Au caté, quand nous avions neuf ans ?

— C'était juste une remarque comme ça, s'est-il défendu en haussant les épaules.

— Link n'a peut-être pas tort, est intervenue Lena en se mordillant la lèvre. Et si Abraham n'était pour rien là-dedans ? Si c'était le résultat de l'Ordre brisé ? À l'instar de la canicule, des sauterelles et du lac asséché ?

J'avais beau savoir qu'elle se sentait responsable, il était évident à mes yeux que ce qui était en train d'arriver ne devait rien à une Fin des Temps Mortelle. Ceci était une apocalypse surnaturelle.

— Et, comme par hasard, au même moment, Abraham a lu la formule permettant aux démons de s'échapper ? ai-je raillé.

— Comment ça, de s'échapper ? a sursauté Link. Pour aller où ?

De nouveau, le sol a frémi. Link s'est brusquement arrêté, aux aguets. J'ai eu l'impression qu'il essayait de déterminer la source des secousses ou l'endroit où les prochaines allaient se produire. Le grondement s'est transformé en un craquement, comme si nous étions sur une véranda à deux doigts de s'écrouler. Ça ressemblait à un orage souterrain.

— Va-t-il y avoir une nouvelle alerte ? ai-je demandé.

Que valait-il mieux ? Nous enfuir ou rester sur place ? Link a inspecté les alentours.

— À mon avis, nous…

La terre s'est gonflée, j'ai entendu le déchirement de l'asphalte qui cédait. Il n'y avait nulle part où se réfugier et, de toute façon, il était trop tard pour cela. Le sol se délitait autour de moi, pourtant, je ne tombais pas. Des bouts de route se hérissaient vers la nue. Ils se sont heurtés, formant un triangle de béton bancal. Les croix de néon ont commencé à clignoter avant de s'éteindre.

— Dites-moi que ce n'est pas ce que je pense que c'est, a marmonné Link.

Il a reculé devant l'herbe brunie ponctuée de fleurs en plastique et de stèles. Ces dernières paraissaient bouger. Il s'agissait peut-être d'un contrecoup, voire de pire.

— Hein ?

La première stèle s'est arrachée à la terre. Une nouvelle onde de choc. Du moins, c'est ce que j'ai cru.

Sauf que je me trompais.

Les pierres tombales ne dégringolaient pas.

Elles étaient poussées vers le haut.

Des débris se sont envolés, retombant ensuite comme des bombes. Des cercueils pourris se sont hissés hors du sol. Boîtes centenaires en pin ou laquées ont roulé sur le flanc de la colline, se brisant et abandonnant des cadavres en décomposition dans leur sillage. La puanteur était telle que Link a eu des haut-le-cœur.

— Ethan ! a crié Lena.

— Courez ! ai-je ordonné en lui prenant la main.

Link ne se l'est pas faire dire deux fois. Il a détalé. Des ossements et des planches fendaient l'air, pareils à des éclats de shrapnel, mais il encaissait les coups à notre place, à l'instar d'un joueur de foot américain.

— Que se passe-t-il, Lena ? ai-je haleté.

— Je pense qu'Abraham a ouvert une sorte de porte donnant sur le Monde Souterrain.

Elle a trébuché, je l'ai retenue. Nous atteignions le sommet de la pente qui débouchait sur la partie la plus ancienne du cimetière, la colline sur laquelle j'avais poussé le fauteuil roulant de tante Charity plus de fois que je n'étais en mesure de les compter. L'obscurité régnait, j'avais du mal à éviter les énormes trous dans le sol.

— Par ici ! a lancé Link.

Il était déjà en haut. Lorsqu'il s'est arrêté, j'ai cru qu'il nous attendait. En réalité, il scrutait les parages.

Les tombes et les mausolées avaient explosé, jonchant les lieux de morceaux de pierre sculptée, d'ossements et de corps déchiquetés. Un faon en plastique gisait dans la poussière. On aurait dit que quelqu'un avait retourné les sépultures de toute la colline.

Un corps se dressait à l'extrémité de ce qui avait été considéré jadis comme l'endroit chic du cimetière. Il était évident qu'il était resté enterré un bon moment, vu son état avancé de décomposition. Il nous fixait, bien que ses orbites aient été vides. Il était animé par une espèce de vie, un peu comme la Lilum avait investi l'enveloppe charnelle de Mme English.

D'un geste du bras, Link nous a intimé de nous mettre derrière lui.

Le cadavre a incliné la tête, comme s'il tendait l'oreille. Soudain, une brume noire a jailli de ce qui avait été ses yeux, son nez et sa bouche. Le corps s'est affaissé, puis écroulé par terre. Le brouillard a tournoyé, telle une Ire, avant de grimper en flèche vers le ciel et de filer du cimetière.

— Était-ce un Diaphane ? ai-je demandé.

— Non, a répondu Link avant Lena. C'était une sorte de Démon.

— Qu'en sais-tu ? a-t-elle chuchoté, comme si elle craignait de réveiller le mort.

— C'est comme un chien qui en reconnaît un autre, a-t-il lâché en détournant la tête, gêné.

— Il ne ressemblait pas à un chien, ai-je blagué.

Sans grand résultat. Nous étions au-delà des plaisanteries. Link a contemplé la dépouille gisant sur le sol.

— Si ça se trouve, a-t-il soupiré, ma mère a raison, et ceci est la Fin des Temps. Elle va peut-être enfin avoir l'occasion d'utiliser son pilon à céréales, son masque à gaz et son radeau gonflable.

— C'est un radeau qui est accroché au plafond de votre garage ?

— Oui. Pour le déluge qui marquera la vengeance de Dieu contre nous autres pauvres pécheurs.

— Pas Dieu, ai-je objecté. Abraham Ravenwood.

La terre avait cessé de trembler, mais nous ne nous en sommes pas rendu compte. Nous tremblions nous-mêmes si fort que ça ne faisait aucune différence.

17 décembre
Fort Étrange

Seize cadavres étaient allongés à la morgue du comté. D'après l'Air Occulte que m'avait envoyé ma mère, ils auraient dû être dix-huit. J'ignorais pour quelle raison les secousses avaient cessé d'agiter le sol et pourquoi l'armée d'Ires d'Abraham s'était volatilisée. La destruction de Gatlin avait peut-être perdu tout attrait dès lors que nous avions disparu, et que la ville avait été... eh bien, détruite. Pourtant, il y avait forcément un motif à cela, si l'Abraham que je connaissais n'avait pas subitement changé. Quoi qu'il en soit, ce drôle de monde, l'endroit où le rationnel rencontrait le surnaturel, était devenu ma vie désormais.

J'étais également certain que deux corps auraient dû s'ajouter à ces seize-là. C'est dire à quel point je croyais aux chansons. Dix-sept et dix-huit ; tels étaient les nombres que j'avais à l'esprit quand je me suis rendu au County Care Là-bas aussi, le courant avait été coupé.

J'avais l'affreux pressentiment de savoir qui serait la dix-septième victime.

Le générateur de secours fonctionnait par à-coups. Il suffisait de voir les lampes de sécurité s'allumer et s'éteindre pour le deviner. Bobby Murphy n'était pas à la réception ; personne d'autre non plus, d'ailleurs. Les événements qui s'étaient déroulés à Son Jardin du Repos Éternel ne risquaient pas de faire sourciller grand monde ici, un endroit dont peu de gens entendaient parler avant qu'une tragédie ne les frappe. Seize morts. La morgue de Gatlin était-elle équipée de seize tables d'autopsie ? J'en doutais fort.

Il n'empêche ; un voyage à la morgue constituait sûrement un périple régulier, par ici. Il y avait plus d'une porte à tambour entre les vivants et les défunts quand on arpentait ces couloirs. Il suffisait d'entrer au County Care pour que la vie rétrécisse, se rapetisse jusqu'à ce que l'existence se réduise à un bout de corridor, une infirmière et une chambre de douze mètres carrés aseptisée peinte de couleur pêche. Lorsqu'on pénétrait ici, on se fichait bien de ce qui pouvait arriver à l'extérieur. Cet endroit était une espèce d'entre-deux. Surtout depuis que, chaque fois que je prenais la main de tante Prue, j'avais le sentiment de débouler dans un autre univers.

Plus rien n'avait l'air réel. Ce qui était ironique, dans la mesure où, hors ces murs, les choses étaient plus réelles que jamais. Et si je ne pigeais pas rapidement comment régler certaines d'entre elles – une Lilum puissante et démoniaque, une dette de sang non réglée qui démolissait Gatlin et de plus vastes mondes –, il ne resterait plus rien, pas même assez de parois pêche susceptibles de former un chez-soi.

J'ai descendu le couloir menant à la chambre de tante Prue. À la lueur intermittente des veilleuses qui clignotaient, j'ai distingué une silhouette en chemise de nuit d'hôpital qui se tenait au bout du corridor, accrochée à une perfusion sur sa perche. Soudain, les lampes se sont carrément éteintes, l'image a disparu. Quand elles se sont rallumées, j'étais seul.

J'aurais pourtant juré qu'il s'était agi de ma grand-tante.

— Tante Prue ?

L'obscurité est retombée. Je me suis senti très seul ; et pas le genre de solitude paisible. Il m'a semblé percevoir un mouvement devant moi, puis la faible clarté est revenue. Effrayé, j'ai sauté en arrière.

— Qu'est-ce que…

Tante Prue était juste sous mon nez, à seulement quelques centimètres de moi. Je voyais nettement la moindre de ses rides, le moindre cheminement des larmes, la moindre route, un peu comme une carte des Tunnels. Elle m'a fait signe du doigt, comme si elle désirait que je lui emboîte le pas.

— Chut !

Les lampes se sont de nouveau éteintes, elle s'est volatilisée.

En tâtonnant, je me suis précipité jusqu'à la porte de sa chambre. Je l'ai poussée, en vain.

— Leah, c'est moi !

Le battant s'est ouvert, et Leah m'est apparue, l'index sur les lèvres. Exactement le geste qu'avait eu ma tante dans le couloir.

— Chut, m'a-t-elle soufflé en refermant derrière moi. C'est l'heure.

Amma et la mère de Macon étaient assises près du lit. Arelia avait dû faire le trajet exprès. Paupières closes, elles avaient joint leurs mains au-dessus du corps de tante Prue. Au pied de la couche, j'ai vaguement distingué une présence chatoyante, le frémissement de mille tresses miniatures ornées de perles.

— C'est vous, Twyla ?

Une ombre de sourire a étiré sa bouche. Amma m'a ordonné de me taire. J'ai eu l'impression que la menotte tavelée de tante Prue tapotait la mienne pour me rassurer.

Chut...

Une odeur de brûlé m'a chatouillé les narines, et je me suis aperçu qu'une poignée d'herbes fumait dans un bol en céramique placé sur le rebord de la fenêtre. L'édredon préféré de tante Prue, celui qui était cousu de petites billes, remplaçait les draps de l'hôpital. Sa tête reposait sur ses oreillers à fleurs. Harlon James IV était roulé en boule à ses pieds. Il y avait d'autres changements aussi. Les tubes, les moniteurs, les pansements avaient disparu. Elle était chaussée de ses pantoufles crochetées, vêtue de sa plus jolie robe d'intérieur à motifs de roses, celle dont les boutons étaient des perles en nacre. Comme si elle s'apprêtait à prendre la voiture pour l'une de ses tournées habituelles dans le quartier, inspectant chaque jardin de la rue et se plaignant des voisins qui auraient dû repeindre leur maison.

Je ne m'étais pas trompé. Elle était bien le numéro dix-sept.

M'immisçant entre Amma et Arelia, je me suis emparé de ses doigts. Soulevant une paupière, Amma m'a foudroyé d'un seul œil.

— Bas les pattes, Ethan Wate. Inutile que tu ailles où elle va.

Je me suis redressé.

— C'est ma tante, Amma, ai-je protesté. Je tiens à lui dire au revoir.

— Il n'est plus temps, a lâché Arelia en secouant la tête mais sans ouvrir les yeux.

Ses intonations donnaient le sentiment qu'elle était très loin de cette pièce.

— Tante Prue s'est adressée à moi plusieurs fois, ai-je insisté. Je crois qu'elle désire me transmettre un message.

Amma a sourcillé.

— Il y a le monde des vivants et celui de ceux qui ont cessé de vivre. Elle a mené une belle existence, elle est prête à partir. Et là, tout de suite, j'ai assez de mal à garder ceux que j'aime avec les vivants. Alors, si tu veux bien...

Elle a reniflé, comme si elle était en train de mettre le couvert, et que ma présence l'importunait. Je lui ai adressé un regard que je ne m'étais jamais autorisé à lui donner ; genre : « Non, je ne veux pas. »

Poussant un soupir, elle a pris ma main dans la sienne, celle de tante Prue dans l'autre. Fermant à mon tour les yeux, j'ai attendu.

— Tante Prue ?

Il ne s'est rien passé.

« Tante Prue. »

J'ai ouvert une paupière.

— Qu'y a-t-il ? ai-je chuchoté.

— Aucune idée. Tous ces chamboulements, ces Démons qui nous cassent les pieds... elle doit avoir peur.

— Tous ces cadavres, a renchéri Arelia.

— Oui, a acquiescé Amma. Trop de gens s'en vont vers l'Autre Monde, cette nuit.

— Ce n'est pas terminé, pourtant, ai-je dit. Il y en aura dix-huit. D'après la chanson.

Amma m'a contemplé, l'air brisée.

— Elle se trompe, si ça se trouve. Ça arrive même aux cartes et aux Grands, parfois. Tout ne part pas en quenouille aussi vite que tu le penses.

— Ce sont les airs de ma mère. Si elle parle de dix-huit, c'est qu'il y en aura dix-huit. Elle ne se goure jamais, et tu le sais.

« Oui, Ethan Wate. » Voici ce qu'elle n'a pas eu besoin de formuler, car je l'ai lu dans ses prunelles, dans la crispation de sa mâchoire, dans les rides de son visage.

— Je t'en prie, ai-je soufflé.

Amma a regardé derrière elle.

— Leah, Arelia, Twyla, venez nous donner un coup de main.

Nous avons formé une ronde, cercle de Mortels et d'Enchanteresses. Moi, le Pilote égaré ; Leah, le Succube de la Lumière ; Amma, la Voyante qui était perdue dans le noir ; Arelia, l'Augure qui en savait plus qu'elle ne le souhaitait ; et Twyla, celle qui avait jadis convoqué les esprits des défunts et qui était désormais un Diaphane dans l'Autre Monde, la lumière qui montrerait le chemin de la maison à tante Prue.

Toutes faisaient partie de ma famille, à présent.

Nous étions donc là, à nous tenir par la main, disant au revoir à une personne qui, par tant de manières différentes, avait quitté la scène depuis longtemps déjà. Amma a hoché la tête en direction de Twyla.

— À toi l'honneur, si tu es d'accord.

En l'espace de quelques secondes, la chambre s'est volatilisée dans la pénombre. Bien que nous ayons été à l'intérieur, j'ai senti le souffle du vent.

Du moins, c'est ce que j'ai cru.

L'obscurité s'est solidifiée jusqu'à ce que nous nous retrouvions dans une pièce gigantesque qui faisait face à un sas rond de coffre-fort que j'ai aussitôt identifié comme celui qui était situé au fond de l'Exil, la boîte de nuit des Tunnels. Cette fois, cependant, les lieux étaient déserts, sauf pour moi. J'ai plaqué mes paumes dessus, j'ai effleuré la roue d'acier qui l'ouvrait. J'ai eu beau tirer de toutes mes forces, elle n'a pas bougé.

— Va falloir que tu y mettes un peu p'us d'huile de coude, Ethan.

Pivotant sur mes pieds, j'ai découvert tante Prue, debout derrière moi, dans sa robe d'intérieur et ses chaussons au crochet. Elle s'appuyait lourdement sur la perche de sa perfusion, à laquelle elle n'était cependant plus reliée.

— Tante Prue ! me suis-je exclamé en l'enlaçant, chacun de ses os palpable sous sa peau parcheminée. Ne t'en va pas.

— Assez de jérémiades ! T'es pire qu'Amma. L'est passée presque tous les soirs de c'te semaine pour essayer de me faire rester. L'a pas arrêté de flanquer sous mon 'reiller des trucs qui sentaient comme les vieilles couches d'Harlon

James. (Elle a plissé le nez.) J'en ai assez de cet endroit. Y a même pas mes feuilletons tévé, ici.

— Pourquoi nous quitter ? Il reste tant de parties des Tunnels à cartographier ! Et que vont devenir tante Charity et tante Grace sans toi ?

— Justement, j'voulais t'en causer. C'est important, alors ouv' tes oreilles.

— Je t'écoute.

J'avais eu raison. Elle souhaitait me confier quelque chose, un secret qu'elle ne pouvait partager avec nul autre que moi. Se penchant sur sa perfusion, elle a chuchoté :

— Faut que tu les arrêtes.

Les cheveux se sont hérissés sur ma nuque.

— Qui ça ?

— Ch'sais très b'en ce qu'y mijotent. Y veulent inviter la moitié de la ville à ma fête.

Sa fameuse fête. Ce n'était pas la première fois qu'elle en parlait.

— Ton enterrement, tu veux dire ?

— Oui. J'y pense depuis mes cinquante-deux ans et j'veux qu'y se déroule 'xactement comme prévu. La belle vaisselle et des nappes en coton, le bol à punch des grandes occasions et Sissy Honeycutt pour chanter *Grâce Infinie*. J'ai flanqué la lettre avec tous les détails en bas de ma commode. J'espère bien que vous l'avez transportée chez toi.

Je n'en revenais pas qu'elle m'ait fait venir pour ça. En même temps, c'était tante Prue.

— Bien, madame.

— Et pis, y a la liste des invités.

— D'accord. Il faut que je veille à ce que toutes les bonnes personnes soient présentes.

Elle m'a toisé d'un regard laissant entendre que j'étais débile.

— Nan. J'veux que tu veilles que les mauvaises, elles soient pas là. J'veux êt' sûre que *certaines gens* viendront pas. S'agit pas d'un barbecue chez les pompiers.

Elle ne plaisantait pas, même si une étincelle éclairait son œil, comme si elle était sur le point de se lancer dans une version horriblement fausse d'un cantique.

— J'es-gzige que tu claques la porte au nez d'Eunice Honeycutt. Même si c'est sa sœur Sissy qui chante, même si elle est accompagnée du Tout-Puissant. C'te femme boira pas de mon punch !

Je l'ai attrapée et serrée contre moi avec une telle fougue qu'elle a décollé du sol.

— Tu vas me manquer, tante Prue.

— 'videmment ! Mais mon heure a sonné, j'ai des tas de trucs à faire et mes maris à voir. Sans parler de que'ques Harlon James. Et main'nant, tiens donc la porte à une vieille dame. J'me sens pas dans mon assiette, aujourd'hui.

— Celle-ci ? ai-je demandé en touchant le sas métallique.

— Oui, oui.

Lâchant sa perfusion, elle m'a encouragé d'un signe de tête.

— Où mène-t-elle ?

— J'en sais rien. Ch'sais juste que c'est là que ch'suis censée aller.

— Et si je n'étais pas censé l'ouvrir, moi ?

— Ethan, me dis pas que t'as la frousse d'ouvrir une bête petite porte ? Tourne-moi cette mô-dite roue.

Je me suis exécuté. Mais j'ai eu beau m'escrimer, elle n'a pas bougé d'un poil.

— Tu vas quand même pas obliger une mamie à faire le plus dur ?

M'écartant, elle a levé sa menotte frêle et a effleuré le sas. Ce dernier s'est ouvert d'un seul coup. De la lumière, du vent et de l'eau ont aussitôt envahi la salle. J'ai distingué une étendue bleue au loin. J'ai offert mon bras à tante Prue, qui s'en est emparée. Je l'ai aidée à franchir le seuil. Durant une seconde, nous nous sommes tenus chacun d'un côté du passage. Elle a regardé derrière elle, vers le bleu.

— Voilà qui ressemble à ma route, a-t-elle annoncé. Tu m'accompagnes ? Tu l'avais promis.

Je me suis figé.

— Je t'ai promis de t'accompagner ? Moi ?

Elle a hoché la tête.

— Sûr et certain. C'est toi qui m'as causé de la Porte Ultime. Sinon, comment j'aurais su, hein ?

— Je ne connais aucune Porte Ultime, tante Prue. Je n'ai jamais traversé celle-ci.

— Pff ! 'videmment que si. T'es en train de le faire en ce moment même.

J'ai inspecté les environs. En effet, j'étais là. L'autre moi, s'entend. Flou et gris, clignotant comme une ombre.

Le moi que j'avais aperçu dans l'objectif de la vieille caméra du lycée.

Le moi de mes rêves.

Mon Âme Fracturée.

Ce moi a entrepris de s'approcher du sas. Tante Prue a agité le bras dans sa direction.

— Tu m'emmènes au phare ?

À l'instant où elle prononçait ces mots, un sentier est apparu, des dalles qui escaladaient une colline herbeuse jusqu'à un phare de calcaire blanc. Vieux, carré, deux blocs entassés l'un sur l'autre, puis une tour ronde qui s'élançait dans l'infini bleu du ciel. Au-delà, l'eau était encore plus azuréenne. Le vent agitait l'herbe verte, un spectacle qui m'a conduit à désirer quelque chose que je n'avais jamais vu.

Enfin, il faut croire que je l'avais vu, cependant, car je descendais les pierres du chemin.

J'ai été pris de nausées. Soudain, on m'a tordu le bras, le plaquant dans mon dos. Comme Link quand il s'entraîne à lutter, avec moi comme cobaye.

Une voix, la plus puissante de l'univers, celle de la personne la plus forte que je connaissais, a tonné à mon oreille :

— Vas-y, Prudence. Tu n'as pas besoin de l'aide d'Ethan. Tu as Twyla, maintenant, et tout ira bien une fois que tu auras atteint le phare.

Amma a hoché le menton avec un sourire encourageant. Tout à coup, Twyla s'est matérialisée à côté de tante Prue, pas une Twyla de lumière, mais la vraie, inchangée depuis la nuit où elle était morte. Ma grand-tante m'a lancé un baiser, puis a pris le bras de la Nécromancienne et s'est tournée vers le phare.

J'ai tenté de vérifier que l'autre moitié de mon âme était toujours là-bas. Malheureusement, la porte a claqué, si violemment que l'écho a secoué les murs de la boîte de nuit.

Immédiatement, Leah a fait pivoter la roue, des deux mains. Quand j'ai voulu l'aider, elle m'a repoussé. Arelia, qui avait surgi elle aussi, marmonnait des paroles incompréhensibles.

Amma continuait de me tenir d'une poigne de fer. Elle serrait si fort qu'elle aurait aisément remporté un concours de lutte à des championnats d'État.

— Maintenant, a décrété Arelia en ouvrant les yeux. Il faut que ce soit maintenant.

Tout est devenu noir.

J'ai soulevé les paupières. Nous entourions le corps sans vie de tante Prue. Elle était morte, ce que nous savions. Sans me laisser le temps de dire quoi que ce soit, Amma m'a entraîné hors de la pièce.

— Toi ! a-t-elle balbutié au milieu du couloir en tendant un doigt osseux vers moi.

Cinq minutes plus tard, nous étions dans ma voiture. Elle ne m'a lâché que pour me permettre de la reconduire à la maison. Il nous a d'ailleurs fallu des plombes pour trouver un itinéraire. La moitié des rues de la ville étaient fermées à cause du séisme qui n'en était pas un.

Contemplant le volant, j'ai repensé à la roue du sas.

— Qu'est-ce que c'était ? ai-je demandé. Cette Porte Ultime ?

Se tournant vers moi, Amma m'a giflé. Elle qui, de sa vie et de la mienne, n'avait jamais porté la main sur moi.

— Ne me refais plus jamais peur comme ça !

La lettre, sur feuille couleur crème, était épaisse et pliée en huit. Un ruban de satin rouge la fermait. Je l'ai trouvée dans le dernier tiroir de la commode, comme me l'avait dit tante Prue. Je l'ai déchiffrée pour les Sœurs, ce qui a entraîné une dispute avec Thelma, jusqu'à ce qu'Amma intervienne.

— Si Prudence Jane voulait la belle vaisselle, on utilisera la belle vaisselle. On ne discute pas avec les morts.

Amma a croisé les bras. Tante Prue n'était partie que depuis deux jours. Ça m'a semblé mal de la traiter de morte.

— Qu'est-ce que tu vas nous annoncer ensuite, Ethan ? a rouspété tante Charity en roulant en boule un énième mouchoir. Qu'elle ne voulait pas de patates au four pour le repas funèbre ?

J'ai vérifié la liste.

— Si, ai-je répondu, mais pas question que ce soit Jeanine Mayberry qui les prépare. Parce qu'elle les saupoudre de flocons de pommes de terre rassis.

Tante Charity a opiné du bonnet, comme si j'étais en train de réciter la Déclaration d'Indépendance.

— C'est bien vrai, ça. La Jeanine Mayberry prétend qu'elles cuisent mieux comme ça, sauf que Prudence Jane disait que c'est parce qu'elle est radine.

Son menton a tremblé. Elle était dévastée. Depuis le décès de sa frangine, elle n'avait pas fait grand-chose d'autre que chiffonner des mouchoirs. Tante Grace, elle, s'était occupée en rédigeant des cartes de condoléances où elle racontait à qui voudrait bien la lire qu'elle était navrée de la mort de tante Prue, bien que Thelma lui ait expliqué que c'étaient les autres qui étaient censés lui en expédier. Ce qui lui avait valu un coup d'œil incrédule.

— Et pourquoi donc qu'y m'en envoieraient, hein ? C'est mes cartes à moi. Et c'est mes nouvelles à moi zossi.

Thelma avait secoué la tête, sans insister cependant.

Dès qu'un point soulevait un conflit, elles m'obligeaient à relire la missive. Or cette dernière était aussi excentrique et précise que l'avait été tante Prue.

« Chères filles », commençait-elle. Entre elles, les Sœurs ne s'appelaient jamais autrement que les filles. « Si vous lisez ceci, c'est que j'aurai été convoquée pour ma Grande Récompense. J'aurai beau être occupée par ma rencontre avec mon Créateur, je garderai l'œil ouvert afin de m'assurer que ma fête se déroule comme je l'ai spécifié. Et n'allez pas croire que je ne serai pas capable de sortir de la tombe et de remonter l'allée de l'église si vous permettez à Eunice Honeycutt de poser un pied dans la maison de Notre Seigneur. »

Il n'y avait qu'elle pour avoir besoin d'un videur à son enterrement.

Suivait une liste de multiples détails. Mis à part la présence requise des quatre Harlon James et de Lucille Ball, la sélection d'un arrangement proprement scandaleux de *Grâce Infinie* et d'une mauvaise version de *Demeure auprès de moi*, la plus grosse surprise concernait l'éloge funèbre.

Elle exigeait que ce soit Amma qui le prononce.

— Balivernes ! a reniflé cette dernière.

— C'est pourtant ce qu'elle voulait. Lis !

J'ai tendu la feuille, à laquelle elle n'a pas daigné jeter un coup d'œil.

— Alors, c'est qu'elle est aussi sotte que vous autres.

Je lui ai tapoté le dos.

— On ne discute pas avec les morts, Amma.

Cela m'a valu un regard furibond.

— Au moins, tu n'auras pas à louer de smoking, toi, ai-je lâché en haussant les épaules.

Mon père s'est levé de la dernière marche de l'escalier sur laquelle il était assis.

— Eh bien, a-t-il soupiré avec tristesse, j'ai intérêt à me mettre en quête des cornemuses dès maintenant.

Finalement, c'est Macon qui a gracieusement fourni les instruments. Lorsqu'il a appris ce que voulait tante Prue, il a insisté pour faire venir tous les membres du club des Élans des Highlands de Columbia. Du moins, c'est ce qu'il a dit. Les connaissant, lui et les Tunnels, je n'ai pas douté un seul instant que les musiciens avaient débarqué d'Écosse le matin même. Ils ont joué *Grâce Infinie* si merveilleusement que personne n'a eu envie d'entrer dans l'église. Une foule énorme s'est formée autour du perron jusqu'à ce que le pasteur finisse par persuader tout le monde d'entrer.

Je suis resté près de la porte à observer l'assistance. Un corbillard – un vrai, pas celui de Lena et de Macon – était garé devant l'édifice. On ensevelirait tante Prue au cimetière de Summerville en attendant que Son Jardin du Repos Éternel rouvre. Les Sœurs l'appelaient le nouveau cimetière, car il avait été inauguré sept ans auparavant seulement.

La vue du corbillard a réveillé un souvenir. La première fois que j'avais croisé Lena dans Gatlin, alors que je me rendais au lycée, l'année précédente. M'est revenu alors que j'avais considéré cela comme un présage, un mauvais, même.

L'a-t-il été, mauvais ?

À repenser à tout ce qui s'était produit depuis, à tout ce qui m'avait amené d'un corbillard à celui-ci, j'étais toujours incapable de me décider. Pas à cause de Lena. Elle, elle serait toujours la meilleure chose qui me soit jamais arrivée. Non, à cause de ce qui avait changé.

Elle et moi. Ce que je pouvais comprendre.

Mais Gatlin également, ce qui m'était plus difficile à admettre.

Bref, je me suis planté sur le seuil de la chapelle, témoin lointain de ces funérailles. Les laissant se dérouler, car je n'avais pas le choix. La Dix-huitième Lune aurait lieu dans deux jours. Si Lena et moi ne découvrions pas ce que voulait la Lilum, qui était l'Unique en valant deux, il était impossible de prédire à quel point les choses continueraient de changer. Ce corbillard-ci était peut-être l'augure de notre avenir.

Nous avions passé des heures aux archives, sans résultat. Il n'empêche, ce serait là-bas que Lena et moi retournerions, sitôt l'enterrement achevé. Nous n'avions rien de mieux à faire qu'essayer encore et encore. Même si ça paraissait sans espoir.

« On ne lutte pas contre le destin. »

Était-ce ce qu'avait dit ma mère ?

— J'vois point mon attelage. Ma lettre stipulait pourtant des chevaux blancs.

J'aurais reconnu cette voix n'importe où.

Tante Prue était à côté de moi. Pas de chatoiement, pas de lueur. C'était elle, en chair et en os. Si elle n'avait porté les vêtements qu'elle avait le jour de son trépas, j'aurais pu la confondre avec l'une des invitées à son propre enterrement.

— Eh bien, on a du mal à en trouver un. Tu n'es pas Abraham Lincoln, après tout.

Elle a ignoré ma réponse.

— Ch'pensais avoir été claire, pourtant. Je voulais que Sissy Honeycutt chante *Grâce Infinie*, comme pour la messe de Charlene Watkins. Je l'aperçois nulle part non plus. Enfin, ces braves garçons y ont mis du cœur. Ça me plaît bien.

— Sissy mettait comme condition qu'on invite Eunice.

Cette explication a suffi à calmer tante Prue. Nous sommes donc revenus aux joueurs de cornemuse.

— À mon avis, c'est le seul cantique qu'ils connaissent. Je ne crois pas qu'ils viennent du Sud.

— Possible, a-t-elle marmonné avec un sourire énigmatique.

La musique roulait au-dessus des paroissiens, poussait chacun à se rapprocher de son voisin. Malgré ses rouspétances, tante Prue était ravie.

— Bon, c'est quand même une chouette assemblée. La plus grosse depuis des années. Y a plus de monde que pour tous mes maris réunis. Tu trouves pas, Ethan ?

Je lui ai souri.

— Si, madame. C'est une très chouette assemblée.

J'ai tiré sur le col de ma chemise. Dans la chaleur qui frôlait les trente-huit degrés, j'étais à deux doigts de défaillir. Je ne le lui ai pas confié, cependant.

— Et main'nant, a-t-elle repris, enfile ta veste et montre un peu de respect envers les défunts.

Amma et mon père étaient parvenus à un compromis concernant l'éloge funèbre. Elle ne le ferait pas ; en échange, elle lirait un poème. Lorsqu'elle a daigné nous révéler lequel, nous n'y avons pas accordé beaucoup d'importance. Sauf que sa décision impliquait de rayer d'un seul coup d'un seul deux des souhaits de tante Prue.

Demeure auprès de moi ; la brune tombe vite,
L'ombre forcit, demeure auprès de moi, Seigneur.

Quand les autres recours échouent et que la paix
Me fuit. Espoir des damnés, près de moi demeure.
Voyant sa fin, la vie du petit jour reflue,
Se fanent les joies d'ici-bas, en disparaissent
Les splendeurs ; partout changement, délabrement ,
Toi qui ne changes pas, demeure auprès de moi.

Les paroles m'ont frappé avec la force d'une balle de pistolet. L'ombre forcissait, en effet, et, si je ne savais pas ce qu'était la brune, j'avais l'impression qu'elle tombait vite. La paix n'était pas la seule à nous fuir, les joies et les splendeurs d'ici-bas n'étaient pas les seules à disparaître.

Amma avait raison. L'auteur du cantique aussi. Je ne distinguais partout que changement et délabrement.

J'ignorais s'il existait une chose ou un être qui ne change pas, mais, si c'était le cas, je leur aurais demandé plus que de demeurer auprès de moi.

Je leur aurais demandé de me sauver.

Quand Amma a replié son feuillet, on aurait pu entendre une épingle tomber. Debout sur l'estrade, elle avait tout de Sulla la Prophétesse originelle.

Il ne s'agissait pas d'un poème. Pas quand c'était elle qui le déclamait. Ce n'était même plus un cantique.

C'était une prophétie.

Debout au sommet du château d'eau, je tournais le dos au soleil. Mon ombre étêtée s'étirait sur le métal peint chauffé à blanc avant de disparaître dans le ciel, au-delà de l'arête de l'édifice.

J'ATTENDS.

Il était là. L'autre moi. Le rêve sautait comme un film que j'avais visionné tant et tant de fois que je m'étais mis à le couper et le recouper moi-même, cependant qu'il surgissait par flashes…

Le coup.

Mes tennis qui battaient l'air.

Le poids mort.

La chute…

— Ethan !

Roulant de mon lit, je me suis cassé la figure par terre.

— Pas étonnant que des Incubes ne cessent de débarquer dans ta chambre. Tu pionces comme une bûche.

John Breed me dominait de toute sa taille. Depuis le plancher où j'étais, j'avais l'impression qu'il mesurait six mètres de haut. Il semblait également capable de me botter le train mieux que je ne le faisais dans mon songe.

Pensée bizarre. Mais ce qui a suivi l'a été encore plus.

— J'ai besoin de ton aide.

John était assis dans mon fauteuil de bureau que j'avais commencé à surnommer le siège des Incubes.

— J'aimerais bien que vous autres trouviez un moyen de dormir, ai-je ronchonné.

J'ai enfilé mon tee-shirt Harley Davidson – ironique, puisque je me trouvais face à face avec John.

— Oui. Sauf que nous n'avons pas notre mot à dire à ce propos.

Il a contemplé le plafond bleu.

— Alors, ce serait cool que vous pigiez que nous autres avons...

— C'est moi, m'a-t-il interrompu.

— Quoi ?

— Liv m'a tout raconté. L'Unique en valant deux... c'est moi.

— Tu es sûr de toi ?

Pour ce qui me concernait, je ne l'étais pas de lui.

— Oui. J'ai pigé ça aujourd'hui, à l'enterrement de ta tante.

J'ai consulté le réveil. Il aurait dû dire hier. Et moi, j'aurais dû ronfler.

— Comment ?

Se levant, il s'est mis à arpenter la pièce.

— Je le savais depuis le début. Je suis né pour être deux choses. Aux obsèques, j'ai deviné qu'il était temps que j'agisse. Je l'ai senti, lorsque la Voyante a parlé.

— Amma ?

La cérémonie avait été éprouvante pour les miens, pour toute la ville, d'ailleurs. Je ne m'étais cependant pas attendu à ce que John en soit affecté. Après tout, il n'était ni de ma famille ni de Gatlin.

— Que veux-tu dire quand tu soutiens l'avoir su depuis le début ?

— Demain, c'est mon anniversaire, non ? Ma Dix-huitième Lune.

Ça n'avait pas l'air de le réjouir, ce qu'il ne me serait pas venu à l'idée de lui reprocher. Vu que la date marquerait la fin du monde.

— Tu mesures l'ampleur de ce que tu es en train de m'annoncer ? ai-je insisté, encore dubitatif.

— Oui. C'est moi qui suis la monnaie d'échange. Comme stipulé par la Reine des Démons. Ma minable expérience de l'existence contre l'Ordre Nouveau. J'ai presque de la pitié pour l'univers. Une affaire pour moi. Sauf que je ne serai plus là pour en profiter.

— En revanche, Liv, si.

— Oui.

Il s'est affalé dans le fauteuil, s'est pris la tête entre les mains.

— Flûte !

Il a relevé les yeux.

— Flûte ? C'est tout ce que tu trouves à dire ? Alors que je suis prêt à sacrifier ma vie ?

Je pouvais presque imaginer ce qui lui traversait l'esprit. Ce qui était susceptible de pousser un type de son acabit au suicide. Presque. Je connaissais l'envie de se sacrifier pour la fille qu'on aimait. J'avais failli m'y résoudre lorsque nous nous étions mesurés à Abraham et à Hunting, à la Grande Barrière. Et sur la colline de Honey Hill, quand nous avions affronté les feux de Sarafine. Je serais mort mille fois pour sauver Lena.

— Liv ne va pas être contente, ai-je murmuré.

— Non, en effet, a-t-il acquiescé, mais elle comprendra.

— À mon avis, ce n'est pas un truc facile à piger. Or je m'y essaye depuis un moment maintenant.

— Tu sais quel est ton problème, Mortel ?

— La fin du monde ?

— Non. Tu réfléchis trop.

— Ah ouais, ai-je répondu en me retenant de rire.

— Crois-moi. Parfois, il faut faire confiance à ses instincts.

— D'accord. Et qu'est-ce que tes instincts attendent de moi ?

J'avais posé la question d'une voix lente et sans le regarder en face.

— Je l'ignorais avant d'arriver ici, a-t-il lâché en se remettant debout et en venant m'attraper par le bras. Cet endroit dont tu rêvais. La grande tour blanche. C'est là que je dois aller.

Avant que je n'aie eu le temps de lui expliquer ce que je pensais de ceux qui se permettaient de fouiller dans mes rêves, la déchirure familière a retenti, et nous avons disparu...

Je ne distinguais pas John. Je ne distinguais rien, sinon l'obscurité et un filet argenté de lumière qui s'élargissait. Lorsque je suis entré dedans, j'ai de nouveau perçu le bruit de déchirure, et j'ai découvert son visage.

Celui de Liv.

Qui nous attendait au sommet du château d'eau.

Elle a foncé sur nous, furieuse. Mais ce n'est pas moi qu'elle visait.

— Tu es complètement dingue, ou quoi ? Tu as cru que je ne devinerais pas ce que tu trafiquais ? Où tu te rendais ?

Elle a éclaté en sanglots. John a avancé.

— Comment as-tu trouvé ?

— Tu m'as laissé un mot, a-t-elle répliqué en brandissant une feuille de papier.

— Tu lui as laissé un mot ? ai-je répété, ahuri.

— Juste un au revoir... et d'autres trucs. Je ne précisais pas où j'irais.

— C'est Liv. Tu ne t'es pas douté qu'elle le découvrirait toute seule comme une grande ?

Cette dernière a brandi son poignet. Les cadrans du sélenomètre étaient sur le point d'exploser.

— L'Unique en valant deux ? Tu n'as pas songé que je devinerais immédiatement que c'est toi ? Si tu ne m'avais pas surprise à bosser sur cette énigme, je ne t'en aurais même pas parlé !

— Liv.

— Voici des mois que je me casse la tête là-dessus.

Elle a fermé les yeux ; il a tendu la main vers elle.

— Et moi, je me casse la tête sur toi, a-t-il murmuré.

— Rien ne t'oblige à faire cela, a-t-elle protesté.

Il l'a attirée à lui, a embrassé son front.

— Si. Une fois dans ma vie, j'aimerais être celui qui agit comme il faut.

Les yeux bleus de Liv étaient rougis par ses pleurs.

— Je ne veux pas que tu t'en ailles. Nous commencions seulement à... Je n'ai pas eu l'occasion. *Nous* n'avons pas eu l'occasion.

— Chut, a-t-il soufflé en posant son pouce sur sa bouche. Nous l'avons eue. Je l'ai eue, moi.

Il a regardé le ciel nocturne, a continué de s'adresser à elle, cependant :

— Je t'aime, Olivia. C'est ça, mon occasion.

Elle n'a pas répondu, sinon par les larmes qui roulaient sur ses joues. John s'est écarté, m'a attrapé par le bras.

— Prends soin d'elle, OK ?

J'ai acquiescé. Il s'est penché vers moi.

— Si tu la blesses, si tu la touches, si tu laisses quiconque lui briser le cœur, je te retrouverai et je te tuerai. Et ensuite, je te ferai souffrir. Pigé ?

Je pigeais bien mieux qu'il ne s'en doutait.

Me lâchant, il a ôté son blouson et l'a passé à Liv.

— Garde-le. En souvenir de moi. Tiens, il y a autre chose.

Il a fouillé dans l'une des poches.

— J'ai oublié ma mère, mais Abraham prétend que ceci lui appartenait. Je veux que tu l'aies.

C'était un bracelet en or marqué d'une inscription en Niadic ou dans une langue d'Enchanteur que seule Liv était à même de déchiffrer. Ses genoux se sont dérobés sous elle, et elle a pleuré encore plus fort. John la soutenait avec une telle force qu'elle touchait à peine le sol.

— Je suis heureux d'avoir enfin rencontré quelqu'un qui m'a inspiré l'envie de l'offrir.

— Moi aussi, a-t-elle hoqueté avec difficulté.

Après l'avoir tendrement embrassée, il a reculé.

Il m'a adressé un signe de tête.

Il s'est jeté par-dessus la balustrade.

Alors, j'ai perçu sa voix, qui traversait les ténèbres. Celle de la Lilum.

Le solde n'a pas été réglé.

Seul le Creuset peut se sacrifier.

20 décembre
Erreur sur la Personne

Quand j'ai soulevé les paupières, j'ai constaté que j'étais de retour dans ma chambre. Le regard rivé sur le bleu du plafond, j'ai essayé de comprendre comment j'avais réussi ce tour de force. Nous avions Voyagé, mais pas grâce à John. Cela était impossible.

Pourquoi ?

Parce qu'il gisait, inconscient, sur le plancher de la pièce.

Il fallait en conclure que quelqu'un d'autre était intervenu. Quelqu'un de plus puissant qu'un Incube. Quelqu'un qui était au courant de la Dix-huitième Lune.

Quelqu'un qui savait tout, depuis le début, y compris ce que je venais à l'instant de saisir.

Liv secouait John ; elle pleurait encore.

— Réveille-toi, John. Je t'en prie, réveille-toi.

Il a ouvert les yeux, désorienté.

— C'est quoi, ce bordel ?

Elle s'est jetée à son cou.

— Hourra !

— Où suis-je ?

— Dans ma chambre, ai-je répondu en m'essayant contre le mur.
— Comment y suis-je arrivé ?
— Aucune idée.
Pas question de lui révéler que la Lilum nous avait elle-même transportés ici.
J'étais plus inquiet de ce que cela pouvait signifier.
John Breed n'était pas l'Unique en valant deux.
Je devais m'entretenir avec quelqu'un de toute urgence.

21 décembre
RÉVÉLATION

Après avoir frappé, j'ai patienté dans le cercle jaune pâle de la lampe de la véranda. Mal à l'aise, je me suis dandiné d'un pied sur l'autre, les yeux vrillés sur la porte, les mains fourrées dans les poches. Regrettant d'être ici. Regrettant que mon cœur batte autant la chamade.

Elle allait me prendre pour un fou.

À raison peut-être ? Je commençais à croire que je l'étais.

J'ai d'abord distingué son peignoir, puis ses chaussons fourrés, puis l'œil de verre.

— Ethan ? Que faites-vous chez moi ? Mitchell est avec vous ?

Elle a regardé dehors tout en tapotant ses bigoudis en plastique, comme si ce geste était susceptible de les rendre élégants.

— Non, madame.

Elle a semblé déçue, a adopté sa voix professorale.

— Avez-vous conscience de l'heure qu'il est ?

Vingt et une heures.

— Puis-je entrer un instant ? Il faut que je vous parle. C'est urgent.

« Enfin, pas à vous. Pas vraiment. »

— Maintenant ?

— Ça ne prendra qu'une minute. Ça concerne *Les Sorcières de Salem*.

« Le Creuset, plutôt. »

Le prétexte invoqué a emporté le morceau, comme je m'en étais douté.

Je l'ai suivie au salon pour la seconde fois de ma vie, même si elle avait tout oublié de la première. La collection de statuettes en céramique sur le manteau de la cheminée était de nouveau alignée à la perfection, à croire qu'il ne s'était jamais rien passé dans cette pièce. La seule trace des événements consistait en la disparition de la plante aux allures d'araignée. Apparemment, certaines choses étaient parfois brisées au-delà du réparable.

— Je vous en prie, asseyez-vous, Ethan.

D'instinct, j'ai entrepris de m'installer dans le fauteuil à fleurs avant de vivement me redresser. Impossible de me poser dans ce salon trop exigu. Par ailleurs, aucun fils de Gatlin ne s'asseyait alors qu'une dame était debout.

— Je ne préfère pas, ai-je décliné. Mais allez-y.

Ajustant ses lunettes, Mme English s'est elle-même encastrée dans le fauteuil.

— Eh bien, voilà qui est inédit, a-t-elle constaté.

« À toi de jouer. Plonge ! »

— Ethan ? Vous souhaitiez m'entretenir des *Sorcières de Salem* ?

Je me suis éclairci la gorge.

— Ça risque de vous sembler étrange mais, oui, il faut que je vous parle.

— Je vous écoute.

« Ne réfléchis pas. Fonce ! Elle finira bien par t'entendre. »

— Euh... Voilà... Ce n'est pas à vous que je désire m'adresser. C'est... vous savez. Enfin, non. L'autre vous.

— Je vous demande pardon ?

— La Lilum, madame.

— Avant tout, on dit Lilian. Ensuite, je ne crois pas qu'il soit correct que vous m'appeliez par mon prénom. (Elle a eu un instant d'hésitation.) Certes, mon amitié avec votre père vous déconcerte sans doute...

Je n'avais pas de temps à perdre avec ces âneries.

— La Reine des Démons ! Est-elle ici ?

— Comment ?

« Continue ! »

— La Roue de Fortune ? La Rivière Infinie ? Vous me comprenez ?

Mme English s'est levée. Elle était rouge et en colère comme jamais.

— Vous êtes-vous drogué, Ethan ? S'agit-il d'une blague de potache ?

Aux abois, j'ai examiné le salon. Mes yeux se sont posés sur les figurines, et je me suis approché de la cheminée. La lune en pierre pâle était ronde, cercle plein à peine entamé par un croissant à son sommet.

— Vous et moi devons parler de la lune.

— Je préviens votre père.

« Ne t'arrête pas. »

— La Dix-huitième Lune. Cela a-t-il un sens pour vous ?

Du coin de l'œil, j'ai vu qu'elle tendait la main en direction du téléphone.

Moi, j'ai tendu la mienne vers la sculpture.

La pièce a soudain été inondée de lumière. Mme English s'est figée sur place, combiné décroché. Les murs se sont estompés...

J'étais devant la *Temporis Porta*. Ce coup-ci, elle était grande ouverte. Un tunnel aux parois hâtivement couvertes de mortier s'étirait de l'autre côté. J'ai franchi le seuil.

Le souterrain était étroit, si bas que j'étais obligé de me courber. Des marques scarifiaient les murs, lignes fines qui donnaient l'impression que quelqu'un avait compté quelque chose. J'ai avancé sur cinq cents mètres environ avant de découvrir des marches en bois pourrissantes.

Huit exactement.

Dans le plafond était aménagée une trappe percée d'un anneau en fer. J'ai prudemment grimpé l'escalier en croisant les doigts pour qu'il résiste à mon poids. Une fois en haut, j'ai dû jouer des épaules pour forcer le battant.

Je me suis hissé dehors, tandis qu'un flot de soleil envahissait le conduit.

Je me suis alors retrouvé au milieu d'un champ, à quelques pas d'un sentier. Moins un sentier que deux, qui serpentaient en lignes parallèles là où les hautes herbes ondulantes avaient été réduites en poussière. De chaque côté de ce chemin, le terrain était doré comme du blé et le soleil, pas brun comme des criquets et la canicule. Le ciel était azuréen, de cet azur auquel je pensais désormais comme au bleu de Gatlin. Léger et sans nuages.

« Hello ? Vous êtes là ? »

Non, elle n'était pas là, et moi, je n'en revenais pas de l'endroit où je me trouvais.

Je l'aurais reconnu entre mille. J'en avais vu assez de photographies. La plantation de mon arrière-arrière-arrière-arrière-grand-papa, Ellis Wate. Celui qui s'était battu et avait été tué de l'autre côté de la Nationale 9 pendant la guerre de Sécession. Juste ici.

Au loin, j'apercevais ma maison – la sienne. Difficile de dire si c'était la même, sauf pour les volets peints en bleu. Baissant les yeux sur la trappe dissimulée par la terre et les herbes, j'ai aussitôt compris. Il s'agissait du tunnel conduisant à la réserve de la cave. J'y étais arrivé par l'autre extrémité, celle où l'on ne risquait rien, celle que les esclaves avaient utilisée à l'époque du Chemin de fer clandestin afin de s'égailler en douce dans les champs protecteurs.

Pourquoi la *Temporis Porta* m'avait-elle amené ici ? Qu'est-ce que la Lilum fichait sur l'exploitation familiale plus de cent cinquante ans en arrière ?

« Lilum ? Où êtes-vous ? »

Une demi-bicyclette rouillée – ou ce qui y ressemblait fort – gisait en tas près de la route. Le cadre avait été scié en son milieu, et un tuyau y avait été fixé. Un système d'irrigation. Une paire de bottes boueuses se dressait près de la roue du vélo. Les terrains s'étendaient à l'infini.

« Que suis-je censé faire ? »

Me retournant en direction de l'engin rouillé, j'ai brusquement deviné.

Une vague d'impuissance m'a submergé. Il était exclu que j'arrose ces champs. Ils étaient trop vastes, et moi, tout seul. Le soleil tapait plus fort, les feuilles brunissaient, bientôt l'or laisserait la place au marron et à la mort, comme partout. J'ai perçu les stridulations désormais familières. Les criquets approchaient.

« Pourquoi me montrez-vous ceci ? »

M'asseyant par terre, j'ai contemplé la nue bleue. Une abeille grassouillette et ivre titubait de fleur en fleur. Le sol était tiède et doux, bien que desséché. J'ai enfoncé mes doigts dans la terre, aussi aride et rugueuse que du sable. J'avais saisi la raison de ma présence ici. J'avais une tâche à accomplir, que j'aie été ou non en mesure de l'achever.

« C'est bien ça, hein ? »

Enfilant les bottes, je me suis emparé de la roue métallique rouillée. Mains sur le guidon, je l'ai poussée devant moi et j'ai entrepris d'arroser le champ, sillon après sillon. Le vieux vélo grinçait, la chaleur me piquait la nuque tandis que, courbé sur l'ouvrage, j'avançais autant que possible à travers les ornières du terrain.

Soudain, un bruit a retenti, puissant comme celui d'une porte en pierre massive qu'on ouvrirait pour la première fois depuis un siècle ou celui d'un rocher qu'on écarterait de l'entrée d'une grotte.

L'eau.

Lentement, elle montait, revenant au champ de l'antique pompe ou du puits auquel le tuyau était raccordé.

J'ai redoublé d'efforts. Le liquide a commencé à former des ruisselets dans la poussière. Inondant les tranchées arides, il a formé de petites rivières qui se sont peu à peu transformées en rivières de taille respectable qui, j'en étais sûr, finiraient par recouvrir entièrement le sentier, afin d'en créer de plus grosses encore.

Une rivière infinie.

Je me suis mis à courir. Les rayons de la roue ont tourné plus vite, pompant plus fort, jusqu'à en devenir flous. La puissance de l'eau était telle que le tuyau s'est brusquement fendu, pareil à un serpent éventré. Il y en avait partout, à présent. La poussière se muait en boue sous mes pieds, et j'étais trempé comme une soupe. J'avais l'impression de faire du vélo pour la première fois de ma vie, de voler, d'agir comme moi seul le pouvais.

Je me suis arrêté, hors d'haleine.

La Roue de Fortune.

Je l'ai observée, rouillée et tordue, plus ancienne que la terre. Ma Roue de Fortune, entre mes mains. Dans la vieille propriété familiale.

J'ai pigé.

C'était un test. Mon test. Le mien depuis le début.

J'ai songé à John, couché sur le plancher de ma chambre. La voix de la Lilum qui avait dit qu'il n'était pas le Creuset.

« C'est moi, n'est-ce pas ? »

« Je suis le Creuset. »

« Je suis l'Unique en valant deux. »

« Je l'ai toujours été. »

J'ai regardé le champ qui était redevenu vert et doré. La chaleur s'était estompée. L'abeille ivre s'est envolée vers le

ciel, parce qu'il était réel, qu'il n'était pas le pseudo-ciel de nos plafonds peints en bleu.

Un roulement de tonnerre a grondé, suivi d'un éclair. Une brève averse m'est tombée dessus, sur moi debout au milieu du terrain, tenant la roue voilée. L'air a vibré sous l'effet de la magie, comme ce que j'avais éprouvé lorsque j'avais posé le pied sur la plage de la Grande Barrière. Sauf que là, le son était cent fois plus puissant. Il l'était tant que mes oreilles bourdonnaient.

— Lilum ? ai-je hurlé de ma voix de Mortel, avec la sensation d'être minuscule dans la gigantesque propriété. Je suis certain que vous êtes là. Je le sens.

— Je suis là.

Les intonations dégringolaient du ciel qui était redevenu d'un azur aveuglant. Je ne voyais pas la Reine des Démons, mais j'en percevais la présence. Ce n'était plus la Lilum Mme English, c'était l'authentique créature. Sous sa forme sans nom et sans visage, tout autour de moi.

— Je suis prêt, ai-je lancé après avoir pris une profonde inspiration.

— Et ?

— Je sais qui je suis. Et quelle est ma mission.

— Qui es-tu ?

Levant les yeux, j'ai joui du soleil sur ma peau. J'ai prononcé les paroles que je redoutais depuis l'instant où elles s'étaient insinuées au plus profond et au plus sombre de mon cerveau.

— Je suis l'Unique en valant deux, ai-je hurlé de toutes mes forces. J'ai une âme dans le monde Mortel, une seconde dans l'Autre Monde. Je suis l'Unique en valant deux, ai-je répété, sur un ton plus ferme, presque sûr de moi, désormais.

Le silence s'est installé. J'étais soulagé de l'avoir enfin dit, à croire qu'un fardeau écrasant avait été ôté de mes épaules. Un fardeau aussi lourd que si j'avais soutenu seule la nue bleue et brûlante.

— Tu l'es, a acquiescé la Lilum d'une voix dénuée d'émotion. Toi et nul autre. Pour forger l'Ordre Nouveau, il faut payer le prix.

— Oui.

— C'est un Creuset. Un test important. Tu dois être certain de toi. D'ici le solstice.

Je suis resté debout sans broncher un long moment. L'air était frais et immobile sur ma peau. Autant de sensations que je n'avais pas éprouvées depuis que l'Ordre avait été rompu.

— Si je le fais, tout redeviendra comme avant. Lena s'en sortira, sans moi. Le Conseil de la Garde Suprême fichera la paix à Marian et à Liv. Gatlin cessera de se dessécher et de subir des séismes.

Je n'étais pas en train de poser des questions ; je marchandais.

— Rien n'est garanti. Mais... l'Ordre sera rétabli. Un Ordre Nouveau.

Quitte à mourir, j'avais une ultime exigence.

— Amma n'aura pas à régler ce qu'elle doit au bokor.

— Ce marché a été passé d'un commun accord. Je ne suis pas en mesure de l'altérer.

— Ça m'est égal. Intervenez quand même !

Je me doutais cependant qu'elle ne ferait rien de tel.

— Tout a toujours des conséquences.

Moi, par exemple. Le Creuset.

Fermant les yeux, j'ai pensé à Lena, à Amma et à Link. À Marian et à mon père. À ma mère. À tous ceux que j'aimais.

À tous ceux que j'allais perdre.

Ceux que je ne pouvais me permettre de perdre.

Ma marge de manœuvre était mince. Plus mince que je ne l'aurais cru. J'imagine que certaines décisions sont prises avant qu'on les prenne. Avançant d'un pas, j'ai rouvert les yeux.

— Promettez-le-moi.

— Il s'agit d'une obligation. D'un serment. D'une promesse, pour utiliser ton terme.

Ça ne me suffisait pas.

— Dites-le.

— Bien. Je te le promets.

La Lilum a ensuite prononcé un mot qui n'appartenait à aucune langue que j'étais susceptible de comprendre. Il a cependant tonné comme la foudre, et j'en ai pressenti la vérité.

C'était bien une promesse.

— Alors, ai-je conclu, je suis sûr de moi.

La seconde d'après, je me suis retrouvé dans le salon de ma prof de littérature, laquelle gisait dans son fauteuil à fleurs. À l'autre bout du téléphone décroché, je percevais les appels de mon père.

— Allô ? Allô ?

Mon cerveau s'est connecté en pilotage automatique. Ramassant le combiné, j'ai coupé le sifflet à mon paternel afin de contacter les secours pour la très Mortelle Lilian English. Je n'ai pas parlé, dans la mesure où Sissy Honeycutt, qui tenait le standard, risquait de reconnaître ma voix. Pas question d'être surpris une seconde fois dans la maison de ma prof inconsciente. Mais les secours avaient ses coordonnées ; ils enverraient une ambulance.

Quant à la très Mortelle Mme English, elle ne se souviendrait plus de rien.

J'ai filé à Ravenwood d'une seule traite, sans réfléchir, sans allumer la radio ni ouvrir la vitre. J'ai oublié comment j'ai réussi à me rendre là-bas. Quoi qu'il en soit, je me suis retrouvé à frapper à la porte de la vaste demeure. J'avais des difficultés à respirer. J'avais l'impression d'être prisonnier d'une atmosphère qui n'était pas la bonne, dans une sorte de cauchemar éprouvant.

Je me rappelle avoir abattu mon poing sur la lune d'Enchanteur à de multiples reprises, quand bien même elle n'a pas réagi à mon contact. Il m'était peut-être impossible de cacher combien j'étais maintenant différent. Incomplet.

Je me souviens d'avoir appelé, d'avoir crié, d'avoir Chuchoté le nom de Lena jusqu'à ce qu'elle finisse par m'ouvrir, vêtue de son pyjama chinois mauve. Celui qu'elle avait porté la nuit où elle m'avait révélé son secret, où elle m'avait avoué qu'elle était une Enchanteresse. Assise sur le palier de ma véranda, en pleine nuit.

À présent, nous étions assis sur celui de la sienne, et je lui confessais mon secret.

Ce qui s'est passé ensuite a été trop douloureux pour que j'en conserve la moindre souvenance.

Nous étions couchés sur le lit en fer forgé de Lena, emmêlés l'un dans l'autre comme s'il était inconcevable qu'on nous sépare. Nous ne pouvions nous toucher, nous ne pouvions pas ne pas nous toucher également. Nous nous dévorions mutuellement des yeux, même si cela nous blessait encore plus. Nous avions beau être épuisés, nous n'étions pas en état de nous endormir.

Il ne nous restait pas assez de temps pour nous murmurer tout ce que nous avions besoin de nous dire. Les mots eux-mêmes n'avaient pas d'importance. Nous ne songions qu'à une seule chose.

Je t'aime.

Nous avons compté les heures, les minutes, les secondes.

Toutes nous fuyaient.

C'était le dernier jour. Il n'y avait plus de décision à prendre. Demain était le solstice, j'avais fait mon choix. Couché sur mon lit, j'ai fixé le plafond de ma chambre peint de la couleur du ciel afin de tromper les xylocopes et d'éviter qu'ils n'y nichent. Encore un matin. Encore une nue d'azur.

Sitôt rentré de chez Lena, je m'étais endormi. J'avais laissé la fenêtre ouverte, des fois qu'on souhaite me rendre visite, qu'on désire me hanter ou qu'on veuille me blesser. Rien de tel ne s'était produit.

L'odeur de café embaumait, j'entendais mon père vaquer au rez-de-chaussée. Amma s'affairait dans la cuisine. Elle préparait des gaufres. J'en aurais mis ma main à couper. Elle devait attendre que je me lève.

J'avais opté pour ne rien dire à mon père. Après ce qu'il avait traversé avec ma mère, j'estimais qu'il ne comprendrait pas. Je ne supportais pas l'idée de ce que mon choix allait lui infliger. Je pigeais mieux maintenant qu'il ait pété les plombs l'an dernier. J'avais moi-même été trop effrayé pour affronter ces émotions. À présent, alors que ce que je ressentais ne comptait plus pour grand-chose, je n'en loupais plus aucune. La vie avait parfois de ces étranges tournures.

Link et moi avons essayé de déjeuner au Dar-ee Keen avant d'y renoncer. Il ne pouvait manger, moi non plus. On évoque souvent le dernier repas des condamnés comme une vaste affaire. Ça n'a pas fonctionné ainsi pour moi. Je n'avais pas envie de crevettes au gruau de maïs ni de quatre-quarts au sucre brun. J'étais incapable d'avaler quoi que ce soit.

De toute façon, en prison, on ne vous donne pas ce dont vous avez le plus besoin.

Du temps.

Nous avons fini par nous rendre sur le terrain de basket de l'école élémentaire afin d'y tirer quelques paniers. Link m'a laissé gagner, ce qui m'a fait bizarre car, autrefois, c'était moi qui le laissais gagner. Ces six derniers mois, les choses avaient vraiment changé.

Nous n'avons guère parlé. À un moment, il a rattrapé le ballon et l'a gardé, me regardant comme ce jour où il s'était assis à côté de moi, à l'enterrement de ma mère, bien que cette section de l'église ait été protégée par des cordons afin de la réserver à la seule famille.

— Je ne suis pas très doué pour ça, tu sais ?

— Oui. Moi non plus.

J'ai tiré une vieille BD que j'avais roulée dans ma poche arrière.

— Tiens. En souvenir de moi.

La déroulant, il s'est esclaffé.

— Aquaman ? Tu crois que je me souviendrai de toi et de tes pouvoirs minables avec une BD aussi naze ?

— Tout le monde ne peut pas être Magneto, ai-je répondu avec un haussement d'épaules.

Il s'est mis à dribbler d'une main à l'autre.

— Tu es sûr de vouloir faire ça, mec ?

— Non. Je suis sûr de ne pas vouloir le faire. Sauf que je n'ai pas le choix.

Le genre de trucs que Link saisissait fort bien, dans la mesure où son existence entière avait consisté à ne pas avoir le choix.

Il a frappé le ballon plus fort.

— Il n'y a pas d'autre solution ?

— Non, à moins que tu ne souhaites te réfugier auprès de ta mère afin d'assister à la Fin des Temps.

Une tentative de blague. Qui est tombée à plat, comme toutes mes plaisanteries depuis un bon moment. Mon Âme Fracturée devait avoir piqué mon sens de la repartie. Link a coincé le ballon sous son aisselle.

— Hé, Ethan !

— Ouais ?

— Tu te rappelles la demi-barre chocolatée du bus ? Celle que je t'ai donnée quand on s'est connus, à la maternelle ?

— Celle que tu avais trouvée par terre, ce que tu ne m'as pas dit ? Sympa, oui.

Se marrant, il a visé le panier.

— En réalité, elle n'était pas tombée par terre du tout. J'ai menti.

Le ballon a rebondi sur le cercle métallique avant de dévaler vers la rue.

Nous ne l'avons pas récupéré.

J'ai déniché Marian et Liv aux archives, les lieux qui leur étaient naturels.

— Tante Marian ! me suis-je exclamé.

J'étais tellement soulagé de la voir que j'ai failli l'expédier *ad patres* en la serrant dans mes bras. Quand je l'ai enfin lâchée, j'ai constaté qu'elle attendait que je le dise. Quelque chose, n'importe quoi qui expliquerait pourquoi ils l'avaient libérée.

Je me suis donc lancé dans un récit prudent, distillant çà et là des bribes d'informations qui ne s'assemblaient pas de façon vraiment cohérente. Au début, toutes les deux ont été soulagées par les bonnes nouvelles : Gatlin et le monde des Mortels n'allaient pas être anéantis par une apocalypse surnaturelle ; les Enchanteurs n'allaient pas perdre leurs pouvoirs ou s'incendier eux-mêmes par mégarde, bien que, dans le cas de Sarafine, cela nous ait sauvé la vie. Elles ont entendu ce qu'elles désiraient entendre : tout allait s'arranger.

Forcément.

Puisque j'offrais ma vie en contrepartie.

Ce que je n'ai pas révélé.

Sauf que toutes les deux étaient trop malignes pour s'arrêter là. Or plus je leur fournissais d'éléments, plus leurs esprits les assemblaient pour recomposer la triste vérité de l'ensemble. J'ai deviné le moment exact où la dernière pièce a pris sa place dans le puzzle.

Il y a eu un instant atroce, où leur expression a changé, où leur sourire s'est fané. Liv a fui mon regard, remontant frénétiquement son sélenomètre et tortillant les fils de coton qui ornaient toujours son poignet.

— On va trouver une solution, a-t-elle marmonné. On en trouve toujours une. Il y a obligatoirement une autre façon de procéder.

— Non.

J'aurais pu me passer de le préciser, elle le savait déjà. Sans répondre, elle a dénoué l'une de ses ficelles effilochées et l'a nouée à mon propre poignet. Les larmes coulaient sur ses joues, mais elle refusait de croiser mes yeux. J'ai tenté de me mettre à sa place, en vain. C'était trop dur.

Je me suis rappelé avoir perdu ma mère, avoir contemplé le costume placé sur la chaise dans le coin de ma chambre, qui attendait que je l'enfile et que j'admette qu'elle était morte. Je me suis rappelé Lena agenouillée dans la boue, sanglotant, lors des obsèques de Macon. Les Sœurs posant un regard vitreux sur le cercueil de tante Prue, leurs mouchoirs bouchonnés dans leurs paumes. Qui allait les commander et s'occuper d'elles, maintenant ?

C'est cela que personne ne formule jamais. Qu'il est plus dur d'être celui qui reste.

J'ai songé à tante Prue qui avait franchi sereinement la Porte Ultime. Elle était en paix, alors. Mais où était la paix pour nous autres ?

Marian n'a pas pipé mot. Elle m'a observé comme si elle essayait de mémoriser mes traits et de figer ce moment pour ne jamais l'oublier. Elle connaissait la vérité. Je crois qu'elle avait deviné que quelque chose de ce genre se préparait, dès l'instant où le Conseil de la Garde Suprême l'avait autorisée à revenir parmi nous.

Tout avait un prix.

Et si ça avait été elle, elle aurait agi pareillement afin de sauver ceux qu'elle aimait.

J'étais convaincu que Liv également. À sa façon, c'était ce qu'elle avait fait pour Macon. Ce que John avait tenté de faire pour elle en sautant du château d'eau. Elle se sentait peut-être coupable que ce soit moi et non lui. J'espérais qu'elle avait elle aussi découvert la vérité. Que ce n'était ni sa faute, ni la mienne, ni même celle de John. Quand bien même j'avais désespérément voulu croire que ça l'était.

Ceci était ma vie, et c'est comme ça qu'elle s'achevait.

J'étais le Pilote. Tel était mon grand et grave dessein.

Il avait été écrit dans les cartes, celles qu'Amma avait tellement souhaité pouvoir modifier.

C'était moi depuis le début.

Toutefois, Marian et Liv ne m'ont pas obligé à leur expliquer cela. Marian m'a enlacé, Liv nous a serrés tous les deux contre elle. Cela m'a rappelé comment ma mère avait eu l'habitude de m'étreindre, comme si elle aurait préféré ne jamais me lâcher, si elle en avait eu le loisir. Marian a fini par murmurer quelques paroles. Winston Churchill.

J'ai prié pour que, où que j'aille, je les garde à jamais en mémoire.

« Ceci n'est pas la fin. Ce n'est même pas le début de la fin. Mais c'est, peut-être, la fin du commencement. »

21 décembre
Les restes

Lena n'était pas dans sa chambre de Ravenwood Manor. Je me suis assis sur son lit pour l'attendre, les yeux fixés au plafond. Une idée m'ayant traversé l'esprit, je me suis emparé de son oreiller et je l'ai frotté contre mon visage. J'avais ainsi humé les taies de ma mère après son décès. Pour moi, c'était magique, pareil à une partie d'elle qui survivait dans mon monde. Je tenais à ce que Lena ait au moins cela.

J'ai pensé à ce lit, à la fois où nous l'avions cassé, au jour où le plafond avait dégringolé dessus, au moment de notre rupture, lorsque le plâtre s'était abattu en pluie sur toute la pièce. J'ai contemplé les murs, en me rappelant les mots qui s'écrivaient d'eux-mêmes dessus, lorsque Lena partageait ses émotions avec moi.

Tu n'es pas le seul à tomber.

Les murs avaient cessé d'être en verre, la chambre était revenue à son état originel, comme lors de notre rencontre. Peut-être essayait-elle de conserver les choses ainsi. Comme au début, quand l'avenir nous réservait encore des tas de possibilités.

J'étais incapable de songer à cela.

Des morceaux de phrases s'étalaient partout. Sans doute parce que Lena le sentait comme ça.

QUI PEUT JUGER LE JUGE ?

Sauf que ça ne fonctionnait pas de cette manière. On ne remontait pas la pendule. C'était valable pour tout le monde. Nous compris.

SANS ÉCLAT MAIS SUR UN CRI PLAINTIF.

Les dés étaient jetés.

Lena le savait, car elle avait rédigé un message à mon intention au feutre noir indélébile. Comme au bon vieux temps.

MATHÉMATIQUE DÉMONIAQUE
Qu'est-ce qui est ÉQUITABLE dans un monde
qu'on a fendu en deux
comme s'il pouvait y avoir
une moitié pour moi
une moitié pour toi
qu'est-ce qui est JUSTE quand
il ne reste rien
à partager
qu'est-ce qui est NÔTRE quand
c'est à moi d'endurer ta souffrance
cette triste mathématique est mienne
ce triste chemin est mien
soustrayez disent-ils
ne pleurez pas
retournez au bureau
essayez
oubliez l'addition
multipliez

et je réponds
voilà pourquoi
les restes
détestent
les divisions

J'ai appuyé ma tête contre le pan de mur sur lequel elle avait écrit cela.

Lena.

Elle n'a pas réagi.

L. Tu n'es pas le reste d'une division. Tu es une survivante.

Ses réflexions me sont parvenues lentement, à un rythme saccadé.

Je ne survivrai pas à cela. Ne me le demande pas.

J'ai deviné qu'elle pleurait. Je l'ai imaginée allongée dans l'herbe desséchée de Greenbrier. C'est là que j'irais la chercher.

Tu ne devrais pas rester seule. Attends, j'arrive.

J'avais tant à dire que j'ai cessé de vouloir le dire. À la place, j'ai essuyé mes yeux d'un revers de manche et j'ai ouvert mon sac à dos. J'en ai sorti le feutre noir que Lena y conservait, comme les automobilistes ont une roue de secours dans le coffre de leur voiture.

Pour la première fois, j'ai débouché le stylo et je me suis juché sur la chaise fragile, devant sa commode blanche ancienne. Elle a grincé sous mon poids mais a tenu bon. De toute façon, je n'en avais pas pour longtemps. Mes yeux piquaient, et j'avais du mal à voir.

J'ai écrit sur le plafond, là où le plâtre était fendillé, là où tant d'autres mots, meilleurs, plus optimistes, étaient apparus au-dessus de nos têtes.

Je n'avais rien d'un poète ; j'avais la vérité, cependant, et ça suffisait amplement.

Je t'aimerai toujours.
Ethan

J'ai retrouvé Lena dans le parc calciné de Greenbrier, à l'endroit exact où je l'avais dénichée, la fois où elle avait brisé les fenêtres de notre classe de littérature. À l'instar de ce jour-là, elle avait les bras au-dessus de son crâne et elle fixait la nue azurée.

Je me suis allongé près d'elle.

Elle n'a pas tenté de sécher ses larmes.

— Il est différent, tu le sais ? Le ciel. Il n'est plus comme avant.

Elle parlait, elle avait renoncé au Chuchotement. Soudain, s'exprimer devenait particulier, à l'instar de toute chose.

— Ah bon ?

Elle a inspiré avec régularité.

— Lors de notre première rencontre, c'est ça que je me suis rappelé. J'ai contemplé le ciel et je me suis dit : « Je vais aimer cette personne, parce que même le ciel semble différent. »

Je n'ai pas pu lui répondre tant j'avais la gorge serrée. Elle n'avait pas terminé, cependant.

— Je me souviens exactement du moment où je t'ai vu. J'étais dans ma voiture, tu jouais au basket dehors avec tes amis. Le ballon a roulé hors du terrain, tu es allé le ramasser. Là, tu m'as regardée.

— Je m'en souviens aussi. J'ignorais que tu m'avais vu.

Elle a souri.

— Tu plaisantes ? J'ai failli emboutir le corbillard.

Je me suis de nouveau tourné vers la nue.

— Crois-tu que l'amour soit possible avant qu'on se soit rencontrés pour la première fois, L ?

Crois-tu que l'amour soit possible après qu'on s'est rencontrés pour la dernière fois, Ethan ?

Autrement dit, après la mort.

C'était injuste. Nous aurions dû râler à cause des couvre-feux qui nous étaient imposés ; nous aurions dû essayer de trouver un job d'été ensemble ailleurs qu'au Dar-ee Keen ;

nous aurions dû nous inquiéter de savoir si nous pourrions fréquenter la même université. Au lieu de quoi…

S'écartant de moi, elle a pleuré plus fort, a arraché l'herbe autour d'elle. L'enveloppant de mes bras, je l'ai serrée. J'ai caressé doucement ses cheveux.

— Oui, ai-je soufflé à son oreille.

Quoi ?

Je crois à l'amour après la mort.

Elle a haleté.

C'est peut-être ainsi que je me souviendrai, L. Si ça se trouve, me souvenir de toi est la vie après la mort.

— Comme ta mère se souvient de toi ? a-t-elle demandé.

— Oui. Je ne sais pas trop en quoi je crois. Mais à cause de toi et de ma mère, je sais que je crois.

Moi aussi. Mais je te veux ici. Je me fiche qu'il fasse quarante degrés et que les plantes meurent. Sans toi, plus rien de cela n'importe, à mes yeux.

Je comprenais à quel point c'était dur pour elle, dans la mesure où il m'était si difficile de la quitter. Je ne pouvais pas le lui dire, cependant. Ça n'aurait fait qu'aggraver la situation.

Il n'est pas question de simples plantes, tu en as conscience. Il s'agit de la destruction du monde et de ceux auxquels nous tenons.

Elle a secoué la tête.

— Je m'en moque. Je n'imagine pas le monde sans toi.

— Alors, imagine celui que j'ai toujours voulu voir.

De ma poche, j'ai tiré la carte usée et pliée qui avait été accrochée au mur de ma chambre durant tant d'années.

— Tu le verras pour moi, peut-être. J'ai tracé les itinéraires en vert. Tu n'es pas obligée de l'utiliser, mais j'aimerais que quelqu'un s'en serve. Après tout, j'envisageais ce périple depuis un moment… toute ma vie, en réalité. Ce sont les lieux mentionnés dans mes livres préférés.

— Je n'ai pas oublié, a-t-elle murmuré. Jack Kerouac.

— Tu pourrais aussi créer la tienne. C'est drôle. Avant de te connaître, je ne désirais qu'une chose, partir le plus loin possible d'ici. Ironique, non ? Il est difficile d'aller plus loin que là où je vais aller, mais je donnerais n'importe quoi pour rester, aujourd'hui.

Posant ses mains sur mon torse, elle s'est vivement écartée. La carte est tombée entre nous.

— Tais-toi ! Tu ne le feras pas !

Me ramassant, j'ai récupéré le schéma des lieux où j'avais rêvé de me rendre avant de finir par comprendre que ma place était ici.

— Alors, garde-la pour moi.

Lena a observé la feuille comme si c'était la chose la plus dangereuse qui soit. Puis elle a entrepris de détacher son collier de babioles.

— À condition que tu gardes ça pour moi.

— Non, L.

Mais il était suspendu entre nous, et ses yeux rouges et gonflés me suppliaient de l'accepter. J'ai ouvert ma paume, elle l'a laissé choir dedans – le bouton argenté, la ficelle rouge, l'étoile de sapin de Noël, tous ses souvenirs dans ma main. Je lui ai soulevé le menton pour qu'elle me regarde.

— Je sais combien c'est éprouvant, mais nous ne pouvons pas prétendre que ça n'arrive pas. J'ai besoin que tu me promettes quelque chose.

— Quoi ?

— Reste ici afin de Sceller l'Ordre Nouveau, d'accomplir le rôle qui t'est dévolu. Sinon, ce que je m'apprête à accomplir n'aura servi à rien.

— Tu ne peux pas me demander cela. Je m'y suis risquée quand j'ai cru qu'oncle Macon était mort, et tu as constaté le résultat. Je n'y arriverai pas sans toi.

Sa voix s'est éraillée.

Promets-moi d'essayer.

— Non ! a-t-elle refusé en secouant la tête avec véhémence. Tu n'as pas le droit d'abandonner. Il y a une alternative. Nous avons du temps. Je t'en supplie, Ethan !

Elle cédait à l'hystérie. Je l'ai étreinte, ignorant la brûlure de sa peau contre la mienne. Cette incandescence allait me manquer. Tout chez elle me manquerait.

— Chut, L. Tout va bien.

Faux.

Je me suis juré de trouver une façon de revenir vers elle, comme ma mère s'était débrouillée pour communiquer avec moi et me revoir. Tel est le serment que je me suis fait, quand bien même je ne le tiendrais peut-être pas.

Fermant les paupières, j'ai enfoui mon visage dans les cheveux de Lena. Je voulais me rappeler ceci. La sensation de son cœur battant contre le mien, l'odeur de citrons et de romarin qui m'avait conduit vers elle. Lorsque l'heure sonnerait, je voulais que ce soit mon ultime souvenir. Mon ultime pensée.

Citrons et romarin. Boucles noires, un œil vert et l'autre doré.

Lena a conservé le silence, j'ai renoncé à lui parler plus avant, parce qu'on ne nous aurait pas entendus sous le vacarme de nos cœurs qui se fracassaient et de l'ombre menaçante du dernier mot, celui que nous refusions de prononcer.

Celui qui se manifesterait pourtant, que nous le disions ou pas.

« Adieu. »

21 décembre
Bouteilles brisées

Amma était assise à la table de la cuisine quand je suis rentré à la maison. Aucun signe de ses cartes, de ses mots croisés, de ses bonbons à la cannelle ni des Sœurs. Seule une vieille bouteille fendue de Coca était placée près d'elle. Elle provenait de notre arbre à bouteilles, celui qui n'avait jamais capturé l'esprit qu'Amma avait traqué. Le mien.

J'avais répété la conversation qui allait suivre à partir du moment où j'avais compris que j'étais le Creuset. J'avais réfléchi aux centaines de manières différentes d'annoncer à la personne qui m'aimait autant que m'avait aimé ma mère que j'allais mourir.

Que dit-on, dans ces cas-là ?

Je l'ignorais encore. À présent que j'étais debout à regarder Amma, ça me paraissait infaisable. Même si j'avais l'impression qu'elle était déjà au courant. Je me suis glissé sur la chaise face à la sienne.

— Amma, il faut que je te parle.

Elle a hoché la tête tout en jouant avec le flacon.

— Je dois admettre que j'ai tout raté, cette fois, a-t-elle maugréé. Je croyais que c'était toi qui trouerais l'univers, il s'avère que ça a été moi.

— Tu n'y es pour rien.

— Quand un ouragan se déchaîne, ce n'est pas plus la faute de M. Météo que de Dieu, quoi que soutienne la maman de Wesley. De toute façon, ceux qui n'ont plus de toit se moquent éperdument du responsable, non ?

Elle a posé les yeux sur moi, vaincue.

— Mais je pense, a-t-elle ajouté, que toi et moi sommes conscients de ma responsabilité, ici. Et ce trou est trop gros pour que je le recouse.

J'ai placé mes grosses pattes sur ses menottes.

— C'est de cela que je voulais m'entretenir avec toi. Je suis en mesure de le réparer.

Elle a reculé sur son siège, les rides soucieuses de son front se sont creusées.

— Comment ça, Ethan Wate ?

— Je peux arrêter ça. La canicule et la sécheresse. Les séismes, les Enchanteurs qui perdent leurs dons. Tout. Tu t'en doutais déjà, n'est-ce pas ? C'est la raison pour laquelle tu as consulté le bokor.

Son visage a blêmi.

— N'évoque pas ce diable dans cette maison ! Tu ignores...

— Tu es allée le voir, Amma. Je t'ai suivie.

Je n'avais pas le temps de jouer à ces jeux. Il était exclu que je parte sans lui avoir au préalable dit au revoir. Même si elle ne le voulait pas.

— J'imagine que tu l'as lu dans les cartes, hein ? Tu as tenté de changer la donne, mais la Roue de Fortune finit par nous écraser tous.

Il régnait un tel silence dans la pièce qu'on aurait pu croire que l'air en avait été entièrement aspiré.

— Ce sont bien tes paroles, n'est-ce pas ? ai-je insisté.

Ni elle ni moi n'avons bougé ni respiré. L'espace d'une seconde, elle a semblé tellement terrifiée que l'idée m'a traversé l'esprit qu'elle allait fiche le camp ou saupoudrer toute la baraque de sel. C'est une autre réaction qu'elle a eue, cependant. Ses traits se sont affaissés, et elle s'est précipitée sur moi, agrippant mes bras comme si elle s'apprêtait à me secouer comme un prunier.

— Pas toi ! a-t-elle crié. Tu es mon garçon. La Roue ne te concerne en rien. C'est ma faute, c'est moi qui réparerai les dégâts.

J'ai posé mes mains sur ses épaules menues. Les larmes roulaient sur ses joues.

— Tu ne peux pas, Amma. Moi seul suis en mesure de le faire. Je partirai demain avant le lever du soleil...

— Tais-toi ! s'est-elle exclamée. Je t'interdis de prononcer un mot de plus !

Elle a enfoncé ses doigts dans ma chair, à croire qu'elle était une bouée destinée à me sauver de la noyade.

— Écoute-moi, Amma...

— Non ! m'a-t-elle interrompu, à la fois suppliante et frénétique. Toi, écoute-moi ! J'ai tout arrangé. Il existe un moyen de changer les cartes, tu verras. J'ai passé un marché de mon côté. Contente-toi d'attendre.

Elle s'était mise à marmonner entre ses dents, pour elle-même, telle une insensée. Elle se leurrait. J'ignorais si elle en avait conscience ; moi, si.

— Ceci est une mission que je me dois d'accomplir. Si j'y manque, toi, papa et toute cette ville, vous disparaîtrez.

— Je me fiche de cette ville ! Elle peut bien être réduite en cendres, ça m'est égal ! Je ne laisserai rien arriver à mon garçon. Compris ?

Elle a inspecté la cuisine en tournant vivement la tête de tous côtés, comme si elle traquait une créature tapie dans l'ombre. Lorsqu'elle m'a de nouveau regardé, ses jambes se sont dérobées sous elle, et elle a dangereusement tangué. Elle était à deux doigts de s'évanouir. Je l'ai rattrapée.

— J'ai déjà perdu ta maman, a-t-elle soufflé, je ne peux pas te perdre toi aussi.

Je l'ai aidée à s'asseoir et me suis agenouillé près d'elle en attendant qu'elle recouvre ses esprits.

— Respire profondément, l'ai-je encouragée.

C'était le conseil que Thelma donnait à tante Charity lorsque cette dernière était victime d'une de ses habituelles syncopes. Sauf que là, nous étions bien au-delà des inspirations. Amma a tenté de me chasser.

— Je n'ai rien, a-t-elle assené. Tant que tu me jures que tu ne te lanceras dans rien d'idiot. Je vais recoudre ce bazar. Il me faut juste le bon fil pour ça.

Un fil qui aurait mariné dans la magie noire du bokor, je l'aurais parié.

Je n'avais pas envie que ma dernière parole à Amma soit un mensonge. Malheureusement, elle refusait d'entendre raison. Jamais je ne la convaincrais que j'agissais à bon escient. Comme Lena, elle était persuadée qu'il y avait une échappatoire.

— Très bien, Amma. Viens, je t'accompagne jusqu'à ta chambre.

Elle s'est accrochée à moi pour se redresser.

— Tu dois me le promettre, Ethan Wate, a-t-elle insisté.

Je l'ai regardée droit dans les yeux.

— Je te jure que je ne ferai aucune bêtise, ai-je dit.

Un demi-mensonge, seulement. Parce que sauver ceux qu'on aime n'est pas une ânerie. Ce n'est même pas un choix.

Je persistais toutefois à ce que mes ultimes mots à l'adresse d'Amma soient authentiques comme un lever de soleil. Aussi, après l'avoir installée dans son fauteuil préféré, je l'ai serrée fort contre moi et je lui ai murmuré :

— Je t'aime, Amma.

Il n'y avait rien de plus vrai.

La porte d'entrée a claqué au moment où je refermais celle de la chambre d'Amma.

— Salut, tout le monde ! C'est moi !

J'étais sur le point de répondre à mon père quand j'ai entendu une autre porte s'ouvrir.

— Je serai dans mon bureau. J'ai plein de trucs à lire.

N'importe quoi ! Mon père consacrait son temps à se renseigner sur la Dix-huitième Lune, alors que j'en connaissais plus à ce sujet que ce que j'aurais voulu en savoir.

Je suis retourné dans la cuisine. La vieille bouteille de Coca était toujours sur la table, là où Amma l'avait abandonnée. Bien qu'il ait été trop tard pour y emprisonner quoi que ce soit, je l'ai ramassée et empochée.

Y avait-il des arbres à bouteilles, là où je me rendais ?

En montant dans ma chambre, je suis passé devant le bureau. Mon père travaillait sur l'ancienne table de ma mère. La pièce était illuminée, il buvait un café (non décaféiné) qu'il avait apporté en douce entre nos murs. J'ai ouvert la bouche à l'instant où il fouillait dans un tiroir, en quête de ses bouchons d'oreilles qu'il a aussitôt mis en place.

« Adieu, papa. »

Sans bruit, j'ai appuyé mon front contre le montant de la porte. Je n'ai pas insisté. Il apprendrait les choses assez tôt.

Ce n'est qu'après minuit que Lena s'est endormie, épuisée d'avoir tant pleuré. Assis dans mon lit, j'ai relu une dernière fois *Des souris et des hommes*. Mes souvenirs s'étaient tellement estompés, depuis quelques mois, que j'avais oublié beaucoup de détails. Il y avait cependant un passage que je me rappelais. La fin. Elle m'avait dérangé à chacune de mes lectures – quand George tuait Lennie tout en lui décrivant la ferme qu'ils allaient acheter un jour. Celle que Lennie ne verrait jamais.

Lorsque nous avions étudié le roman, en cours de littérature, toute la classe était convenue que George se sacrifiait en éliminant son ami. Il s'agissait pour lui de donner le coup de grâce, puisqu'il savait que Lenny allait être pendu pour avoir accidentellement tué la fille du ranch. Je n'avais jamais été d'accord avec cette interprétation, cependant. Tirer un coup de fusil dans la tête de votre meilleur pote au lieu de l'aider à fuir ne constitue pas un sacrifice à mes yeux. C'était Lennie qui se sacrifiait, qu'il en ait ou non conscience. Le pire, c'est que je crois qu'il l'aurait fait volontiers et sur-le-champ pour George. Il voulait que George soit heureux, qu'il ait son exploitation.

Je savais que mon sacrifice à moi ne réjouirait personne, mais il servirait à sauver la vie de tous. Cela me suffisait. J'étais également certain qu'aucun de ceux que j'aimais ne m'autoriserait à me sacrifier pour lui. Voilà pourquoi, à une heure du matin, j'ai enfilé mon jean.

J'ai inspecté une dernière fois ma chambre, les boîtes à chaussures entassées le long des murs qui renfermaient tout ce qui avait compté dans ma vie, le fauteuil dans le coin, dans lequel ma mère s'était assise quand elle m'avait rendu visite, deux mois auparavant, les piles de mes livres préférés cachées sous mon lit et la chaise pivotante qui n'avait jamais pivoté lorsque Macon Ravenwood s'y était installé. Je tenais à garder tout cela en mémoire. En enjambant le rebord de ma fenêtre, je me suis demandé si ça arriverait.

Le château d'eau de Summerville me surplombait, menaçant, sous le clair de lune. La plupart des gens n'auraient sans doute pas choisi ce lieu, mais comme c'était là que s'étaient déroulés mes rêves, j'étais sûr que c'était le bon endroit. J'avais eu tendance à prendre beaucoup de choses pour argent comptant, ces derniers mois. Quand on sait ne plus disposer de beaucoup de temps pour changer le cours des choses, on devient philosophe. On les comprend mieux

aussi ou, du moins, elles se résolvent toutes seules, et la situation devient plus claire.

Le premier baiser n'est pas aussi vital que le dernier.

Le contrôle de maths n'avait vraiment pas beaucoup d'importance.

En revanche, la tourte, si.

Ce en quoi on excelle et ce pour quoi on est nul sont les deux faces d'une même chose.

Pareil pour ceux qu'on aime et ceux qu'on déteste, ceux qui vous aiment et ceux qui vous détestent.

Le seul truc qui compte, c'est d'avoir aimé quelques personnes.

La vie est vraiment très, très courte.

Tirant le collier de babioles de Lena de ma poche arrière, je l'ai contemplé. Puis je l'ai jeté par la vitre ouverte sur le siège de la Volvo. Je ne souhaitais pas qu'il lui arrive malheur quand tout serait fini. J'étais heureux qu'elle me l'ait offert. Ça me donnait l'impression qu'elle était ici avec moi.

Sauf que j'étais seul. Je l'avais voulu ainsi. Pas d'amis, pas de famille. Pas de paroles, pas de Chuchotement. Même pas Lena.

Je désirais que la situation se révèle à moi telle qu'elle était.

La situation était terrible. La situation était pire.

Je le sentais, à présent. Mon destin venait à moi. Mon destin et quelque chose d'autre.

Le ciel s'est déchiré à quelques pas de moi. Je m'attendais plus ou moins à ce que ce soit Link avec un sachet de barres chocolatées ou un truc de ce style, mais c'était John Breed.

— Que se passe-t-il ? Macon et Liv vont bien ?

— Oui. Tout le monde est en forme, au regard de ce qui se passe.

— Qu'est-ce que tu fiches ici, alors ?

Il a haussé les épaules, joué avec son briquet.

— Je me suis dit que tu aurais besoin d'un copilote.

— Pour quoi faire ? Me pousser par-dessus bord ?

Je ne blaguais qu'à moitié. John a sèchement refermé son briquet.

— C'est juste plus difficile que tu ne le penses, là-haut. Et puis, tu as été là pour moi, non ?

Sa logique m'est apparue un tantinet biaisée, mais qu'est-ce qui ne l'était pas, en ce moment ?

Je n'ai su que répondre à cela. J'avais du mal à croire que ce type était le même salopard qui m'avait cassé la figure à la foire et avait tenté de me piquer ma copine. Il était presque sympa, maintenant. Sûrement parce qu'il était tombé amoureux.

— OK, mec. Merci. À quoi ça ressemble ? Quand on dégringole, s'entend ?

Il a secoué la tête.

— Inutile que je te décrive ça, tu n'as aucune envie de le savoir, crois-moi.

Nous nous sommes approchés de l'édifice. Une énorme lune blanche dissimulait la lumière de la véritable lune. L'échelle métallique luisait, tout près de nous.

J'ai deviné sa présence dans notre dos avant John, lequel a cependant fini par se retourner.

Amma.

Personne d'autre qu'elle n'émettait ce parfum de mine de crayon et de bonbons à la cannelle.

— Ethan Wate ! J'étais présente le jour où tu es né et je serai présente le jour où tu mourras, de ce côté-ci de l'existence ou de l'autre !

J'ai continué à avancer.

— Quoi qu'il en soit, a-t-elle poursuivi en haussant le ton, ce n'est pas pour aujourd'hui.

— Nom d'un chien, Wate ! s'est exclamé John, amusé. Tu as une famille terrifiante, pour un simple Mortel.

Je me suis raidi, prêt à affronter le spectacle d'Amma armée de ses perles, de ses poupées et – pourquoi pas ? – de

sa bible. Sauf que, quand j'ai pivoté sur mes talons, ce sont les tresses emmêlées et la crosse à peau de serpent du bokor que j'ai découvertes. L'homme m'a souri.

— Je constate que tu n'as pas trouvé ton *ti-bon-ange*. À moins que si. Il est plus aisé à trouver qu'à capturer, n'est-ce pas ?

— Je t'interdis de lui parler ! a aboyé Amma.

Quelle qu'ait été la raison de sa venue ici, le sorcier n'était donc pas censé me convaincre de ne pas monter au sommet du château d'eau.

— Amma ! ai-je crié.

Elle m'a fixé. Alors, pour la première fois, j'ai vu à quel point elle était égarée. Ses prunelles noires exprimaient l'angoisse et la nervosité, elle avait perdu sa posture d'ordinaire si fière.

— J'ignore pourquoi tu as amené ce type, mais tu ne devrais pas le fréquenter.

Rejetant la tête en arrière, le bokor s'est esclaffé.

— La Voyante et moi avons conclu un marché. J'ai bien l'intention de remplir mes obligations.

— Quel marché ? ai-je demandé.

Amma a jeté au magicien un regard qui lui ordonnait de la boucler. Puis elle m'a fait signe de la rejoindre, comme quand j'étais gosse.

— Ceci ne concerne que moi et mon Créateur. Rentre à la maison, et lui retournera à ses affaires.

— Ce n'est pas une question, à mon avis, est intervenu John. Et si Ethan refuse d'obéir ? a-t-il ensuite lancé.

— Je me doutais que tu serais ici, toi, a répliqué Amma, furibarde. Tu es le diable sur l'épaule de mon garçon. Je vois encore une chose ou deux, figure-toi. Et je peux affirmer que tu es Ténèbres comme un morceau de charbon au milieu de la neige, quelle que soit la couleur de tes yeux. Voilà pourquoi j'ai apporté mes propres Ténèbres avec moi.

Le bokor n'était donc pas ici pour moi ou mon Âme Fracturée. Il était là pour veiller à ce que John ne mette pas de bâtons dans les roues de ma gouvernante. L'Incube a levé les bras, dans une parodie de reddition.

— Je n'incite Ethan à rien, s'est-il défendu. Je suis venu en ami.

Un bruit de bouteilles s'entrechoquant a résonné. C'est là que j'ai remarqué la ceinture de flacons nouée à la taille du sorcier. Un arbre à bouteilles de son propre tonneau. Il en a brandi une devant lui, les doigts sur le bouchon.

— Et moi, a-t-il lâché, j'ai amené des amis.

Il a débouché la flasque d'où s'est échappé un mince filet de fumée noire qui a tournoyé lentement, presque hypnotique, avant de prendre forme humaine. Sauf que ce Diaphane ne ressemblait pas à ceux que j'avais pu croiser. Ses membres étaient estropiés, tordus dans des positions peu naturelles. Il lui manquait des pans entiers de corps, comme s'ils étaient tombés, rongés par la pourriture. C'était un zombie déchiré et brisé tout droit sorti d'un film d'horreur. Ses orbites étaient vides, vagues.

— Vous autres Mortels êtes encore plus cinglés que les créatures surnaturelles ! s'est écrié John en reculant d'un pas.

— Qu'est-ce que c'est que ce truc ? ai-je demandé sans réussir à m'arracher au spectacle.

Le bokor a jeté une sorte de poudre par terre.

— L'âme d'un Ignoré, a-t-il expliqué. Quand les familles ne s'occupent pas de leurs morts, je me charge de les récupérer.

En souriant, il a secoué la bouteille. J'étais sur le point de vomir. J'avais cru qu'enfermer les esprits maléfiques dans des flacons relevait des superstitions dingues d'Amma. Et voilà que j'apprenais que des magiciens vaudous se baladaient dans les cimetières afin d'en attraper. L'évanescence torturée s'est tournée vers John avec une expression figée dans un hurlement silencieux. L'Incube a écarté les mains, comme Lena.

— Recule, Ethan. Je ne sais pas ce que cette chose risque de faire.

J'ai obtempéré, cependant que des flammes s'échappaient des doigts de John. S'il paraissait avoir moins de pouvoir que Lena ou Sarafine en la matière, son feu ronflait quand même comme un brasier. Il a atteint l'esprit, l'a enveloppé. Les contours de la silhouette se sont dessinés au centre de l'incendie, de même que son cri muet. Puis le brouillard qui constituait l'apparition s'est dissipé ; quelques secondes plus tard, il resurgissait en spirale loin du feu et planait à quelques mètres de nous.

— Ça n'a pas marché, apparemment, a marmonné John en frottant ses paumes sur son jean. Je n'ai pas...

À cet instant, l'âme de l'Ignoré a foncé sur lui. Sans s'arrêter, elle s'est engouffrée dans son corps, manquant de disparaître complètement quand il s'est volatilisé dans un bruit de déchirure. L'esprit a été violemment repoussé, comme attiré en arrière par un aspirateur. John s'est de nouveau matérialisé, à l'écart. Sous le choc, il a passé ses mains sur son corps, l'air de vérifier qu'il ne lui manquait rien. La brume tourbillonnait, intacte.

— Que t'a fait ce machin ?

— Il a essayé de pénétrer en moi. Les esprits ténébreux cherchent toujours à posséder une enveloppe charnelle quand ils veulent occasionner de véritables dégâts.

Les bouteilles ont de nouveau cliqueté. Le bokor en ouvrait d'autres, qui lâchaient tour à tour leur contenu.

— Regarde ! ai-je soufflé. Il en a encore plein.

— On est foutus, a grommelé John.

— Arrête ça, Amma ! ai-je crié.

Ça n'a servi à rien. Les bras croisés, Amma semblait plus déterminée et plus folle que jamais.

— Accompagne-moi à la maison, et il remplira ces flacons plus vite que tu n'es capable de renverser un verre de lait, a-t-elle répondu.

Elle avait viré au noir avec une telle intensité que j'étais incapable de l'atteindre, de la ramener à la raison. J'ai regardé John.

— Tu pourrais les éradiquer ou les transformer ?

— Non. Aucun de mes talents n'est capable de lutter contre des Ignorés en colère.

Tout à coup, des tourbillons de fumée se sont élevés, cependant que quelqu'un émergeait de l'ombre.

— Par bonheur, j'en possède quelques-uns efficaces, moi.

Macon Ravenwood a tiré sur son cigare.

— Tu me déçois, Amarie. Ceci n'est pas à ton honneur.

Écartant le bokor, dont les flacons se sont dangereusement entrechoqués, Amma a tendu le doigt vers Macon.

— Tu agirais de même s'il s'agissait de ta nièce, et plus vite qu'un mécréant pillant un tronc d'église, Melchizedek ! Inutile d'adopter de grands airs sous prétexte que je refuse de laisser mon garçon se sacrifier !

Derrière elle, le sorcier a libéré un énième Ignoré. Macon l'a observé qui s'envolait.

— Pardonnez mon audace, monsieur, mais je vais devoir vous prier de bien vouloir récupérer vos affaires et quitter les lieux. Mon amie se trompait lorsqu'elle s'est attaché vos services. Le chagrin affecte la raison, comme vous le savez sûrement.

L'homme a ri. Du bout de son bâton, il a dirigé un esprit vers Macon.

— Je ne suis pas un spadassin, Enchanteur. Le marché qu'elle a conclu avec moi ne peut être défait.

L'âme perdue a tourné une fois avant de se laisser tomber sur Macon, la bouche ouverte. L'oncle de Lena a fermé les yeux, et j'ai protégé les miens, anticipant l'éclat vert aveuglant qui avait failli entièrement détruire Hunting. Sauf que ce n'est pas de la lumière qui a jailli, mais son contraire, une absence totale de lumière ; les Ténèbres.

Un vaste cercle d'un noir absolu s'est formé dans le ciel, au-dessus de l'Ignoré. On aurait dit l'une de ces images satellites d'un ouragan, sinon qu'aucune bourrasque n'y tourbillonnait. C'était un véritable trou dans le ciel.

L'Ignoré a virevolté, cependant que le trou noir l'attirait à lui, pareil à un aimant. Lorsqu'il en a atteint l'extrémité extérieure, il a disparu, petit à petit, comme aspiré dedans. Cela m'a évoqué la façon dont ma main s'enfonçait dans la grille menant à la *Lunae Libri*. Quand les doigts flous de l'esprit ont été avalés, le trou s'est refermé puis volatilisé.

— Savais-tu qu'il pouvait faire cela ? m'a chuchoté John.

— Je ne sais même pas ce qu'il fait exactement.

Le bokor a écarquillé les yeux, sans renoncer cependant. Pointant sa crosse tour à tour sur ses autres Ignorés, il en a précipité les silhouettes abîmées en direction de Macon. Des trous d'un noir d'encre se sont alors ouverts derrière chacun d'entre eux, les attirant en eux avant de disparaître, comme les feux d'artifice s'éteignent.

L'une des bouteilles vides a glissé de la main du sorcier vaudou sur le sol. Je l'ai entendue se fracasser sur la terre aride. Rouvrant les paupières, Macon l'a toisé avec calme.

— Je vous le répète, nous n'avons plus besoin de vos services. Je vous suggère de regagner votre terrier avant que je n'en crée un spécialement à votre intention.

Ouvrant une besace de toile, l'interpellé en a sorti une poignée de la poudre blanc crayeux qu'il avait répandue autour de lui. Amma a reculé en soulevant l'ourlet de sa robe, afin qu'elle ne traîne pas dedans. Le bokor a levé la main devant sa bouche et soufflé les particules sur Macon. Elles ont volé, pareilles à des cendres. Cependant, avant qu'elles aient atteint leur but, un nouveau trou s'est ouvert et les a englouties. Macon a fait rouler son cigare entre ses doigts.

— Monsieur, et j'utilise ce terme avec générosité, à moins que vous n'ayez un autre tour en réserve, je vous conseille fortement de rentrer chez vous.

— Sinon quoi, Enchanteur ?

— Sinon, le prochain trou noir sera pour vous.

Les prunelles du sorcier ont étincelé dans la pénombre.

— Cette intervention était une erreur, Ravenwood. La vieille femme avait une dette envers moi. Elle la paiera, dans cette vie ou dans la prochaine. Vous auriez dû éviter de vous en mêler.

Il a jeté quelque chose par terre, de la fumée est montée. Lorsqu'elle s'est dissipée, il avait disparu.

— Il Voyage ? me suis-je exclamé.

Ça me semblait impensable.

— Juste un amusement de salon pour magicien de troisième ordre, a expliqué Macon en venant à nous.

John l'a contemplé avec un respect mêlé de stupeur.

— Comment avez-vous réussi à faire ce que vous venez de faire ? Je savais qu'il était possible de créer de la lumière, mais ça ?

— Il s'agit de pans de Ténèbres. De trous dans l'univers, pourrait-on dire. Pas une activité très plaisante.

— Sauf que vous êtes un Enchanteur de la Lumière, désormais. Comment êtes-vous en mesure de créer des Ténèbres ?

— Parce que j'ai longtemps été un Incube avant cela. Chez certains d'entre nous, la Lumière et les Ténèbres coexistent. Vous devriez vous en douter mieux que quiconque, John.

Ce dernier s'apprêtait à répondre quand Amma lui a coupé l'herbe sous le pied.

— Melchizedek Ravenwood ! a-t-elle crié. C'est la dernière fois que je te demande de ne pas fourrer ton nez dans mes affaires. Occupe-toi de ta famille, je veillerai sur la mienne ! Ethan Wate, nous partons. Tout de suite !

— Je ne peux pas.

Amma a lancé un regard venimeux à Macon.

— C'est ta faute ! Je ne te le pardonnerai jamais, tu m'entends ? Ni aujourd'hui, ni demain, ni quand je te retrouverai en enfer pour les péchés que nous avons toi et moi commis. Et pour celui que je suis sur le point de commettre.

Elle a saupoudré des cristaux blancs autour d'elle, dessinant un cercle qui brillait comme de la neige. Du sel

— Amarie ! l'a hélée Macon.

Sa voix était tendre, il comprenait fort bien qu'elle déraille.

— Tante Delilah, oncle Abner, tante Ivy, grand-maman Sulla ! a-t-elle lancé en levant les yeux vers la nue nocturne. J'ai besoin que vous intercédiez. Vous êtes le sang de mon sang, je vous invoque pour que vous m'aidiez à combattre ceux qui menacent ce que j'aime par-dessus tout.

Elle en appelait aux Grands, s'efforçait de les monter contre Macon. J'ai éprouvé le poids de son désespoir, de sa folie, de son amour. Malheureusement, tout cela était trop enchevêtré dans le mal pour sembler juste. Elle seule ne s'en rendait pas compte.

— Ils ne se montreront pas, ai-je chuchoté à Macon. Elle a déjà essayé de les convoquer, ils n'ont pas réagi.

— Ils manquaient peut-être de la motivation adéquate.

Suivant le regard de Macon, au-delà du château d'eau, j'ai aperçu des silhouettes qui surgissaient au-dessus de nous, au clair de lune : les Grands, ancêtres d'Amma en provenance de l'Autre Monde. Ils avaient fini par se décider à lui répondre.

— Voilà celui qui veut faire du mal à mon garçon et le priver d'ici-bas, leur a-t-elle dit en désignant Macon d'un doigt osseux. Arrêtez-le ! Agissez comme il se doit !

Les Grands ont toisé l'accusé et, un instant, j'ai retenu mon souffle. Sulla avait des colliers de perles noués autour du poignet, rosaires d'une religion qui n'était qu'à elle. Delilah et Ivy la flanquaient et observaient Macon.

Oncle Abner, quant à lui, me fixait, ses prunelles fouillant les miennes. Immenses et brunes, elles étaient pleines de questions. J'aurais aimé y répondre, sinon que j'ignorais ce qu'il voulait savoir.

D'une façon ou d'une autre, il a dû trouver ses réponses ailleurs, car il s'est tourné vers Sulla et s'est adressé à elle en Gullah.

— Agissez comme il se doit ! a répété Amma.

La dévisageant, les Grands se sont donné la main. Ils agissaient comme il se devait.

— Non !

Laissant échapper un cri étranglé, Amma est tombée à genoux. Les Grands se tenaient encore quand, face à la lune, ils se sont évaporés.

— Je veillerai sur Amarie, Ethan, m'a promis Macon en posant une main sur mon épaule. Qu'elle le veuille ou non.

Je me suis dirigé vers l'échelle rouillée.

— Souhaites-tu que je t'accompagne ? a lancé John dans mon dos.

J'ai secoué la tête. Cette mission, il fallait que je la remplisse seul. Autant que possible du moins, puisque la moitié de mon âme me suivait partout où j'allais.

— Ethan…

Macon. Doigts agrippés de chaque côté de l'échelle, je n'ai pas réussi à me retourner.

— Adieu, monsieur Wate.

On y était, une poignée de mots dénués de sens. Il n'y avait rien d'autre à dire.

— Vous prendrez soin d'elle pour moi.

Ce n'était pas une question.

— Oui, fiston.

J'ai resserré ma prise sur les montants de l'échelle.

— Non ! Mon garçon !

J'ai entendu le hurlement d'Amma, le bruit de ses pieds qui résistaient, cependant que Macon la retenait.

J'ai commencé à grimper.

— Ethan Lawson Wate !

Chaque cri rauque ponctuait mon ascension. La même phrase défilait encore et encore dans ma tête.

« Ce qui est bien et ce qui est facile sont rarement la même chose. »

22 décembre
Final

Debout au sommet du château d'eau, je faisais face à la lune. Je n'avais pas d'ombre et, s'il y avait des étoiles, je ne les distinguais pas. Summerville s'étendait devant moi, éparpillement de minuscules lumières qui disparaissaient dans l'obscurité du lac.

Cet endroit avait été celui de notre bonheur, le mien et celui de Lena. De l'un de nous, au moins. Mais j'étais seul, désormais. Je ne me sentais pas heureux. Je ne ressentais rien, sinon de la peur, et une drôle d'envie de vomir.

J'entendais encore les hurlements d'Amma.

Un instant, je me suis agenouillé, j'ai posé les mains sur le métal peint. Baissant les yeux, j'ai distingué un cœur dessiné au feutre noir. J'ai souri, je me suis souvenu, je me suis relevé.

Il est l'heure. Il n'est plus temps de reculer.

J'ai contemplé les petites lampes lointaines, rassemblant le courage de procéder à l'impensable. La terreur, lourde et malsaine, me secouait l'estomac.

Ceci était juste.

Fermant les yeux, j'ai éprouvé les bras qui m'enserraient brutalement la taille et me coupaient le souffle avant de m'entraîner vers l'échelle métallique. Je l'ai entrevu un instant, je me suis entrevu, quand ma mâchoire a heurté la rambarde et que j'ai titubé.

Il essayait de me retenir.

J'ai tenté de me débarrasser de lui. Me penchant en avant, j'ai vu mes Converse qui donnaient des coups de pied. Puis j'ai vu les siennes qui agissaient de même. Elles étaient si vieilles et usées qu'elles auraient pu m'appartenir. C'était ce que je me rappelais de mon rêve. C'était ainsi que ça devait se passer.

Que fais-tu ?

Cette fois, c'était lui qui m'interrogeait.

Je l'ai jeté à terre, il est tombé sur le dos. Je l'ai attrapé par le col de son tee-shirt, lui par le mien.

Nos regards se sont croisés, et il a compris la vérité.

Nous allions mourir l'un comme l'autre. Il paraissait évident que nous serions ensemble lorsque ça arriverait.

J'ai brandi la bouteille de Coca qu'Amma avait abandonnée sur la table de la cuisine un peu plus tôt dans la soirée. Si un arbre à bouteilles porté en ceinture pouvait emprisonner tout un tas d'âmes perdues, une seule bouteille réussirait peut-être à contenir la mienne.

Je t'ai attendu.

Son visage a changé.

Ses yeux se sont écarquillés.

Il s'est rué sur moi.

Je n'ai pas lâché prise.

Les yeux dans les yeux, nous nous sommes mutuellement pris à la gorge.

Alors que nous roulions par-dessus le rebord du château d'eau

et que nous tombions,
durant
toute
notre
chute,
je
n'ai
songé
qu'à
une
chose
.
.
.
L
E
N
A

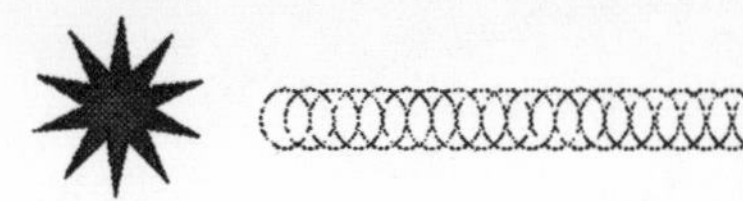

Ethan sait à présent qu'il est le seul à pouvoir rétablir l'ordre des choses à Gatlin. Mais parviendra-t-il à accomplir sa mission avant qu'Abraham mette à exécution ses plans diaboliques ?

Vous le saurez prochainement

dans

Composition JOUVE – 45770 Saran
N° 731569P

Impression réalisée par CPI BRODARD ET TAUPIN
La Flèche
En octobre 2012

« Pour l'éditeur, le principe est d'utiliser des papiers composés de fibres naturelles, renouvelables, recyclables et fabriquées à partir de bois issus de forêts qui adoptent un système d'aménagement durable. En outre, l'éditeur attend de ses fournisseurs de papier qu'ils s'inscrivent dans une démarche de certification environnementale reconnue. »

20.19.2120.2/04 - ISBN 978-2-01-202120-4
Dépôt légal : janvier 2012
N° d'impression : 70783

Loi n° 49-956 du 16 juillet 1949
sur les publications destinées à la jeunesse.